KB110649

김대중 대화록 ❹ 2003—2007

정진백 엮음

도서출판 행동하는양심

차례

6·15남북정상회담 3주년을 맞이하여

대담 김주영
일시 2003년 6월 12일

김주영 건강이 안 좋으시다는 소식이 있었는데, 저는 청와대에 계실 때에도 서너 번 뵈었습니다만 그때 뵈나 지금 뵈나 거의 같아 보이십니다. 많은 국민들이 염려하고 있으니 건강을 좀 챙기셔야 되겠습니다. 건강은 어떠십니까?

김대중 네. 한때는 많이 안 좋았는데 요새는 대체적으로 의사도 좋아졌다고 하고 나도 그렇게 느낍니다.

김주영 역사적인 6·15정상회담이 3년 전에 있었습니다. 3주년입니다. 대통령께서 퇴임하시고 이제 회고하는 입장이 되셨는데 맞이한 소감이 어떻습니까?

김대중 네. 참 그야말로 역사적이죠. 3주년을 맞이해서 그때를 생각하면 가슴 벅찬 감격을 금할 수 없고, 또 현실을 보면 여러 가지 걱정되는 점도 있어서 착잡한 심정입니다. 6·15정상회담은 사실 그때 큰 모험을 했던 것입니다.

북쪽하고 사전에 공동성명 발표가 합의가 안 됐습니다. 남측에서 초안을 보냈지만 만나면 잘된다는 얘기만 하고 (합의가) 안 된 것입니다. 또 김정일 위

11

원장이 공항에 나온다는 말이 있는데, "정말 나오느냐?" 하고 물으면 그에 대해서도 "잘 모르겠다"고 얘기하고, 뭐 하나 확실한 게 없었어요. 그러면서 "북에 오면 김일성 주석 묘소에 참배하라. 세계 각국의 정상이 오면 다 했는데 남한 대통령도 해야 할 것 아니냐"고 하더군요. 그래서 "그건 못 하겠다. 국민들 정서를 봐서 할 수가 없다."라고 대답하니까 "그러면 오지 마라"는 식이었습니다. 이렇게 모든 것이 불투명한 가운데 북한에 갔습니다.

순안공항에 도착해 비행기에서 나와 보니까 저 앞에 김정일 위원장이 서 있었습니다. 비로소 출영한 것을 알았습니다. 그래서 시내로 들어가는데 그분이 옆에 앉아서 둘이 자동차를 같이 타고 가게 되었어요. 도중에 북한의 대군중이 나와서 그야말로 열광적으로 환영해요. 그때 듣기로 약 60만 명이 나왔다더군요. 그런데 재미있는 것은 그 환영 군중이 "김대중" 소리는 한마디도 안 하고 전부 "김정일! 김정일!" 이렇게 외치는 거예요. 내가 보기에 참 우습다 이런 생각도 했지요. 그래서 그런지 나중에 돌아올 때는 사람들이 그냥 만세만 하고 '김정일' 연호는 안 하는 것을 봤습니다.

김주영 아직까지 많은 국민들이 매우 궁금해하는 부분이 있습니다. 평양 방문하셨을 때 김정일 위원장과 같이 순안비행장에서 평양 시내로 가시면서 차에 동승하셨잖습니까? 그 차 안에서 나눈 얘기 한 토막만 소개해 주십시오.

김대중 그 문제에 대해서 간혹 그런 질문을 받습니다. 사실 평양 들어갈 때는 아까 말씀과 같이 60만 군중이 양쪽 도로에 늘어서서 막 꽃을 흔들며 환영을 하는 통에 그 사람들한테 손 흔드느라 얘기할 쩜도 없었어요. 또 그때는 김정일 위원장하고 처음 만나서 뭐가 잘될지 못될지 모르고, 서로 긴장하고 있으니까 차 안에서 무슨 얘기할 겨를이 없었습니다. 실제로 없었어요.

그리고 나는 백화원 초대소에 가 있었습니다. 그쪽에서 먼저 "대통령께서는 연로하시니까 자기가 그리로 와서 정상회담을 하겠다"고 하더군요. 그래서 거기서 정상회담을 하게 됐습니다. 김일성 주석 묘소 참배 문제는 김정일 위원장이 결국은 안 하는 쪽으로 결단을 내려서 더 이상 문제가 없었습니다.

이래서 정상회담이 시작되었는데, 나는 김정일 위원장한테 이렇게 말했습니다.

"당신은 지금 북을 통치하고 있고 나는 남쪽을 대표하고 있다. 우리 둘이 맘 한번 잘못 먹으면 우리 민족이 공멸한다. 그러나 우리가 바른 민족적 양심을 가지고 서로 화해 협력해 나가면 우리 민족과 후손들은 축복을 받을 것이다. 어느 쪽을 선택할 것이냐. 자명하지 않으냐. 따라서 당신네는 절대로 남쪽을 적화한다는 생각을 버려라. 안 그러면 전쟁밖에 없다. 동시에 우리도 북한을 흡수 통일하겠다고 안 하겠다. 또 할 능력도 없다. 그러니까 서로 평화공존하고 평화 교류하다가 10년이고 20년 후에 안심할 때, 이만하면 됐다 할 때 통일하자."

이렇게 해서 김정일 위원장한테 우리가 북침 의사가 없다는 것을 분명히 믿게 했다고 생각합니다.

아시다시피 '남북공동선언'이라는 것이 성명 이상의 격을 높여서 만들었습니다만, 또 여기서도 난관이 있었습니다. 물론 내용 검토에도 많은 어려움이 있었지만 가장 중요한 문제는 김정일 위원장이 서울 답방에 대해서 약속을 안 하는 것이었습니다. 아무리 설득해도 안 돼요. 한 시간 이상 끌어도 얘기가 안 돼요. 그래서 내가 마지막으로 김정일 위원장에게 "김 위원장, 나는 김 위원장이 대단히 부친을 존경하고 노인을 대접하는 걸로 알고 있소. 하물며 노인인내가 여길 왔는데, 나보다 젊은 김 위원장이 안 온다는 게 말이 안 되지 않소?" 했지요. 내가 이렇게까지 하니까 결국 "가겠다." 이렇게 합의가 됐습니다.

또 공동선언에 대한 서명을 하는데, "남북의 실무자 대표 선에서 하고 우리는 하지 말자"고 하더군요. 그래서 "김 위원장과 내가 대담을 해서 내는 성명을 어찌 우리 둘이 서명을 안 하느냐"며 한참을 옥신각신해서 마침내 서명을 하게 됐습니다.

결국 우리가 이치를 가지고 설득하고, 많은 문제를 그분이 좋게 이해해 주어 좋은 성과를 얻었다고 생각합니다.

김주영 그렇게 어려운 가운데서도 6·15남북공동선언문이 채택됐지 않습니까? 그 의의는 어디에 있다고 생각하십니까?

김대중 6·15남북공동선언은 우리 민족이, 남북이 함께 앞으로 나아가는 데 필요한 이정표, 흔한 말로 로드맵 같은 것을 만들었다고 볼 수 있습니다.

첫째, 남북은 긴장을 완화시키고 모든 것을 평화적으로 해결하자는 데 합의했습니다. 둘째는 우리가 자주적으로 통일하되, 북한의 과거 연방제를 철회하고 우리의 연합제와 상통하는 '낮은 단계의 연방제'를 채택하겠다고 북한이 제안했습니다. 우리가 통일의 첫발을 내딛는 방향이 양측 간에 합의됐다고 볼 수 있습니다. 셋째는 정치·경제·사회·문화·스포츠 모든 분야에서 교류를 심화시킨다는 것입니다. 이런 공동선언문에 입각해서 지금 경의선이라든가 개성공단 문제도 진행되고 있는 거지요. 이상과 같이 공동선언의 의의를 세 가지로 압축해서 얘기할 수 있습니다.

김주영 그토록 어려운 가운데 남북정상회담을 성사시켰는데 아쉬운 점이 있다면, 어떤 점이 있겠습니까?

김대중 네. 아쉬운 점에 앞서 우리가 남북정상회담에서 무얼 얻었느냐에 대해 먼저 한번 얘기해 보겠습니다.

첫째는 한반도의 긴장이 크게 완화되었다는 것입니다. 우리 국민이 지금 미국에서 9·11테러가 나고 서해교전이 벌어지더라도 전혀 당황하지 않고 피란 가거나 사재기하지 않는 그런 시대가 왔습니다. 이렇게 평화의 분위기가 무르익으니까 월드컵도 성공적으로 치를 수 있었던 것이지요. 만일 남북 간에 긴장이 존재하여 휴전선에서 무슨 일이라도 일어났다면 월드컵을 성공적으로 치를 수 없었을 것입니다. 특히 아시안게임은 북한의 대표들과 응원단이 왔기 때문에 그런 성공을 거둘 수 있었습니다. 이런 점들을 볼 때 평화의 대가가 아주 컸다고 생각합니다.

둘째는 이산가족 상봉 문제입니다. 이산가족이 과거에 국내외에서 약 200명 만났습니다. 그런데 이번에는 이산가족 5,000명이 남북을 왕래하면서 만났습니다. 이것이 당사자들에게 얼마나 중요한 일입니까.

셋째는 우리 경제에 크게 기여한 것입니다. 외국의 투자가 쏟아져 들어왔습니다. 한반도는 걱정이 없다는 믿음에서죠. 수치로 한번 얘기해 보면 과거 50년 동안 우리나라에 들어온 외국 투자 총액이 246억 달러인데, 최근 5년 동안의 투자액이 600억 달러입니다. 이렇게 엄청난 투자가 들어오고, 또 우리 경제가 활발하게 발전되기 시작했습니다. 거기에 경의선, 개성공단, 육로관광 등과 같은 경협이 늘어났지요. 또 이것은 모두 휴전선을 가로지른 것이기 때문에 베를린 장벽 붕괴와 같은 의미가 있습니다.

그리고 아주 큰 의미가 있는 일은 북한이 변화하기 시작했다는 것입니다. 아시다시피 북한이 법을 만들어서 새로운 시장경제 체제로 갈 준비를, 완벽하진 않지만 지금 시작하고 있습니다. 또 무엇보다 우리에 대해 적대심과 부정 일변도였던 북한의 민심이 이제 긍정 그리고 우호의 방향으로 돌아서서 요새 북한 가면 북한 사람들이 남한 사람을 이웃사촌같이 대합니다. 이런 것이 우리의 큰 소득이 아닌가 생각합니다.

아쉬운 점은 그런 좋은 합의, 예를 들면 경의선과 개성공단 건설에 대한 합의를 해 놓고서도 자꾸 실천을 뒤로 미루는 바람에 지금쯤 큰 성과를 올렸을 만한 일이 지연되었다는 것입니다. 만일 제대로 북한이 협력했다면 지금 기차가 평양 가고 신의주 가고 있을 겁니다. 개성공단에서 이미 제품이 나오기 시작했을 것입니다. 여름휴가도 금강산으로 갔을 것입니다. 북한이 약속대로 적극적으로 그것을 지원 안 한 것은 아쉬운 일이죠. 무엇보다도 김정일 위원장이 서울에 왔어야 정말로 남북이 서로 교류하고 평화로 가는 큰 기여를 할 텐데, 그것이 안 된 것이 가장 아쉬운 점이 아닌가 생각합니다.

김주영 그런 가운데 이제 3주년을 맞이했습니다. 그런데 지금 대북 송금에 대한 특검 수사가 진행되고 있지 않습니까? 특검 정국에 대해서 어떤 생각을 갖고 계시는지요?

김대중 특검에 대해서는 제가 지난 2월에 대통령으로서 국민 앞에 제 입장을 밝혔습니다. 그 이상 말할 것은 없고요. 저는 이 문제가 특검에 의한 사법적 심사의 대상이 안 된다는 것에 대해서는 지금도 전혀 소신의 변함이 없습니다. 요새 국가와 우리 경제를 위해서 수십 년 헌신한 사람들이 부정 비리가 없는데도 불구하고 사법처리 대상이 되고 있는 상황을 볼 때, 그 당시의 책임자로서 참으로 가슴 아픈 심정을 금하지 못하고 있습니다.

북한의 현실과 핵 문제

김주영 다음은 북한의 현실과 핵 문제에 대해서 질문드리겠습니다. 북한핵 문제는 한반도는 물론이고 한반도 주변의 이웃 나라에도 심각한 문제를 던져 주고 있지 않습니까? 먼저 북한의 현실에 대해서 저희들이 알고 싶은데, 이 현실을 어떻게 보시는지요?

김대중 북한의 현실이 대단히 어려운 건 사실입니다. 참으로 어렵고 그래서 심지어 북한 붕괴설까지 나오는 그런 상황입니다. 그런데 우리가 얘기하고자 하는 것은 북한이 어려우니 붕괴되는 것이 바람직하냐는 문제입니다. 스스로 내부적으로 붕괴되든 밖에서 붕괴시키든 그것이 바람직하냐 생각해볼 때, 우리 입장에서는 그것이 하나의 재난이 될 가능성이 큽니다. 북한이 붕괴되면 수십 수백만의 피난민이 남쪽으로 쏟아져 내려옵니다. 170만의 북한군, 엄청난 무장을 하고 있는 북한군들이 통제 없이 방황하게 됩니다. 얼마나 위험한 일입니까?

또 우리가 북한을 흡수 통일한다고 할 때, 그것을 감당할 경제적 힘이 있느냐? 없습니다. 독일 같은 나라도 아주 힘들었습니다. 처음에 통일할 때 2,000억 마르크가 든다고 하던 것이 10배가 들었습니다. 그래서 가장 좋은 것은 북한이 핵을 포기하고 우리하고 남북 간의 평화를 증진시키고 협력을 증진시키고 그래서 평화 공존하고 평화 교류하다가 북한도 경제가 발전되면 큰 부담 없이 적당한 시기에 통일로 가야 한다는 거지요.

그런 의미에서 이번 북한 핵 문제는 반드시 철폐되어야 합니다. 또 그것은 북한에 대해서도 도움이 안 됩니다. 핵을 철폐시키되, 다만 이것은 어디까지나 평화적으로 해결되어야 합니다. 이것은 내가 대통령으로 있을 때나 지금 노무현 대통령이나 부시 대통령, 고이즈미 총리와 누차 합의된 일이기 때문에 그 약속대로 평화적으로 해결해야 한다고 생각합니다.

김주영 그런데 일부에서는 북한이 핵을 가지고 경제를 해결하려고 하지 않느냐 하는 시선도 없잖아 있습니다. 북한은 이 난관을 어떻게 해결하려 한다고 믿고 계십니까?

김대중 북한은 핵 문제 가지고 난관을 해결할 수 없습니다. 북한에 핵이 있어 봤자 미국 핵 앞에서는 어린애 장난감입니다. 어떻게 얘기가 되겠습니까? 내가 6·15 당시 김정일 위원장에게 얘기했습니다. "당신네가 살길은 안보와 경제 회생인데 그것을 해 줄 나라는 세상에서 미국밖에 없다. 그렇기 때문에 아무리 아니꼽더라도 당신네 국익을 위해서 미국과 관계 개선을 해야 한다." 이런 얘기를 김정일 위원장이 받아들였고, 이어 내가 클린턴 대통령한테 전화를 해서 마침내 북·미 대화가 시작된 거지요.

나는 확실히 알고 있습니다. 김정일 위원장이 지금 겉으로 무슨 말을 하든, 그가 최고로 바라는 것은 미국과의 관계 개선입니다. 그렇게 해서 안전을 보장받고, 국제통화기금(IMF)이나 아시아개발은행(ADB) 등 국제기구에서 차관도 얻고, 일본과 국교 정상화해서 약 100억 달러라고 하는 돈도 받아들이고, 세계 각국에서 투자도 받고, 이렇게 해서 북한 경제를 살리는 겁니다. 김정일 위원장이 분명히 그걸 바라고 있는데 지금 잘 안 되고 있는 거예요.

김주영 지금 북한 핵 문제를 보면 미국과 북한이 평행선을 달리고 있지 않느냐 하는 인상을 받게 됩니다. 북핵 문제에 대해서 북한은 어떻게 대응하고 있다고 보십니까?

김대중 북핵 문제는 이미 해결책이 훤히 나와 있습니다. 북한은 핵을 포기하고 다시 돌이킬 수 없을 정도로 완벽하게 사찰을 받고 미국은 북한의 안전을 보장해 주고 이러면 되는 것입니다.

그런데 서로 그렇게 한다고 하면서 상대방더러 먼저 하라고 합니다. "너는 믿을 수 없다"는 거지요. 그럼 동시에 하면 되는데 그건 미국이 듣지 않습니다. 문제는 이론이나 이치가 중요한 것이 아니라, 누가 옳고 그르냐가 중요한 게 아니라 현실입니다. 우리는 당장에 이라크의 후세인 정권이 눈앞에서 사라지는 걸 봤습니다. 북한은 그것을 교훈으로 받아들여야 합니다. 그래서 나는 북한이 이번에 큰 결단을 내려야 한다고 생각합니다.

첫째는 한국과 일본이 참가하는 5자회담을 즉각 수락해야 합니다. 그게 뭐 대단한 일입니까? 그런 가운데 미국과 대화하면 되지 않습니까?

그리고 둘째는 북한이 지금 아주 어려운 입장에 있기 때문에, 위기 상황에 빠져들고 있기 때문에, 북한이 먼저 핵을 포기한다고 생각해야 한다는 겁니다. 그렇게 하면서 미국에게 우리 안전을 보장해 달라고 하면, 세계 각국에서 북한에 대해 현재 가지고 있는 의혹이나 비판이 사라지게 되겠지요. 부시 대통령 자신도 핵만 포기하면 대단한 어프로치를 하겠다고 말하고 있으니까 이 기회를 놓치지 말고 그런 방향으로 해야 합니다.

지금 북한은 체면이나 벼랑 끝 전술이나 이런 거 아무 소용없습니다. 이제는 그런 시대가 아니에요. 지금은 클린턴 정권 시대인 1994년이 아니라는 것을 알고, 현실에 적응하는 태도를 취해야 한다고 생각합니다.

김주영 지금 하신 말씀 가운데 저도 공감하는 부분은 북한이 미국에게 "우리 핵 포기하겠으니 사찰하라"는 식으로 해서 경제적인 문제를 일단 해결할 수 있다는 점입니다. 그런데도 지금까지 북한이 그 말을 하지 않는 이유는 어디에 있다고 보십니까?

김대중 북한이 안타까운 점은 그렇게 타이밍을 놓치고 오늘 해야 할 일을 내일로 미루다가 결국엔 효과를 얻지 못하고 있다는 겁니다. 내가 보기엔 지금 북한도 대미 문제에서 상당히 생각을 바꿔 가는 과정에 있지 않은가 싶습니다. 그런데 문제는 시간이 급합니다. 솔직하게 얘기해서 미국도 공화당 정부 내의 강경파들은 협상을 그다지 바라지 않습니다. 지금 시간을 끄는 것은 강경파들에게 좋은 구실밖에 안 됩니다. 또 북한만 핵을 포기하는 게 아니라 북한이 포기하면 미국도 당연한 대가를, 다시 말해 대단한 어프로치를 해야 합니다. 여기에 대해서는 우리가 적극적으로 그런 방향으로 나가도록 협력해야 할 것입니다.

김주영 지금까지 김정일 위원장이 한국·일본·미국에 대해서 취해 온 태도를 어떻게 생각하십니까?

김대중 먼저 한국에 대해서는, 정상회담이라든가 이산가족 문제, 경의선, 개성공단 혹은 금강산 관광, 또 아시안게임에 선수 및 응원단을 파견해서 성공에 기여한 점 등등 모두 다 잘한 거라고 생각합니다. 아쉬운 점은 그런 약속을 했으면 빨리빨리 이행해야 한다는 거죠. 제대로 했으면 지금 기차가 평양 가고 신의주 가고 있을 겁니다. 그 기차가 유럽까지 갔을 겁니다. 철의 실크로드가 형성되는 것이지요. 개성공단에서 이미 물자가 나오고 있을 겁니다. 그런데 시간을 놓쳐서 결국 남북정책에 관여한 사람들을 궁지에 몰아 북한에게 끌려다닌다는 말이나 듣게 하고, 결국 북한을 반대한 강경 세력들한테 구실을 주는 등 자기들에게도 아무 도움이 안 되는 이런 실수를 했습니다.

또 정상회담에서 서울에 온다고 했으면 당연히 와야 합니다. 못 오면 우리가 납득할 만큼 설명을 해야 합니다. 이 정상회담에 대해서는 내가 장쩌민 주석을 만났을 때, 그도 김정일 위원장한테 "당신 남쪽 가야 한다. 어떻게 상대방이 왔는데 안 가는 법이 있느냐"고 충고했단 말을 들었습니다. 페르손 스웨덴 총리가 유럽연합(EU) 대표로 북한에 갔을 때도 그런 충고를 했습니다. 이런 것이 북한에 대해서는 아쉬운 점이지요.

미국 관계에서는 북한이 클린턴 정권 때 참으로 좋은 찬스를 맞이했었습니다. 결국 클린턴 정권하고 합의가 되어 공동성명까지 발표하고, 미국은 북한의 안전과 경제적 활로를 열어 주고, 그 대신 북한은 대량살상무기, 핵을 포함한 미사일 같은 것들을 포기하기로 했었지요.

나중에 클린턴 대통령이 나한테 편지로 밝혔습니다만, 김정일 위원장을 미국에 오도록 초청했다고 합니다. 그런데 안 갔어요. 왜 안 갑니까? 갔어야지. 그리고 그렇게 합의됐으면 빨리 양측 문서에 서명을 해야 됐는데 그것을 질질 끌다가 미국은 대선을 치르게 되고 결국 정권이 공화당으로 넘어갔어요. 그러니까 모든 게 원점으로 돌아갔습니다.

부시는 선거 기간 중에도 클린턴의 대북 정책을 반대한다고 공언했습니다. 그러다가 2001년 6월 부시가 공개적으로 북한과 대화하자, 만나자, 이렇게 적극적으로 나왔습니다. 그런데 그것에 응하지는 않고 북한은 "과거 클린턴하고 합의된 걸 지킨다고 약속하라"고 요구했어요. 부시가 근본적으로 반대하는 내용을요. 그러니까 합의가 안 되고 점점 시간만 끌었습니다. 결국 다시 2002년 1월 '악의 축' 발언이 나왔습니다. "이란과 이라크, 북한이 악의 축이다." 이렇게 된 겁니다.

그렇게 해서 사태가 자꾸 악화되었습니다. 그러다가 작년 10월 제임스 켈리 특사가 갔을 때 핵 가지고 있다는 얘기가 나와서 오늘날 이렇게 어려운 지경에까지 이르고 있습니다. 결국 북한이 그런 버티기 전술, 시간 끌기 전술, 벼랑 끝 전술 등을 펼친 것이 지금 북한에게 손해가 됐고, 북한의 위기로 이어졌습니다. 이런 점에서 정말 북한은 "클린턴 정권과 부시 정권은 다르다. 시대가 이미 다르고, 우리가 원하건 원하지 않건 지금은 미국 유일 강국 시대다."라는 현실을 정확하게 보지 못한 겁니다.

일본과의 문제를 보면, 일본의 고이즈미 총리가 어떻게 보면 정치적 운명을 걸고 북한을 방문한 겁니다. 고이즈미 총리는 나하고도 얘기했지만 우리 햇볕정책을 적극 지지하고 북한에 대해서도 전쟁을 막아야 한다는 태도를 강력히 표시했습니다. 그래서 갔어요. 북한은 일본 사람들 납치 문제에 대해서 "납치했다, 몇 명 했다, 이 사람 저 사람 이렇게 죽었고, 이 사람 저 사람 이렇게 살아 있다."라고 정확히 밝히고 산 사람들은 일본에 송환해 줬습니다. 아주 잘한 것입니다.

그런데 일본 내에서는 사태가 나니까 막 여론이 들끓었습니다. 상상 이상으로 악화됐습니다. 그러면서 "나머지 사람들, 행방불명된 사람들에 대한 입장을 밝혀라. 또 북한에 귀화한 사람들의 가족을, 자식들을 돌려보내라"고 요구했지요.

그럴 때는 김정일 위원장이 이왕 발표하고 사과했으면 그런 문제까지 시원히 처리했어야 합니다. 그러면 일본의 여론이 저렇게 악화되지 않았을 것입니다. 안 하니까, 결국 잘한 것은 전부 묻혀 버린 채 이 문제만 부각되었고,

고이즈미 총리가 아주 궁지에 몰려가는 과정에서 또 핵 문제가 터지고, 이렇게 되니까 고이즈미 총리도 진짜 강경 세력이 되어 버린 겁니다. 그래서 어떻게 보면 일본이 지금 우경화하고 유사 입법을 한 것에 북한의 그런 태도가 큰 영향을 주었다고 볼 수 있습니다.

미국과 한국

김주영 재임 기간 중에 두 명의 미국 대통령과 만나셨습니다. 클린턴 대통령과 부시 대통령이었죠. 이 두 정부와의 관계, 더불어 클린턴 정부 때는 관계가 원만했었는데 부시 행정부 때는 원만하지 못했다는 주장도 있습니다. 남북 협상 과정에서 미국과 어떤 수준의 협의를 하셨는지요?

김대중 양 정부와 한국 정부의 관계에 대해서 여러 가지 말이 있습니다만, 그것이 모두 사실인 것만은 아닙니다. 긴장은 물론 있었지만 그렇게 관계가 나빴다거나 할 정도는 아니었습니다. 클린턴 대통령은 내가 1998년 6월 미국 방문 때 만났습니다. 국빈 방문했는데, 정상회담에서 클린턴 대통령이 "김 대통령이 말한 햇볕정책에 대해서 좀 설명해 달라"고 하더군요. 그래서 "내가 말하는 햇볕정책은 지금까지 냉전의 찬바람을 남북이 서로 보내는데 그걸 중단하고 이제는 서로 떳떳이 햇볕을 보내서 잘 지내자. 평화 공존하고 평화 교류했다가 장차 평화 통일하자는 것이다."라고 설명을 했습니다. 그랬더니 클린턴 대통령이 즉석에서 "나는 김 대통령의 햇볕정책을 지지한다"고 했습니다. 그리고 밖에 나가서 기자회견 중에 "김대중 대통령의 햇볕정책을 지지한다"고 선언했습니다. 그 후로 계속 지지했습니다.

그리고 내가 방북할 때도 사전 사후에 다 협의를 하고 돌아와서 김정일 위원장이 미국과 관계 개선하고 싶다는 의지가 강하다는 걸 미국 측에 전달했습니다. 그래서 조명록 북한의 차수가 미국에 가고 올브라이트 장관이 북한 가고, 이렇게 진전이 잘되다가 시간이 부족해서 결국 완성을 못 했던 것입니다.

부시 대통령과의 관계를 말씀드리자면, 부시 대통령은 선거 때부터 그러한 클린턴의 정책을 반대했습니다. 그러나 내가 2001년 3월 7일 백악관을 방문했을 때, 우리는 공동성명을 발표했는데 아주 나무랄 데 없는 훌륭한 내용이었습니다. "한·미 양국은 북한과 한국의 정상회담을 지지하고 제2차 정상회담이 있기를 바란다. 한반도 문제는 한국이 주체적으로 해결한다. 미국은 한국의 대북 포용정책을, 다시 말해 햇볕정책을 지지한다." 이렇게 좋은 내용이 합의되었습니다.

문제는 어디서 생겼냐 하면 부시 대통령이 기자회견 하는 데서 생겼습니다. 기자회견 하는데 나를 앉혀 놓고 막 김정일 위원장에 대해서 비난하기 시작한 거예요. "자기 국민들 밥도 제대로 못 먹이면서 군사력만 강화한다. 그런 것은 진정한 지도자가 아니다."라는 거죠. 그랬더니 전 신문들이 그 내용만 쓰고 공동성명 내용은 한 귀퉁이도 안 나왔어요.

나도 굉장히 당황했습니다. 참 문제가 심각했지요. 그래서 그날 점심 때 미국 각계 지도자들, 즉 키신저를 위시한 과거 국무장관 지낸 분들, 국방장관 등 군사 전문가들, 정무국 관리들 등 한 150명을 초대해서 오찬회가 아니라 토론회를 열었습니다. 대부분이 공화당 계통인데 제가 계속 질의응답을 해서 많은 이해를 얻었고 설득을 시켰다고 생각합니다. 그것이 나중에 도움이 되었지요.

또 나는 부시 대통령 아버지 조지 H. W. 부시에게 전화를 걸어 회담 여부를 얘기하고 협력해 주실 것을 바랐습니다. 부시 전 대통령은 평소에 나하고 친한 분이었는데, 그분이 걱정하지 말라고 하며 "아들은 북한과 대화할 거다. 그렇게 되도록 노력해 주마." 하고 약속했습니다.

그 후 시간이 흘러 6월에 부시 대통령이 대화하자며 적극적으로 나섰습니다. 그런데 아까도 말한 것같이 북한은 엉뚱하고 비현실적인, 아니 엉뚱함보다도 비현실적인 주장을 하다가 세월만 보냈습니다. 그러다가 1월 마침내 북한은 악의 축으로 규정되었죠. 이후 또다시 북한과 화해 분위기가 재개될 즈음 작년 10월 켈리 특사가 갔을 때 "우리가 핵 개발하고 있다"고 얘기해서 오늘날과 같은 핵 위기가 초래되는 등 불안한 상황이 되었다고 생각합니다.

작년 1월에 '악의 축' 발언이 있었고 2월에 부시 대통령이 서울에 왔습니다. 처음에는 회담이 45분 단독 회담, 45분 전체 회담으로 예정되어 있었는데, 하다 보니까 서로 의기투합하는 상태가 되어서 결국 전체 회담을 취소하고 90분 내내 단독 회담을 했습니다. 내가 부시 대통령한테 얘기했습니다.

"첫째, 우리는 국익을 위해서도 한·미동맹을 중요시한다. 미국이 우리에게 불가결한 우방이라는 걸 알고 있다. 그런 점에서 우리 정부나 우리 국민을 확실히 믿는 게 좋다. 둘째는 당신이 북을 '악의 축'이라고 했는데 우리도 북을 싫어한다. 단 10명이 집회할 자유도 없는 나라, 자기 백성 밥도 못 먹이는 나라, 사회 전체가 감옥 같은 나라를 누가 좋아하겠느냐? 그러나 북도 우리의 민족이고, 장차 통일해야 할 대상이고, 평화를 위해서는 파트너가 되고, 전쟁 때는 적이 되는 그런 상태다. 그렇기 때문에 대화를 안 할 수 없는 거 아니냐. 상대가 나쁘니까 대화 안 한다는 식의 그런 논리는 없다. 내가 당신한테 얘기하고 싶은 건, 훌륭한 미국의 전 대통령인 레이건도 소련을 악마의 제국이라고 했다. 그러면서도 악마의 제국하고 대화를 통해 스타워즈 문제도 해결하고, 여러 가지 교류 협력을 해서 소련의 개방을 유도했다. 이런 점에서 당신이 북한을 싫어하는 건 당연하다. 그러나 싫어하는 것과는 별개로 한반도의 평화와 미국의 국익을 위한 통일을 원한다면 우선 대화를 해야 될 게 아니냐."

이렇게 얘기했습니다. 그래서 마침내 우리는 "북을 공격하지 않고 군사력을 행사하지 않겠다. 대화를 하겠다. 그리고 식량 원조를 하겠다." 등등 훌륭한 합의를 이끌어 냈습니다. 또 서로 굉장히 친해졌습니다. 결과적으로 말이죠.

우리는 계획에 없던 경의선 연결 지점에도 같이 갔습니다. 그래서 부시 대통령이 침목에 사인도 해 주고, "이 철도가 하루빨리 연결되길 바란다"고 말하는 상황까지 왔던 것입니다. 그렇게 그와 좋은 친구가 되기 시작하고 서로 상대방에 대해서 신뢰를 가지기 시작했습니다.

나는 한 번도 부시하고 논쟁을 한 일이 없습니다. 그러나 우리 민족을 위해서, 한반도 평화를 위해서 중요하다고 생각한 것은 반드시 설득을 통해서 이해를 얻어 냈고, 부시도 나와의 작년 2월 회담 이후에는 주변 사람들에게 "나는 저 사람을 존경한다(admire)"고까지 말했다고 합니다. 작년 10월 로스카보스 한·미·일정상회담에서도 나는 북한의 핵 문제에 관해 "핵은 절대 안 되지만 평화적으로 대화를 통해서 해결하자"고 강력히 주장했습니다. 대화라는 말 대신 외교적인 경로를 통해서 한다고는 했지만 결국 우리 의견이 채택된 거지요. 미국 내에 일부 상당히 긴장 지향적인 사람들이 있는 건 사실이지만, 부시 대통령은 지금도 여전히 평화적 해결에 우선순위를 두고 있습니다. 우리는 이것을 잘 활용해야 한다고 생각합니다.

김주영 재임 시에 부시 대통령을 많이 설득하셔서 남북 문제, 핵 문제를 평화적으로 해결한다는 쪽으로 인도하셨습니다. 그런데 9·11사태 이후 부시 대통령의 생각이 상당히 강경한 쪽으로 진전되고 있다고 생각하거든요. 심지어 선제공격을 한다거나 봉쇄를 한다는 얘기도 있고요. 이런 문제에 대해서는 어떻게 생각하십니까?

김대중 그런 얘기가 나와서 나도 국민과 같이 상당히 걱정하고 있습니다. 나는 대통령 재임 시에도 국무회의에서 "봉쇄 정책이란 것은 해서는 안 된다. 그러면 전쟁으로 나갈 위험이 있고 또 봉쇄 정책 해서 성공한 적이 없다. 과거 소련, 동유럽, 중국에 봉쇄 정책을 폈지만 어디서도 성공 못 하고, 쿠바에 대해서는 지금 50년을 봉쇄해도 바로 눈앞에 있는 조그만 점 같은 그것 하나 해결하지 못한다. 이것은 아니다. 북한을 봉쇄해 봤자 결국 옆에 러시아가 있고 중국이 지원하는데 어떻게 성공할 수 있겠느냐? 그건 효과적이지도 않고 결국 사태를 악화시킬 뿐이다."라는 얘기를 한 적이 있습니다.

그때 놀란 것은 국무위원들이 이례적으로 박수를 쳤어요. 그리고 전쟁은 더구나 안 됩니다. 지금 전쟁으로 간다면 결국 희생되는 건 우립니다.

한반도는 우리 땅입니다. 행복하게 사는 것도 우리고, 파멸의 위기로 가는 것도 우리입니다. 그래서 이 문제는 아무리 우방이라고 해도 우리 민족의 생존이 달린 것이기에 강력하게 설득해야 합니다. 아까도 말했다시피 이 핵 문제는 이미 해결책이 나와 있습니다. 가능합니다. 북한은 지금 5자회담도 받아들이려고 하고 있습니다. 지금 선제공격이니 봉쇄니 그런 얘기할 때가 아닙니다.

여하튼 이 문제에서는 평화를 지키고 전쟁을 막기 위해, 전쟁을 막는 게 아니라 민족의 파멸을 막기 위해서 우리가 확고한 국민적 의지를 가지고 일치해야 됩니다.

우리의 대북 정책

김주영 다음은 우리 자신의 문제에 대해 말씀드리겠습니다. 올해는 정전협정 50주년입니다. 분단 과정에서도, 또 세계질서가 붕괴되는 과정에서도 우리 민족이 우리 스스로의 문제를 해결하지 못했다는 지적을 받고 있습니다. 남북 문제를 민족적인 소명에 따라서 해결할 수 있는 방법은 무엇이라고 생각하십니까?

김대중 남북 문제는 우리 민족의 문제이고, 우리가 주체적으로 해결해야 한다는 사실에 대해서는 6·15정상회담 때도 거론되었고, 또 모두가 공감한 바입니다. 그러나 현실적으로는 주한 미군이 상징하듯 미국이 큰 변수로 작용하는 것이 사실입니다. 그래서 우리가 한반도 평화를 실현하기 위해서, 또 모든 것을 원만히 해결하기 위해서는 남북 간의 관계가 개선되는 것과 동시에 북·미 간의 관계도 개선되도록 노력해야 합니다. 이 둘이 병행될 때 진정한 평화가 있습니다.

우리는 미국과 긴밀한 한·미동맹을 유지하고, 한·미·일 공조를 유지하고, 중국이나 러시아하고도 좋은 관계를 이어 가서 반드시 남북 관계 발전에까지 연결시켜야 한다고 나는 생각합니다. 남북 관계를 발전시켜서 우리 스스로 평화를 위해서, 협력을 위해서 전진할 때 미국이나 일본도 우리의 의사를 존중하게 됩니다.

남북 관계를 우리 스스로 풀어 가지 못해 과거 냉전 시대같이 되면 결국 우리는 모든 것을 미국에 매달려 해결해야 합니다. 그 대표적인 것이 1994년 핵 문제 해결을 위한 제네바합의 때입니다. 그때 우리는 제네바회의 탁자에도 못 가 보고 나중에 경수로 때만 거의 40억 달러 부담을 하게 되지 않았습니까? 아마 세계 외교사에서도 이런 안타까운 일은 유례가 없다고 봅니다. 그것은 남북 관계가 나빠서, 다시 말해 북한이 우리를 배척해서 결국 우리가 그 자리에 가지 못했기 때문입니다.

그래서 지난번에 노 대통령한테도 말했습니다만, 앞으로 대미·대중 등 외교에서 우리가 주도권을 갖기 위해서도, 물론 우리 민족끼리 잘 살고 평화적으로 살아가기 위해서도 남북 관계가 더 이상 훼손되면 안 되고 반드시 발전해 나가야 한다고 생각합니다.

김주영 노무현 대통령이 취임하면서 햇볕정책을 계승 유지하겠다는 말을 여러 차례 했습니다. 그래서 북과 화해와 교류를 유지해 가면서도 한편으로는 북핵 문제에 대해 미국 및 일본과의 관계를 강화하고 있는 듯한 느낌을 받습니다. 참여정부의 대북 정책에 대해 어떻게 생각하고 계시는지요?

김대중 노 대통령의 방미·방일에 대해서 뭐 말들이 많은 걸로 알고 있는

데, 나는 노 대통령이 기본적으로 "핵 문제를 평화적으로 해결하겠다. 그리고 북한과의 관계를 악화시키지 않고 개선하겠다. 그러기 위해서 햇볕정책을 계승하겠다"는 입장을 취한 것이 잘한 일이라고 생각합니다. 우리는 대통령이 민족 존폐에 관한 중대 사안에 대해서 선택한 기본 원칙이 옳은 만큼 대통령을 적극 지원해서 남북 간의 평화와 화해 협력이 증진되도록 도와줘야 한다고 생각합니다.

김주영 문제는 강경 쪽으로 돌아선 듯한 미국 및 일본과도 공조를 유지해야 하는 것에 노무현 대통령의 고민이 있지 않나 생각됩니다.

김대중 미국과 일본도 평화적 해결에 동의하고 있습니다. 물론 내부에서는 여러 가지 말이 있고 강경한 말도 나오고 있지만, 그건 현 사태에 국한된 상황이고, 또 북한의 정책적 실수가 그러한 것을 조장한 점도 있습니다. 그러나 기본적으로 3국 정상이 모두 평화적으로, 외교적으로 해결한다는 데 동의하고 있습니다. 그래서 5자회담도 열자고 하지 않습니까? 그렇기 때문에 그런 긍정적인 면을 중요시하고 그것을 대통령이 성공적으로 이끌 수 있도록 국민들이 힘을 보태 줘야 한다는 것입니다.

김주영 끝으로 우리 국민들에게 전할 말씀을 해 주십시오.

김대중 나는 내가 존경하고 사랑하는 우리 국민들이 몇 년 동안 평화를 누리고 안심하고 살다가 다시 이런 긴박한 사태에 오게 된 것에 대해서 안타깝게 생각하고, 마음으로부터 위로를 하고 싶습니다. 그러나 한반도는 우리 땅입니다. 우리 땅인 만큼 한반도에서 잘살고 못사는 것도 우리들에게 달려 있습니다. 한반도의 중대 위기가 있을 수 있는 절박한 지금 상황에서야말로 국민들이 큰 결심을 해야 한다고 생각합니다. "어떤 일이 있어도 한반도의 평화를 해쳐서는 안 된다. 어떤 일이 있어도 무력을 사용해서는 안 된다. 우리의 목숨이 걸린 문제인 만큼 전쟁은 막아야 한다"는 굳은 결심을 국민 전체가 가져야 합니다. 이것은 정치나 지역을 초월한 문제입니다.

둘째, 미국에 대해서 말씀드리겠습니다. 우리는 미국이 우리에게 불가결한 우방이라는 것을, 우리의 안보나 경제 발전 등 모든 문제에서 소중한 존재라는 것을 명심해야 합니다. 좋고 나쁜 문제가 아닙니다. 외교는 어느 것이 국익이 되느냐가 문제입니다. 미국은 분명히 우리에게 큰 국익을 줄 수 있는 존재입니다.

따라서 미국의 정책에 대해서 비판하는 것, 예를 들면 한·미주둔군지위협정(SOFA)을 개정하라는 건 좋지만, 그것이 반미로 가는 것, 즉 미군을 철수하라든가, 미국은 원수라든가, 이런 식으로 나가는 것은 절대로 국익에 도움이 되지 않습니다. 그런 것은 진정 민족의 안위를 생각하는 사람들이 함부로 해선 안 되는 얘기입니다. 미국과 확고한 우방으로서의 관계를 유지해가되, 다만 한반도의 모든 문제는 이미 합의한 대로 우리가 주체적으로 또 평화적으로 해결할 수 있도록 미국과의 관계를 발전시켜 나가야 한다고 생각합니다.

셋째는, 6·15남북공동선언을 우리가 발전시켜 나가야 한다는 것입니다. 햇볕정책 이외의 대안은 없습니다. 국제연합(UN)·유럽연합(EU)을 위시한 전 세계의 기구, 세계 180개국 전 국가가 지지한 정책, 이런 예는 외교사에도 유례가 없습니다. 그런 것을 왜 그 사람들이 지지하느냐? 그게 옳기 때문에 지지하는 겁니다. 우리가 햇볕정책을 내놓은 뒤 지난 3년 동안 얼마나 편히 살았어요? 얼마나 덕을 봤습니까?

부산 아시안게임 하나만 해도 1조 8,000억 원을 투입했는데 9조 원의 소득이 나왔습니다. 약 70억 달러의 이득을 본 셈이지요. 만일 북한이 참가 안 했으면 그런 성공이 없었을 겁니다. 무엇보다도 우리가 편히 맘 놓고 살고, 이렇게 이산가족이 상봉하고, 외국 투자가 들어오고 얼마나 다행한 일입니까? 또 우리가 지금 동북아 시대를 원하는데, 동북아 시대가 되려면 우리 기차가 중국 대륙으로 들어가고 유럽으로 가야 합니다. 중앙아시아로 가야 합니다. 북한을 안 거치고 어떻게 갑니까?

한반도, 한반도 하지만 대한민국은 육지와 연결이 안 된, 반도도 아니고 고도도 아닌 상태입니다. 그래서 우리가 북한하고 관계를 개선하려는 것은 남북이 서로 평화 공존하는 데도 목적이 있지만, 장래 동북아 시대를 열기 위해서도 반드시 필요합니다. 지금 우리나라에 부동산 투기가 일어난다고 하고 310조 원의 돈이 시중에서 방황하고 있다고 합니다. 투자가 안 되어서 말입니다. 이런 것도 북한과의 관계 개선을 통해 북에 투자해야 합니다. 투자의 길을 열어 줘야 합니다. 안 열어 주니까 중국으로 가지 않습니까? 그러므로 햇볕정책은 그냥 감상적인, 민족적인 문제만이 아니라 실리로 보더라도 엄청난 문제라는 것을 국민 여러분께서 알아주시면 좋겠습니다.

위대한 국민만이 위대한 결단을 내립니다. 우리 국민들은 과거에도 많은 점에서 훌륭한 결단을 내렸습니다. 6·15남북공동선언 3주년을 맞이해서 우리 국민이 평화와 발전, 그리고 남북 간의 화해 협력, 우방과의 긴밀하지만 우리가 주체가 된 협력 관계 등을 위해서 위대한 결단을 내려 주시길 진심으로 바랍니다. 마지막으로 국민 여러분의 건승을 빌고, 제가 치료를 받는 중에 많은 분들이 위로와 걱정을 해 주신 점, 깊이 감사드리면서 이상 마치겠습니다.

김주영 귀중한 시간을 내주셔서 대단히 고맙습니다.

---

* 이 글은 2003년 6월 15일 한국방송(KBS) 1텔레비전 「일요스페셜」에 방영된 6·15남북정상회담 3주년 기념 인터뷰다. 2003년 6월 12일 오후 3시부터 4시 20분까지 동교동 사저에서 약 70분간 녹화하였다.

남북 협력, 힘 쏟을수록 핵 해결에 보탬이 된다

대담 박우정
일시 2003년 12월 30일

박우정 6·15남북공동선언이 있은 지 3년 반이 지난 오늘 시점에서 남북정상회담을 되돌아볼 때 감회가 남다르실 텐데요. 어떻게 평가하시는지요. 그리고 아쉬운 점은 없습니까?

김대중 여러 가지 차질도 곡절도 있었지만, 남북 관계의 방향을 크게 바꾸는 계기가 되었다고 생각합니다. 무엇보다 남북 관계의 긴장을 완화하는 전기가 됐습니다. 또 통일 원칙과 방법에 대해서도 합의했습니다. 통일은 평화적·자주적 원칙에 따라서, 방법은 단계적으로 하자는 것입니다. 인식의 변화도 중요합니다. 부산 아시안게임, 대구 유니버시아드대회에서 남쪽 국민들은 공산주의에 반대하는 것과 동포로서의 애정을 구별하는 성숙함을 보여주었습니다. 또한 남북공동선언 이후에 북한이 드디어 개방을 확대하고 경제 개혁을 단행하게 되었다는 사실도 의미가 있겠지요.

아쉬운 점은 김정일 위원장이 답방 약속을 안 지킨 것입니다. 김 위원장이 서울에 와서 국민들을 직접 대할 기회가 있었다면, 남북 관계의 신뢰와 협력에 획기적인 진전의 계기를 만들었을 것입니다. 남북 관계와 한반도 평화 문제는 북·미 관계의 진전 없이는 해결될 수 없습니다. 양자는 병행해서 잘 해결되어야 합니다. 클린턴 대통령 정부 때 상당 수준 진전되었는데, 조지 부시 행정부가 들어오면서 정책이 달라지며 어려운 걸림돌에 부딪혔습니다. 앞으로 잘 되길 바랍니다.

박우정 2002년 7월 1일 '경제관리개선조치' 등 북한의 변화에서 주목해야 할 측면은 무엇이라고 보십니까?

김대중 북한은 상당한 변화를 했고, 더 많이 변하고자 하는데, 북·미 관계가 잘 안 풀리는 게 문제입니다. 대남 관계는 폐쇄와 적대에서 개방과 협력으로 나아가고 있습니다. 인적 왕래가 엄청나게 늘었고, 하늘 땅 바다의 모든 길이 다 열렸습니다.

경제 면에서는 지난해 7·1경제관리개선조치를 통해 가격·임금·환율 등을 개혁하고, 배급제를 단계적으로 폐지하고, 독립채산제와 성과급제를 도입하고, 농민시장을 종합시장으로 나아가게 하는 등 변화상을 보이고 있습니다. 한국은행은 25년 전 중국의 시장 개방과 같은 변화 조짐을 보이고 있다고 분석했습니다. 『워싱턴포스트』도 최근 기사에서 북한이 자본주의로 가고 있다고 전하고 있습니다.

대외적으로 북한은 미국·일본·프랑스 세 나라를 빼고는 거의 다 수교했습니다. 그러나 북한이 이런 대외 개방을 하더라도 경제 개혁을 하려면 대미 관계를 개선해서 세계은행(IBRD), 아시아개발은행(ADB) 등에서 돈도 빌리고, 일본과 국교 정상화를 해서 배상도 받고 해야 되는데, 거기서 더는 진전을 못하고 있는 것입니다.

박우정 북·미 관계가 잘 풀려야 북한도 개방과 변화를 향해 더 적극적으로 나갈 수 있다는 말씀입니까?

김대중 나는 김정일 위원장을 만났을 때 "당신들에게는 두 가지가 중요한

데, 하나는 안전이고, 다른 하나는 경제를 살리는 것이다. 그런데 둘 다 해 줄 수 있는 나라는 미국밖에 없다"고 말했습니다. 김 위원장도 그걸 알고 있습니다. 나는 김정일 위원장에게 "미국과의 관계 개선을 계속하시오."라고 말했습니다. 그 점에서 의견의 일치를 봤습니다. 평양에서 돌아와 빌 클린턴 대통령에게 전화해서 그런 뜻을 전했습니다. 그래서 조명록 차수와 매들린 올브라이트 국무장관이 워싱턴과 평양을 상호 방문한 것입니다.

박우정 그렇다면 북한의 바람직한 변화를 위해 남쪽 정부와 국제사회는 어떤 노력을 해야 한다고 보십니까?

김대중 지금 남한과 국제사회가 분명히 인식할 점은, 북한은 핵을 원하기보다 생존의 길을 열기 위해 핵을 카드로 사용하고 있다는 것입니다. 그렇다고 핵의 카드화를 잘했다고 말하는 게 아닙니다. 북한이 진정 원하는 것은 안심하고 살고 경제를 발전시키는 것입니다. 국제사회와 남한은 그걸 도와야 합니다. 기회를 주면서 개방을 유도해야지, 봉쇄하면서 변화를 바라는 건 효과가 없습니다.

박우정 참여정부가 화해 협력 정책을 계승한 평화 번영 정책을 내세웠음에도 북한 핵 문제 등으로 남북 관계는 큰 진전을 보지 못하고 있는데, 어떻게 해야 한다고 보십니까?

김대중 참여정부가 햇볕정책의 계승을 선언하고, 나름의 노력을 하는 것은 좋은 일이라고 생각합니다. 그러나 핵 문제가 해결돼야 남북 관계가 개선될 수 있다는 말을 하는 사람도 있는데, 오히려 핵 문제 해결을 위해서는 남북 관계가 우선 잘돼야 한다고 봅니다. 북한과의 관계는 잘될수록 좋습니다. 6자회담에서 중국이 하고 있는 일을 우리가 해야 합니다. 인내심을 갖고 핵 문제 해결과 남북 협력을 병행해야 합니다. 우리는 한반도비핵화선언의 당사자입니다. 주도적 구실을 해야 합니다.

박우정 크게 보면 노무현 대통령과 김정일 위원장 간의 정상회담이 필요하다는 뜻으로 들리는데요?

김대중 핵 문제뿐 아니라 남북 관계 전반의 발전을 위해서 양 당사자가 만나야 하고, 남북정상회담을 하는 것은 바람직하다고 봅니다. 북한은 그 점에서 정상회담에 빚을 지고 있습니다.

박우정 2003년 이라크 파병과 주한 미군 재편 문제 등으로 한·미 관계가 시련을 겪었는데, 한·미 관계의 핵심 문제를 무엇이라고 보십니까?

김대중 미국은 우리의 안보나 외교·경제·무역 등 모든 면에서 필수 불가결한 우방이라는 점을 인식해야 합니다. 동북아 전체의 안정자로서 미국의 역할은 우리에게 도움이 됩니다. 김정일 위원장에게 "통일 이후에도 미군은 한반도에 있어야 한다"고 했더니, "미군이 북한을 침공하지 않는다면 그렇게 해도 좋다."라고 답했습니다. 김 위원장이 그런 시각을 갖고 있는 것을 보고 놀랐습니다.

한반도처럼 4대국에 둘러싸인 지정학적 환경은 세계 어디에도 없습니다. 국민 전체가 외교관이 되어야 합니다. 이런 정세에서 강대국의 세력 다툼을 부인하기는 어렵습니다. 결국은 세력균형이 관건이고 미국을 활용해야 합니다. 미국은 자신의 이익을 추구하겠지만 영토적 야심을 갖고 있지는 않습니다. 문제는 한반도 문제는 반드시 우리가 주인이 되어야 한다는 것입니다. 클린턴 대통령은 공개적으로 나에게 "한반도 문제는 김 대통령이 주도하십시오. 미국은 뒷받침하겠습니다."라고 말했습니다. 미국과 잘 지내려 하는 것은 종속이 아니라 한반도 문제를 우리가 주도하려는 것입니다.

박우정 임기 중 클린턴과 부시 행정부를 모두 상대하며 한·미 관계를 이끌었던 경험에 비춰 노무현 대통령의 대미 외교를 어떻게 평가하십니까?

김대중 지금 노 대통령은 대미 관계에서 참 어려운 환경에 있습니다. 우리 입장을 세우려 고심하고 있는 걸로 보입니다. 요즘 한·미 관계가 좀 껄끄러워지고 있다는 것도 우리 뜻을 세우려고 하니까 그런 말이 나오는 것 아닌가요.

박우정 보수 세력들은 안보 불안을 이유로 유엔사와 한·미연합사를 포함한 용산 기지의 전면 이전을 반대하고 있는데, 어떻게 보십니까?

김대중 용산은 뿌리를 거슬러 올라가면 일본군 사령부가 있던 치욕의 장소입니다. 독립국가에서 외국 군대 사령부가 수도 한복판에 있다는 것은 민족 자존을 위해서나 국가 독립성을 위해서도 바람직한 일이 아닙니다. 미군 2사단의 경우도 지금은 전략·전술이 크게 바뀌었고 무기 체계도 근본적으로 바뀌었습니다. 군사적 관점에 입각해서 한·미 간에 긴밀히 협의해 공동의 결론을 내놓아야 합니다.

박우정 임기 후반에 북한 핵 문제가 불거지면서 임동원 특사 파견 등 북·미 직접 협상을 위해 마지막까지 노력을 기울이셨는데, 6자회담에 대해서는 어떤 견해를 가지고 계십니까?

김대중 핵 문제는 북한과 미국 당사자가 해결하는 것이 제일 좋습니다. 북한은 핵을 완전히 포기하고, 미국은 북한의 안전을 보장하고 국제사회에 진출하도록 도와주면 해결됩니다. 그런데 서로 불신이 있으니, 서로 먼저 하라고만 하면 끝이 없습니다. 핵과 안전 보장을 맞바꾸면서 동시에 합의하고 단계적으로 이행해야 한다고 봅니다. 그러나 북·미 사이에 영 합의가 안 되면, 6자회담에서 나머지 4국이 제3자의 처지에서 공정한 조정안을 낼 수도 있다고 봅니다.

박우정 북한 핵 문제를 풀기 위해 김정일 국방위원장과 부시 대통령에게 조언을 한다면 어떤 말씀을 해 주시겠습니까?

김대중 부시 대통령은 핵 문제의 평화적 해결에 대한 강력한 의지를 거듭 표명해야 합니다. 또 대북 안전 보장에 대한 확실한 약속을 해 줘야 합니다.

침공하지 않는다, 전복하지 않는다, 제재하지 않는다, 이런 것을 해 주는 것입니다. 그게 북한이 핵을 결정적으로 포기하는 데 도움이 될 것입니다. 김정일 위원장에게는 지금 과감하게 핵 포기 선언을 해야 한다고 말하고 싶습니다. 아프간이나 이라크전쟁, 그리고 리비아·이란 등의 사태를 보면서 교훈을 얻어야 합니다.

국제 정세로 보면 지금 상황은 좋지 않습니다. 지난해 10월 로스카보스 아시아태평양경제협력체(APEC) 정상회담에서 장쩌민 주석을 만났을 때 중국도 북한 핵에 대해선 큰 우려를 표명했습니다. 미국 대선 전에 해결해야 합니다. 그걸 놓치면, 그다음에 아주 어려울 것입니다. 북한은 스스로 적극적인 자세로 나서서 세계 앞에 의심의 여지없이 핵 포기를 선언하고, 그 대신 "당신네가 우리한테 내줄 것을 달라"고 해야 합니다. 그랬을 때 4개국도 지지하고, 세계가 다 지지할 것입니다.

박우정 북한이 핵 포기 선언을 먼저 해야 한다는 뜻입니까? 지금 북한은 미국이 불가침 보장을 하면 핵 포기를 한다는 입장인데요?

김대중 미국이 먼저 어떻게 하면 포기한다는 게 아니라 먼저 포기하겠다고 선언하는 것입니다. 현 단계에서 핵을 동결시키겠다, 발가벗고 다 내놓을 테니 당신네도 구체적으로 어떻게 할 것인지 얘기하라고 요구하는 거지요.

박우정 돌이킬 수 없는 완전한 폐기를 요구해 온 미국이 핵 포기 선언을 받아들일지 의문이 드는데요?

김대중 그래서 4개국의 조정 구실이 중요합니다. 4자가 지켜만 보지 말고 양쪽에 공평한 방안을 내놓을 수 있을 것입니다. 중국, 러시아 등이 보증인 구실도 할 수 있습니다. 그랬을 때 6자회담은 의미가 있습니다.

박우정 얼마 전까지만 해도 남북정상회담과 월드컵 4강 신화 등 신명 나는 일이 많았는데, 요즘은 여러 가지로 우울하고 답답한 분위기입니다. 국민들에게 희망의 메시지를 전해 주십시오.

김대중 한국은 지금 지정학적으로 미·일·중·러 4대국 사이에 있기 때문에 안보 문제가 중요합니다. 그러나 다른 한편 경제적으로는 우리에게 좋은 기회도 오고 있습니다. 중국이 앞으로 세계에서 으뜸가는 국가로 나설 것이고, 일본은 이미 세계 2위 경제 강국입니다.

우리에게는 두 가지가 필요합니다. 하나는 한반도 평화, 또 하나는 북한을 통해 중국 그리고 유라시아 대륙으로 뻗어 나가는 것입니다. 그러면 우리가 동북아 물류의 중심이 되면 보험·금융·관광 모두 일어나게 됩니다. 한국 사람은 지적 전통이 강하고 교육 수준이 높고, 문화적으로도 많은 장점이 있습니다. 한국 사람 성질 급한 것이 결점이라고 했는데, 컴퓨터 시대가 되니까 이게 장점이 되지 않습니까.

박우정 퇴임 이후에도 남북 관계 발전을 위해 중요한 몫을 하셔야 한다고 기대하는 국민들이 많습니다.

김대중 나는 현실 정치에서 떠났습니다. 모든 일은 맡은 분들이 제대로 하는 게 좋다고 생각합니다. 남북 문제만큼은 마음으로 관심을 기울여 협력할 것입니다.

---

* 이 글은 2004년 1월 1일 자 『한겨레신문』 신년 인터뷰다. 2003년 12월 30일 오전, 당시 박우정 논설주간, 성한용 정치부장이 연세대 김대중도서관 5층 집무실에서 1시간 30여 분에 걸쳐 인터뷰하였다.

한반도 문제 우리가 주도해야

대담 이병규
일시 2004년 6월 10일

김대중 전 대통령은 10일 '연세대김대중도서관' 집무실에서 『문화일보』 이병규 사장과 6·15남북정상회담 4주년을 맞이하는 특별 대담을 가졌다. 이날 오후 진행된 대담에서 김 전 대통령은 정상회담 이후 진전된 남북 관계를 평가하고 국가적 이슈로 부각된 외교·안보 현안에 대한 견해를 특유의 달변으로 거침없이 피력했다. 김 전 대통령은 특히 2000년 방북 당시 평양 순안공항에서 김정일 북한 국방위원장과 같은 승용차에 올라 세계의 이목을 집중시켰던 상황을 회고하고, '승용차 대화'의 맥락을 처음으로 소상히 밝혔다. 재임 당시 국정 노트를 꼼꼼하게 기록했던 김 전 대통령은 이날 특별 인터뷰에서도 답변 자료를 손수 기록한 노트를 보아 가며 각종 현안 질문에 상세하게 답변하는 등 올해 80세의 고령을 무색게 할 만큼 건강을 과시했다.

철도 유럽까지 연결돼야 남북 잘살아

이병규 며칠 뒤면 역사적인 6·15남북정상회담 4주년이 돌아옵니다. 그 누구보다 소회가 남다를 것으로 보입니다.

김대중 이번 4주년은 어느 때 기념일보다 남북 관계가 상당히 진척된 가운데 맞이해 참 기쁩니다. 과거 7·4공동성명, 남북기본합의서 등은 대화와 합의도 있었지만 발표할 때뿐이었습니다. 6·15선언만이 아슬아슬한 고비를 넘기면서도 여기까지 왔습니다. 최근엔 군장성 회담까지 했습니다. 서해 충돌방지에 합의했고, 그동안 많은 이산가족 상봉이 이뤄졌습니다. 민간인 수만 명이 왔다 갔다 합니다. 금강산 관광도 65만 명이 갔다 왔습니다. 철도·도로 등 교통이 연결되고, 개성공단에서는 금년에 남쪽 기업인들이 진출해 만든 제품이 나온다고 합니다.

하나하나 실천이 이뤄진 6·15는 선언으로 그쳤던 과거의 남북합의와는 달랐습니다. 참 다행으로 생각합니다. 내년 5주년은 또 다른 상황 속에서 우리가 만나게 될 것입니다. 감개무량합니다. 민족을 위해 다행이라고 생각합니다.

이병규 당시 정상회담 합의 사항 중 실현되지 않은 중요한 내용이 '김정일 위원장의 답방 약속'이라고 생각합니다. 이 기회를 빌려 김 위원장에게 약속 이행을 촉구하실 생각은 없으신가요?

김대중 답방을 해야 한다는 것은 우리가 계속해 온 주장이고 남북공동선언에도 들어가 있습니다. 답방 약속을 얻어 내는 데 상당 시간 실랑이를 했어요. 김 위원장은 "약속 못 한다, 집어넣을 수 없다"고 했고, 우리는 "집어넣어야 한다. 안 그러면 남측 사람들이 실망을 많이 한다"고 했습니다. 나중에는 김 위원장에게 "나이 먹은 노인이 여기까지 찾아왔는데 젊은 김 위원장이 안 온다는 게 말이 되느냐. 내가 듣기에는 김 위원장이 굉장한 한국적인 도덕을 지키는 사람으로 알고 있는데 그런 법이 어디 있느냐"고 해서 어렵게 합의가 됐습니다.

당연히 답방을 와야 합니다. 만일 방문한다면 양측의 긴장 관계가 한층 더 완화될 것이고, 군사적으로도 평화 체제를 구축하는 데 획기적인 진전을 기대할 수 있습니다. 또 남쪽 국민들도 따뜻하게 환영할 것입니다. 어하튼 남북 정상이 가기만 하고 안 오는 것은 용을 그린 뒤 눈을 안 그린 거나 마찬가지 입니다. 김 위원장이 와서 노무현 대통령을 만났으면 좋겠습니다.

이병규 10월 경의선 철도 시험 운행이나 미국 대선을 전후해 김 위원장의 답방 가능성이 거론되고 있습니다.

김대중 나도 모르지요. 꼭 무슨 계기보다도 이제 답방을 하는 것이 여러 가지 남북 간 긴장 완화와 개선을 위해 더 도움이 될 것입니다.

이병규 최근 북한의 변화가 두드러집니다. 김정일 위원장의 중국 방문, 일본 고이즈미 총리의 평양 방문이 이어졌습니다. 김 위원장이 북한 체제 유지 및 변화와 관련해 어떤 구상을 갖고 있다고 보십니까?

김대중 첫째, 김 위원장은 미국과 관계 개선을 하려고 열망하고 있다고 봅니다. 북한이 미국과 관계 개선을 하고, 그러기 위해 핵 문제를 포기하겠다는 생각을 갖고 있는 것이 틀림없습니다. 그런데 현재처럼 경제 봉쇄가 되면 할수 없거든요. 미국이 안전 보장하면 군사력을 감축시킬 수 있고, 국제통화기금(IMF)이나 세계은행(IBRD) 등에서 차관을 받을 수 있고, 세계 각국이 투자도할 수 있습니다.

두 번째는 김 위원장이 중국의 개혁 개방에 자극받았습니다. 재작년 7·1경제개혁도 단행했습니다. 우리가 볼 때 미흡하지만 북한으로서는 큰 변화를가져왔습니다. 임금·물가·종합시장 등 획기적인 변화가 일어나고 있습니다. 임금·가격·환율 등을 개혁했고, 시장을 활성화시켰습니다. 남쪽과의 경제협력은 특히 북한에 중요합니다. 연구 결과에 따르면, 개성공단 건설이 끝나면 9년 동안 남쪽은 1,000억 달러 이득을, 북쪽은 95억 달러의 이득을 봅니다. 북쪽으로서는 매우 큰돈입니다. 북쪽은 한마디로 제2의 중국을 지향하고있습니다. 체제는 유지하면서 경제는 개방 쪽으로 발전시키는 시도를 하고 있다고 생각합니다.

이병규 특히 최근에는 장성급회담을 통해 서해 우발 충돌 방지, 군사분계선 선전 장치 제거 등에 합의했습니다. 또 제9차 남북경제협력추진위원회에서는 개성공단 하반기 기업 입주, 경의선·동해선 10월 개통, 남북 7곳씩의 무역항 개방 등에 합의했습니다. 그 의미를 어떻게 평가하고 계십니까?

김대중 북한이 그동안 굳게 닫았던 군사 분야에서도 긴장 완화와 협력을 하려는 의지를 처음으로 표명했다고 봅니다. 의미가 매우 큽니다. 남북이 협력을 제대로 하려면 북한을 자유롭게 다녀야 합니다. 철도와 도로가 국경선을 넘어 대륙으로 뻗어 가야, 철의 실크로드가 유럽까지 가야, 남북이 다 같이 잘살 수 있습니다. 그런 점에서 북한에서 나아가 대륙 전체까지 가는 길을 뚫는 일이 시작됐다고 봅니다. 그동안 뜻있는 일이 많이 있었으나 이번 합의는 상당히 의미가 크고 성과도 아주 클 것으로 봅니다.

한반도 문제 우리가 주도해야

이병규 주한 미군 감축 문제가 국민적 관심사로 떠올랐습니다. 감축 계획이 알려지면서 심리적 안보 공백, 건강한 한·미동맹 관계의 유지와 발전, 자주 국방력 구축 등의 과제가 부각되고 있습니다. 지혜로운 대응이 필요한 것 같습니다.

김대중 우리가 미국의 정책에 대해서는 비판할 수 있습니다. 그러나 동맹 관계, 우방 관계를 해치는 일이 있어서는 안 됩니다. 반미는 절대로 국익에 도움이 안 됩니다. 그러나 미국에서도 한국의 반미에 대해 지나치게 생각하고 있다고 봅니다. 정말 미국을 미워하고 가라는 반미냐, 그런 것은 아니라는 거죠. 현 정부도 미국과의 관계를 아주 중요하게 생각한다고 보고 그렇다고 확실히 믿습니다.

우리가 처한 지정학적 위치에서 볼 때 미국을 잘 활용해야 합니다. 미국은 미국대로 북핵 문제나 남북 문제에서 평화적인 대화의 해결 원칙을 확고히 지켜야 합니다. 우리가 한반도의 주인입니다. 클린턴 정권이나 부시 대통령이나 저와 공동선언을 통해 이 문제는 "한국이 주도적으로 풀어 가되 미국이 우리를 도와준다"고 다짐했습니다. 이는 원칙이고 지켜져야 합니다.

'친미' 하라면 굴종하라는 것으로 아는데 그게 아니라 친구로서 소중히 하라는 것입니다. 어디까지나 한반도 문제의 주체는 우리입니다. 미국은 우리와의 협의를 통해 공동 이익을 지키는 것입니다. 미국이 여기에 와 있는 것은 또 자국의 이익 때문이기도 합니다. 한반도 평화는 미국에도 도움이 되고 우리에게도 도움이 되는 것입니다.

이병규 북핵 문제와 관련해 6자회담이 가동되고 있습니다. 오는 23일에는 제3차 6자회담이 열릴 예정입니다. 북핵 방정식을 풀어가는 데 있어 현재의 6자회담이란 틀이 생산적이고 효율적이라고 보십니까? 해결의 열쇠는 어디에서 찾아야 한다고 생각하십니까?

김대중 6자회담이 도움이 된다고 생각합니다. 그러나 결정적 요체는 미국과 북한이 쥐고 있어요. 6자회담 테두리 안에서 혹은 밖에서 북한과 미국이 이를 해결해야 합니다. 한반도 핵 문제 해결을 위해서는 북한이 핵무기를 완전히 포기해야 하고, 미국은 대북 안전 보장을 해 주며 북이 국제사회에 진출할 수 있게 해야 합니다. 그래서 윈윈(win-win) 협상이 돼야 합니다. 6자회담은 이를 어기는 나라에 대해서는 공동으로 대처한다는 보증을 해 줄 수가 있고요. 미국과 북한, 두 나라가 진정 해결하겠다는 생각이 있으면 해결 못 할 문제가 아닙니다. 서로 주고받으면 되는 것이지요. 동시 병행하면 됩니다.

이병규 현 정부는 국민의정부에서 추진해 온 햇볕정책을 '평화 번영 정책'이란 이름으로 발전시키고 있습니다. 현 정부의 대미 관계에 이상기류가 있다는 지적도 적잖게 제기되고 있습니다. 현 정부의 대북 정책과 대미 정책을 어떻게 보고 계십니까?

김대중 현 정부의 대북 정책은 대체적으로 국민의정부와 큰 차이가 없습니다. 남북공동선언을 지지한다고 발표했고, 남북 협력 발전 사업도 계속하고 있습니다. 현 정부가 하는 일에는 불만이 없습니다. 미국과의 관계도 일시적 갈등이 있어 보이나 박정희, 전두환 정권 때도 있었던 일입니다. 최근 정책 조정 과정에서 주한 미군 재배치 등과 맞물려 오해가 생기긴 했지만 협상을 통해 잘 해결할 수 있을 것으로 봅니다. 또 그렇게 되어야 합니다.

이병규 열린우리당 의원 50퍼센트 이상이 미국보다 중국을 우선적 외교통상 국가로 삼아야 한다는 의견을 보인 적이 있습니다. 이 점에 대해서는 어떻게 생각하십니까?

김대중 안보 면에서는 미국이 중요하고, 경제는 양쪽 다 중요합니다. 우리는 지정학적으로 "도랑에 든 송아지"와 마찬가지입니다. 양쪽 언덕의 풀을 뜯어 먹거든요. 주변에 있는 미국·일본·중국·러시아를 경제적으로 다 활용해야 해요. 그러니 어디가 더 중요하고 덜 중요하다고 생각할 필요가 없지요. 왜 이분법적으로 사고합니까?

이병규 한반도의 평화의 통일을 위해서는 주변 강대국들의 태도가 중요하다고 봅니다. 4강의 최근 움직임을 어떻게 보고 계십니까?

김대중 4강국은 그 어느 때보다 한반도 평화에 관심을 갖고 협력하고 있다고 봅니다. 한반도 평화를 위해 적극적으로 이들의 협조를 계속 받아야 합니다. 지도를 놓고 보면 우리나라는 반도입니다. 그런데 남한은 반도가 아닙니다. 반도는 대륙으로 가야 반도이지요. 그렇다고 육지에서 떨어진 섬도 아니에요. 비륙비도非陸非島입니다. 이게 우리의 기구한 운명이에요. 우리가 북쪽을 거쳐 중국 대륙과 중앙아시아, 시베리아와 유럽 대륙으로 가는 길이 열려

야 합니다. 유라시아를 관통하는 빛과 철의 실크로드가 열리면 한반도는 남
북이 모두 노다지를 캐게 됩니다. 우리도 서방 8개국(G8) 같은 나라가 될 수
있어요. 우리는 인구도 많고 시중에 떠도는 수백조 원의 돈이 갈 데도 없어
요. 돈도 사람도 이제 북쪽으로 눈을 돌릴 필요가 있습니다.

이병규 끝으로 역사적인 6·15정상회담 4주년을 앞두고 국민들, 특히 젊은
세대에게 '평화와 통일 비전'의 메시지를 전해 주시기 바랍니다.

김대중 해방 이후 우리가 살아온 역사는 과거의 역사가 아니라 현재의 역
사입니다. 분단과 남북 대치가 그것입니다. 젊은이들은 특히 '북쪽 문제가
내 문제'라고 생각하기를 바랍니다. 젊은이들의 영향력이 커졌습니다. 세계
는 한국을 주목할 때 젊은이를 주목합니다. 그래서 행동에 조심해야 합니다.
그런 의미에서 젊은이들은 국가의 내일이 아니라 현재의 운명을 좌우하는
중요한 위치에 있습니다. 제가 일생 가졌던 좌우명을 말씀드리겠습니다. '행
동하는 양심으로' 살아야 한다는 것입니다. 사람 마음은 항상 양심과 비양심
의 갈등을 느낍니다. 우리 젊은이들이 행동하는 양심으로 살아가며 민족의
미래를 잘 이끌기 바랍니다.

이병규 오랜 시간 감사합니다. 앞으로도 건강하시고, 남북 관계의 진전과
세계 평화를 위해 더욱 기여해 주시길 기대합니다.

---

* 이 글은 2004년 6월 10일 연세대 김대중도서관 집무실에서 『문화일보』 이병규 사장과 6·15
남북정상회담 4주년을 맞이하여 나눈 특별 대담이다.

김대중 전 대통령에게 듣는다

대담 송일준
일시 2004년 6월 15일

송일준 4년 전 오늘, 남북 정상은 6·15남북공동선언에 서명했습니다. 반세기 동안 막혔던 역사의 물꼬를 튼 쾌거였습니다. 그러나 남북이 평화롭게 교류하면서 통일의 길로 나아가자는 6·15정신은 국내에서는 퍼주기 논란과 대북 송금 특검으로, 대외적으로는 북핵 문제와 북·미 간 긴장 고조로 심각한 도전을 받아왔습니다. 지금 이 순간에도 북핵 문제는 해결의 실마리를 보이지 않고 있고, 주한 미군 감축과 재배치 문제 등으로 한반도 주변 상황은 긴박하게 돌아가고 있습니다. 그래서 「PD수첩」에서는 김대중 전 대통령을 모시고 남북 문제를 포함한 한반도 당면 현안에 대한 말씀을 들어 보는 시간을 마련했습니다.

분열과 대립에 마침표를 찍고

(자료 화면) 2000년 6월 13일, 김대중 대통령은 평양에 첫발을 내디뎠다. 그것은 거대한 변화의 시작이었다. 50년간의 분열과 대립에 마침표를 찍고, 화해와 협력의 역사를 열어젖혔다. 우리 민족끼리 도와야 서로가 잘살 수 있다

는 새로운 희망이 제시되었다. 그 결정판이 6·15남북공동선언이었다. 우리 민족끼리 평화적으로 통일을 이뤄 보자, 그 출발은 작은 것부터, 할 수 있는 것부터 실천해 보자는 민족사의 새로운 이정표였다. 그로부터 4년, 6·15공동 선언의 주역 김대중 대통령은 야인으로 돌아왔다. 그러나 통일을 위한 그의 노력은 끝나지 않았다. 전직 대통령으로서, 그리고 한반도 문제의 권위자로서 남북 화해를 역설하는 민간외교를 계속하고 있다. 한반도 현안, 어떻게 볼 것인가? 김대중 전 대통령에게 들어 본다.

송일준 건강하신 모습을 뵙게 돼서 반갑습니다.

김대중 네, 감사합니다.

송일준 지난달 유럽 3개국을 순방하셨는데, 전직 대통령으로서는 우리나라에서 처음 있는 일이 아니었던가 싶습니다. 선진 외국에서는 흔한 일입니다만, 방문하신 소기의 목적은 달성하셨는지요?

김대중 파리에서 경제협력개발기구(OECD), 그리고 오슬로에서 노르웨이 총리를 만나고, 노벨연구소에서 노벨평화재단 사람들을 만나고, 그리고 다시 제네바의 세계보건기구(WHO) 총회에서 특별 연설을 했습니다. 거기에서 한국의 실정을 소개하고, 특히 한반도 평화 문제, 또 북한에 대한 지원을 요청하는 문제를 얘기했습니다. 또 아시아와 동북아시아의 평화 문제, 세계 빈곤 문제의 해결 등에 관해 연설을 하고, 대화와 질의응답도 하고 했는데, 그 반응으로 봐서 좋은 성과를 올린 게 아닌가 싶어요. 아무튼 그렇게 일정을 마치고 돌아왔습니다.

송일준 열흘간 강행군을 하셨다고 들었거든요. 특히 비행기를 여섯 번 갈아타시고 그러셨다는데, 건강에는 별 무리가 없으셨는지요?

김대중 나도 좀 걱정하고 갔는데 다행히 큰 차질 없이 다 마치고 왔습니다.

송일준 오늘이 바로 6·15남북공동선언 4주년째가 되는 날 아니겠습니까? 그동안 참 우여곡절도 많았는데, 김 대통령께서는 공동선언을 이끌어 냈던 주역으로서 다른 누구보다도 감회가 새로울 것으로 생각하고 있습니다. 남북공동선언 4주년을 맞는 소회를 간략히 말씀해 주십시오.

김대중 참 어려운 일이었고, 그 이후에 말도 참 많았습니다. 시련도 있었고……. 그러나 4년이 되는 오늘 현재 청산을 해 보면 상당한 일이 이루어졌다 싶고, 매우 기쁘게 생각합니다. 그 이후로 남북 사람들의 생각이 바뀌었습니다. 서로 상대방을 미워하고 적대하던 것에서 이제 상당히 이해하고 같이 살아가야겠다는 생각도 갖게 되었습니다.

그것은 우리나라에서도 부산 아시안게임이나 대구 유니버시아드대회를 보면 알 수 있어요. 거기가 가장 반공의식이 강한 지역인데, 그쪽 사람들 태도를 보면 우리 국민들이 공산주의를 반대하는 것과, 같은 동족으로서 애정을 나눈다는 것은 별개라고 생각을 가지고 있다는 것을 알게 됩니다.

북한에서도 그러한 변화가 지금 일어나고 있습니다. 북한 갔다 온 사람들은 다 북한분들이 남쪽에 대해서 그런 이해를 하기 시작했다는 것을 직접 깨닫고 돌아옵니다. 다시 되돌릴 수 없는 그런 방향으로 지금 남북 관계는 접근해 가고 있습니다. 그렇기 때문에 거기에 참가했던 한 사람으로서 정말 기쁘게 생각하고, 우리가 지금 성공의 길을 걷고 있지 않은가 생각합니다.

송일준 국민들로서는 6·15남북정상회담 때의 장면 어느 하나 감격스럽지 않은 게 없었습니다. 김대중 전 대통령께서는 어떠셨습니까? 그리고 평양에서 2박 3일 동안 가장 인상 깊었던 일은 무엇이었습니까?

김대중 북한 갔을 때의 일은 모두가 감격적이고 또 특별한 인상을 받은 일이고 해서 어느 것만이 어떻다고 말하기는 참 어려울 정도입니다. 사실 북한 갈 때, 원래 정상회담이란 것은 대개 사전에 성명의 초안을 만들어 가지고 교환해서 합의를 보고, 그런 후에 회담을 하면서 특별한 일이 있으면 첨가하는 것입니다. 그런데 이번에는 그게 안 됐습니다. 북측에서 오면 잘된다는 소리만 하지, 실제로는 제대로 되지가 않았어요. 게다가 또 "김일성 주석 묘에 참배해라. 안 하려면 오지 마라." 하는 식의 문제가 있었지요.

그런 와중에 가려니 참 무거운 발걸음이었습니다. 과연 성공할 것인가 의구심이 들었거든요. 그래서 최소한 이산가족 문제만이라도 합의됐으면 좋겠다, 이런 생각을 갖고 있었어요. 김정일 위원장이 공항 나온다는 얘기도 또 모르고 갔어요. 그러다가 비행기에서 나와 아래를 내려다보니까 김 위원장이 있더군요. 그래서 온 것을 알았어요. 가서 반갑게 악수하고, 잠시 후 안내하는 대로 따라가니까 인민군 사열을 시키더라고요. 그리고 연도에 약 50만 이상의 사람들이 나와 있는데 그걸 쭉 보고 가는 거예요.

또 자동차를 탔는데, 통상적으로 정상이 다른 나라에 국빈 방문하면 의전관 외에는 자동차를 같이 안 탑니다. 그런데 누가 옆에 타더라고요. 보니까 김정일 위원장이 탔어요. 그러니까 말하자면 모든 것이 정상적으로 생각한 것하고 달랐지요. 여하튼 그런 것이 참 인상적이었고, 또 그렇게 우리 동포들이 환영해 준 심정이 어땠을까, 평화적으로 살자, 다시 하나가 되자, 그런 심정 아니겠나 생각하니까 정말 감격스러웠습니다.

그리고 역시 김정일 위원장과 대화를 한 10시간 동안 했어요. 뭐 밀고 당기고, "이거 참 안 되겠다, 일어서야겠다." 싶었을 때가 몇 번 있었지요. 그렇지만 결국은 해냈어요. 그렇게 해서 공동 발표문 중에서는 가장 격이 높은 남북공동선언을 만들었지요. 먼저 우리가 민족의 통일은 자주적으로 하자는 대전제를 내고, 남북의 통일 방안이 상당히 차이가 있었지만, 결국 북은 우리의 연합제와 비슷한 '낮은 단계의 연방제' 방향으로 전환했습니다. 그렇게 해서 통일에 대한 접점이 생긴 것이 가장 큰 의의라고 생각합니다. 그건 앞으로 때가 올 것입니다. 또한 남북 교류와 김정일 위원장의 서울 방문 문제 등에 대해 9시간에 걸친 회담을 통해 합의를 이끌어 낸 것이 지금도 굉장히 인상에 남습니다.

송일준 아까 북한 측과의 협상 과정에서 밀고 당기고 하는 힘든 과정이 있었다고 했는데, 가장 힘든 건 어떤 일이었습니까?

김대중 두 가지인데, 하나는 공동성명 발표에 앞서 김정일 위원장과 나, 두 사람의 이름으로 하지 않고, 그 옆 보좌하러 앉았던 김용순 북쪽 보좌관과 임동원 특보 둘의 이름으로 하자고 나오는 거예요. 그래서 "그럼 그건 하나 마나다. 이 회담은 우리 정상 둘의 회담인데 그런 법이 세상에 어디 있느냐?" 하면서 한참 또 시간이 걸렸어요.

그다음 서울 방문 문제를 얘기했는데, 서울 방문에 대해선 가기는 가겠는데 약속을 정식으로 문서화할 수 없다는 겁니다. 그래서 "만일 이 약속을 못 받아 가면 결국은 나만 북한에 간 일방통행으로 끝나고, 앞으로의 남북 간 화해 협력에 대해서 국민들이 믿지를 않는다. 그러니까 김 위원장이 와야 한다." 이런 식으로 또 한 시간 이상 실랑이했을 거예요. 마지막에는 "여보시오, 김 위원장. 김 위원장은 내가 알기로 우리 동방 예의에 대해서 상당히 존중하는 사람이라고 하던데, 김 위원장보다 나이가 훨씬 많은 내가 여기 왔는데 김 위원장이 서울을 안 온다는 게 말이 되오?" 그렇게까지 얘길 했어요. 결국 나중엔 서울 오기로 문서화해서 공동선언에 넣었지요. 그럴 땐 참 힘들었다고 지금도 생각합니다.

송일준 방금 김정일 국방위원장 답방 문제를 말씀하셨습니다만, 결국엔 이제 무산되지 않았습니까? 그래서 일각에선 과연 김정일 위원장이 남한을 방문할 진정한 의사가 있었느냐, 이렇게 의심하는 사람들도 좀 있습니다. 김 전 대통령께서는 답방이 무산된 이유가 뭐라고 생각하십니까?

김대중 나는 무산이라고 보지 않습니다. 좀 이례적으로 지연되고 있다, 그렇게 보고 있습니다. 그 이유는 잘 모르겠습니다. 북쪽에서 미국 문제부터 해결해야 하고 남쪽은 다음이다, 하는 생각이 있는 것 같기도 합니다. 또 그쪽 내부에서 남한의 상황으로 봐서 김 위원장을 보내는 것이 바람직하지 않다고 판단한 것 같기도 하지만 그건 확실히 잘 모릅니다. 여하간 그 약속은 공동선언에까지 들어 있고, 또 공동선언을 지키기로 남북이 현 정부 노무현 정권하에서도 서로 다짐한 그런 처지이기 때문에 지키지 않을 것이라고는 생각할 수 없어요. 결국 시간은 늦더라도 지켜져야 하고, 지킬 것이라고 생각합니다.

송일준 "김정일 위원장의 서울 방문이 시간의 문제는 있겠지만 결국은 이루어질 것이다." 이렇게 생각하시는 거죠?

김대중 이루어질 것입니다. 그리고 세계가 그걸 바랍니다. 내가 장쩌민 주석을 만났을 때도, 그분도 김정일 위원장한테 굉장히 강력히 권고했다는 얘기를 들었습니다. 푸틴 대통령도 그런 말을 했습니다. 또 스웨덴의 페르손 총리가 유럽연합(EU) 의장 자격으로 북한 갔을 때도 역시 남한 방문을 권유했습니다. 세계가 그렇게 바라고 있기 때문에 김 위원장에게도 그것이 상당히 큰 부담인 것입니다. 그것은 약속을 안 지킨 사람이라는 하나의 증거가 될 수 있기 때문에 이런 식으로 하는 것은 본인한테도 결코 바람직하지 않습니다. 그래서 나는 다만 '지연되고' 있는 것이다, 이렇게 보고 싶습니다.

송일준 평양을 방문하시기 전에 갖고 있던 김정일 위원장에 대한 인식과 직접 만나 본 결과 무슨 차이가 있었는지요? 또 김정일 위원장이 이런 사람이구나 하는 걸 느꼈다든가 하는 점에 관해 말씀해 주십시오.

김정일 위원장은 지도자로서 자질을 갖춘 사람

김대중 내가 북한을 가기 전에도, 남한이나 기타 외부 세계에서 김정일 위원장에 대해 굉장히 부정적인 얘기들이 돌지 않았습니까? 그것에 대해선 나도 걱정을 했습니다. 왜냐하면 친구라도 그의 좋고 나쁜 점을 제대로 알아야 하고, 적에 대해서는 더 잘 알아야 하기 때문입니다. 적이 뭐가 좋고 뭐가 나쁜 것인지 알아야 하지만, 만약 사실과 다르게 안다면 문제가 있다고 생각을 했지요. 그건 국민을 오도하는 것이라고 생각했어요. 여기서도 가기 전에 "김정일 위원장은 지도자로서 자질을 갖춘 사람이다."라는 얘기를 해서 언론에 보도된 후 일부에서 비판도 받았는데, 가서 만나 보니까 사실이에요.

북한이 물론 공산주의 사회고, 또 김정일 위원장 자신이 독재를 하고 있는 건 사실입니다. 그러나 그 사람 자체는 지도자로서 볼 때 상당히 총명하고, 남쪽 사정이라든가 세계 사정을 잘 알아요. 상당히 박식한 사람이고, 논쟁을 할 때도 옳다고 생각하면 자기 생각을 바꾸면서 받아들여요. 그런 점을 나는 직접 봤습니다.

그 후 김정일 위원장을 만난 올브라이트 미 국무장관과 페르손 스웨덴 총리 같은 분들도 나중에 얘기를 나누어 보니 나하고 의견이 같아요. 이번에 일본 고이즈미 총리가 북한에 갔다 왔는데 역시 비슷한 평을 한 것을 봤어요. 그런 점에서 우리는 6·15회담을 계기로 김정일 위원장이 세계에 어느 정도 면모를 알리게 되었다고 생각합니다.

송일준 저희 「PD수첩」에서는 이번 특집을 맞이하여 국민들이 김 전 대통령에게 궁금한 것이 무엇인지를 인터넷을 통해 공모했습니다. 많은 분들이 응모해 주셨는데요, 첫 번째로 황성호 씨 질문입니다. "혹시 겁은 안 나셨는지 두렵지는 않았는지?" 그런 질문을 해 주셨거든요?

김대중 나는 북한이 나를 초청해 놓고 나에 대해 위해를 가할 거라고는 꿈에도 생각 안 했습니다. 물론 이론적으로는 적지고, 아까와 같이 사전 합의도 없이 진행되니까 좀 어려움이 있었지요. 하지만 그런 불신은 북한에 대해서 전혀 갖고 있지 않았습니다. 다만 김정일 위원장이 저한테 농담으로 "아니

여기 적지에 오셨는데 김대중 대통령 무섭지 않으냐?"고 묻더군요. 이런 농담을 할 정도로 우리는 전혀 걱정하지 않았습니다.

송일준 방금 말씀하셨지만, "두렵고 힘든 길 오셨습니다."라는 말을 김 위원장이 했던 걸로 기억하는데, 혹시 장관들을 포함하여 남쪽에서 오는 사람들이 속으로 그런 심정이 있지 않은가 생각을 했던 모양이죠? 그런 걸 느끼셨나요?

김대중 모르겠습니다. 나는 일생 동안 내가 해야 할 일에 대해서는 내 목숨도 내놓고 살아왔고, 과거에도 사형 선고를 받는 등 여러 가지 일을 겪었기 때문에 북한 가는 것을 다시없는 큰 사명으로 생각하고 아주 기쁜 마음으로 갔었습니다.

송일준 두 번째 시청자 질문인데요. 혹시 다시 한번 북한을 방문하셔서 답방 문제를 실현하는 데 힘을 보태고 싶은 생각이 없으신지요.

김대중 내가 특사를 하는 것보다 김정일 위원장이 여기 오셔야 합니다. 그건 이미 남북공동선언에 합의되어 있습니다. 다시 이야기할 필요가 없습니다. 그건 김정일 위원장이 안고 있는 책임입니다. 그렇기 때문에 그 문제를 푸는 데는 특사 보내서 와 달라고 부탁할 것이 아니라 "당신이 오기로 했으니까 빨리 와라." 하는 것이 좋지 않나 생각합니다.

(자료 화면) 6·15공동선언의 첫 실천은 이산가족 상봉이었다. 9차례의 상봉 행사를 통해 1,867건에 총 9,020명이 혈육을 만났다. 분단의 장막은 급속히 해체되었다. 경의선과 동해선 등 육로가 열린 것에 이어, 직항로가 개설되고 바닷길까지 활짝 열렸다. 인적 교류도 급속히 늘어났다. 65만 명이 금강산을 구경했고, 사업 등 교류를 목적으로 지난해에만 1만 5,000여 명이 방북했으며, 북측 인사들도 지난해 1,000여 명이 남한을 찾았다. 교역량도 크게 늘었

다. 지난해 남북교역량은 7억 2,000만 달러, 한국은 중국에 이어 북한의 두 번째 교역 대상국이 되었다. 장성급회담은 남북 화해의 결정판이었다. 군부가 만나 군사적 긴장 완화 방안을 논의함으로써 남북 화해 무드는 한층 무르익어 가고 있다.

송일준 저희가 짧게 정리했습니다만, 참 많은 변화가 있었던 것 같습니다. 김 전 대통령께서 보시기에 6·15공동선언 이후에 가장 큰 변화는 어떤 것이었다고 생각하십니까?

김대중 무엇보다 남북 간의 긴장이 크게 완화되었다는 것이 가장 중요한 변화라고 생각합니다. 그동안 우리는 항상 전쟁의 위협에 놀라며 살아왔고, 무슨 일이 조금만 있으면 피난 간다고 보따리 싸고 물건 사재기하고 그랬는데, 이제 그것이 없어졌습니다. 실제 서해에서 실전까지 있었지만 그런 것이 없어졌어요. 이같이 남북 양쪽에 크게 긴장 완화가 됐다는 것, 우리 7,000만 민족이 공멸하는 전쟁의 위협을 덜 느끼면서 살아간다는 것이 얼마나 중요한 일이냐는 겁니다.

그리고 그와 동시에 남북의 민심이 달라졌습니다. 아까도 얘기했지만, 그동안 적으로만 보던 상대를 이제는 내 동포로 보기 시작했다는 거지요. 이전에는 네가 죽거나 내가 죽거나 둘 중의 하나가 죽어야 한다고 생각하던 것이 이제는 둘이 같이 살아야 한다는 생각을 갖기 시작했어요. 내가 잘살려면 너도 잘살아야 하고, 네가 잘살려면 나도 잘살아야 한다는 이런 생각, 이건 참 중요한 변화입니다. 그런 가운데 명분만이 아니라 구체적으로 철도와 도로 등 실질적인 변화가 생기고 있다는 것이 매우 큰 의미가 있다고 생각합니다.

송일준 네. 4년 전의 6·15공동선언 전에도 남북 간에는 몇 차례 합의가 있었습니다. 예를 들면 7·4공동성명이라든가 1991년도의 남북기본합의서 등이 있습니다만, 6·15공동선언과 이런 것들이 다른 점은 무엇이었다고 생각합니까?

김대중 과거 두 개의 합의서 또한 내용은 다 훌륭한 것이고, 특히 남북합의서는 그대로만 실천하면 바랄 것이 없을 정도로 완벽하게 되어 있습니다. 누구든지 다시 읽어 보면 느낄 것입니다. 다만 이것이 그 후로 실천과 연결이 안 됐습니다. 그건 아까도 말했지만, 정상들이 직접 만나서 이런 문제를 해결했어야 했는데 그걸 못 했기 때문에 큰 힘을 받을 수 없었던 거지요. 또 남북 양쪽 다 조금 하다 안 되면 그냥 내팽개치고 서로 욕하고 싸우기 시작하곤 했었어요. 이번에도 참 싸울 기회는 여러 번 있었습니다. 약속을 안 지키는 점도 있었고……. 그렇지만 그것을 참고 참으면서 결국 하나하나 가능한 것부터 합의해 나간 것이 결국 오늘과 같은 거의 전면적인 합의에 이르게 된 것입니다.

사실 솔직히 얘기하면, 제가 대통령직에 있던 5년 동안 야당이 대북 정책을 강하게 반대해서 굉장히 어려움을 겪었습니다. 그러나 결국은 그것도 변화했습니다. 그래서 이번 용천 열차 폭발사고 같은 것도, 야당이나 과거 북한에 아주 부정적이었던 언론들도 모두 다 참여해서 돕고 있지 않습니까? 이제 비로소 햇볕정책이 전면적으로 이루어지는 단계에 왔다고 생각합니다.

송일준 남북 간의 접촉과 교류가 활발해지고, 또 실질적인 성과가 나오고 있습니다만, 그럼에도 불구하고 여전히 일각에선 북한이 정말 본질적으로 변화하고 있느냐 하는 의문을 제기하고도 있습니다. 거기에 대해선 어떻게 생각하십니까?

안심하고 같이 살아갈 수 있는 사회가 되리라

김대중 이번에 경제협력개발기구(OECD) 갔을 때도 그런 질문을 받았습니다. 많든 적든 누구나 그런 의문을 북한에 대해 안 가질 수가 없을 것입니다.

지금 내가 북한에 대해 햇볕정책을 주장하지만, 북한을 전적으로 믿기 때문에 그러는 것은 아닙니다. 믿는 점도 있지만, 안 믿는 점도 많습니다. 그러나 결국 꾸준히 해 가면 서로 신뢰가 생기고, 같이 실천해 나가는 가운데 우리의 앞날을 기약할 수 있다고 생각하기 때문에 하는 것입니다.

또 중요한 것은 남북이 서로 화해하고 협력하면 북도 이기고 남도 이긴다는 사실입니다. 오직 명분만 가지고 하는 것은 아닙니다. 이익도 돼야 합니다. 북한도 개혁 개방을 안 할 수 없습니다. 이제 북한은 이대로 가면 안 됩니다. 핵무기를 갖건, 무슨 무기를 갖건 사람이 무기 가지고 백성을 먹여 살릴 수는 없지 않습니까? 경제가 살아야 하는 것입니다. 그런데 그게 안 돼요. 따라서 북한이 지금 살길은 미국과 관계 개선해서 안전을 보장받고, 미국을 통해 경제적으로 국제사회에서 지원받는 길을 열어야 합니다. 그와 동시에 경제를 살리기 위한 개혁 개방을 해야 합니다.

아시다시피, 재작년 7월 1일 자로 북한은 개혁을 선포하고 실천하고 있습니다. 그래서 북한 사회는 가 보면 매년 달라지고 있어요. 이것은 누구나 느끼고 있습니다. 그렇게 북한이 변화하면 결국엔 돈 가진 사람들이 생겨납니다. 중산층이 생겨난다 그 말입니다. 중산층이 생겨나면 그것이 민주주의로 가는, 말하자면 전위 역할을 합니다.

산업혁명 이후로 영국이 그랬고 프랑스도 그랬고 세계가 그랬습니다. 중국도 결국엔 개혁 개방으로 나가니까 중산층이 생겨나고, 이제는 공산당 당헌까지 고쳐서 중산층과 기업가를 공산당 당원으로 영입하는 그런 일을 하고 있습니다. 북한도 결국 그와 같은 개혁을 통해 중산층이 생기고 사회가 안정되어야 우리가 안심하고 같이 살아갈 수 있는 사회가 되리라고 생각합니다.

송일준 "북한의 변화는 본질적인 것이다, 의구심을 가질 필요가 없다." 이런 말씀으로 이해하면 되겠습니까?

김대중 북한은 그렇게까지 말할 수 없습니다. 북한은 현재 공산주의 체제 즉, 정치적인 체제는 못 바꾸겠다고 합니다. 다만 경제만 바꿀 것이며 그 모범은 중국이다, 이렇게 생각하고 있는 것 같습니다. 그러나 내가 말하고 싶은 것은, 경제가 발전되면 중산층이 생기고 중산층이 생기면 결국 정치도 안 바뀔 수 없다는 겁니다. 그건 역사적 현실이에요. 그렇기 때문에 북한은 지금 일부만 변화하려 하지만, 결국 그 일부 변화가 장래에 전체적인 변화로 이어질 가능성이 있다고 생각합니다.

송일준 그런 북한의 변화가 6·15공동선언 이후 시작된 걸로 생각합니다만, 6·15공동선언의 정신이 지난 4년 동안 국내외적으로 상당한 도전에 직면해 왔다고 볼 수 있는 측면 또한 있습니다. 저희가 그 내용을 잠깐 그림으로 정리했습니다. 보시고 말씀 나누시지요.

(자료 화면) 6·15선언으로 북·미 관계도 긍정적인 변화를 보였다. 클린턴 정부 때만 해도 북·미 간의 대화가 성숙돼 가고 있었다. 그런데 부시 대통령의 당선과 함께 분위기가 급변했다. 미국은 북한을 테러지원국, 대량살상무기 보유국으로 지정하고 선제공격까지 할 수 있다는 강경한 전략으로 북한을 압박했다. 북한은 이에 맞서 핵 보유 의사를 시사했고, 북·미 관계가 악화되며 햇볕정책은 위기를 맞았다. 대북 송금 의혹도 미국 측에 의해 최초로 제기됐다. 국내 보수 언론과 야당은 이를 받아 퍼주기 논란에 불을 지폈고, 급기야 이 문제는 특별검사의 수사 대상에까지 올라 6·15정신은 커다란 상처를 입게 되었다.

송일준 대북 송금 문제에 대해서는 김 전 대통령께서도 해명하신 바 있고, 결국 특검 수사까지 거쳤는데요. 그럼에도 불구하고 대북 송금이 정상회담을 위한 뒷거래가 아니었느냐는 인식이 여전히 존재하는 것 같습니다. 대북 송금, 특검에 대한 생각은 어떠신지요?

김대중 대북 송금과 정상회담이 관계있다는 것은 전혀 사실이 아닙니다. 그것은 정몽헌 씨의 증언에도 나와 있고 또 특검 발표에도 나와 있습니다. 그런데 그중 1억 달러를 정부가 북한에 주려고 했다, 이건 사실입니다. 1억 달러 갖고 정상회담 흥정까지 한 것은 아니란 것은 누구나 상식으로 알지만, 내가 그 돈 주는 데 동의한 것은 사실이에요. 내가 그렇게 말한 적이 있습니다. "잘사는 형님이 가난한 동생 찾아가는데 맨손으로 갈 수는 없지 않으냐, 그러니 그 정도는 성의로 알고 가지고 가는 게 좋겠다. 그렇게 말했지요.

물론 비용은 정부 예산에서 정식으로 내고 국민한테 알리려고 했습니다. 그런데 나중에 보니까 그게 불가능해요, 법적으로. 그러니까 못 줬어요. 그런 상황에서 여러 가지 논의가 있었는데, 현대에서 "우리가 주겠다"고 하더군요. 북한하고 이야기해서 북한으로부터 통신에 대한 전면적인 권리를 받고 또 그 외에도 몇 가지 있었다고 그래요. 그걸 받은 대가로 1억을 추가한 거지요. 그러니까 전부를 현대가 준 겁니다.

결국 처음에 우리가 주려다 못 준 거예요. 그 점에 대해서는 정몽헌 씨도 증언을 했고 또 특검도 얘기했습니다. 정상회담 대가로 줬다는 것은 사실이 아니라고요. 그래서 그 점은 여러 가지 오해가 있었지만 제가 지금 말씀드린 것이 사실이라고 생각합니다.

송일준 특검 수사가 진행됐잖습니까? 거기에 대해서는 어떤 생각을 갖고 계시는지요?

특검은 안 했어야 할 일

김대중 나는 특검 자체가 안 했어야 할 일을 했다고 생각합니다. 우리가 나라를 이끌어 나가려면 밖으로 알릴 수 없는 여러 가지 문제들이 있습니다. 더구나 우리같이 민족이 어려운 대결 상태에 있을 때는 더욱 그런데, 그런 것들을 일일이 특검을 해서 문제 삼으면 나랏일을 하기가 어렵고 또 외국에서도 우릴 상대로 까다로운 일을 하려고 하지 않습니다. 그런 나라는 믿을 수 없으니 안 하겠다고 생각하는 거지요. 그야말로 이건 참 민족적인 비극이라고 생각합니다.

송일준 최근 민주평화통일자문회의에서 여론조사를 했는데, 남북통일에 가장 적대적인 나라를 어디로 생각하느냐고 했더니 미국이라고 답한 학생들이 가장 많았습니다. 심지어 미국이 남북통일의 훼방꾼이 아니냐 의심하는 시각도 있는 것 같습니다. 남북 문제에서 미국은 과연 무엇인지, 그리고 미국이 어떤 역할을 하는 게 바람직하다고 생각하시는지 말씀 좀 해 주십시오.

김대중 그런 여론조사가 있었다고 하는데 그것은 내가 볼 때는 국민 전체적인 생각은 아닐 겁니다. 우리는 외교 문제, 우방에 대한 문제에 대해 굉장히 신중한 태도를 취해야 합니다. 우리가 결코 부인할 수 없는 것은, 누구도 부인할 수 없는 것은, 지난 50여 년 동안 미군이 한국전쟁에 참전하여 지켜주고 또 경제적으로 우리에 대해서 여러 가지 기회를 주고 지원을 안 했으면 우리가 현재 이런 상태로 있을 수 있겠느냐 하는 사실입니다. 만약 그랬다면 우리가 지금처럼 발전할 수 있었겠습니까? 또 안심하고 살았겠습니까? 이건 사실입니다. 그렇기 때문에 고마운 것은 고마운 걸로 알아야 합니다.

그리고 지금 우리가 남북 관계 개선에 대해 이야기하고 있지만, 아직 완전하지 않습니다. 아직도 준전시 상태입니다. 평화협정도 못 맺었습니다. 그렇다면 지금 안보는 여전히 우리에게 가장 큰 문제입니다. 지금 미군 1만 2,500명이 빠져나간다고 하니까 벌써부터 국방비를 늘려야 한다고 합니다. 사회보장이라든가 여러 가지 문화사업이라든가 이런 것들이 줄면서 그쪽으로 돈이 가야 하지 않겠습니까?

　그것은 상당히 우리에게 비참한 문제입니다. 결국 미군이 여기 있어 주는 것이 우리 국방비를 절감시키고, 안보를 튼튼히 해 주고, 외국 투자가들이 안심하고 들어오고, 결국 우리 국민들이 발 뻗고 자는 데 도움이 됩니다. 그러나 한편 미국이 남북 문제를 너무 거칠게 다루어서 잘못하면 전쟁으로 이어지지 않을까 하는 걱정을 우리 국민들이 하는 것도 사실입니다. 국민들이 볼 때, 그렇게 안 하고 대화를 통해서도 해결할 수 있을 텐데, 또 북한은 그렇게 하려는 것 같은데 왜 기회를 안 주냐 싶으시겠죠. 이는 미국 정책에 대한 불만입니다. 그래서 나는 이런 것을 모두 구별해서 봐야 한다고 생각합니다.

　우리는 누가 뭐라 해도 혼자 살아갈 수 없습니다. 세계 모든 나라가 다 중요한 것은 아닙니다. 그중에 제일 중요한 나라들이 있습니다. 안보나 외교·군사 면에서는 미국이 제일 중요합니다. 그리고 경제 면에서는 일본이나 중국도 미국만큼 중요합니다. 그건 우리가 구별할 줄 알아야 돼요. 그런데 그냥 이분법적으로 딱딱 갈라서 "너는 내 편, 당신은 적" 또 "이건 필요하고 이건 필요 없고"라는 식으로 하는 것은 지혜로운 방법이 아닙니다. 더구나 세계화 시대에 세계와 함께 살아가는 데에는 좋은 방법이 아니에요.

　우리가 4대 강국 사이에 존재하는 이상은 4대 강국이 우리에게 중요하지 않을 수가 없습니다. 모두와 잘 지내야 합니다. 그런 점에서 반미는 절대로 우리에게 국익이 되지 않는다는 것입니다. 그러나 미국에 대해서 또 할 말은 해야 합니다. 정책적으로 잘못한 것은 이야기해야 합니다. 특히 핵 문제에서 지금 우리 정부는 미국에 협조하면서도 할 말은 하고, 좋은 안을 내서 서로 대화하고 있습니다. 이렇게 우리는 우리에게 가장 필요하고 또 가장 오랫동안 여러 가지 신세를 진 우방국 미국과 관계를 긴밀하게 유지해야 합니다. 그러나 우방이라 하더라도 문제점이 있을 때는 서로 비판도 하고 또 협의도 해 나가는 그런 자세가 필요하다고 생각합니다.

송일준 북핵 문제 때문에 촉발된 북·미 간 긴장에 대해 국민들은 우려하고 있습니다. 북핵 문제의 본질은 무엇이고 이것을 해결하기 위해선 어떻게 해야 한다고 생각하십니까?

김대중 북핵 사태의 본질은 결국 북한이 핵무기를 만들고 있는 것이라고 미국은 주장하고, 또 그에 대해 북한은 "우리가 살기 위해선 핵무기는 물론 그 이상이라도 만들 수 있다"고 하면서 마치 핵무기를 가지고 있는 것 같은 인상을 주고 있다는 것입니다. 여기에 대해 모두 의혹을 가지고 있으며 동시에 북한과 가장 가까운 중국이나 러시아도 핵은 안 된다는 이야기를 하고 있습니다.

결국 이 문제의 해결을 위해서 미국은, "북한이 농축우라늄을 갖고 있다. 그래서 핵까지 개발하고 있다"고 생각한다면 그 증거를 내놔야 할 것입니다. 또 북한은 핵을 갖고 있으면 있다, 없으면 없다 확실히 이야기를 하고, 핵무기를 포기하겠으면 포기하겠다는 것을 분명히 이야기해야 합니다.

따라서 북한 핵 문제에 대한 해결 방안은 아주 용이하다고 볼 수 있습니다. 북한은 전 세계가 납득할 수 있게 핵 문제를 포기할 건 포기하고 처리할 건 처리해야 합니다. 그리고 국제원자력기구(IAEA)의 철저한 사찰을 받아야 합니다. 핵확산금지조약(NPT)에도 재가입해야 하고요. 미국은 북한의 안전을 보장해 주고 북한의 국제사회 진출, 즉 국제통화기금(IMF)이나 아시아개발은행(ADB)에 가입하고 세계 투자를 받을 수 있게 해 줘야 합니다. 이렇게 하면 해결됩니다. 서로 불신하니까 동시에 같이하면 됩니다. 이런 식으로 이 문제가 풀려 나가야 한다고 생각합니다.

송일준 지난달 일본 고이즈미 총리가 두 번째로 평양을 방문해서 북·일정상회담을 가졌습니다. 북·일 수교 가능성을 어떻게 전망하시는지, 그리고 이 문제가 우리 한반도에 미칠 영향은 어떻다고 생각하시는지 궁금합니다.

김대중 북한과 일본이 수교하면 가장 도움을 받을 곳이 한반도, 우리 대한민국입니다. 북한과 일본의 관계가 가까워지면 긴장이 크게 완화될 뿐만 아니라 미국도 태도가 달라질 것입니다. 동시에 북한과 일본이 국교를 맺게 되면 과거 35년간의 지배에 대한 보상을 해야 하기 때문에, 상당한 돈, 일각에서는 100억 달러라고도 추측하는데 아무튼 그런 거액이 북한에 들어가게 됩니다. 그럼 북한의 경제 발전에 크게 도움이 되고, 북한 경제가 발전되면 우리도 안심이 되고 또 남북 관계도 여러모로 호전이 되기 때문에 북·일 수교는 반드시 이뤄져야 한다고 생각합니다.

다만 우선은 핵 문제부터 해결되어야 해요. 또 일본 사람들 납치 문제가 해결되지 않으면 일본은 북한과 국교를 정상화하거나, 북한에 대해 본격적으로 경제 원조를 하는 것이 어렵다고 표명하고 있습니다. 그러나 일본 고이즈미 총리는 가능하면 국교를 정상화하고 싶다는 의도를 갖고 있는 것으로 보입니다. 그래서 이 문제는 결국 핵 문제와 관계가 있다고 말할 수 있습니다.

송일준 주한 미군 감축이 우리 한반도에는 어떤 영향을 미칠 것이고, 주한 미군 재배치 문제나 감축에 우리가 어떻게 대처하는 것이 현명하다고 생각하십니까?

김대중 주한 미군 감축이 우리에게는 아무래도 부정적 영향이 많을 겁니다. 우리 안보에 부분적이라도 공백이 생길 수 있고, 아까도 말했지만 국방비가 증액될 수밖에 없지요. 그리고 국제적으로도 한국에 대한 투자 등을 주저하는 사람이 생길 수 있고, 북한이 잘못하면 오판할 수도 있는 등등의 문제점들이 있습니다.

그러나 이 문제에 대해서 중요한 것은 주한 미군이 감축하냐, 안 하냐도 중요하지만 그것이 양국 간의 긴밀한 협의와 이해 속에서 이루어져야 한다는 것입니다. 요즘처럼 그냥 일방적으로 그렇게 뒤통수치듯이 하는 것은 철군 이상의 여러 가지 부정적 의미가 있습니다. 그것이 또 안보 불안의 커다란 원인도 됩니다. 그렇기 때문에 그 점에 대해 우리가 심각한 문제 제기를 해야 되지 않나 생각합니다. 또 미군이 철수하더라도 한반도의 안보에 대해서는 확실하게 한국과 공조해서 지키겠다는 의지를 분명히 해야 합니다.

이것은 아주 중요합니다. 6·25전쟁 때 경우를 보면 1949년 미국이 철수하면서 애치슨 라인을 만들고 "한국은 미국의 방위권 밖이다."라는 식으로 북한에게 오판의 기회를 주었습니다. 그런 과거의 경험을 보더라도 미국이 최근 무기체제나 전략이 바뀌었기 때문에 극단적으로 얘기해서 육군이 여기 하나도 없어도 공군·해군만 갖고도 크게 지장 없고, 또 유사시에는 육군이 바로 뛰어온다는 조건을 제시할 수도 있는 겁니다. 다만 이 안보 의지만, 한국을 지키겠다는 미국의 안보 의지만 북한 측에 확실히 인식시켜서 오판의 실마리를 주지 않으면 그건 아주 우리가 바람직한 결론을 내리는 거라고 생각합니다.

모든 것은 충분한 대화를 통해서 합의해야 되고, 미국으로부터 한반도 안보에 대한 공약은 흔들림이 없다는 약속을 받아 내야 합니다. 그러려면 우리 국민들도 미국에 대해서 불필요한 반미 감정을 드러내서는 안 됩니다. "우리가 무엇 때문에 우리 싫어하는 사람들 목숨을 지켜 주냐."라는 얘기가 이미 나오고 있지 않습니까? 그런 것은 절대로 우리에게 바람직하지 않습니다. 몇 번이고 부탁하는데 그래선 안 됩니다. 그래서 우리는 누가 뭐라고 해도 최소한 앞으로 상당 기간은 한·미상호방위조약을 유지하면서 안보를 철저히 구축하고, 남북 관계가 완전히 좋아지면 그 후에 모두 평화 체제로 바꾸면 되는 거 아닙니까? 평화협정을 맺고, 그렇게 우리가 문제를 풀어 나가는 것이 좋지 않은가 생각됩니다.

송일준 혹시 김 전 대통령께서는 우리 한국민들 사이의 반미 감정이 주한 미군 감축 및 재배치에 일정 부분 영향을 미치고 있다고 보시나요?

김대중 미국의 언론에서는 그런 영향력을 주고 있다고 하고, 또 미국 정부 사람들은 그렇지 않다고 하는 것 같습니다. 어쨌든 지금 그런 상황에 있으니까 여기서 우리가 잘하는 것이 좋다고 생각합니다.

송일준 마지막 질문인데요. 이택진 씨가 보내 주셨습니다. 얼마 전 유럽 순방을 하며 세계인을 육성해야 한다는 취지의 말씀을 하셨는데, 세계인은 어떤 의미이며 우리는 어떤 비전을 가져야 하는가라는 질문을 주셨습니다.

세계 사람들과 어떻게 더불어 살아가느냐

김대중 좋은 질문입니다. 지금 우리가 살고 있는 21세기는 20세기와 판이하게 다릅니다. 20세기는 산업사회 시기였습니다. 영토국가 시대이자 민족주의 시대였지요. 그러나 21세기는 세계화 시대입니다. 그리고 세계 속에서 살아남아야 합니다. 과거에는 우리 국내에서만 경제가 운용되던 것이 이제는 세계 모든 나라들과 경쟁해야 합니다. 그 경쟁 속에서 이긴 제품과 서비스만이 돈을 벌어서 우리가 살아 나갈 수 있습니다. 그렇기 때문에 우리는 세계를 알아야 하고, 세계 어느 나라가 우리에게 이익이 되고 어느 나라가 손해가 되며 어떤 식으로 대응해야 할 것인지를 잘 알아야 합니다. 그래서 이제는 우리나라 문제만 생각하면 "우물 안 개구리"입니다. 그렇게는 도저히 못 살아 나갑니다.

그리고 이제 우리가 세계에 대해서 할 일은 세계로 나아가는 것뿐만 아니라 우리가 세계를 받아 줘야 한다는 겁니다. 세계 사람은 누구나 우리나라에서 와서 장사할 수 있습니다. 와서 휴지 장사도 할 수 있고, 양말 장사도 할 수 있고, 이발소도 할 수 있고, 다 할 수 있습니다. 그렇기 때문에 우리는 세계 사람들과 어떻게 더불어 살아가느냐 하는 의미에서 세계인이 되어야 합니다.

또 당장 지금만 해도 우리나라에 수십만 명의 외국인 노동자들이 있지 않습니까? 그 사람들 중 앞으로 여기서 자식 낳고 살아가는 이들이 많을 것입니다. 그것을 생각하면 과거 단일민족으로만 살아온 우리에게는 상당한 시련입니다. 그래서 이런 의미로 세계로 나아가는 세계인, 세계를 받아들이는 세계인, 이런 세계인이 되어야 합니다. 그래야만 우리가 성공할 수 있습니다.

또한 우리가 잘살기 위한 세계인도 되어야겠지만 남을 잘살게 하기 위한 세계인도 되어야 합니다. 지금 세계는 너무도 가난합니다. 세계 인구의 약 20퍼센트인 12억 명의 사람들이 하루 1달러 이하를 가지고 생활하고 있습니다. 최근 통계를 보면 2002년에 5세 미만의 어린이 1,000만 명이 죽었는데, 그 98퍼센트가 제3세계 개발도상국 어린이들이라고 합니다. 이렇게 지금 세계는 빈부 격차가 심합니다. 그렇기 때문에 세계는 불평과 불만이 들끓고 있습니다. 그것이 최근 일어나는 테러의 배경이 되고 있는 거예요. 하늘과 땅을 갈아엎어 버리려는 그런 심정에서 테러에 뛰어드는 것입니다. 그렇게 되면 세계에는 평안이 없습니다.

이제부터 전쟁은 눈에 보이는 정규전이 아닌 눈에 보이지 않는 전쟁, 언제 어디서 나올지, 무슨 무기를 갖고 나올지, 누구를 공격할지 아무것도 모르는 전쟁이 될 것입니다. 세계 사람들이 모두 희망을 갖고 살아가는 사회를 만들지 않으면 그 사람들은 그런 짓을 할 것입니다. 이런 점에서 우리는 우리만 잘사는 세계화가 아니라 남도 잘사는 세계화를 해야 합니다. 결국 우리들은 세계시민으로서 자세를 갖춰 나가야 하며, 그래야 우리가 성공할 수 있다는 것이 나의 생각입니다.

송일준 마지막으로…….

김대중 또 있습니까?(웃음)

송일준 앞으로의 계획과 국민들에게 특별히 하고 싶은 말씀을 해 주십시오.

김대중 나는 이제 나이도 많이 먹었고 또 건강이 안 좋기도 하고, 그래서 내 활동에는 제한이 있습니다. 그렇지 않더라도 전직 대통령으로서 어떻게 하는 것이 좋은가 하는 생각을 합니다. 그래서 앞으로도 국내 문제나 정치 문제에는 개입하지 않고, 내가 할 수 있으면 민족의 평화적 통일을 위해서 조그만 힘이라도 보태고 싶습니다. 그리고 노벨평화상 받은 사람의 책임으로서 세계 평화를 위해 힘을 보태고 싶고요. 이 두 가지가 나의 계획이자 목표입니다.

우리 국민 여러분께 내가 말하고 싶은 것은, 나는 우리 국민을 참으로 존경하고 사랑한다는 겁니다. 외환 위기 극복 때도 정말 이런 국민이었나 하는 생각을 했고 세계도 그렇게 생각을 했습니다. 또 우리 국민들이 선거 같은 여러 가지 일을 할 때 보면 얼마나 잘난 국민인가 하는 것을 알 수 있습니다. 나는 21세기 한국은 세계에서 우뚝 선 나라가 될 수 있다고 생각을 합니다. 우리가 노력만 하면, 주요 8개국(G8) 이런 얘기도 하는데 우리도 그 안에 당당히 들어갈 수 있는 그런 나라가 된다고 생각합니다.

내가 국민에게 부탁하고 싶은 것은 희망을 가지시라는 것과 앞서의 목표를 달성하기 위해서는 지금껏 말씀드린 대로 남북 관계가 잘되어야 한다는 겁니다. 남북 관계가 잘 풀리지 않으면 안 됩니다. 이건 단순히 안보라든가 남북 간 경제 협력만의 문제가 아니라 우리가 대륙으로 뻗어 나가기 위해서입니다. 중국 오지로 들어가고, 시베리아로 가고, 중앙아시아로 가고, 그리고 유럽으로 가야지요. 이러려면 북한을 거치지 않고는 갈 수가 없습니다. 철도나 도로가 못 가게 되어 있지 않습니까? 동북아 물류 중심이니 뭐니 하지만 철도나 도로가 없으면 물류 중심이 될 수가 없지요. 그래서 반드시 북한과의 관계가 해결이 되어야 합니다. 또 이것은 북한도 이익입니다. 북한도 이익이기 때문에 윈윈입니다. 나는 이것만 잘해도 우리가 협력해 나가면 과거 영국이 산업혁명 이후에 일어났듯이 우리 민족도 21세기에 일어날 수 있다고 생각합니다.

우리 한국은 대서양과 태평양을 연결하는 한 거점으로서 발전할 수 있을 것입니다. 국민 여러분께서 다른 일은 다 알아서 잘하시겠지만, 21세기에 우리가 충분히 비약할 수 있다는 것, 그러기 위해서는 남북 관계를 앞으로 더 잘 풀어 가야 한다는 것을 아시고 다시 한번 세계인이 되기 위해 노력해야 하는 시대가 왔다는 것을 기억하시기 바랍니다. 우리 국민이 외교에 대해서 관심이 조금 부족한 것 같습니다. 그런 점에 더욱 관심을 갖고 뭐든 노력했으면 좋겠습니다.

송일준 오늘 긴 시간 동안 여러 가지 좋은 말씀 들려주셔서 감사합니다. 우리 국민에게도 도움이 된 유익한 시간이 되었을 것으로 생각합니다. 건강 유의하셔서 앞으로도 나라와 민족을 위해서 많은 일 해 주실 것을 부탁드립니다. 감사합니다.

김대중 감사합니다.

송일준 끝까지 시청해 주신 시청자 여러분께도 감사드립니다. 6·15남북공동선언 4주년을 맞아 저희 「PD수첩」이 특집으로 마련한 「김대중 전 대통령에게 듣는다」 오늘은 여기서 마치겠습니다.

---

* 이 글은 2004년 6월 15일 문화방송(MBC) 「PD수첩」 당시 송일준 책임 프로듀서가 6·15남북공동선언 4주년을 기념하여 김대중 전 대통령과 나눈 대담을 녹취한 것이다.

김대중 전 대통령 특별 대담

대담 김지영
일시 2004년 10월 3일

『경향신문』은 창간 58주년을 맞아 김대중 전 대통령과 특별 대담을 나눴다. 남북정상회담과 햇볕정책으로 노벨평화상을 수상한 김 전 대통령으로부터 시계 제로인 '한반도' 해법을 듣고자 함이었다. 김 전 대통령은 한반도 문제 해결의 물꼬인 6자회담의 핵심은 북·미 관계 개선이라고 진단했다. 따라서 북·미 양국의 상호 신뢰 회복 노력이 중요하다고 역설했다. 정치 현안 등에 대해 언급을 자제해 온 김 전 대통령은 여권이 추진하고 있는 과거사 규명 등 개혁 작업과 관련해 "국민보다 반 발 앞서서 가고 국민이 따라오지 않으면 서서 기다리고 설득해야 한다"며 국민적 합의를 주장했다.

김지영 중국에서 한국 드라마가 큰 인기를 얻는 등 한류 열풍이 상당합니다. 이 같은 한국 문화가 지닌 힘의 원천이 어디에 있다고 보시는지요?

김대중 중국에서 하룻저녁에 한국 드라마를 보는 사람이 약 1억 명이라고 합니다. 중국은 왜 그런 드라마를 못 만들까요? 내가 볼 때 우리가 스스로 민주주의를 이룩했기 때문입니다. 우리는 민주주의를 위해 싸웠고 많은 사람이 희생했습니다. 분신자살만 해도 얼마나 많았습니까? 그러면서 민주주의를 쟁취했지요. 반면 중국은 그러지 못했습니다. 일본은 민주주의라 하지만 쟁취한 게 아니라 미군정에 의해 주어진 민주주의였습니다. 이것이 우리 같은 정신적인 탄력 내지 활력이 나타나지 않는 이유라고 봅니다.

작년 말 '나운규영화제'에 가서 공로상을 수상했습니다. 왜 나한테 그런 걸 주나 하면서 갔는데, 감독협회 대표나 문화관광부 장관 등이 나와서 말하기를, "영화를 만들어도 가위질하거나 국가보안법으로 잡아넣는 게 없어지니까 마음대로 창작이 가능해졌다. 그래서 상을 주는 것"이라고 하더군요.

문광부 국정보고를 받을 때, "문화·예술은 도와주면 좋지만 간섭하면 죽는다."라고 말했습니다. 영화에만 1,600억 원을 도와줬지요. 엄청난 돈을 도와준 겁니다. 돈 없어 영화 못 만드는 사람들이 영화를 만들 수 있도록 해 줬습니다. 스크린쿼터와 관련해서도 청와대에서 미국 대표를 만나 "스크린쿼터는 철폐하는 게 옳다. 그러나 사람을 수술할 때 수술이 치료에 도움이 된다고 해도 몸이 지탱할 만한 체력이 필요하지 않으냐. 그런 체력을 기를 시간이 필요하다"고 했습니다. 그렇게 타협해서 스크린쿼터 철폐를 연기했습니다. 신상옥 씨가 어디에선가 상을 받으면서 "이 상은 내가 받을 게 아니라 김대중 대통령이 받아야 한다"고 했다더군요.

지금 국제적으로 감독상도 휩쓸고 앞으로 21세기 문화 분야에선 우리가 독보적인 발전 가능성을 갖고 있다고 생각합니다.

김지영 수확의 계절인 올가을에 특히 상념을 많이 하는 부분이 있으십니까?

김대중 금년 가을에는 남북 관계에서 대화가 일시적으로 중단되었고, 미국에서 북한인권법이 제정된 것이 여러 가지 영향을 주고 있습니다. 6자회담도 열리지 않고 있습니다. 비록 잠정적인 상황일 것이라고는 믿지만 그런 점에 대해 신경이 쓰입니다. 또 하나는 경제·민생 문제가 상당히 어려운 것 같아 걱정이 많습니다.

김지영 내년이면 광복 60주년이 됩니다. 일본은 국익 외교를 본격적으로 한다고 하고, 중국도 부국강병을 강조하고 있습니다. 우리는 어떤 외교적 노력, 내부적 노력을 기울여야 한다고 보십니까?

우리는 4대국 외교에 전력을 다해야

김대중 일본과 중국의 예가 있건 없건, 우리나라는 세계에서 가장 외교가 필요한 나라이고 외교가 운명을 좌우하는 나라입니다. 그건 지도를 보면 바로 알 수 있습니다. 중국·러시아·일본이 딱 붙어 있습니다. 또 미국이 여기와 있습니다. 세계에서 4대국에 둘러싸여 있는 나라는 우리나라밖에 없습니다. 조선왕조 말엽에 이미 이 나라들이 우리나라 운명을 결정하는 데 전부 참가했습니다. 일·청전쟁, 일·러전쟁 등 역사가 꼭 되풀이되는 건 아니지만 되풀이될 수 있는 것도 사실이라고 봐야 합니다.

그래서 우리는 4대국 외교에 전력을 다해야 한다고 생각합니다. 각 나라마다 관계를 잘 발전시켜야 하고, 또 4대국을 하나로 묶어서 발전시켜야 합니다. 나는 1971년 대통령 선거에 출마했을 때 "4대국 한반도 평화 보장"을 선거공약으로 낸 바 있습니다. 지금의 6자회담이 내가 말한 4대국에 남북한을 합친 것이지요. 이런 점에서 국가 장래를 위해서도 4대국과의 외교에 각별히 관심을 가져야 합니다.

김지영 미국 대선이 11월에 있고, 북한인권법안이 통과되면서 6자회담이 장기 표류할 가능성이 커지고 있습니다. 정부는 구체적으로 어떤 노력을 기울여야 한다고 보시는지요?

김대중 내 생각에 6자회담은 당장에 어떤 성과를 올리기는커녕 미 대선 전에 개최조차 어렵지 않나 생각합니다. 우리가 물론 당사자로서 적극적인 역할을 해야 하는데, 탈북자들이 집단으로 입국하고 김일성 주석 10주기 조문 참가 문제 등으로 북한과의 관계가 긴장되어 있어 쉽게 대화하기는 어려운 입장이지 않은가 생각됩니다. 결국 6자회담에 참가하는 나라들이 비공식적으로라도 대화를 주고받으면서 모멘텀을 끊지 말아야 합니다. 미국 대선이 끝나고 나면 누가 당선되든 한반도 문제는 급속히 발전되어 나갈 것으로 생각합니다. 그런 준비를 하는 게 좋지 않은가 생각합니다.

김지영 6자회담 관련국들에게 당부하고 싶은 게 있으시다면 어떤 것들이 있겠습니까?

김대중 6자회담이라고 하지만 핵심은 북·미 관계입니다. 왜냐하면 6자회담에서 논의된 것이, 북한은 핵을 포기하고, 미국은 북한의 안전을 보장하고 경제적 제재를 해제하는 게 핵심이기 때문입니다. 따라서 6자회담에서 미국과 북한은 이런 점에서 태도를 아주 분명히 해야 한다고 봅니다.

미국은 북한이 핵을 완전 포기할 경우 북한을 위해 어떻게 하겠다는 걸 손에 쥐여 주듯 분명히 밝혀야 합니다. 상호 불신이 있기 때문에 그렇게 해야 됩니다. 또 북한은 미국이 많이 속았다고 생각하니까 이번만큼은 틀림없다는 걸 보여 줘야 합니다. 거기에 중국 등이 큰 역할을 하는데, 우리도 응분의 역할을 하면서 6자회담 관련국들과 협의해서 미국과 북한이 매듭을 풀도록 노력하는 것이 필요합니다.

김지영 이런 분위기 속에서 북한 인권 문제에 대해 우리 정부가 기존처럼 조용한 외교로 처리하는 게 맞는다고 보십니까?

김대중 북한인권법은 입법한 분들이 설명한 대로 북한 인권을 개선하고 탈북자를 도와준다는 데 목적을 두고 있습니다. 그런 효과를 위해 북한에 압력도 가하고 탈북자 안전 관리도 하는 성과는 있을 거라고 생각합니다. 그러나 양면성이 있습니다. 플러스 요인이 있는 동시에 상당히 마이너스 요인도 있습니다.

첫째, 북한이 이 법에 많은 충격을 받을 것입니다. 북한은 단순히 탈북자 문제가 아니라 북한 체제를 전복할 의도라고 생각하고 있기 때문에 그런 구실을 주지 않기 위해 탈북자들을 철저히 막을 겁니다. 그전에는 식량 가지러 간다고 하면 눈감아 줬지만 이제는 탈북하기도 쉽지 않을 것입니다.

둘째는, 그렇게 되면 만주나 몽골을 떠도는 약 10만 명의 기旣 탈북자들이 주 대상이 되는데, 거기에 비정부기구(NGO) 등이 관련해 요즘 말하는 '기획 입국자'들이 우리나라로 대량 입국할 가능성이 있습니다. 그리고 중국에 있는 사람들을 이동시키고, 일시적으로 수용하는 과정에서 미국과 중국 사이에 마찰이 일어날 가능성도 있다고 생각합니다. 또 그런 사람들을 대량으로 받아들이면 북한은 우리가 미국과 짜고 실질적으로 납치해 데려간다며 남북 관계를 경색시킬 가능성이 있습니다.

북한 인권 문제를 본질적으로 생각하면 이렇습니다. 한국이나 미국, 일본에서의 인권이라면 주로 정치적·사회적 자유를 말하는데 북한에는 그에 앞선 원초적인 인권이 있습니다. 굶어 죽게 된 사람들한테는 밥 먹는 게 인권입니다. 그런 인권에 최고로 기여하는 게 우리나라입니다. 매년 비료 20만 톤, 식량 40만 톤을 지원하고 있습니다. 북한 사람들의 또 하나의 원초적 인권은 질병으로부터 생명을 유지하는 것입니다. 말라리아나 폐병이 북한에 참 많습니다. 약품이나 의료기기도 없고, 수술할 때 진통제도 맞지 않고 하는 현실에서 죽어 가는 사람한테는 정부 비판할 자유보다 병 고치는 게 중요하다고 생각될 겁니다.

굶어 죽는 사람한테는 정치적 자유보다 먹는 게 더 중요합니다. 북한의 인권이란 것은 사회적·정치적 인권보다 원초적 인권이 더 중요합니다. 북한을 탈출해 나온 사람들의 대부분은 식량을 구하러 나오는 것이지, 북한 독재에 반대해 나오는 게 아닙니다. 이런 문제를 볼 때, 북한의 원초적 인권을 가장 많이 도와주고 있는 나라가 한국입니다. 한국 정부가 그동안 한 일이 재평가

되어야 하지 않는가 생각합니다.

김지영 되돌아보시면 햇볕정책의 성과를 어떻게 평가하십니까? 또 이러한 상황에서 햇볕정책이 앞으로 어떻게 적용되는 게 좋다고 보시는지요?

김대중 햇볕정책은 한마디로 많은 성과를 올렸다고 볼 수 있고, 세계뿐 아니라 우리 국민들로부터도 지지를 받았습니다. 앞으로도 이어져 나가야 합니다. 첫째로 긴장이 크게 완화되었습니다. 그전엔 판문점에서 총 한 발만 터져도 혼란이 있었지만 이제는 그런 일이 없어졌습니다. 또 남북 간 적개심이 크게 사라지고 화해 협력의 기운이 일어났습니다. 한국에서 가장 반공의식이 강한 부산이나 대구에 북한 사람들이 왔을 때 그들을 대우해 주지 않았습니까? 즉 공산주의에 반대하지만 북한 사람들은 같은 동포로 인식하게 된 것이지요.

구체적으로 말하면 햇볕정책은 근 60년 동안 서로 얼굴 못 보던 친척들, 이산가족들을 상봉하게 했습니다. 국민의정부 이전에는 상봉한 이산가족이 약 200명에 불과했지만 지금은 1만 명이 넘습니다. 금강산 관광을 갔다 온 사람이 74만 명입니다. 남북 간 민간인 왕래도 남측 주민 7만 명이 북한을 다녀왔고, 북한에서도 4,000명이 남한을 왔다 갔어요. 개성공단 건설은 남북 양측에 큰 이득을 가져옵니다. 어떤 연구소가 추계한 걸 보면, 앞으로 9년간 개성공단에서 우리가 1,000억 달러를, 북한은 90억 달러의 이득을 볼 거라고 합니다. 양쪽 다 원원하는 것입니다.

또한 철도와 도로가 연결되고 있습니다. 남북한 철도가 연결되면 북한을 거쳐 중국 오지, 시베리아, 중앙아시아, 유럽, 영국 런던까지 가게 됩니다. 일본과는 해저터널도 연결할 수 있습니다. 엄청난 문제인데 그게 이미 시작된 것입니다. 재임 중 만일 북·미 관계만 좋았으면 훨씬 더 많은 일을 했을 것입니다. 그럼에도 불구하고 대통령으로 있으면서 북한이 약속도 안 지키고 자꾸 말썽 부리고 하면 짜증 날 때도 있었지만 인내심으로 참고 했습니다.

북한은 두 가지를 안 할 수가 없습니다. 하나는 미국과의 관계 개선이고 또 하나는 우리와의 관계 개선입니다. 우리 덕을 봐야 합니다. 북한이 자존심에 사로잡혀 있더라도 우리가 대범하게 받아들이고 성의 있게 대하면 그들의 태도가 달라질 겁니다. 내가 지난 6월 프랑스 경제협력개발기구(OECD) 회의에 가서 기조연설을 했는데, 시라크 대통령이 나한테 편지를 보내왔습니다. 그 편지에서 시라크 대통령은 "각하가 재임 중 과감하게 추진한 대북 화해 정책을 프랑스는 높이 평가하며 지지한다는 것을 말씀드린다. 본인은 각하가 취한 길이 현명한 길이었음이 시간이 흐르면 자명해질 것으로 확신한다"고 썼습니다.

이번 5일 퍼그워시 반핵·반전대회가 열리는데, 2001년 서울회의에서 내가 햇볕정책을 지지하는 글을 발표한 적이 있습니다. 햇볕정책은 되돌릴 수 없을 정도로 이어지고 있습니다. 국민의 최소 60퍼센트 이상은 계속 지지하고 있습니다. 그동안 성과도 있었고, 그 외 다른 대안도 없습니다. 다행히 노무현 정권이 햇볕정책을 계승한다고 발표했기 때문에 많은 성과를 기대합니다.

김지영 한반도 정세가 예민하다 보니 남북정상회담 얘기가 나오고 있습니다. 현 정부는 북핵 문제의 가닥을 잡은 뒤에 정상회담을 추진한다는 입장인 것 같습니다. 선후先後관계가 어떻게 되어야 한다고 보십니까?

김대중 그것은 정부 지도자가 판단할 문제입니다. 나는 북한 핵 문제 해결과 남북 간 대화, 정상회담, 이런 것이 병행될 수도 있다고 생각합니다. 실제 그 전에 장관급회담에서 북한이 논의도 안 하려고 하는 핵 문제를 끈질기게 따져 평화적 해결에 합의를 본 적이 있지 않습니까? 언제 하느냐 하는 건 정부가 정할 문제지만, 6자회담을 성공시키기 위해서도 남북정상회담은 할 수 있는 문제라고 생각합니다. 또 내 경험을 봐도 김정일 국방위원장과 무릎을 맞대고 앉아서 얘기하는 것이 얼마나 유용한가를 뼈저리게 느꼈습니다. 노 대통령도 그런 기회를 가진다면 좋은 결실을 가져오리라 생각합니다.

김지영 개인 자격으로 김 위원장을 만날 의향은 없으신지요?

김대중 사람은 누구나 자기의 처지와 분수를 알고 처신해야 하는데, 같은 대통령이라도 현 대통령과 전 대통령의 차이는 굉장한 것입니다. 나는 일단 은퇴한 사람이고, 모든 것은 나랏일을 맡은 분들이 중심이 돼서 해야 합니다. 그렇더라도 측면에서 지원할 수 있는 일은 해야죠. 그렇기 때문에 내가 지난번 파리에 갔을 때도 정부 입장을 지원했고, 국내에서도 여러 가지 연설할 때 그런 일을 많이 얘기하고 있습니다. 그러나 지금 내가 북한에 가는 건 아직 때가 성숙되지 않았다고 생각합니다. 그래서 가더라도 어디까지나 나는 지원하는 입장에서, 눈에 안 띄게 조용히 해야 한다고 생각합니다.

김지영 역시 중요한 것이 한·미 관계입니다. 전통적인 한·미동맹 관계를 유지하면서 남북 관계도 병행 발전시키기 위한 우리의 자세나 노력은 어떤 게 있습니까?

안전 보장, 경제 해결

김대중 한·미동맹은 한반도 평화와 전쟁 억제를 위한 것입니다. 미군은 동북아 전체의 평화와 안정을 위해 있는 것입니다. 이 같은 동북아 평화도 우리가 바라는 것입니다. 북한도 남북정상회담에서 모든 것의 평화적 해결을 원한다고 했습니다. 실제 북한이 지금 전쟁할 능력도, 전쟁할 의사도 없다고 생각합니다. 북한은 지금 일종의 강박관념에 사로잡혀 있습니다. 즉 미국이 자신들의 정권을 전복시킬 거라는 생각을 갖고 있는 거죠. 일구월심 북한이 바라는 것은 미국으로부터 그렇지 않다는 보장을 받는 것이고, 그런 일을 우리가 해 주길 바라고 있습니다.

내가 김정일 위원장을 만났을 때 대놓고 얘기했습니다. "당신네가 필요한 게 두 가지다. 하나는 당신네 안전 보장이고, 하나는 경제 해결이다. 그런데 그걸 해 줄 나라는 세계에서 미국밖에 없다. 그러니 미국과 관계를 개선해라. 국가 이익을 위해선 좋고 싫은 게 문제가 아니라 무엇이 필요한가가 문제다. 당신이 그렇게 한다면 서울에 돌아가서 클린턴 미국 대통령과 전화해 입장을 전하겠다."라고 말했습니다.

그리고 서울에 돌아와서 클린턴 전 대통령에게 전화했습니다. 클린턴 대통령이 아주 좋아하면서 북한과 자기들이 직접 연락하겠다고 하더군요. 결국 조명록 차수가 미국에서 클린턴을 만났고, 올브라이트 당시 국무장관이 북한에 가서 김정일 위원장을 만났습니다. 당초엔 클린턴이 북한에 가서 만나려고 했는데, 클린턴 대통령이 중동평화회담 하려고 이스라엘과 아라파트를 미국에 불러 놓고 시간을 끌다 북한에 못 갔지요.

그래서 클린턴 대통령은 김정일 위원장한테 편지를 썼습니다. "내가 이러저러한 사정으로 북한을 못 가니 당신이 미국에 와 달라"고요. 그런데 김정일 위원장이 거절했어요. 난 북한이 그걸 거절한 것은 천재일우의 기회를 놓친 것이라고 생각합니다. 그때 김정일 위원장이 미국에 갔으면 합의가 됐고, 자기에게도 큰 이득이 되었을 것입니다. 그런 내용을 클린턴 대통령이 나에게 편지를 통해 설명해 주었습니다. 앞으로도 북·미 간 해결이 잘되어야 한다고 생각합니다.

김지영 남북 대화가 3개월 이상 교착상태입니다. 이 시점에서 대화 재개를 위한 어떤 묘책이 없을까요?

김대중 결국 대화로 해결될 것으로 봅니다. 그런데 북한이 상당히 충격을 받았습니다. 하나 지금도 개성공단은 예정대로 진행되고 있습니다. 금강산 관광도 잘 되게 해야죠. 조금 냉각기를 두고 지켜봐야 합니다. 결국은 모든 것이 잘 되겠지만, 북한의 입장에서는 미국에서 인권법이 통과되었으니 부정적 변수가 나타난 게 아닌가 생각할 겁니다.

김지영 주한 미군 감축 문제가 논의되고 있는데요. 주한 미군 감축 시대는 어떤 식으로 전개되는 게 바람직하다고 보십니까?

김대중 기본적으로 전략이 바뀐 시대가 아닙니까? 육군을 감군하고 해공군을 증강한다는 미국 입장이 이해가 안 되는 건 아닙니다. 문제는 그런 정책을 세울 때부터 우리와 합의해야 한다는 것입니다. 그래야 우리도 뭐가 어떻게 돌아가는지를 알고 대비책을 세울 거 아닙니까? 그런데 일방적으로 결정해 놓고 "이러니까 그렇게 하라"는 식으로 하고, 또 협의라는 것도 사실상 통과 의례로 한다면 그건 수평적 동맹 관계가 아니고 효과적인 방법도 아닙니다.

또 하나는 6·25전쟁 때 미군이 많이 희생한 건 우리가 다 아는 일이고, 그 때문에 미국 사람들은 한국에 은혜를 베풀었다고 생각하고, 한국에서 반미 움직임이 조금만 생겨도 배은망덕이라며 화를 내는 사람들도 있어요. 그건 사실입니다. 하지만 또 다른 사실도 있어요. 한국에서 전쟁이 일어난 원인이 어디에 있습니까? 한반도 분단입니다. 그건 누가 했습니까? 미국과 소련이 했습니다. 그 사람들이 둘로 안 갈라놓았으면 전쟁이 일어날 일이 없었습니다.

그보다 더 직접적인 문제가 있습니다. 만약 1949년 미군이 철수할 때 북한과 소련에 대해 "만일 그쪽이 군사적 침략을 한다면 다시 오겠다"고 얘기했다면 전쟁은 일어나지 않았을 것입니다. 소련 국가보안위원회(KGB) 비밀문서가 해제되어 책으로 나온 걸 보면, 스탈린은 김일성이 남침하려는 걸 굉장히 말렸다고 합니다. 잘못하면 미군이 다시 온다는 것이죠. 그 후 한 1년 가까이 지나 김일성은 모스크바에 가서 스탈린에게 절대 미군은 안 온다며 직접 설득했습니다. 왜냐하면 미국이 그때, 한국은 미국 방위선 밖이라는 '애치슨 라인'을 선포했기 때문입니다. 그것은 어떻게 보면 북한더러 "먹으려면 먹으라"는 식의 결과를 가져온 것입니다. 우리로서는 미국이 악의로 그랬다고 생각하진 않지만, 어쨌든 원망스러운 것은 사실입니다.

지금도 그렇습니다. 미군이 "우리가 이렇게 군대를 축소하면 북한도 거기에 상응하는 태도를 취하라"는 요구를 한다든지, "군사 감축을 보고 오판한다면 절대 용납하지 않겠다"든지, 그렇게 오금을 박는 얘기를 해야 합니다. 그런데 사전에 충분한 협의도 안 한 것 같고, 북한에 대한 경고도 없이 그냥 옮겨 간다는 것은, 북한이 오판하리라 보진 않지만, 우리 국민이 볼 때는 불안한 게 아닌가 생각합니다.

김지영 세계적으로 이념 대결이 끝났지만 우리 사회 내부에서는 예민한 문제가 도출될 때마다 분열하거나 이념 대결을 하고 있습니다. 일각에선 아직도 공산주의의 위협이 우리 사회에 상존하고 있다고 말하는데요.

김대중 부시 대통령과 2002년 2월 정상회담을 했습니다. 그런데 정상회담을 앞두고 한 달 전인 1월에 부시 대통령이 이라크·이란·북한을 '악의 축'이라고 선포했습니다. 난 그분이 오면 강경책을 주장할 것으로 보고 어떻게 설득할까 보름간 잠도 제대로 못 자면서 여러 가지 궁리를 했습니다. 부시 대통령과 45분간 단독 회담이 예정되어 있었는데 대화가 잘 맞아 다시 45분을 연장했습니다. 장관회의를 취소한 것이지요. 그때 부시 대통령한테 말했습니다.

"북한을 악의 축이라고 했는데 한국 사람치고 공산주의 좋아하는 사람이 있느냐. 전 사회가 감옥 같은 나라를 누가 좋아하겠는가. 그러나 우린 같은 민족이다. 우리는 통일할 사람이기 때문에 가능하면 대화해야 한다. 또 200만이 넘는 군대가 대치하는데 전쟁을 막기 위해선 대화를 해야 하지 않나. 대화라는 건 맞는 사람끼리만 하는 게 아니다. 서로 안 맞는 사람, 심지어 증오하고 싫어하는 사람과도 대화한다.

당신들이 존경하는 레이건 전 대통령이 소련을 '악마의 제국'이라고 했다. 그렇게 해 놓고도 소련하고 대화했다. 소련이 망했는데, 그 경위를 보면 미국이 추진하던 냉전정책으로는 통하지 않았다. 미국이 냉전을 완화하고, 소련과 안보협력조약을 만들어 경제적·문화적 개방을 유도하고, 동유럽 국경도 보장하고, 이렇게 해서 화해 협력의 길로 갈 때 공산당은 초고속으로 망했다.

중국 마오쩌둥이 그렇게 반미를 철저히 했지만 닉슨은 중국에 찾아갔다. 국교도 없는 나라에 세계 초강국이 찾아간 것이다. 그래서 중국에 대한 안전을 보장하고 유엔 가입과 국교 정상화를 약속해 중국이 변하기 시작했고, 뒤이어 덩샤오핑이 등장해서 개혁 개방을 했다. 지금 중국에 사람들이 여행 가는 것은 물론이고 수백억, 수천억 원씩 투자하지 않느냐. 미국이 쿠바를 50년간 봉쇄했는데, 바로 눈앞에 있는 조그마한 섬 하나를 50년 봉쇄하고도 못 이기고 있다.

공산주의는 철저히 봉쇄하면 봉쇄된 속에서 국민을 옴짝달싹 못 하게 조여 대고 억압하면서 자기들이 그렇게 고통받는 건 전부 미 제국주의 때문이라고 말한다. 자기들이 못사는 책임은 정부에 있는 게 아니라 미국에 있다는 식으로 설득한다. 아무것도 모른 채 정부의 얘기를 50년씩 들으면 완전히 세뇌되어 무슨 소리 해도 믿는다. 이런 걸 볼 때, 분명한 건 공산주의 같은 독재 체제는 봉쇄하면 더 강해지고 풀어 주도록 유도하면 약해진다는 사실이다. 이 점을 알아야 한다."

이렇게 이야기했습니다.

김지영 북한은 한 손에는 핵 개발을, 한 손에는 경제를 쥐고 벼랑 끝 전술을 펴고 있는데, 북한의 의도가 무엇이라고 보십니까?

김대중 내가 볼 때 핵은 수단이고 목적은 미국과의 관계 개선입니다. 미국 핵 앞에서 북한 핵은 장난감도 아닙니다. 북한이 미국과 싸워 이길 수 있겠습니까? 북한 주민의 굶주림을 해결하는 데 무슨 도움이 되겠습니까? 결국 북한의 목적은 사는 거예요. 살기 위해서, "나 죽이면 너 죽고 나 죽는다"는 식으로 얘기하는 것이지요. 또 핵이 쉽게 만들어지는 것도 아니고요. 핵탄두를 만들더라도 미사일에 장착해 쏘는 데에는 상당한 기술이 필요하고, 그건 감시하고 있기 때문에 속이고는 못 합니다.

내가 김정일 위원장을 만났을 때도 얘기했습니다. "당신들이 핵무기 같은 대량살상무기를 개발한다는 말이 있는데, 절대 안 된다. 미국의 감정을 조장하고 남한도 절대 지지할 수 없다"고 했지요. 그때 미사일 문제가 중요했는데, 미국과의 대화를 통해 대포동미사일 발사를 유예하고, 미사일을 포기하는 방향으로 합의가 된 것입니다. 그렇게 하다가 미국에서 정권이 교체되어 진전이 안 되고 있는 것이고요. 북한은 핵을 만들어 봤자 미국 핵 앞에선 맥을 쓰지 못할 뿐 아니라, 핵 갖고는 북한이 필요로 하는 주민 먹여 살리는 일을 할 수가 없습니다.

북한은 어떻게 하든지 미국과 관계를 개선하는 게 자신들의 철두철미한 정책이고 소원이라고 생각합니다. 우리는 상대방의 입장에서도 생각해 봐야 합니다. 북한처럼 전 세계로부터 고립되고 백성을 먹여 살릴 수도 없고 전기가 없어 암흑세계인 나라, 철도는 거북이 기어가듯 하는 나라, 이런 나라가 날로 정보화되고 첨단기술이 발전하는 세계 속에서 얼마나 좌절하겠습니까? 그런 데다 세계 최강국인 미국이 으르렁거린다고 생각하니까 굉장히 두려운 겁니다. 당연한 것 아닙니까? 그렇다고 해서 북한이 핵을 갖고 정책을 펴는 건 잘못이라고 생각합니다. 어떤 일이 있더라도 핵은 없어져야 합니다.

김지영 조금 다른 얘기입니다만, 지정학적으로 보면 동북아의 중심 국가가 되는 것이 참으로 중요한데 정부나 민간에서 어떤 자세로 대비해야 한다고 보십니까?

철의 실크로드를 열어야

김대중 앞으로 우리가 발전하려면 태평양과 대서양을 연결하는 유라시아 대륙을 관통하는 물류의 거점이 되어야 합니다. 물류가 일어나면 생산이 일어나고 금융·보험·관광 등 모든 게 해결됩니다. 문자 그대로 21세기 동북아 물류의 중심이 되고, 국부는 굉장히 증대되는 세계적인 부국이 된다고 생각합니다.

1840년경 세계 총생산 가운데 중국이 27퍼센트, 인도가 14퍼센트를 차지했습니다. 그때 영국은 산업혁명 직후라 제대로 발전이 안 되어 겨우 5퍼센트, 미국은 1.5퍼센트를 차지했습니다. 그 후 순식간에 영국과 미국이 발전하고, 중국은 청나라 말기에 비참한 상태로 떨어졌습니다. 핀란드, 아일랜드 등 엊그제까지 빈국이던 나라들이 정보화를 추진해 급격히 경제가 발전했습니다. 우리에게 일본과 중국은 큰 시장이 되기도 하지만 동시에 무서운 경쟁자이기도 합니다.

그러나 우리나라엔 다른 나라가 침범하기 어려운 두 가지 발전 조건이 있습니다. 하나는 문화 분야에서 우리 한국인이 갖고 있는 탁월한 창의력입니다. 영화를 봐도 알 수 있습니다. 중국에선 하룻저녁에 1억 명이 한국 드라마를 본다고 합니다. 이집트에선 「겨울연가」를 집중적으로 시청하고 있어요. 이처럼 문화 분야에서 만화나 애니메이션 등이 큰 시장을 갖고 있고, 조선이나 자동차 못지않게 큰 성공이 가능하다고 봅니다.

한국은 문화적 소비에서도 재창조력이 있습니다. 중국에서 불교를 받아들여 해동 불교를 만들었고, 유교를 받아 조선 유교를 창조했습니다. 피를 흘리며 민주주의를 이루었기 때문에 문화적 창의력이 아주 강합니다. 얼마나 많은 사람이 죽고 감옥에 갔습니까? 얼마나 많은 사람들이 민주주의를 실천했습니까? 그런 나라이므로 충분한 가능성이 있다고 봅니다.

또 하나는 유라시아를 연결하는 철도와 도로입니다. 우리나라를 반도국가라 하는데, 우리는 반도가 아닙니다. 대륙으로 가야 반도인데 못 가지 않습니까? 비륙비도非陸非島, 육지도 아니고 섬도 아닙니다. 우리는 북한을 거쳐 대륙으로 진출해야 합니다. 몽골은 없는 자원이 없는 나라입니다. 중앙아시아에 가면 석유가스 사업에 진출할 수 있습니다. 중국 오지까지 시장 개척이 가능합니다. 동유럽, 서유럽, 파리, 런던까지 갈 수 있습니다.

철의 실크로드를 우리가 열어야 합니다. 한국발 제2의 실크로드를 만들어야 합니다. 일본과는 해저터널을 뚫어야 합니다. 고이즈미 일본 총리와 얘기하니까 해저터널 만들겠다고 했습니다. 푸틴 러시아 대통령이 내 재임 중 왔을 때 주요 의제가 철도 연결이었어요. 이건 굉장히 유망한 가치가 있습니다. 길을 열지 못하면 수십억 인구의 방대한 시장에 진출할 수 없습니다. 그러려면 북한과 관계가 좋아야 합니다.

남북정상회담이 끝나고 서울공항에 와서 그런 말을 했습니다. 남북 관계는 단순한 남북 관계가 아닙니다. 개성공단 하나만 해도 한국 경제에 1,000억 달러의 이득을 9년간 제공할 것입니다. 남한에는 사람이 너무 많습니다. 집은 전부 아파트투성이입니다. 남한 사람들은 북한으로, 중앙아시아로 진출해야 합니다. 그러면 그만큼 우리의 힘이 뻗어 나가게 됩니다.

남한에는 400조 원이 넘는 돈이 민간에 있는데, 마땅한 투자처가 없어 부동산에 투자하다가 못 하게 막으니까 미국 로스앤젤레스에 집 사고, 중국이나 동남아 가서 펑펑 쓰고 있는 것입니다. 우리의 돈과 사람을 내보낼, 배출할 장소가 필요한데 그 1차 대상이 북한입니다. 그건 북한에도 도움이 되는 것이고요.

김지영 미국 대선에 출마한 케리 후보는 최근 텔레비전 토론회에서 북한 문제를 양자회담으로 풀어 보겠다고 했는데요.

김대중 나는 항상 미국이 북한 핵에 대해 저렇게 걱정을 한다면 빨리 대화를 해야지, 시간만 보내면 북한이 더 발전시킬 게 아니냐는 걱정을 합니다. 이건 내가 부시 대통령한테도 얘기한 것입니다. 줄 건 주고 받을 건 받아야 합니다. 그런데 줄 건 안 주고 받을 것만 얘기하면 되겠습니까? 그런데 미국은 북한을 못 믿어서 그런다 하고, 북한은 또 미국을 못 믿어 못 준다고 합니다. 그러니까 서로 불신하면 동시에 같이해야 합니다. 병행해서 조금씩 실천하면 신뢰가 생깁니다. 북한과 우리도 처음에 비해 조금씩 신뢰가 생기지 않았습니까?

김지영 잘사는 사람들은 더 부유해지고 못사는 사람들은 더 어려워지는 경제 양극화 현상이 심해졌습니다. 경제 주체들에게 한 말씀 부탁드립니다.

김대중 인류가 지구상에 나타난 이후 다섯 번의 혁명이 있었습니다. 인간 종種 탄생이 첫 번째 혁명입니다. 1만 년 전 농업혁명이 두 번째이고, 5,000년 전 도시국가가 중국·인도·메소포타미아·이집트에서 형성된 것이 세 번째입니다. 네 번째로는 2,500년 전 중국의 공자·노자 등과 같은 제자백가, 인도의 부처, 이스라엘의 예언자, 그리스의 소크라테스 같은 철학자 등이 사상혁명을 일으켜 우리가 지금까지 그 사상을 유산으로 살고 있습니다. 다섯 번째는 18세기 후반에 있었던 산업혁명입니다.

그런 과정에서 우리는 한 번도 주역이 된 적이 없습니다. 농업 경제 때는 농토도 좁고 관개시설도 나빠 주역이 못 되고, 산업혁명 때는 경제 3대 요소인 자본·노동·토지가 부족해서 안 됐습니다. 이제 제6의 혁명, 지식정보혁명 시대에 들어섰는데, 지금이야말로 우리가 때를 만난 거라고 봅니다.

세계에서 우리는 가장 높은 교육 수준을 가진 나라 중 하나이고, 문화적 전통도 재창조력이 강합니다. 21세기 경제 발전의 요소는 우수한 지적 창의력을 가진 사람, 다시 말해 인재입니다. 그런 인재를 많이 가지면 순식간에 성공합니다. 미국의 빌 게이츠는 당대 세계 최고의 부자가 됐습니다. 우리나라에도 정보화 등 기타 첨단기술 개발에 성공해 이름도 모르는 사람들이 많은 돈을 벌고 있습니다. 아일랜드는 과거 유럽에서 가장 가난한 나라였지만, 지금 가장 부자 국가로 성장했습니다. 이런 시대에 우리 한국인들은 세계가 놀랄 만큼 급격한 정보화를 이뤄 냈습니다.

최근 외국 경제지의 보도를 봐도 한국은 디지털 최강국이라고 말합니다.

초고속통신망이 한국에서 75퍼센트 보급됐는데, 미국에선 20퍼센트 정도 보급됐습니다. 몇 가지 분야에서는 우리도 세계 1위가 가능합니다. 나는 정보화를 굉장히 강력하게 추진했는데, 걱정스러운 건 정보화란 부를 대량생산하지만 그것이 편재될 수 있다는 점입니다. 그걸 막기 위해 정보화 기술을 보급했던 것입니다. 초·중·고 전 교실마다 정보화 체계를 연결시켰고, 농촌 도시 할 것 없이 노인·군인·재소자·장애인들에게 정보화 교육을 시켜 세계에서 가장 앞선 나라가 됐습니다.

『제3의 물결』을 쓴 앨빈 토플러 박사가 청와대 본관에 왔을 때 내가 "정보화되는데 격차가 커진다"고 걱정을 했더니 그분 얘기가, "산업사회에선 빈부 격차를 해소할 수 없었다. 가난한 사람들이 어떻게 자본금을 만들어 큰 공장을 세울 수가 있겠느냐? 또 부자가 아무리 많아져도 가난한 사람들은 노동해서 임금이나 받아먹게 돼 있다. 그런데 정보화 시대에는 아무리 가난해도 컴퓨터를 잘 조작해 우수한 아이디어를 내면 순식간에 부자가 되고 직장도 얻을 수 있다"고 말했습니다.

피터 드러커는 미래는 지식기반 경제의 시대로, 의사나 변호사, 기자 같은 사람들 외에 그 밑에서 보조하는 사람들도 전부 지적인 능력을 가진 지식 노동자라고 말했습니다. 세태는 육체 노동자 시대에서 지식 노동자 시대로 변해 가고 있습니다. 그런 것을 볼 때 우리나라같이 지적 수준이 높은 나라는 굉장히 가능성이 큽니다, 이런 것을 감안해 정책을 펼쳐 나가면 빈부 문제 해결에도 많은 도움이 될 것입니다.

김지영 기업 투자를 유도하려면 무엇부터 해야 한다고 보십니까?

김대중 내가 대통령 당선된 뒤 취임 때까지 두어 달 쉬려고 했었는데, 당선 다음 날부터 실질적인 대통령 역할을 하게 되었습니다. 그래서 취임 2개월 전인 1월 초에 경제계 지도자, 재벌 총수들을 초청했습니다. 그리고 나는 과거를 말하지 않겠다고 하면서 다음과 같이 두 가지를 다짐했습니다.

"여러분들은 선거자금 문제 등을 걱정하겠지만 걱정할 거 없다. 이젠 권력이 돈을 요구하고, 권력에게 이권을 받고, 정부의 특혜를 받아 돈 버는 일은 꿈에도 없을 것이다. 두 번째는, 이젠 국내건 국외건 세계에서 가장 좋고 가장 싼 물건을 만들어 팔아야 한다. 무한 경쟁 시대다. 당신들이 경쟁에 이겨서 돈 벌고 세금 많이 내라. 그게 애국자다. 경쟁은 국내에선 외국 투자자와 하고, 해외에선 외국 시장하고 하는 것이다. 그런 경쟁을 하지 않으면 안 된다."

내가 대통령이 된 후 30개 재벌 중 16개가 문을 닫거나 주인이 바뀌었습니다. 그리고 금융기관 2,000여 곳 중에 600곳이 문을 닫았습니다. 그렇게 해서 우리 기업들이 세계적 경쟁력을 가진 기업이 되고, 튼튼하고 건강한 금융기관이 됐습니다. 그렇게 하면서 정부가 말한 것에 대해선 책임을 졌습니다. 그리고 여러 가지 규제를 완화했습니다. 그 결과, 기업들이 큰 능력을 발휘해 그만큼 세계로부터 경제 모범 국가라는 평가를 받았습니다.

또 하나, 2001년 불경기가 찾아와 수출도 안 되고 국내 경기가 나빴는데, 그때 국민들한테 호소했어요. 과거에는 금전 저축이 미덕이라고 했는데, 이렇게 어려울 때는 돈 있는 사람들이 물건 사주고 가난한 사람들이 노동도 하고 장사해서 돈이 돌게 해야 한다고 호소했습니다. 그 말이 통했어요. 노벨평화상을 받은 시카고대학교 루카스 교수는 "경제의 요체는 희망이다, 기대다."라고 했습니다. 잘된다는 기대감을 기업과 국민, 노동자에게 심어 줘야합니다. 그래야 기업은 투자를 하고 국민은 물건을 사고 노동자는 신나게 일하게 되는 것입니다.

김지영 국내 현안에 대해서는 되도록 말씀을 하지 않고 계시는데요. 보편적 문제이기도 하고 인권의 문제이기도 한 국가보안법, 사형제, 호주제 폐지 등 사회변혁의 중요한 현안에 대해 어떤 견해를 갖고 계십니까?

정치의 요체는 국민과 같이 가야

김대중 모든 정책은 당위성과 함께 그것이 시간적으로 가능한가, 또 어떤 방법을 취해야 하는가를 구별해야 합니다. 지금 모든 일에 당위성은 있는데, 정치의 중요한 요체는 국민과 같이 가야 한다는 것입니다. 국민의 손을 잡고 반걸음 앞으로 가야 합니다. 국민과 같이 나란히 서도 발전이 안 되고, 손 놓고 혼자 한 발 두 발 앞으로 나가도 국민과 유리되어서 안 됩니다. 국민이 옳은 일인데도 안 따라오면 서서 기다리고 설득해야 해요. 그렇게 해서 국민이 따라오게 해야 합니다. 국민은 옳은 것임을 알면 따라옵니다. 그러한 때와 방법이 아주 중요하지 않나 생각합니다.

김지영 가치가 혼란스러운 요즘 같은 상황에서 지도자의 리더십이 매우 중요한 것 같습니다. 리더십의 필수 요건은 어떤 것이라고 보십니까?

김대중 어느 나라나 어떤 조직이든 잘되려면 두 가지가 구비되어야 합니다. 하나는 구성원이에요. 나라는 국민, 회사면 사원이지요. 구성원들이 상당한 수준의 판단력을 갖고, 옳은 것은 옳고 그른 건 그르다는 걸 판단해야 합니다. 난 우리 국민은 외환 극복 경험이 있어 그런 소질이 있다고 생각합니다. 또 하나는 리더가 미래를 내다보는 비전과, 현실을 적절하게 처리하는 실사구시하는 능력이 있어야 합니다. 이 둘이 맞아떨어질 때 모든 것이 성공할 수 있습니다. 그런 것이 중요하지 않은가 생각합니다.

김지영 재임 기간 중 아쉬운 점이 있으시다면…….

김대중 하나는 동서 화합입니다. 제대로 하려고 나름대로 정성은 다했지만 거의 인정을 받지 못하고 성공하지 못했다는 점이 아쉽습니다. 또 중소기업을 육성하기 위해 자금을 지원하고, 매일 보고를 받다시피 하고, 해외에 나가서도 보고를 받는 등 나름대로 노력을 했습니다. 그런데 그것이 큰 성공을 거두지 못했어요. 그리고 가난한 사람들을 위해 4대보험을 개혁하고 기초생활보장법을 만들었는데, 빈곤 해결을 크게는 못한 것 같다는 생각입니다.

김지영 경제적 어려움을 겪고 있는 국민들에게 조언이나 위로의 말씀을 부탁드립니다.

김대중 한국은 어떻게 보면 21세기에 때를 만난 겁니다. 산업혁명 이후의 영국·미국처럼 도약할 수 있습니다. 우리는 희망을 가져야 되고 구체적인 근거를 갖고 자신을 가져야 합니다. 전체적으로는 지도자와 국민이 힘을 합쳐서 열심히 하면 성공할 수 있을 것입니다. 둘째, 여야 정치 지도자들이 특히 외교 문제, 민족 문제에 대해서는 어떻게 해서든 합의를 봐서 진행해야 합니다. 남한에서 누가 공산주의 하자는 사람이 있습니까? 그러니 합의 보지 못할 일이 없어요. 적어도 민족 문제에 관해서만큼은 흔쾌히 협력했으면 합니다. 그리고 국내 정치에서는 서로 경쟁하는, 구분된 태도를 취해 줬으면 좋겠습니다.

지금은 과거의 영토국가나 민족국가처럼 장벽 쌓고 우리끼리 살 수가 없어요. 외국 물품을 관세로 막고 국내 물품을 보조금으로 육성하는 일이 불가능한 시대입니다. 지금은 세계와 경쟁하는 시대예요. 제한 없는 경쟁 시대이기 때문에 세계 경제 중 어느 것이 우리에게 적합하고 경쟁력 있는 것인지 빨리 선택하고, 경쟁력이 있는 곳에 집중해야 합니다. 거기엔 자본가와 노동자가 함께 협력해야 합니다. 기업은 투명한 경영을 하고 공정하게 이익을 분배하고, 노동자는 생산력 향상을 위해 경쟁하는 체제가 되어야 합니다.

* 이 글은 『경향신문』 창간 58주년 기념 기획 대담이다. 2004년 10월 3일 연세대김대중도서관 5층 접견실에서 당시 김지영 편집국장과 장화경 정치부장 등이 함께했다. 2004년 10월 6일 에 보도되었다.

기독교방송(CBS) 창사 50주년 기념 특별 대담

대담 정범구
일시 2004년 10월 22일

정범구 매우 건강해 보이시는데, 요새 하루 일과를 어떻게 보내시는지?

김대중 오는 손님도 만나고 책도 읽고, 자서전 준비도 하고, 이럴 때는 언론을 만나고 회합에도 참여하고, 해야 할 일들이 상당히 많다.

알고 보면 부드러운 남자

정범구 지난주에도 신임 주한 미대사도 찾아오고 열린우리당 의장도 찾아오고 많은 분들이 찾아오셨고 또 행사에도 많이 참석하셨던데, 앞서서 국민의정부 때 감사원장도 지내셨고, 또 이른바 내란음모사건 때 변호를 맡았던 한승헌 변호사께서 대통령님에 대해서 느낀 소회를 이야기하는 걸 들었다. 여러 가지 이야기가 있지만 "알고 보면 부드러운 남자"라는 표현이 귀에 들어오는데……

김대중 진정하게 용감한 사람은 마음이 여린 사람이라고 생각한다. 마음이 여린 사람이란 약한 자에 대한 동정심, 억압자로부터 약자들을 보호하려는 생각을 가진 사람이다. 그리고 고통받은 사람들을 볼 때 같이 눈물을 흘리는 그런 것이 있어야 한다. 그러나 당면해서는 막강한 독재자와 싸워야 하기 때문에 그런 것을 표현할 수 없다.

정범구 1992년 대선 후에 정계 은퇴하시고 난 후, 1994년에 『다시 새로운 시작을 위하여』라는 책을 쓰셨을 때 그 대목이 제일 가슴에 와 닿았다. "두렵지 않기 때문에 나서는 것이 아니라 두렵지만 가야 할 길이기 때문에 나선다"는 말씀을 하셨는데……

김대중 그렇다. 나는 원래 그렇게 성격이 우락부락한 사람도 아니고, 스스로 생각해 볼 때 굉장히 용감한 사람도 아니고, 상당히 무서움도 타고, 밤에 컴컴할 때는 도깨비 나올까 봐 무서워서 잘 못 나가는 성격이다. 그런데 해야 하는 일이기 때문에, 내가 피할 수 없다고 생각하는 일을 하다 보면, 나는 거기에 목숨을 걸게 된다.

그래서 1980년대 사형 선고를 받아서 신군부 사람들이 찾아와서 자기네와 협력해라, 그러면 살려 주겠다고 했는데, 내가 안 들으니까 대통령 빼고는 뭐든지 시켜 줄 테니까 한번 우리와 같이하자고 했다.

그런데 내가 그때 도저히 양심을 걸고 그것을 할 수 없었다. 그래서 신군부 사람들에게 "나도 죽고 싶지 않고, 죽는 것은 두렵지만 당신들과 협력하면 일시적으로는 살지만 나는 영원히 죽는다. 그러나 당신들과 협력하지 않으면 나는 일시적으로는 죽지만 영원히 살 것이다. 그러니까 나는 영원히 사는 길을 택하겠다. 그리고 무엇보다 나는 나를 지지하고 믿는 국민을 배신할 수 없고, 또 나를 위해서 온갖 희생을 하는 내 아내와 내 자식들, 내 일가친척들의 마음에 상처를 줄 수 없다. 죽는 것이 내 갈 길이니까 나를 죽이라"고 한 일이 있다. 그때도 그런 문제를 가지고 상대방에게 악쓰고 욕하지 않고 그냥 차분히 이야기했다.

기독교방송(CBS)은 가슴에 와 닿는 역사를 걸어왔다

정범구 대통령님께서는 기독교방송(CBS)과도 특별한 인연이 있으신데, 특히 현직에 계실 때는 기독교방송(CBS) 창사 45주년 행사에도 오셔서 많은 사람들에게 가슴에 다가오는 말씀을 해 주시기도 하셨는데.

김대중 내가 가슴에 와 닿는 이야기를 한 것이 아니라, 기독교방송(CBS)이 가슴에 와 닿는 역사를 걸어온 것이다. 창사 50주년을 마음으로부터 축하하고, 과거 우리가 독재 치하에서 암울할 때, 진실을 하나도 모를 때 그때 기독교방송(CBS)이 위험을 무릅쓰고 국민에게 마치 광야에서 소리를 외치듯이 진실을 알려 줬다.

그때 국민의 유일한 희망은 기독교방송(CBS)이었다. 그러다가 기독교방송(CBS)이 가혹한 탄압을 받아서 정치방송을 일절 못 하게 되고, 그래서 우리가 진짜 암흑기로 들어갔는데, 그러나 우리가 굴하지 않고 싸운 결과로 민주화를 쟁취했다.

그래서 나는 기독교방송(CBS)에 대해서 언제나 "기독교방송(CBS)은 우리나라에서 제일 큰 언론 매체는 아니지만 가장 훌륭한 언론 매체"라는 생각을 가지고 있다. 그래서 내가 대통령이 됐을 때도 기독교방송(CBS)의 공헌과 노고에 보답한다는 심정으로 에프엠(FM)방송, 위성텔레비전, 지역방송을 세우는 데 도울 수 있는 것은 다 도우려고 노력했던 것이다.

그래서 나는 이제 기독교방송(CBS)이 정말 걸어온 길 그대로 가장 훌륭한 방송으로서 앞으로 더한층 발전해 나가고 그렇게 해서 국민들에게 신뢰하는 방송이 되기를 바란다.

정범구 많은 분들은 요새 대통령님 일과가 어떻게 되시는지 관심을 갖지만 언론에 보도되는 것만 본다. 요새 개인적인 시간에는 무엇을 하고 보내시는지, 무엇을 주로 걱정하고 계시는지, 또 예전에 감옥에 갇혀 계실 때는 꽃과 대화를 하면서 키우실 정도로 식물에 대한 애정도 많으신데, 여가를 어떻게 보내시는지 궁금하다.

김대중 집에 있으면 독서를 하고 집사람과 대화한다. 집사람과 농담하고 웃고 그러고 산다. 손님들도 상당히 찾아온다. 되도록 시간을 뺏기지 않으려고 해도 손님들이 국내외에서 오고 많은 회합에 나가야 한다.

작년, 금년 국내에서도 회의가 많이 있었고, 또 파리, 노르웨이, 스위스, 중국도 다녀왔다. 앞으로도 이탈리아, 스웨덴 그리고 말레이시아 국제회의에 가게 되고, 거기서는 대부분 기조연설을 하게 된다. 그래서 나름대로 상당히 바쁘다.

정범구 스웨덴을 방문하시는 것은 노벨평화상 수상자로서 참석을 하시는 건가?

김대중 스웨덴 페르손 총리는 나와 아주 친한 친구다. 과거 총리를 하다가 암살당해서 돌아가신 팔메 전 총리를 기념하기 위해 만든 팔메재단에 가서 대화하는데 이 모든 목적은 평화다. 그래서 한반도 평화, 세계 평화를 위해서 어떻게 하면 우리가 힘을 합칠 수 있는가, 그런 이야기를 하러 간다.

정범구 어떻게 보면 현직 시절보다 더 바쁘게 보내시는 전직 대통령이 아니신가 하는 생각도 든다.

김대중 현직보다 바쁘진 않지만 그래도 상당히 바쁘다. 언론에 보도되지 않는 일들도 상당히 많다.

정범구 그럼 요새는 개인적으로 꽃을 가꿀 시간은 없으신지.

김대중 꽃을 가꾸진 않지만 마당에 심어 놓은 꽃을 가만히 나가서 본다. 그리고 나는 동물 영화를 좋아해서 동물 비디오가 수십 개 있다. 그런 것도 보고 있다.

정범구 대통령님께서 「동물의 왕국」 같은 프로그램을 즐겨 보신다는데,

거기에는 인간세계와는 다른 세계가 있나?

김대중 동물을 보면 같은 생물로서 다정한 생각이 들고 또 우리가 동물들에 대해서 참 못할 일을 많이 했다는 생각이 드니까 죄책감도 든다. 지금 많은 동물들이 자꾸 멸종되어 가지 않나.

그리고 내가 가장 화나는 것은 밀렵을 해서 올무에 묶여서 나온 동물이라든가 죽어서 쓰러진 동물을 볼 때는 스스로 죄책감을 느낀다. 여하튼 어떤 특별한 이유가 있다기보다 동물을 좋아한다.

꽃을 좋아하고. 꽃은 진달래 그리고 장미, 코스모스 이런 것 좋아해서 봄철에는 진달래 보러 산등성이를 돌아다니고 가을에는 코스모스 보러 뜰에 나가고 그런다.

정범구 특별히 코스모스를 좋아하는 이유가 있으신지.

김대중 코스모스는 매우 연약하고 바람 앞에서도 힘들지만, 그래도 부러지지 않지 않나. 그리고 코스모스는 색깔이 대단히 투명하고 아름답다. 하나로도 아름답고 집단으로도 아름답고…… 그것도 내가 마음속으로 좋아하는 것이지 이유가 있어서 좋아하는 것은 아니다.

헌법재판소의 행정수도 이전에 대한 위헌 판결

정범구 헌법재판소에서 행정수도 이전에 대한 위헌 판결이 나지 않았나. 어떻게 보시는지?

김대중 국법에 의해서 헌재가 권한을 가지고 판결했으니까 거기에 대해서는 일단 다 승복을 하고 그리고 여당은 여당대로 야당은 야당대로 이 사태를 신중하게 생각해야 할 것이라고 본다. 이 문제의 결말을 어떻게 하느냐, 계속 추진하느냐 포기하느냐 이런 문제가 남았는데 이 문제는 국민 여론을 기준으로 해서 앞으로 여당이나 야당, 또 국민 전체가 슬기롭게 처리해 나가야 할 문제다.

정상적이고 평온할 때 잘하는 것은 누구나 할 수 있는데 이런 어려운 문제가 나왔을 때 잘해야 한다.

지난번에 국회에서 대통령 탄핵결의가 됐을 때도 국민들이 그것을 아주 슬기롭게 해결해 나갔다. 나는 그때 탄핵결의가 나자마자 우리 국민은 이런 문제에도 능히 훌륭하게 처리할 능력이 있는 국민이라고 했는데, 그대로 됐다. 나는 앞으로도 국민이 이 문제에 대해서 최종 심판이랄까 정리를 할 것이라 본다.

정범구 이것이 또 현실적으로 새로운 국론 분열이 되는 것은 아닐까 하는 우려도 일부에서는 있다.

김대중 자꾸들 국론 분열이니 뭐니 하는데 민주주의는 원래 시끄러운 것 아닌가?

요새 선거하는 거 봐라. 어떻게 보면 원수진 것처럼 하고 있는데 마지막에는 투표로 결정한다. 그것이 민주주의의 가장 큰 강점이다. 우리가 의견이 다르더라도 결국 민주주의 절차에 의해서 모든 것을 정리해 나가면 되는 것이다.

일사불란하게 과거 독재 치하에서와 같이 혹은 공산권같이 그렇게 하면 어떻게 되겠나? 그러니까 그것은 걱정할 것이 없다. 왜냐? 우리 국민은 그런 것을 해결할 능력이 있다. 우리 국민은 독재도 극복했고, 혼란도 극복했다. 그러니까 국민을 믿어야 한다.

그리고 또 어떤 민주주의도 어떤 국정도 국민의 수준 이상 할 수 없다. 나는 우리 국민에 대해서 신뢰를 하고 있다.

남북 관계와 북·미 관계
정범구 대통령님께서 여러 차례 입장을 밝히셨음에도 불구하고 남북 관계의 고비고비마다 대북 특사설이 나온다. 그것은 그만큼 남북 관계가 잘 안 풀리고 있다는 이야기일 텐데. 6·15남북정상회담을 끌어내시고 햇볕정책의 창시자로서 지금 남북 관계에서 가장 큰 걸림돌은 무엇이라고 보시는지?

김대중 남북 관계에 있어서 핵심적인 요소는 두 가지이다. 하나는 남북 관계가 좋아져야 하고, 하나는 북·미 관계가 좋아져야 한다.

그런데 남북 관계는 상당히 좋아졌다. 그런데 북·미 관계가 좋아지지 않으니까 남북 관계도 자꾸 문제가 생기는 것이다.

현재 경색 상태의 여러 가지 본질적인 문제는 북·미 문제이다. 남북 문제는 지금 장관급회담도 잘 안 되고 있는데, 그것은 일시적인 현상이다. 북한은 결국 우리와 대화를 해야 한다. 그리고 우리 협력을 받아야 한다. 그것이 경제적으로도 정치적으로도 북한에게 이익이다.

지금 우리 정부가 대북 정책에 있어서 무조건 미국 말만 듣고 하지는 않지 않나? 우리 정부의 확고한 태도는 미국은 동맹 국가지만 그러나 한반도에서의 문제는 우리가 주도해야 한다는 생각을 가지고 있다.

내가 대통령을 할 때는 그랬다. 그래서 그런 답을 클린턴이나 부시 대통령을 통해서 받아 낸 일도 있는데, 그렇기 때문에 앞으로도 결국에 가서는 문제는 북·미 관계이고 북·미 관계는 우선 핵 문제이다.

그런데 핵 문제는 해결이 쉬운 것이다. 생각해 봐라. 지금 핵 문제에 있어서 미국이 북한에게 요구하는 것은 핵 포기 아닌가. 그리고 북한이 미국에게 요구하는 것은 안전 보장 아닌가. 말하자면 체제 보장, 경제적 활로 보장 이것이다.

서로 주고받으면 된다. 그것은 당연히 해야 할 일이다. 북한은 절대 핵을 가져선 안 된다. 미국은 북한이 국제연합(UN)의 일원이고 또 핵을 포기한다고 나서면 당연히 그것을 해 줘야 한다.

그런데 서로 불신하니까 서로 동시에 병행해서 하면 된다. 이렇게 하면 문제가 없다.

6자회담에서 하건 양자회담에서 하건 결국은 북·미 간 문제이다. 그래서 우리도 그런 점에 있어서 미국에 대해서 우리 의견을 당당하게 이야기하고 또 북한에 대해서 핵 포기에 대해서는 추호도 가차 없이 단호하게 포기하도록 하고 중국이 하는 역할을 우리도 병행해서 해야 한다. 한반도, 우리 민족의 문제 아닌가.

정범구 그런데 북·미 관계 개선을 위해 우리 정부가 할 수 있는 역할이 별로 없어 보이지 않나.

김대중 나는 그렇게만 생각하지 않는다. 과거 클린턴 대통령이 처음 날 만났을 때, 당신의 햇볕정책을 이야기해 보라고 해서 내가 쭉 설명을 했다. 우리가 즉각적으로 통일하자는 것이 아니라 평화적으로 공존하면서 교류 협력하다가 10년, 20년 후에 안심하고 통일을 하자는 거라고 설명을 했는데 클린턴 대통령이 앉은자리에서 "우리는 햇볕정책을 지지하겠으니 당신이 앞장을 서라, 우리가 도와주겠다"고 했다. 클린턴 대통령은 기자회견에 나가서도 그대로 이야기했다.

또 부시 대통령도 2002년 2월 여기 오기 전 1월에 북한을 악의 축이라고 하기에 내가 그 대화에 대해서 걱정을 했다. 그러나 결국 대화의 결과는 부시 대통령이 북한이 왜 악의 축인지를 설명하고 북한에 대해서 비난을 했다.

그래서 내가 부시 대통령에게 이야기했다. 대통령이 북한 공산주의를 싫어하지만 우리 국민도 싫어한다. 도대체 사회 전체가 감옥 같은 그런 나라를 누가 좋아하나. 정부라는 것이 백성 밥도 못 먹이는 나라를 누가 좋아하나. 그렇지만 우리는 북한과 같은 민족으로서 1,300년을 통일해서 살아왔다.

그리고 앞으로도 통일하려면 대화를 해야 할 것 아닌가. 또 지금 200만의 대군이 서로 대치하고 있다. 전쟁이 나면 남북이 공멸하는 사태가 온다. 그것을 막기 위해서는 어떻게 하든지 대화해야 할 것 아닌가. 대통령이 지금 그렇게 말씀하는데, 과거 레이건 대통령은 소련을 악마의 제국이라고 했다.

그런데 그 악마의 제국과 대화했다. 그래서 미국이 냉전 체제에서 소련과 대치해서는 변화를 못 시켰는데 헬싱키조약, 유럽안보협력조약을 통해서 경제나 문화를 교류하고 소련을 개방으로 유도했을 때 총 한 방 안 쏘고 소련이 어느 날 붕괴됐다. 동유럽도 그랬다.

중국도 봉쇄했을 때는 효과를 못 봤는데, 닉슨이 중국에 가서 마오쩌둥(毛澤東)을 만나서 중국을 국제연합(UN)에 가입시키고, 중국과 수교한다고 했을 때 중국이 달라져서 덩샤오핑(鄧小平)이 등장해서 개혁 개방으로 나가고 그래서 오늘의 중국이 됐다. 그래서 우리가 안심하고 중국을 여행할 뿐 아니라 중국에 투자까지 하고 있다.

베트남은 전쟁에서도 못 이겼는데 지금은 교역을 해서 우리와 미국에게도 가장 안전한 국가가 됐지 않나. 미국이 바로 눈앞에 있는 자그마한 섬, 쿠바에 대해서 50년 동안 봉쇄해도 변화시키지 못하지 않았나? 내가 볼 때 쿠바는 개혁 개방시켜서 그런 방향으로 문제가 있으면 쿠바 공산주의는 진즉에 끝났을 것이다.

우리도 마찬가지다. 그래서 내가 볼 때는 북한은 지금 무슨 제의를 받았느냐, 그것은 두 가지다. 안전과 경제 회복이다. 그것은 다 아는 일 아닌가? 그런데 세상에 그것을 해 줄 사람은 미국밖에 없다. 내가 김정일 위원장에게도 그렇게 말했다. 그러니까 미국과 관계 개선하라고.

그러니까 내가 클린턴 대통령에게 전화를 걸어서 미국과 북한이 교류가 되고 합의가 됐던 것이다. 그래서 부시 대통령이 내 의견을 받아들여서 기자회견에서 "북한을 공격하지 않겠다. 북한과 대화하겠다." 그러면서 내가 하던 말을 그대로 하면서 "소련은 악마의 제국과 대화했다. 나도 대화하겠다. 식량도 주겠다"고 했다.

그래서 우리는 한반도 문제에 온갖 노력을 다해 가지고 미국과 협력을 해 결국 우리 의견이 말하자면 미국에 영향을 미치는 방향으로 한반도 문제를 평화와 대화를 통한 해결 방향으로 유도해 나가야 한다고 생각한다.

정범구 김정일 위원장에게 북·미 관계 개선이 살길이라고 이야기했을 때 김정일 위원장이 그것을 받아들였나?

김대중 받아들였다. 그것뿐 아니라 김정일 위원장이 놀랍게도 미군이 한 반도의 통일 이후까지 있어야 한다고 동의했다. 내가 이야기했다. "당신이 화를 낼지 모르지만 미군은 한반도에 계속 있어야 한다. 조선왕조 말엽부터 생각해 보라. 우리나라를 병탄하기 위해서 청국이 일본하고 싸우고, 러시아 가 일본과 싸우고 나중에는 일본이 미국과 가쓰라태프트 밀약을 해서 미국 이 우리나라를 일본보고 먹어 버리라고 하지 않았나? 4대국이 전부 우리의 운명을 좌우하는 데 동참하고 있다. 그러니까 이것을 막으려면 일본, 중국, 러시아도 우리의 적대국이니까 가장 위험한데 그것을 견제할 수 있는 것은 미국이다. 조선왕조 말엽 때 미국이 그 견제를 안 해 주고 거꾸로 일본을 도 왔기 때문에 우리가 망한 거다. 그러니까 이제 다행히 미국 군대가 여기에 와 있고, 미국도 상당히 큰 이해관계가 있으니까 이것을 잘 활용해서 미국을 여 기 붙들어 놔야 한다"고 얘기를 했다.

그러니까 김정일 위원장이 손을 들더니 "김 대통령 말이 맞는다"고 하면 서 "우리 주위에는 러시아, 중국, 일본이 있다, 그러니까 미국이 북쪽을 공격 하지 않는다는 확실한 보장만 있으면 한반도에 있어야 하고, 통일 후에도 있 어야 한다"고 말했다. 그것은 나중에 미국 측에 대해서 북쪽이 직접 이야기 를 했다.

정범구 북·미 관계가 이렇게 경색돼서 안 풀릴 때 우리 정부가 좀 더 적극적으로 중재하려는 노력을 하는 것이 중요하다는 말씀인가?

김대중 계속해야 한다. 지금 중국이 하고 있는 역할을 우리도 해야 한다. 또 미국에 대해서는 동맹 국가로서 아주 완벽한 협력을 해야 한다. 지금 반미니 뭐니 소리 하는 것은 국익을 모르는 사람이다.

지금 미국 앞에서는 중국도 러시아도 부분으로는 협력하고 고개 숙이고 있지 않나? 지금 대만에 미국이 무기를 팔아도 중국은 비난성명만 낼 뿐 어쩌지 못하지 않나? 이런 시대다. 그래서 우리는 미국과 우리 관계가 긴밀해야 안전도 보장되고 경제도 발전될 수 있고 국제사회에서 우리의 위치도 강해진다. 우리가 이용하는 것이다.

미국과 잘 지내는 것을 마치 열등감을 가지고 사대주의로 생각해서는 안 된다. 내 이익에 필요하니까 가까이하는 것이 왜 사대주의인가. 그러나 내 이익에 맞지 않는 일, 우리의 대의에 맞지 않는 일에는 "아니요(No!)" 해야 한다. 한반도에서의 문제를 평화적으로 해결해야 하고, 평화적으로 해결을 안 할 때는 "아니요(No!)" 해야 한다. 나는 일관되게 그렇게 해 왔다.

그런데 그것을 겉으로 보기에 미국과 충돌하고 싸우고 이런 식으로 하지 않았다. 친구로서 조용히 설득하고 상대방이 우리를 절대로 만만히 볼 수 없는 자세를 보이면서도 서로 대화하고 타협했다. 미국의 지도자들이 나를 상당히 좋게 생각하는 상황으로 이끌었다.

미국 대선과 한반도

정범구 한 나라 안에도 행정부의 변화에 따라서 정책의 변화가 오지 않나? 햇볕정책이 클린턴 행정부 시절에는 비교적 미국과의 관계가 순조로웠지만, 부시 행정부가 들어서면서 어려움이 많이 있지 않았나? 앞으로 11월 미 대통령 선거가 있다. 대통령 선거에서 미국에 어떤 행정부가 들어서느냐에 따라 앞으로 남북 관계에 많은 변화를 줄 것이라고 보시는지?

김대중 바로 그렇다. 사실대로 말하면 케리 후보가 당선이 되면 과거 클린턴 정권의 정책을 계승할 거다. 그러면 북한과 6자회담 안에서건 밖에서건 대화가 제대로 이뤄지고 주고받는 '기브 앤 테이크'(Give and Take)의 협상이 이뤄질 것이다. 부시 대통령이 재선이 되면 그때 정권 내에서 소위 네오콘 강경파들이 득세하냐, 온건파가 득세하냐에 따라서 정책이 달라질 것이다. 강경파가 득세하면 상당히 어려운 환경이 올 수도 있다.

그런 점에 있어서 우리 정부가 단단히 대비하고 각오해야 하고, 또 우리는 여야 없이 국민 전체가 정부의 그런 정책을 지원해서 국익을 지켜야 한다. 우리 민족의 생명을 지키고 평화를 지켜야 한다. 나도 거기에 대해서는 최선의 노력을 할 생각이다.

대북 특사와 햇볕정책

정범구 어쨌든 김대중 대통령님을 대북 특사로 활용해야 한다는 소리가 계속 나오는 것은 남북 관계가 지금 만족스럽지 않기 때문인데, 그것은 11월 미 대선이 끝난 후에 미 행정부가 어떻게 구성되는가를 봐야겠지만, 남북 관계가 원활하지 않은 단계에서 과거 2002년 4월경에 대통령님께서 임동원 장관을 대북 특사로 보냈던 것처럼 어떤 다른 식의 접근이 필요한 것 아닌가 하는 이야기가 계속 나오고 있다.

김대중 그렇다. 대통령이 대통령 특보라든가 장관 중에서 특사를 보낼 수 있다. 그래서 특사는 바로 대통령을 대변할 수 있는 사람, 가장 대통령과 긴밀한 사람이 가야 한다. 그래야 신뢰성이 있다. 그리고 나와 같은 사람들은 간접적으로 여러 가지를 도와줄 수가 있다.

정범구 지금 햇볕정책을 계승했다는 현 정부의 평화 번영 정책이 있다. 그리고 대북 관계에 있어서 구체적으로 핵 문제가 해결되지 않는 한 더 이상의 진전이 어렵다는 것이 공식적인 입장인데, 아까 대통령님의 말씀은 북·미 관계에서 우리가 어떤 식으로든지 역할을 해야 하고 북·미 관계의 핵심이 역시 핵 문제라는 말씀을 하셨는데, 현 정부의 대북 정책이 조금 적극성을 결여한 것 아닌가 하는 지적이 일부에서 있다. 그 문제는 어떻게 보시는지.

김대중 전체적으로 봐서 현 정부가 대북 정책에 있어서도 바람직한 방향으로 하고 있다고 본다. 대통령이 바뀌면 사람이 바뀌는 거니까 하는 스타일에 차이가 있겠지만, 현 정부는 대화를 하려고 노력하고 있는 것을 확신하고 나는 그것을 알고 있다.

다만 두 가지 장애 요인이 생겨서 대화가 막히고 있는데 하나는 대량으로 400명 이상의 탈북자를 그것도 집단적으로 우리나라 국적기를 가지고 실어 온 것에 대해 북한으로서는 굉장히 충격을 입은 것 같다. 또 하나는 김일성 주석 10주기에 민간인 참가가 잘 안 된 것이 남북 대화 전체가 막힌 것은 아니지만 부분적으로 막히는 그런 상황이다. 또 한편으로는 개성공단 사무실 개소식도 있었고, 철도는 연결되고 있고 금강산 관광은 요새 아주 봇물이 터져서 74만 명이 다녀왔다고 하고 앞으로 계속 늘어날 것이고 그래서 이 남북 관계는 결국은 서로가 필요하다.

지금 남한에는 돈이 너무 많고, 사람이 너무 많다. 400조라는 돈이 시중에서 떠도는데 갈 데가 없다. 그래서 부동산으로 몰려 로스앤젤레스 가서 빌딩 산다. 상하이 홍콩으로 간다고 하는데 사실 이 돈이 북한으로 가야 한다. 그래서 우리가 이미 현대가 합의해 놓은 통신, 철도, 관광단지라든가 항만 이런 것은 우리가 다 해야 한다. 그래서 우리가 북한 경제에 주도적으로 참여해야 한다.

지금 중국이 북한 경제에 참가하는 러시가 일어나고 있다. 그래서 평양에서 제일 큰 백화점도 중국이 10년 동안 임대를 했고, 그렇게 해서 북한에 중국의 투자가 들어오는데 그런 것도 우리가 범상하게 봐서는 안 된다.

그리고 또 하나 중요한 것은 우리가 북한을 거쳐야만 유라시아 대륙으로 나갈 수 있다. 철도가 못 가고 도로도 못 가지 않나? 중국 오지에도 못 가고 시베리아도 못 가고 몽골도 못 가고 중앙아시아도 못 간다. 물론 유럽도 못 간다. 그런데 육로로 가면 화물 수송의 시간과 비용이 30퍼센트쯤 절약된다. 엄청난 일이다. 그래서 그렇게 되면 우리가 부산과 일본하고 해저터널을 만들 수 있다. 과거에 내가 고이즈미 일본 총리하고 이야기해 봤는데 그런다고 한다. 그렇게 되면 일본에서 유럽으로 가는 물자들이 대부분 우리나라를 거쳐 가게 된다. 그렇게 물류가 일어나면 생산 시설이 일어나고 보험이나 금융이 일어나고 관광과 문화콘텐츠가 일어난다. 그래야 우리가 동북아시아의 허브가 되고 그래야 동북아시아의 중심부가 된다. 그래야 우리가 21세기 세계 속에서 선두 대열에 서는 국가가 된다.

그래서 북한과의 문제는 단순히 같은 민족이라는 감상적 논리라든가 또 전쟁을 막아야 한다는 평화의 문제만이 아니다. 남쪽의 돈을 북한에 투자해서 북한과 굳건하게 경제적으로 인적으로 연결시키는 그런 문제, 나아가서 유라시아 대륙을 21세기 한국판 실크로드로 만들어야 우리가 커진다.

재미있는 이야기가 있는데, 1842년에 중국의 국내총생산(GDP)이 세계 전체 국내총생산(GDP)의 27퍼센트를 차지했다. 중국은 당나라 이래 20퍼센트로 내려간 일이 없다. 또 인도는 그때 14퍼센트였다. 그때 영국은 5퍼센트, 미국은 1.5퍼센트였다. 그런데 그 후 영국, 미국, 독일은 산업혁명의 여파를 타서 급속히 성장하고 중국이나 일본은 아편전쟁의 여파로 급속히 몰락했다.

우리가 물류를 일으키고 유라시아 대륙을 관통하는 그런 실크로드를 만들어야 한다. 우리의 강점인 정보화, 아이티(IT)산업, 또 문화콘텐츠 이런 것을 잘하면 우리도 19세기 영국과 같이 일어날 수 있다. 지금 한류가 일어나고 있지 않나? 그런데 그 핵심이 북한과의 관계, 평화, 북한을 거쳐서 유라시아 대륙으로 가는 것, 이것이 우리의 운명을 좌우한다.

정범구 말씀을 들으니까 과거에 제창하셨던 신광개토 시대의 비전 같은 것이 들어온다. 우리가 이런 웅대한 비전을 실현하기 위해서는 우선 남북 관계가 현실적으로 풀어져야 하지만, 우리를 둘러싸고 있는 주변 강국의 이해관계가 다 다르지 않나? 최근 동북공정이라든가 중국과의 관계를 어떻게 보고 풀어 가야 할까?

동북공정과 대중국 정책

김대중 참 어려운 문제다. 또 중국 정부의 본의가 무엇인지 확실히 떠오르지도 않고 있다. 그러나 이번에 중국의 동북공정 사건은 우리에게 중국에 대해서 새삼스러운 인식이랄까 걱정을 갖게 한 것은 사실이다.

우리는 중국에 대해서 그동안 상당히 좋은 인상을 가지고 중국을 신뢰하고 심지어는 미국보다 중국이 더 좋다는 사람도 있었는데 이번 그 일을 통해서 그렇게 순진하게 생각할 문제가 아니라는 생각을 가지게 됐다. 그런 의미에서는 다행이라고 생각한다. 세계를 똑바로 봐야 하니까.

그러나 중국은 우리에게 매우 중요한 나라이다. 교역이나 투자에 있어서도 우리에게 중요한 위치를 점유하고 있고, 북한이 함부로 한반도에서 무슨 일을 일으키지 않도록 견제할 때 중국은 절대적 역할을 하고 있다.

나는 장쩌민(江澤民) 주석과 개별 대화를 여러 번 했는데, 그때마다 장쩌민 주석은 북한이 핵 개발을 하는 데 대해서 아주 화를 내고 솔직하게 비난했다.

이럴 수 없다고. 과거 1994년에도 우리에게 아무 소리 안 하고 하더니 이번에도 아무 소리가 없다고. 이럴 수가 있냐고 나한테 이야기했다.

그래서 그런 의미에서는 북한이 전쟁을 못 일으키게 하고, 핵 개발을 못 하게 하는 데 있어서는 중국이 우리에게 결과적으로 아주 큰 도움을 주고 있다. 그런 의미에서 아주 중요하다. 그래서 경제적으로는 약도 되고 독도 된다. 우리가 잘 활용하면 우리는 큰 시장을 정복할 것이고, 잘못하면 중국에 몰려서 우리가 낭패를 볼 가능성이 있는 것도 사실이다.

그것은 우리가 세계 도처에서 이제는 경쟁하는 것이니까 감수해야 한다. 우리는 이와 같이 중국뿐 아니라 일본이 있고, 러시아가 있고, 미국도 와 있는데 마치 도랑에 들어간 소가 양쪽 풀을 뜯어 먹듯이 말하자면 우리가 각각 큰 나라들의 시장에 참여할 수 있다.

우리의 역량에 달려 있다. 그런 의미에서 중국은 우리에게 안보 면에 있어서나 경제 면에 있어서나 특히 북한 관계에 있어서 아주 중요하므로 소홀히 할 수 없다. 다만 중국이 동북공정 그런 것을 왜 그렇게 했는지 앞으로 어떻게 할 작정인지 그것을 감정적으로 보지 말고 냉철하게 판단해 나가고 슬기롭게 대처해 나가야 할 것이다.

정범구 중국이 장쩌민 체제에서 후진타오로, 4세대로 이전했는데 이런 새로운 세대로의 이전이 중국의 방향에 어떤 변화를 가져올 것이라고 보나?

김대중 중국은 지금 확실한 통계는 없지만 중산층이라고 볼 수 있는 사람이 1억 5천-2억 5천이라고 말한다. 엄청난 수로 늘어났다. 역사가 중요한 것은 이 중산층이 늘어나면 중산층은 반드시 자유를 요구하고 정치 참여를 요구한다.

영국이 산업혁명에서 성공하고 중산층이 늘어나니까 돈 가진 중산층들이 정치 참여를 요구했다. 귀족이나 왕이 그것을 슬기롭게 받아들여서 영국의 시민혁명은 아주 순조롭게 이뤄졌다. 그런데 프랑스는 중산층이 그렇게 요구하니까 왕이나 귀족이 그것을 거절했다. 그래서 프랑스 대혁명이 일어나서 귀족과 왕이 몰살당했다. 그러니까 경제 발전이라는 것은 독재정권에는 약도 되고 독도 된다.

경제가 발전하면 반드시 부자가 생겨나고 부자가 생겨나면 반드시 정치적 권리를 요구한다. 중국이 그런 상태로 들어가고 있다. 그런데 내가 볼 때는 지금 중국 지도자들이 상당히 현명하게 대처한 것 같다.

중국에서 장쩌민 주석이 재작년에 중국공산당 규약을 바꿨다. 공산당이 프롤레타리아 노동자·농민만 대변하는 것이 아니라 세 개의 대표라고 해서 기업인 그리고 문화인·지식인 그렇게 해서 둘을 첨가했다. 세 개의 대표라는 것은 이미 중산층을 받아들이기 시작한 것이다.

그리고 지방 말단에서는 지금 투표가 시작되고 있다. 향鄕 단위에서. 그래서 지금 문제는 중국의 미래는 현 지도자들이 어떻게 그 광대한 지역의 사람들에게 혼란 없이 점차적으로 권리를 주느냐, 권리를 주는 템포가 너무 느려서 국민들이 참지 못하는 사태가 오지 않고, 국민의 요구에 적절히 보조를 맞춰서 하느냐 이런 데 있다고 생각하는데 다만 지금 하는 것을 보면 그런 문제를 슬기롭게 하려고 하고 있고, 할 수 있다고 본다.

사람은 용서하지만 나쁜 정치는 용서하지 않는다

정범구 평소에 누구보다도 정치적 탄압과 억압을 받고 사형 선고까지 받으셨다. 그런데 우리 정치에서 일관되게 화해와 용서를 주장해 오셨는데. 그래서 어떤 분들은 저것은 정치하는 사람의 쇼, 제스처가 아니냐 그런 이야기도 많이 들었는데, 평소에 생각하셨던 정치에서의 화해론을 듣고 싶다.

김대중 나는 사람에 대해서는 용서하지만 나쁜 정치는 용서하지 않는다.

나는 박정희 대통령도 용서했다. 나를 죽이려고 했던 사람 아닌가? 전두환 대통령도 날 죽이려고 했다. 그런데 전두환, 노태우, 내가 당선돼서 석방시켜줬다. 박정희대통령기념관 하라고 내가 200억 지원했다. 그리고 김영삼 대통령 아들 내가 사면 복권시켜 줬다.

나는 일본과도 화해했다. 북한과도 화해했다. 그러나 원칙은 절대 바꾸지 않았다. 나는 대통령이 돼서 인권위원회를 만들고 의문사진상규명위원회를 만들고 민주유공자 포상을 했다. 그리고 여성부를 만들고 민주노총과 전교조를 합법화시키고 제주4·3사건 명예를 회복시켰다. 광주5·18묘역을 국립묘지로 하고 이렇게 민주화를 위해서 잘못된 것은 다 고쳤다. 그런데 사람에게는 보복하지 않는다. 난 그것이 필요하다고 생각한다.

미국에서 링컨이 노예제는 폐지했지만 사람에게 보복하는 것은 반대했다. 그때 남북 간의 대립은 지금 우리나라의 지역감정과는 비교도 안 될 정도였다. 그런데 링컨이 화해 협력을 요구하니까 북부는 링컨의 지지 기반인데, 공화당, 북부 사람들이 링컨을 비난하면서 거짓말쟁이, 사기꾼, 파렴치한, 살인자보다는 조금 나은 자 이런 식으로 비난했다. 링컨은 굉장히 고민하면서도 신념을 관철하다가 총에 맞아 죽었다. 그리고 나서 존슨 부통령이 후계자가 됐는데 그 사람이 나는 링컨 대통령의 뜻이 보복 반대니까 보복을 못 하겠다고 버티니까 국회에서 난리가 나서 탄핵해 버렸다. 그런데 한 표 차이로 모면했다.

그런 링컨의 화해 정신이 남북이 두 나라로 갈라지는 것을 막은 것이다. 아무리 전쟁에 이겼다고 하더라도 남부 사람이 싫다고 투표하면 어떻게 하나. 그러니까 미국을 구한 것이다. 그래서 오늘날 링컨은 민주당이나 공화당 양쪽 사람들은 물론 전 국민이 존경한다.

우리도 그런 자세가 필요하다고 생각한다. 나쁜 제도, 나쁜 법률, 나쁜 정치는 모두 고쳐야 하고 사람에 대해서는 관용하고 그렇게 하는 것이 우리가 화해 협력하면서 바른 민주주의와 정의를 실현해 나가는 길이라고 생각한다.

대일 관계

정범구 일본이 최근 들어서 평화헌법을 개정하겠다고 하고, 유엔 안보리 상임이사국 진출 시도도 한다. 이번엔 결국 실패했지만, 아시아의 새로운 군사 대국화에 대한 위협을 늘 느끼게 되는데 일본과의 관계는 어떻게 풀어 가야 할까?

김대중 나도 일본 문제는 상당히 걱정하고 있다. 내가 1998년에 일본에 갔을 때 그때 일본 상황은 아주 좋았다. 그래서 그때 오부치 총리가 처음으로 한·일정상회담에서 구체적으로 한국을 지명하면서 과거사에 대해서 사죄했다. 사죄란 말을 썼다. 그리고 내가 일본 국회에서 연설할 때 일본 국회가 시작된 이래 최대로 가장 많은 상하의원들이 모였다. 그것이 전국에 중개됐다. 그것이 일본 사람들에게 많은 영향을 줬다고 생각한다. 그런 것이 뿌리가 돼서 월드컵을 한·일 공동으로 잘 치렀고, 또 일본에서 한류가 상당히 인기가 있다.

그런데 최근에 북한의 일본 국민 납치 사건 그런 것이 우리들의 상상보다 더 크게 일본 사람들을 자극하고 있다. 그래서 또 일본의 우파 사람들이 북한에 대해서 맹렬히 비난하고 정치권에 압력을 가해서 북한의 일본에 대한 여러 가지 정책이 일본의 우경화에 많은 영향을 줬다. 그런 의미에서는 북한의 정책이 역효과를 봤다고 할 수 있다.

그래서 이런 상황이 됐는데 일본에서 뜻있는 사람들은 그래서는 안 된다고 생각하고 있다. 헌법도 지켜야 하고 또 전쟁 반대를 확실히 한다고 하는데 그것이 먹혀들어 가지 않는다. 일본은 젊은 국회의원들, 젊은 세대들이 더 강경하다.

문제는 어디에 있느냐? 일본 사람 자신들이 민주주의를 쟁취하지 않았기 때문이다. 자기가 피를 흘리고 땀을 흘리고 눈물을 흘리면서 민주주의를 했어야 그 민주주의를 지키는 세력이 확고한데 일본에는 그런 세력이 없다.

일본 민주주의라는 것은 맥아더가 점령해서 하라고 해서 한 민주주의이다. 그렇기 때문에 무풍지대 때는 순조롭게 되는 것 같지만, 일단 역풍이 오면 견뎌 내지 못하는 것 아닌가? 그런 것이 참 걱정이다.

거기다 일본이 미국과 긴밀하게 협력해서 아시아에서 미국과 선봉이 돼서 안보 체제를 갖춰 나가는 경향이 있다. 그래서 우리는 일본과 우호 관계는 유지하되 거기에 대해서도 미국과 같이 우리의 우려라든가 이런 것은 확실히 하면서 해야 하지 않는가? 이제는 과거 조상들과 달리 청나라 때같이 한국이나 중국도 그렇게 만만한 시대가 아니다. 그렇기 때문에 일본도 그것을 무시해서는 자기네 국익에도 문제가 있다.

지금 일본의 경제가 회복되고 있는데 그 최대의 이유가 중국에 대한 수출의 증대, 투자 증대에 있다. 그렇기 때문에 일본에 대해서 우리가 안 되는 것은 안 된다고 충고를 해야 한다.

중국은 지금 고이즈미 총리가 야스쿠니신사를 참배하는 것을 보고 3년 동안 고이즈미 총리를 중국에 초청 안 하고 있지 않나? 그래서 그런 점에 대해서 일본에 대해서도 상당히 걱정할 시대가 왔다고 본다.

정범구 한·일 관계 개선을 위해서 적극적으로 노력을 하셨고, 또 일본 내 유력한 정치인들에게도 상당한 신뢰를 갖고 계시는데 한·일 간에 여러 가지 현안이 발생하거나 충돌할 때 일본 조야에 말씀을 하실 만한 통로를 많이 확보하고 있는지?

김대중 내가 그렇게 통로를 확보하고 있다고 말할 수는 없고. 또 정치는 현재 국정을 맡고 있는 분들이 하는 것이지 옆에 있는 사람이 해도 한계가 있는 것이다.

그러나 다만 한·일 관계는 나는 일본과 다시 과거 악몽을 되풀이해서는 안 된다는 생각을 가지고 일본과 화해를 했고, 그러나 무조건 화해한 것 아니다. 일본의 사죄를 받고 화해했다. 그리고 세 번에 걸쳐서 문화 개방을 했는데 그것은 우리가 일본을 위해서도 했지만 우리를 위해서도 한 것이다. 문화 쇄국주의는 나라가 망하는 길이다. 문화는 받아들여야 하고 받아들인 문화를 내가 소화할 수 있어야 진정한 정체성이 된다. 우리가 중국으로부터 유교나 불교를 안 받아들였다면 우리는 야만국가가 됐을 것이다. 그러나 우리가 받아들였지만 우리가 소화했기 때문에 중국의 것이 아닌 우리의 것이 됐다. 그래서 우리나라는 이렇게 똑똑한 국민들이 사는 나라가 됐다. 그러니까 문화를 받아들이는 것은 우리에게도 이익이다.

그리고 또 내가 고이즈미 총리에게 "네 번째 마지막 문화 개방은 당신이 야스쿠니 대신에 대체 구조물, 즉 우리나라 국립묘지 같은 혹은 기념물 그런 것을 만들면 되지 않겠냐?"라고 하자, 야스쿠니신사 대신에 그렇게 하겠다고 약속했다.

고이즈미 총리의 7가지 약속 중에 그것이 들어 있는데 마지막 그 하나는 이행을 안 한 채로 내가 퇴임을 했다. 그래서 네 번째 문화 개방은 내가 하지 않았다. 안 하고 기다렸는데, 이번 정부에서 네 번째까지 다 했는데 지금 일본이 가는 방향은 조금 걱정스러운 점이 있는 것은 사실이다.

인권법안과 북한

정범구 미국이 인권법안을 통과시키지 않았나? 북한은 이것에 대해서 반발하고 있고, 우리 정부도 공식적으로는 북한의 이런 우려를 불식시키기 위해서 할 수 있는 노력은 하겠다는 입장을 내놓고 있는데…… 이런 문제는 어떻게 풀어 가야 할까?

김대중 가장 중요한 문제다. 미국에서 인권법을 만들어서 몽골 등에 수용소를 만들고 이런 것이 어느 정도 인권 문제에 효과가 있을 것이고 또 그것이 북한의 인권 문제에 대해서 압력도 될 것이다. 그러나 부작용도 만만치 않다.

첫째 북한에서는 이제 과거 식량을 구하러 압록강과 두만강을 건너던 사람들을 이제 못 가게 막을 것이다. 그리고 이번에는 그렇게 하다가 탈출을 한 사람을 잡으면 이제는 굉장히 심하게 처벌할 가능성이 있다. 그럼 이제 북한 인권 문제는 우선 만주나 몽골에 있는 한 10만 명의 사람들의 문제이다. 그것은 중국과도 마찰이 되고 그 사람들이 수용소에 있다가 결국은 한국으로 오게 되는데 그렇게 되면 북한에서는 지난번에 탈북자들이 베트남에서 집단으로 올 때와 같이 한국이 미국과 짜 가지고 북한 사람들을 납치해 갔다고 해서 남북 간의 대화라든가 모든 것에 큰 부작용이 올 가능성이 있다. 관계도 경색되고 그렇게 해서…… 그런데 지금 우리가 유의할 것은 인권에는 원초적인 인권이 있고, 민주적인 인권이 있다. 민주적인 인권은 근대 민주화 이후에 나온 것인데 그것이 말하자면 언론·집회·결사의 자유 이런 것이다. 여러 가지 재판을 받을 권리라든가 하는 것이 있지 않나? 원초적인 인권이라는 것은 지금부터 200만 년 전에 인류가 태어난 그 시간부터 인간은 먹어야 할 권리가 있고, 병은 고쳐야 할 권리가 있다. 그런데 북한 사람들은 지금 2천2백만이 이 원초적인 인권에 상당수의 사람들이 시달리고 있다. 그렇게 굶어서 죽어 가는 사람들에게 언론의 자유, 집회·결사의 자유가 무슨 소용이 있나? 병들어서 약도 못 쓰고 있는 사람들에게, 외과 수술을 하는데 진통제가 없어서 그대로 찢고, 링거병이 없어서 사이다병을 쓰고 있는 나라에서 우선 사는 것이 그 사람들에게 인권이지 정부 비판하고 언론 자유 이런 것은 두 번째 문제이다.

그러니까 그런 정치적 인권이 필요하지 않다는 것이 아니라 북한은 지금 정치적 인권보다 우선 사는 것이 중요한, 원초적 인권이 더 중요한 나라다. 그런 점에서 제일 도와주고 있는 것이 우리와 중국이다. 식량 보내 주고 있고, 비료 보내 줘서 농사 잘되게 하고 있고, 약품 보내 주고 있고, 의료기기 보내고 있다.

그러니까 미국이 하는 인권 그런 것을 우리가 하라 하지 말라 할 수는 없다. 그것은 그것대로 의미 있게 해 주면 좋은 것이다. 그런데 북한은 그것을 절대로 선의로 해석하지 않고 북한 체제를 뒤집기 위한 방법이라고 생각하고 있고, 또 미국 정부 여당 사람들이 북한 체제를 바꿔야만 한다는 이야기를 하고 있고, 그래서 그렇게 오해하는 것도 무리는 아니다.

그렇게 되니까 그 문제가 순수한 인권 문제로 받아들여지지 않는 것이다. 그렇게 해서 우리는 피해를 제일 많이 입은 나라가 될 가능성이 있다. 그래서 그런 부작용이 없도록 미국과 긴밀하게 협조해 나가야 할 것이다. 결국 문제 해결은 북한이 핵을 완전히 포기하고 미국은 북한을 안전 보장해 주고 이것을 주고받아 해결을 해야 한다.

그런데 인권은 과거 소련이나 동유럽이나 모든 나라에서 그렇게 외부에서 억압을 해서 인권이 개선되지 않았다. 결국 개혁 개방으로 나감으로써 지금 중국같이 베트남같이 인권이 서서히 해결이 된다. 그러다가 마지막에는 민주화가 돼서 인권이 완전히 해결된다. 인권은 그런 방향으로 하는 것이 성공적이었다는 것을 역사가 증명하고 있다.

가장 낮은 사람을 보살피는 것이 나를 위해 하는 것

정범구 지금까지 살아오시면서 무수히 많은 생사의 고비도 겪으셨지만 가장 극적인 것은 아마 1973년도 8월에 일본 도쿄에서 납치돼서 오셨을 때가 아닌가 싶은데. 그때 막 자루에 담겨서 바다에 던져지려고 하는 절체절명의 시기에 예수님을 보셨다고? 신앙관에 대해 한 말씀 해 주신다면.

김대중 기독교 신앙에 있어서 가장 중요한 것은 모든 사람, 잘난 사람이나 귀족이나 평민이나 노예나 다 하느님의 아들이라는 것. 그 하느님 아들로서 그 사람들을 다 존중해 줘야 한다는 것 그 생각이 가장 중요하고 우리의 인권이나 민주주의 이런 것도 그런 데서 뻗어 나온 것이라고 생각한다.

예수님이 돌아가실 때 「마태오복음」 25장 31절에 보면 그런 말씀이 있다. "내가 너희에게 명하노니…… 굶주린 사람에게 먹을 것을 주고 나그네에게 잘 자리를 주고 병든 사람을 간호해 주고 그리고 헐벗은 사람에게 옷을 주고 감옥에 갇힌 사람을 찾아가 보라…… 그렇게 한 것이 나에게 한 것이다. 그렇게 했을 때 천상에 올라가서 영원한 복을 누릴 것이고 그렇게 안 하면 나한테 안 한 것으로 생각하고 엄중한 벌을 면치 못할 것"이란 의미로 말씀하셨다.

그것이 2000년 전에 하신 말씀이다. 그래서 기독교 그 정신이 살아서 민주주의에 나온 것이다. 「누가복음」에 보면 "예수님이 이 세상에 온 것은 그 팔을 높이 흔드셔서 교만한 자를 내리치고, 부자를 맨손으로 보내고 가난한 사람들에게 배불리 먹이기 위해서 이 세상에 온 것"이라는 이야기가 있다. 그래서 이런 것이 말하자면 뻗어 내려와서 오늘날 세계에 큰 영향을 주고, 기독교를 믿건 안 믿건 인권사상은 다 같지 않나. 그렇게 생각한다.

정범구 개인적으로 하느님을 섬기시고, 정의에 대해서 믿어 오셨지만 무수히 많은 고난을 겪지 않으셨나? 심지어는 사형 선고까지 받으셨을 때 혹시 하느님의 존재에 대해서 회의하거나 신앙에 대해서 회의해 보셨던 적은 없는지.

김대중 있다. 어떤 글을 읽어 보면 목사님조차도 그럴 때가 있다니까 나 같은 평신도가 왜 없겠나? 그런데 그것은 우리가 당장 부딪히는 현실에서는 답답한 그런 생각을 하는데 우리가 역사를 보면 악한 자가 영생하고 영원히 성공한 일이 없지 않나? 또 의롭게 산 사람이 역사 속에서 높이 평가받지 못한 일이 없지 않나?

그런데 지금은 당대에 워낙 정보가 빠르니까. 나부터도 사형 선고받고 납치됐던 사람이 대통령이 되고 노벨평화상을 받고 북한에 가서 김정일 위원장도 만나고, 그렇게 빨리 변화가 오지 않나? 그러니까 결국은 빨리 오냐 늦게 오냐의 문제이지 변화가 오는 것은 틀림없고, 바른 사람이 성공하는 것은 틀림없고, 옳지 않은 사람이 패배하는 것은 틀림없다. 그것을 믿고 살아야 한다. 나는 옥중에서 사형 선고를 받아서 죽는 것이 겁나고 그랬을 때도 그런 생각을 하면 역사책 속에 내가 바르게 쓰인 것이 눈에 보이는 것 같고 나를 그렇게 죽이는 신군부 사람들이 패배자로서 역사에서 매도당하는 것이 보이는 것 같았다.

나는 그렇게 생각했다. 교통사고로 죽을 수도 있고, 병들어서 죽을 수도 있는데 이왕 죽을 것 이렇게 죽는 것이 가장 영광스러운, 값있는 죽음이 아닌가 그런 생각도 했다. 그러니까 생각을 똑바로 해야 한다. 생각을 그렇게 하면 모든 것이 신앙에서 그런 회의라든가 흔들림이 적어지지 않을까 생각한다. 그러나 그렇게 말하면서도 또 사람은 흔들린다.

정범구 김대중 대통령님의 최대 업적의 하나로는 남북 간의 화해 협력의 물꼬를 트셨다는 건데 그 덕으로 80만 명 가까운 사람이 금강산에 다녀왔다. 그런데 막상 대통령님께서는 금강산에 못 다녀오신 것 같은데 한번 가실 생각은 없으신지.

김대중 가 보고는 싶다. 주위 사람들은 그렇게 생각하는데 간다는 것이 거

창한 일이 될 것 같기도 하고 다리가 불편해서 보행이 어렵다. 산을 타는 데 힘이 들고 그래서 주저하고 있다.

젊은이들에게

정범구 국내에서 젊은이들은 통일이 돼도 그만, 안 돼도 그만이라고 생각하는 젊은이들이 늘어난다고 하는데 결국은 통일이 될 거라고 믿지만 그런 미래상을 조금 더 구체적으로 제시해 주실 수 있으신지?

김대중 통일은 너무 빨리 되면 안 된다. 독일을 보자. 그렇게 급격히 통일을 해서 지금 얼마나 경제적, 정신적 갈등으로 고생하고 있나. 나는 처음부터 3원칙, 평화 공존하고, 평화 교류하다가 10년, 20년 후에 우리가 이만하면 됐다 할 때 통일해야 한다.

난 김정일 위원장에게도 그런 이야기를 했다. 그렇기 때문에 "우리가 절대로 흡수 통일 안 한다. 아니 흡수 통일할 능력이 없다. 우리 경제력은 서독이 아니다. 서독은 네 사람이 한 사람의 동독 사람을 먹여 살린다. 우리는 두 사람이 한 명 해야 하는데 우리는 그런 능력이 없다. 그리고 우리는 전쟁까지 하고 그동안에 서로 불신과 증오가 쌓이고 쌓였는데 그것을 당장에 하나로 합쳐 놓으면 잘 안 된다"는 이야기를 했다. 독일 가서 통일 당시의 대통령 바이체커 대통령을 본 대통령 궁에서 만나 뵌 일이 있다. 그때 대통령이 나보고 "미스터 김은 한국 통일을 어떻게 하려고 하느냐" 기에 "우리는 독일식 통일을 바라지 않는다. 그런 식으로 안 한다. 3원칙에 의해서 한다"고 했더니 대통령이 내 손을 잡으면서 "백번이고 천번이고 미스터 김, 그렇게 해라. 우리는 통일 실패했다"고 했다. "돈 문제가 아니라 베를린 장벽은 무너졌지만 마음의 장벽은 안 무너졌다. 큰 걱정이다." 그랬는데, 지금 사실 그렇게 갈등이 심하다. 그래서 우리는 지금 북한이 한꺼번에 무너져서 내려오는 그런 사태를 상당히 걱정한다.

어떻게 해야 하나? 서로 평화적으로 공존하고 평화적으로 교류해서 살다가 북한은 북한대로 미국과의 문제만 해결되면 북한 사람들도 경제적으로도 국제 진출할 수 있고 여러 가지 외국 투자도 받아들일 수 있다.

북한도 같은 민족인데 우리가 경제 발전했는데 북한 사람들이 왜 못하나? 한다. 그래서 북한 사람들도 안심하고 살고 그렇게 해서 안정이 됐을 때 더 많은 사람들이 왔다 갔다 하고 같이 협력해서 사업도 하고 문화 행사도 하면 이제 서로 이해도 깊어지고 이만하면 괜찮으니까 우리 하나 되자 이런 생각이 양쪽 국민 사이에 일어났을 때 그때 통일해야 한다. 그리고 통일은 윈윈으로 해야 한다. 한쪽이 이기고 한쪽이 패자가 되면 그것은 양쪽이 다 불행하다. 그래서 그런 방향으로 생각해야 한다.

정도 언론 위한 독자, 시청자의 역할도 필요

정범구 마지막으로 평소에 국민들에게 하시고 싶으신 말씀 한마디.

김대중 나는 국민들이 어떤 보도 매체를 신뢰해야 하느냐 하면 가장 부수가 많고 시청자가 많은 매체가 아니라 가장 정도를 걷는 매체, 고난 속에서도 지조를 굽히지 않고 언론의 정도를 걷는 매체, 그런 매체에 대해서 신뢰해야 한다고 생각한다. 그래야 그런 매체들이 용기를 얻어서 더 잘할 것 아닌가.

고통받고 손해 보면서 했는데도 불구하고 인정을 못 받는다면 누가 그 일을 계속하겠나? 그래서 좋은 매체가 나오고 안 나오는 것은 독자와 시청자, 청취자에 달려 있다. 그래서 좋은 보도 매체도 필요하지만 좋은 독자, 청취자, 시청자도 필요하다. 그래야 좋은 언론을 만들어 낼 수 있다고 생각한다. 그래서 우리 국민들도 책임감을 가지고 그런 보도 매체에 대해서는 격려하고 그런 매체들이 잘되도록 도와주고 그래야 한다고 생각한다.

정범구 늘 건강하시고 민족의 미래를 위해서 늘 길잡이가 되어 주시길 바라겠다.

김대중 감사하다.

* 이 글은 기독교방송(CBS) 창사 50주년 기념 특별 대담으로 2004년 10월 22일 연세대 김대중도서관에서 진행되었다.

민족 문제 상의 위해 방북할 생각 있다

대담 손석희
일시 2005년 2월 21일

손석희 김대중 전 대통령님 지금 만나 뵙고 있습니다. 안녕하십니까?

김대중 예, 안녕하세요?

손석희 이렇게 시간 내주셔서 감사드리고요. 며칠 남았습니다만 25일이 퇴임하신 지 2주년이 되는 날인데요. 소회랄까요. 그것도 좀 듣고 싶고 최근의 근황은 어떠신지 듣고 싶습니다.

김대중 그동안 2년 동안 정치에는 일절 관여 안 하고, 그리고 집에서 조용히 살면서 건강도 관리하고 그렇게 했습니다. 그런데 자연히 일들이 생겨서 작년에 유럽을 두 번 갔다 오고 또 중국, 말레이시아도 갔다 왔습니다. 그리고 국내에서도 자연히 여기저기…… 집에 사람도 찾아오고 그럭저럭 시간을 보내고 있습니다.

손석희 여쭙고 싶은 본론으로 바로 들어갔으면 좋겠는데요. 잘 아시겠습니다만 북한이 외무성 성명을 통해 핵무기를 가지고 있다라고 선언했고, 또 6자회담에는 무기한 불참한다, 이렇게 선언을 했습니다. 북한이 이런 태도로 나오는 이유, 근본적인 이유는 뭐라고 보시는지요?

김대중 결국에는 북한은 미국하고 협상을 하고 싶은데 협상이 잘 안 되니까 약간 극단적인 태도를 취한 거라고 보는데 그러나 나는 북한의 그런 돌발적인 것은 잘못된 일이고 북한을 위해서나 또 국제적인 기대, 여기서 생각할 때 문제가 있다고 생각합니다. 북한이 말하는, 우리가 핵을 포기하고 검증을 받을 테니까 미국은 우리의 안전을 보장해라 하는 것은 북한으로서도 정당하고 또 객관적으로 보더라도 그것이 해결책입니다. 그러면 당당하니 6자회담에 나가서 거기서 주장을 해야지 나가지 않겠다 하는 것은 내가 볼 때는 누구에게도 도움이 안 되는, 그리고 미국이나 일본, 강경파들만 도와주는 그런 결과라고 생각합니다.

손석희 미국도 부시 행정부 2기 출범을 전후해 북한에 대해서 예를 들면 폭압정치의 전초기지라든가 이런 쪽에서 자극한 부분도 있지 않나 해서요. 북한의 입장에서만 보자면 미국의 태도도 사실은 6자회담을 지속하려는 것처럼 보였겠느냐, 의구심을 가질 만하지 않았겠냐, 이렇게 생각할 수도 있을 것 같은데요.

김대중 그러니까 6자회담에 나가서 그 얘기하면 되지 않느냐 그 말입니다. 안 나가니까 그러면 미국뿐 아니라 거기에 참가하고 있는 한국, 중국, 러시아, 일본도 다 실망할 것 아닙니까? 그리고 세계도 왜 안 나가냐 이러니까 북한이 잘못한 것이 없다 하더라도 지금 북한이 6자회담 잘 안 된 데 책임져야 될 것 같은 그런 입장이 되니까 북한을 위해서도 잘한 거 아니다, 그 얘깁니다.

손석희 일정 부분 시기가 지나고 나면, 어느 정도 조건이 조금만 개선된다면 북한은 바로 6자회담에 돌아올 수 있다고 판단하십니까?

김대중 결국은 나갈 거라고 봅니다. 그리고 안 나가서 북한에게 이로운 것이 없어요.

손석희 알겠습니다. 미국은 좌우지간 지금은 추가 보상은 없다, 이런 입장을 밝히고 있고요. 그리고 최근에 여러 가지 보도를 종합해 보면 미국이 우선시하고 있는 것이 지금 이란하고 시리아가 아니냐. 그렇다면 북한은 선순위에서 밀려 있는 상황이고 그렇게 보자면 장기화시킬 가능성도 있다, 많은 전문가들이 그렇게 분석을 하고 있던데요. 김대중 전 대통령께서는 어떻게 보시는지요?

북한을 악당으로 만들어 놓고 군비 강화

김대중 나는 지금 역시 미국에 있어서는 이라크와 이란이 선순위라고 봅니다. 그런데 내가 볼 때는 미국도 부시 정권 1기 4년, 거의 북한 문제는 진전이 없이 지냈거든요. 그런데 그 결과 어떻게 됐느냐 하면 북한이 핵확산금지조약(NPT) 탈퇴하고 국제원자력기구(IAEA) 감시원 추방하고 그렇게 해서 지금 북한도 미국에서 볼 때는 아주 바람직하지 않은 조치를 계속 취했거든요. 그리고 지금 북한이 공언도 했지만 북한이 핵무기 몇 개는 가지고 있을 것이다, 이런 정도까지 진전이 됐단 말이에요. 그래서 이런 것은 지난 4년 동안 적극적으로 해결 안 한 데서 온 그런 마이너스 요인이 아닌가, 그런 생각을 합니다. 한데 지금 다시 지금 일부에서 얘기하기는 미국의 강경 세력들은 이 사태를 해결하지 않는 채로 끌고 가면서 북한을 압박을 하고 또 북한을 악당으로 만들어 놓고 그런 것을 구실로 해서 군비 강화라든가 일본하고 군사적 제휴를 강화하고 있습니다. 지금 일본하고는 미사일방어체제(MD) 공동 개발을 해서 합의했잖아요? 협상하고 있거든요. 그런 데서 어떻게 보면 북한이 이용당하고 있는 격인데 만일 그렇다면 북한은 이것을 역이용해 가지고 적극적으로 회담에 임하면서 할 얘기하고 나도 내놓을 거 내놓는데 왜 당신네는 안 내놓느냐, 내 카드만 내놓으라고 해 놓고 자기네 카드는 안 내놓는 게 말이 되냐, 또 내가 핵무기 포기하면 그다음에 미사일 문제 또 얘기할 거냐, 또 그다음에 생화학무기 얘기할 거냐, 또 인권 문제 얘기할 거냐, 또 장거리포 얘기할 거냐, 그런 문제에 대해서 분명히 하라 말이죠. 이러면서 북한이 왜 적극적으로 문제를 푸는 방향으로 능동적인 조치를 안 취하는지 내가 볼 때는 북한이 전략 전술을 잘 못 하고 있지 않나 생각합니다.

손석희 그 부분은 지금 북한하고 미국하고 서로 먼저 뭘 내놔라, 이런 형국인 것 같습니다.

김대중 그렇지 않죠. 북한은 내놨어요. 북한은 핵 포기하겠다. 또 검증받겠다. 그런데 미국이 거기에 대해서 북한이 바라는 안전 문제, 경제 제재 문제, 이 문제에 대해서 확실하게 안 내놓은 거죠. 그것만 하면 일단 정상화되는 거냐, 아까와 같이 여러 가지 생화학무기나 이런 문제까지도 다 돼야 되는 거냐, 이것도 확실치 않거든요.

손석희 그런데 아까 미국의 강경파 얘기 잠깐 하셨습니다만 미국의 이른바 강경파 관리들이 하는 얘기 중에 상황이 호전되지 않으면 궁극적으로는 안보리에 북한 핵 문제를 올려야 되는 게 아니냐, 이런 얘기를 하고 있거든요. 물론 우리 정부는 거기에 대해서 부정적으로 반응하고 있습니다만, 실제로 안보리까지 올라갈 수 있는 상황이 발생할까요? 예를 들어서 북한의 입장에서 러시아나 중국이 반대해 줄 거라고 기대할 텐데요?

김대중 미국이 안보리로 가지고 가려고 할 때는 중국이나 러시아한테 사전에 합의를 받지 않고는 가지고 가 봤자 의미가 없는 거죠. 그러니까 지금으로서는 중국이나 러시아가 거기에 동조할 이유가 없으니까 또 우리나라도 안보리 이사국은 아니지만 우리나라도 이해 당사자로서 동조 안 할 가능성이 크고 하니까 지금으로서는 그게 엄포지 가능성이 있는 문제는 아니죠.

손석희 그러면 미국의 입장에서는 안보리 상정도 현실적으로 불가능하고 또 6자회담도 잘 되질 않고 그러면 미국이 취할 수 있는 카드는 아주 최악의 카드이긴 합니다만 군사적 옵션을 얘기할 수가 있는데요. 그것이 가능하다고 생각하시는지요?

김대중 그것이 아니고요. 지금 미국이 대화로써 해결하겠다는 것 아닙니까? 그러면 대화로써 해결하겠다면 상대방이 카드를 내놨으니까 미국도 카드를 내놓고 얘기해야죠. 지금은 그것이 핵심이에요. 북한은 핵 포기하겠다, 사찰을 받겠다, 그러면 미국은 안전 보장해 주겠다, 그래 가지고 국교 정상화하고 그다음에 또 다음 문제는 정상화 후에 얘기하겠다든가 이런 구체적인 얘기 해 줘야 북한도 마음을 정할 것 아니냐, 북한 내부에는 아시다시피 군대가 모든 걸 장악해서 외교안보가 군대가 장악한 나라인데 그 사람들이 지금 미국에 대한 강한 불신과 적개심과 두려움 이런 걸 가지고 있기 때문에 김정일 위원장이 하고 싶어도 마음대로 못 하는 문제가 있는 거거든요. 그러니까 그런 걸 생각해서 모든 문제를 아주 명백하게 손에 쥐여 주듯이 뭘 주겠다는 것을 얘기하냐 안 하냐 그 단계예요. 6자회담도 그 단계에서 하는 거거든요. 6자회담에 나가는 각국도 북한만 몰아붙일 것이 아니라 미국에 대해서도 내놓을 걸 내놓도록 그렇게 미국에 대해서도 요구해야 대화가 돼요. 결국은 6자회담 하건 양자회담 하건 문제는 북한하고 미국하고 주고받는 문제니까요. 그 문제가 해결돼야죠.

손석희 그런데 그게 좌우지간 막혀 있는 상황인데 여기서 또 많은 전문가들이 중국의 입장에 주목을 하고 있는 것 같습니다. 중국의 역할에 대해서…… 실제로 대외연락부장도 평양을 방문했고요. 그런데 과연 중국이 북한을 회유할 수 있는 카드를 가지고 있느냐, 여기에 대해서는 또 의견이 엇갈리는 것 같거든요. 중국의 역할을 어떻게 보시는지요?

김대중 중국이 북한을 압박해 가지고 해결하려고 하면 가능성도 있죠. 있는데, 중국이 그렇게 하려면 미국이 이렇게 해 준다는데 왜 안 받냐, 이 얘기가 돼야 된단 말이에요. 미국이 그것이 확실치 않으니까 중국은 북한에 가서 얘기하면 북한은 나는 내놨는데 미국은 말하자면 자기 카드를 안 내놓고 있는데 왜 나보고만 자꾸 뭐라고 하냐, 이러면 중국이 뭐라고 말하겠어요? 그렇기 때문에 이 문제는 결국은 평화적으로 대화로 해결한다면 결국 가장 기본적인 문제는 미국이 뭘 내놓느냐 하는 문제에요. 그래야 중국도 북한을 밀어붙일 힘이 생기죠.

손석희 그렇다면 김대중 전 대통령께서 보시기에 미국이 내놓을 수 있는 카드는 어디까지가 가장 실효성이 있고 북한으로 하여금 움직일 수 있게 하는 카드라고 보시는지요?

평화협정 체결, 국교 정상화

김대중 예를 들면 남북하고 미국하고 3자가 평화협정을 맺는다든지 이렇게 해서 체제 안전 보장을 해 줄 수 있는 것 아닙니까? 그리고 미국, 우리나라하고 북한하고 국교 정상화하고, 그리고 아시아개발은행(ADB)이라든가 국제통화기금(IMF) 같은 데 북한이 가입해 가지고 차관도 얻을 수 있게 하고 또 일본하고 국교 정상화해 가지고 일본으로부터 과거에 대한 배상도 얻을 수 있게 하고 이런 걸 미국이 막지 않고 용인하는 이런 태도를 취하면 문제가 풀려 가는 거죠. 그리고 그렇게 했는데도 불구하고 북한이 핵 문제를 시원하게 안 하면 그때는 가령 안보리를 가지고 간다 하더라도 중국도 반대 못 할 거란 말이에요. 그러니까 먼저 이 문제가 풀리지 않으면 나머지는 아무것도 안 풀리는 거예요.

손석희 결국은 그 역할을 어떤 방식으로 누가 하느냐 하는 것도 대단히 중요한 문제인 것 같아요. 지난번에 이 관련으로는 부정적인 말씀을 하신 걸로 알고 있습니다만 김대중 대통령께서 어떤 식으로든 역할을 해 주시는 것이 좋지 않겠느냐라는 의견도 있어 왔습니다. 그러니까 지금 북·미 간에도 안 되고 남북 관계도 대화가 안 돼서 채널이 성립이 잘 안 되는 상황이라면 한번 직접 나서 주시는 건 어떠냐 이런 의견도 많이 있습니다. 어떻게 생각하시는지요?

김대중 그건 내가 말했지만 첫째 이 얘기는 김정일 위원장이 서울 방문한다는 6·15공동선언의 약속을 지켜야 돼요. 그래서 서울 오기가 뭐하면 한국 남쪽 오면 되는 거니까 하다못해 도라산에서 만나더라도 도라산은 바로 개성 위쪽 아닙니까? 만나야 돼요. 그래서 김정일 위원장이 이건 국제적으로도 자기가 공약해 놓은 것이기 때문에 굉장히 부담을 느끼고 있는 거예요. 중국이나 러시아 지도자들도 여러 번 북한에 대해서 약속 이행하라고 얘기했어요. 그러니까 그 문제는 우리가 가지고 있는 북한에 대한 하나의 채권 비슷한 건데 우리가 약속을 이행하도록 계속 요구해야 돼요. 그런데 그러기 위해서 그런 문제를 포함해서 특사를 보낼 수가 있는데 그 특사는 대통령을 보좌하고 대통령 생각을 잘 아는 사람, 그리고 돌아와서도 계속 대통령 옆에서 보좌할 사람, 또 필요하면 또 가고 또 가고 할 사람, 그런 사람을 만들어야지 나같이 정치 떠나서 정부 상황도 지금 잘 모르는 사람이 가서 얘기하면 상대방이 내가 대통령에 대해서 영향력을 줄 수 있는 사람이 아니란 걸 알기 때문에 그리 큰 성과가 없어요. 나는 만일 북쪽에서요. 우리 민족 문제를 상의하기 때문에 한번 좀 와 주쇼, 이런 초청이 있으면 나는 갈 수 있어요. 그런데 내가 특사로서 가는 것은 합당치 않아요.

손석희 지금 전제 조건으로서 북쪽에서 만일 어떤 초청을 한다면 갈 순 있다, 이렇게 말씀하셨는데요.

김대중 그것도 김정일 위원장이 초청해야죠.

손석희 물론 그렇겠죠. 그동안에 저쪽에서의 움직임이라든가 이런 게 전혀 없었습니까, 조짐이?

김대중 작년에 북쪽 사람들이 왔을 때 김정일 위원장은 내가 북한에 오면 언제든지 환영하겠다, 그런 얘기는 했지만 그것이 초청이라고는 볼 수가 없고요. 그런 의사는 있었어요.

손석희 그러나 향후 어느 때라도 만일 김정일 국방위원장이 초청한다면 가실 의향은 있다?

김대중 갈 생각이에요. 그래야 내가 뭔가 도움 될 수 있는 일을 할 수 있다고 생각합니다.

손석희 혹시 그런 메시지를 전달하신다든가 이런 방법을 생각해 볼 순 있지 않을까요?

김대중 오늘 방송에 나가잖아요.

손석희 (웃음) 그래서 제가 여쭤본 겁니다. 알겠습니다.

아까 북한 방문과 관련된 얘기, 말하자면 김정일 국방위원장이 초청한다면 못 갈 건 없다, 가서 얼마든지 설득할 것은 하고 그런 역할을 하겠다라고 말씀하셨는데 지금 여러 가지 상황을 보면 남북 교류도 상당히 위기인 것 같습니다. 잘 아시다시피 지난번에 반기문 외교통상부 장관이 그런 얘기를 했었죠. 당장 비료 지원이라든가 이런 것은 어떻게 보면 인도적 지원 차원인데 그것도 조건부로 할 수 있다라는 얘기가 나왔고요. 그것이 미국에서 압력을 넣은 것이냐 만 것이냐, 논란이 되기도 했습니다만 이렇게 돌아가는 상황에 대해서는 어떻게 판단하고 계십니까? 그것이 과연 맞는 대처 방법이냐 하는 것에 대해서는 좀 논란이 있을 수 있는데요.

김대중 그런데 근본적으로 남북 경제 협력, 이 문제는 우리가 일방적으로 북한을 도와준다, 퍼주다, 이런 식으로 얘기하는데 우리가 생각해 보면요. 과거에 남북정상회담이 있기 전에는 판문점에서 총소리 한 번 나도, 베트남전에서 미군이 철수해도 아주 공황 상태가 일어나 가지고 모두 도망갈 준비하고 물건 사재기하고 그랬지 않습니까? 그런데 지금 북한이 핵무기 가졌다고 해도 아무도 �떡 안 하고 있거든요. 이렇게 긴장이 완화가 된 것이 뭐냐 하면 남북 관계가 좋아진 덕택입니다. 그리고 우리가 남북 경협에서 북한에게 물론 경제적으로 도움을 줬지만 우리도 굉장히 큰 경제적 도움을 받는 거예요. 지금 남쪽에서 400조나 되는 돈이 올데갈데없어서 흘러 돌아다니고 툭하면 투기로 들어가는데 이런 게 북한으로 들어가면, 말하자면 중소기업들이 대거 북한에 가서 지금 중국이나 베트남에 간 것보다 훨씬 유리한 조건으로 덕을 보게 되는 거예요. 그리고 그렇게 되면 북한 경제가 자꾸 우리한테 의존하게 되니까, 결국에 경제가 의존하게 되면 북한은 협력적으로 안 나올 수가 없는 거예요. 그리고 더 중요한 것은 우리가 21세기에 무슨 동북아시아 허브가 되니 뭐니 말하고 있지만 여기서 출발한 기차가 갈 수 있는, 그런 물류가 열리지 않으면 21세기에 있어서 동북아시아에서 물류 중심이 된다는 건 가망도 없는 얘기예요. 기차가 한 발도 못 가는데 어떻게 됩니까? 그런 것 보면 우리는 그것이 우리의 21세기의 국부國富를 좌우하는 중대한 그런 것이 북한한테 달려 있는 거예요. 그렇기 때문에 단순히 이것을 평화라든가 민족끼리 협력이다, 그런 생각을 훨씬 초월해서 우리 국가와 민족의 장래 발전에 결정적으로 중요한 거예요. 이런 것을 우리가 볼 때 그렇게 됐을 때 우리가 흔히 한강의 기적이라고 말하는데 그때는 압록강의 기적이라는 시대가 오는 거예요. 그런데 압록강의 기적 시대가 와야 우리가 유라시아 대륙 전체에서 크게 국부를 증진시키고 우리가 활발해지는 거예요. 또 실제 지금 당장의 남북 관계만 보더라도 우리가 아무래도 투자한 쪽이고 하기 때문에 덕을 더 보면 봤지 적게 보는 것은 아닙니다. 그리고 무엇보다도 이산가족들이 과거에 200명밖에 못 만났던 게 만났어요. 6·15공동선언 이후에 1만 명이 만났어요. 남북 간에 민간인도 한 6-7만 명이 지금 왔다 갔다 하고 이것은 무엇보다도 긴장이 완화가 되고 북쪽이나 남쪽 사람들이 과거에 상대방에 대해서 가지고 있던 적개심, 말하자면 편견, 이런 것이 많이 완화가 되고, 지금 북한 사람들이 남쪽을 생각할 때 이웃사촌 같은 그런 방향으로 심리가 변화된 것, 이것이 얼마나 큰 겁니까? 그렇게 되니까 외국 투자가들이 온 거예요.

손석희 아무튼 그럼에도 불구하고 미국 쪽의 입장은 개성공단도 마찬가지고 한국이 좀 더 그 부분에 있어서 신중하게 나가야 되는 게 아니냐? 그래서 반기문 외교부 장관도 상황이 더 악화되지 않으면 개성공단 사업은 계속한다, 이건 다시 말하면 상황이 악화되면 안 할 수도 있다는 얘기거든요. 잠시 중단할 수도 있다는 얘기고, 지금 정부의 입장은 잘못된 입장이라고 생각하시나요?

김대중 반기문 장관이 그렇게 얘기했다는데 상황이 악화되면 누구라도 경제 협력을 계속할 수가, 실질적인 문제에서는 어렵지 않습니까? 그런데 문제는 그러한 상황이 안 되게 만드는 게 중요한 거예요. 아까 말한 것같이 핵 문제가 해결돼야 상황이 안정적이죠. 경제 협력, 비료 안 준다고 상황이 호전될 건 아니잖아요.

손석희 알겠습니다. 최근에 여러 가지 남북 관계나 북·미 관계를 보면 결국은 남북 관계라는 것도 북·미 관계의 종속변수가 아니냐라고 볼 수도 있는 것 같습니다. 왜냐하면 북·미 관계가 개선되지 않는 상황에서는 남북 관계도 자꾸 진전이 안 되니까요. 그렇다면 노무현 대통령도 한국이 주체적으로 역할을 해야 된다라고 주장은 하고 있습니다만 그것이 현실적으로 가능한 것이냐, 이건 어려워 보이기도 하는데 어떻게 보십니까?

남북, 북·미 관계는 상호 보완

김대중 남북 관계하고 북·미 관계는 상호 보완적이에요. 병행돼야 돼요. 우리가 남북 관계 개선하는 것이 오늘날 한반도에서 긴장 완화에 얼마나 도움이 되겠습니까? 그리고 우리는 미국에 대해서 세 가지 확실한 원칙을 가져야 돼요. 하나는 북한의 핵무기라든가 대량살상무기 이건 안 된다. 이건 내가 북한 방문했을 때도 김정일 위원장한테 다짐한 거예요. 이건 안 되는 거예요. 그건 미국하고 우리가 완전히 일치해야 돼요. 둘째는 미국하고 우리하고 동맹 관계, 이건 미국이나 우리 양쪽을 위해서 이익이에요. 우리에게 절대 필요한 것이기 때문에 이것도 굳건히 유지해야 돼요. 셋째가 문제인데 그것은 한반도 문제는 우리 의견이 중심이 돼야 된다는 거예요. 말만이 아니라 구체적으로 정책에도 그렇게 반영돼야 한다고 생각해요.

손석희 그런데 한 가지 부딪히는 문제가요. 이것이 한반도, 우리의 문제이기 때문에 우리 중심적으로 나간다는 문제하고 북·미동맹 문제하고 늘 부딪히는 문제가 돼 버리거든요. 그 모순은 어떻게 극복해야 된다고 생각하십니까? 가령 북·미동맹을 강화하는 속에서 한국 정부가 중심적인 역할을 해 나갈 수가 있겠느냐는 것이죠.

김대중 그건 우리 외교 역량에 있는 것이고 또 우리가 우리의 주도권이라고 해서 무조건 미국은 우리말만 따라라 그런 것이 아니고 거기에 있어서 미국의 일방적 의견을 밀어붙이지 말고 우리하고 충분히 협의해서 해 나가자 하는 거예요. 2002년 2월에 부시 대통령이 서울 오셨어요. 그런데 오기 전에 1월에 북한을 '악의 축'이라고 발표한 거예요. 그래서 나도 굉장히 긴장을 하고 맞이했어요. 북한에 대해서 부시 대통령이 상당히 강한 비난을 하면서 자기 민족 밥도 못 먹이면서 핵무기, 이런 소리 하고 한다면서 상당히 강한 얘기를 했어요. 그런데 그때 부시 대통령한테 말했어요.

"지금 우리가 북한하고 대화를 주장하는데 그건 당연하지 않냐. 우리는 같은 민족인데 아무 이유 없이 지금 외세에 의해서 분단돼 가지고 반세기가 넘었는데 우리는 언젠가 다시 통일해야 하는데 통일할 민족끼리 대화하는 것 당연하지 않냐. 또 양쪽의 군대가 2백만이 대치하고 있는데 평화를 얘기하려면 대화해야지 평화 얘기하지 않고 전쟁이 나면 우리 민족은 양쪽이 공멸한다. 그리고 당신한테 내가 얘기하고 싶은 것은 대화는 아무리 마음이 안 맞고 밉다고 하더라도 이해가 맞으면 되는 것이다. 1953년 휴전협정 같은 것도 전쟁하는 도중에 전투하면서 대화하지 않았느냐.

레이건은 소련을 '악마의 제국'이라고 했다, 그런데 악마의 제국하고 대화했다, 그리고 미국이 공산권을 다루는 역사를 보면 미국이 냉전이라든가 봉쇄라든가 이런 것 해 가지고 성공한 예가 하나도 없다. 미국 당신네들이 쿠바를 봉쇄해서 50년 됐다. 그런데 눈앞에 있는 조그마한 점 같은 그거 하나를 50년 봉쇄했는데 변화 못 시키고 있지 않나. 여기서 우리가 얻는 교훈은 무엇이냐. 공산주의는 봉쇄하고 압박하면 할수록 강해지고 풀어 주고 개방시키면 쉽게 변화한다는 것, 이것을 우리가 배운 거다. 북한도 마찬가지다. 북한이 가려고 하는 길은 제2중국, 그들의 체제는 유지하면서도 개혁 개방해 가지고 중국과 같이 경제 발전하려고 하니까 그런 방향으로 우리가 유도해서 북한도 중국식으로 변화하면 장차는 결국 민주화가 된다, 그렇지 않더라도 위험성은 감소된다."

그런 얘기해서 부시 대통령이 그 의견에 동조를 했어요. 그래 가지고 기자 회견에 나가 가지고 말하자면 북한을 공격 안 하겠다, 북한하고 대화하겠다, 그리고 경제 원조하겠다, 경제 원조라기보다 식량 주겠다. 그렇게 발표했어요. 미국이 말하자면 북한을 압박하고 뭐 하는 것은 그건 나는 성공의 길이 아니라고 봐요.

손석희 그런 차원에서 보자면 지금 참여정부의 대미 자세는 어떻게 보시는지요?

김대중 나는 참여정부가 지금 아주 힘들게 노력하면서도 비교적 잘하고 있다고 보고 있어요. 왜 그러냐 하면 북한하고 대화하려고 애쓰고 또 북한하고 미국하고 관계를 어떻게 하면 제대로 해서 원만하게 풀어 나가려고 하는데 힘쓰고 있어요. 이런 것은 그렇게 해야 한다고 생각합니다.

손석희 그런데 일부에서는 특히 대북 송금 특검을 참여정부가 받아들이면서 북한과의 대화 채널은 끊겨 있는 게 아니냐라는 우려도 또 하고 있거든요.

김대중 그런데 그 문제는 별도의 얘기인데 대북 송금은 그건 굉장히 잘못한 거예요. 국가의 책임자가 최고의 기밀 사항으로 취급해 놓은 것을 그렇게 까발려 가지고 하면 앞으로 어느 나라가 우리를 신뢰하고 대화를 하겠어요? 그리고 실제 해 보니까 말하자면 국민의정부가 북한에 대해서 정상회담 하기 위해서 돈 줬다는 것은 하나도 안 나타났잖아요. 아니라는 건 특검도 인정했거든요. 현대가 자기네 상업적 투자를 한 것, 그런데 거기서 끝이었는데 자기네 특검의 임무도 아닌 것을 박지원 비서실장이 현대로부터 150억 받았다고 그래 가지고 그렇게 박해를 가했는데 그것도 대법원에서 무죄 취지의 판결이 나오지 않았어요? 이런 것은 굉장히 내가 볼 때는 불행한 일이었다고 생각합니다.

손석희 요즘 아무튼 북한의 핵무기가 본격적으로 나오면서 듣기 불편하실 진 모르겠지만 또 이런 얘기가 나오고 있습니다. 아까 잠깐 햇볕정책이 퍼주기 논란을 불러일으켰다라는 비슷한 말씀 하셨습니다만 그것이 잘못됐다고 말씀하셨는데 결국 이른바 햇볕정책 때문에 북한이 핵무기를 개발할 수 있었던 것 아니냐, 최근에 북한이 핵무기를 가졌다고 선언할 수 있게 된 이 결과는 결국은 햇볕정책 때문이 아니었느냐는 비판적인 의견들도 있는데 거기에 대해서 어떻게 생각하십니까?

김대중 그건 우리가 실제 역사를 보면 알잖아요? 1994년, 그때 북한이 핵문제 가지고 제1차 핵전쟁 일어날 단계에 있었잖아요? 그런데 그때는 6·15남북정상회담보다 6년 전인데 어떻게 해서 그렇게 요술 같은 일이 생겨난 거예요? 말이 안 되죠.

손석희 한 가지만 더 여쭙도록 하겠습니다. 주한 미군 문제 얘기를 나눴으면 좋겠는데요. 주한 미군이 한반도 방위에만 사용되는 것이 아니라 광역 기동군화에 대한 얘기가 계속해서 나오고 있습니다. 이것은 미군의 작전계획이 바뀜에 따라서 자연적으로 나올 수 있는 결과물인지 모르겠습니다만 그러한 광역 기동군화에 대해서는 어떻게 생각하시는지요?

김대중 나는 그건 참 심각한 문제라고 생각합니다. 광역 기동군, 이건 원래 주한 미군의 취지하고는 맞지 않고 한·미방위조약하고도 맞지 않는 겁니다. 미국이 그런 방향으로 미국 전체의 국방정책이 움직이면서 한반도 문제도 그렇게 됐는데 그 문제를 잘못 다루면 엄청난 위험이 우리나라에 닥쳐옵니다. 광역 기동군제가 되어 가면 아마 중국이 굉장히 거기에 대해서 날카로운 반발을 할 거예요. 그렇게 되면 중국은 북한에 대해서 군사적인 동맹 관계는 거의 해소하고 있는 상태거든요. 그런데 그것이 다시 강화됩니다. 6·25전쟁 때 생각해 보세요. 중국하고 우리하고의 관계도 아주 긴장된 상태로 들어갈 우려가 있습니다. 그렇게 되면 미군이 여기 있는 것이 오히려 우리에게 여러 가지 면에서 위험부담이 되는 이런 상황이 옵니다. 그렇기 때문에 이 문제는 미국하고 허심탄회하게 얘기해 가지고 그러한 상황으로 가지 않도록 정부가 잘 해야 하는데 아직 그 문제가 어느 정도 얘기가 되고 있는지 또 어떻게 될 건지 모르니까 내가 뭐라고 말할 순 없지만 하여튼 그 문제는 심각한 문제다라고 생각합니다.

손석희 알겠습니다. 오늘 말씀 고맙습니다.

---

* 이 글은 문화방송(MBC) 라디오 「손석희의 시선집중」 인터뷰를 녹취한 것이다. 2005년 2월 21일 오전에 방송되었다.

미국도 카드 내놓고, 북한은 '6자회담'에 참여해야

대담 강천석
일시 2005년 3월 1일

강천석 퇴임한 지 2년이 지났습니다. 퇴임 후 가장 활발하게 활동하는 전직 대통령인 것 같습니다. 올해는 어떤 활동을 하실 계획이십니까?

김대중 정해 놓은 원칙이 있어요. 국내 정치에는 일절 관여 않겠다, 한반도 평화와 남북 화해 협력에 힘쓴다, 노벨평화상 수상자로서 세계 평화와 빈곤 문제 등에 전념한다는 것입니다. 건강이 허락하는 한 그런 활동들을 계속해야지요.

강천석 북핵 문제부터 묻겠습니다. 2월 10일 북한 외무성이 6자회담 무기한 중단과 핵 보유를 선언했습니다. 이 사태를 어떻게 풀어야 한다고 보십니까?

김대중 북핵 문제는 미국 클린턴 정부 때 거의 타결 직전까지 갔다가 부시 정부가 (2001년) 출범하면서 중단됐습니다. 부시 1기 정부 4년 동안 거의 진전이 없었습니다. 또 김정일 위원장이 중국 대표단에게 핵을 가졌다고 말했다는 보도가 있었는데 대단히 잘못된 것이고, 우리로서는 용납할 수 없는 일입니다. 중요한 것은 6자회담에 나와라 들어가라 하는 문제가 아닙니다. 세 번이나 6자회담을 했어도 안 되지 않았습니까? 4차 6자회담이 열린다고 해서 이번엔 된다는 보장이 어디 있나요? 회담을 하는 것이 중요한 게 아니라 무엇을 주고받고 해결하느냐 하는 해결책이 중요한 겁니다. 그런데 이 문제에 관해선 북한은 이미 자기 태도를 표시하고 있습니다. 핵을 포기할 테니 안전 보장하고, 경제 제재 해제해 달라는 것입니다. 그런데 미국이 이에 명확한 입장을 내놓지 않고 있습니다. 그렇다고 해도 북한은 6자회담에 나와야 합니다. 자신들의 주장이 정당하다면 나와서 뭔가를 요구하는 게 맞습니다.

강천석 결국 이 문제를 풀려면 북한과 미국이 만나야 하는 것 아니냐는 견해들이 있습니다.

김대중 6자회담이라는 테두리는 괜찮은 겁니다. 그러나 결국은 그 테두리 안에서 북한과 미국 양자가 풀어야 할 것입니다. 나머지 4자들은 분위기를 조성하고 협력해 줘야 합니다.

강천석 부시 정부도 북한의 체제 보장 요구에 대해 뭔가 대답을 해야 한다는 말씀인데, 현재 한반도 문제에서 미국의 역할은 무엇이어야 한다고 보십니까?

김대중 북한의 핵 보유는 절대 안 됩니다. 북한이 완전히 핵을 포기하고 검증받으면, 거기에 상응한 대가를 줘서 북한도 안심하고 살 수 있도록 해야 합니다. 이것이 공산주의를 도와주는 것 같지만 사실은 공산주의를 변화시키는 겁니다. 부시에게 이렇게 말했습니다. 소련을 악마의 제국이라 불렀던 레이건 대통령도 소련과 대화하지 않았느냐, 공산주의는 우리도 싫어하고 반대하지만 대화하는 것과는 다른 문제라고 했습니다. 결국 총 한 방 쏘지 않고 소련이 무너지지 않았습니까? 공산주의는 개방시키면 변화하고 약화됩니다. 봉쇄하고 무력 사용해서 변화한 것 한 번도 없었습니다. 미국이 눈앞의 점點 같은 쿠바를 변화시키지 못했습니다. 미국이 성공하고 실패한 역사에서 배워야 한다고 했고, 부시 대통령도 공감을 했습니다.

강천석 북한이 요구하는 체제 보장과 미국 등 국제사회가 요구하는 핵 포기는 선후先後 관계입니까, 아니면 동시 이행해야 하는 문제입니까?

김대중 가게에 손님이 처음 와 가지고 물건 사는데 외상합시다 하면 하겠습니까? 지금 북한과 미국 사이는 극도로 서로 불신하는데, 너만 내놓고 나는 나중에 보자고 하면 얘기가 안 됩니다. 같이 해야 합니다.

강천석 최근 김정일 위원장이 초청한다면 북핵 문제 해결에 역할을 맡을 생각도 있다고 말씀했습니다. 평양에 가신다면 김정일 위원장을 어떤 식으로 설득할 생각입니까?

네 마리 코끼리 사이에서 어떻게 할 것인가

김대중 내가 (노 대통령) 특사로는 북한에 가지 않겠다고 한 것은 특사는 대통령 뜻을 잘 알고 전달할 사람이어야 하고, 또 자유로운 몸으로 가야 제한 없이 이야기할 수 있기 때문입니다. 김 위원장이 "이 어려운 때 당신 얘기 좀 들어 보자"고 하면 나는 핵만이 아니라 우리 민족 전체의 운명과 미래를 어떻게 개척할 것인가, 네 마리 코끼리(4강) 사이에서 어떻게 살길을 찾을 것인가 하는 그런 얘기를 같은 민족 입장에서 하고 싶습니다. 핵은 그중 조그만 이야기입니다. 제의가 오면 갈 작정이지만 아직은 (제의가) 없습니다.

강천석 햇볕정책이 지금 정부에서 대체로 이어지고 있다고 보십니까.

김대중 대체로 이어 가고 있다고 봅니다.

강천석 퇴임 후 곧바로 대북 송금 특검이 있었고, 관련자들이 구속되기도 했습니다. 앞으로 대북 지원 문제와 관련한 국내적 논란은 어떻게 정리해야 한다고 생각합니까?

김대중 대북 지원에 대해 퍼주기라고 하는데 그것은 좀 차원을 바꿔서 생각해야 합니다. 과거에 판문점에서 총소리만 나도 사재기를 하고 난리가 났지만 지금은 북한이 핵무기 가졌다는데도 사람들이 꿈쩍도 않습니다. 박정희 대통령 때 외자가 246억 달러 들어왔는데, 내 재임 5년간 600억 달러 들어왔습니다. 남북 긴장 완화 덕입니다. 개성공단은 2012년까지 우리가 24조 원 이득을 보고 북한이 7000억 원 이득을 봅니다. 또 지금 북에도 못 가는데 무슨 동북아 허브입니까? 북에 길을 열어야 합니다. 그러면 이제는 한강의 기적이 아니라 압록강의 기적이 옵니다. 그게 우리 살길입니다.

강천석 우리 국민이 대북 지원에 동의하려면 김정일 위원장과 북한에 대해 신뢰할 수 있어야 합니다. 김 위원장이 한반도 비핵화가 소신이라면서 핵보유도 선언하는 모순된 발언을 하는 것은 국민들이 이해하기 힘듭니다.

김대중 김 위원장 얘기를 보면, 핵은 자기가 갖고 싶어 가진 것이 아니라 미국이 자기를 공격하고 핵을 쏠 위협이 있으니 방어상 불가피하게 했다는 것입니다. 그게 옳다는 것은 아닙니다. 그러나 안전을 보장해 주면 포기하겠다는 것은 어느 정도 믿을 수 있다고 생각합니다. 경제는 엉망이고 남쪽과 격차는 갈수록 커지니 그쪽 사람들로선 초조한 겁니다. 북에 안전 보장을 해 주고 그래도 위반하면 그때 유엔 안보리에 간다든지 하면 됩니다. 그러면 다른 6자회담 참가국들도 이런 조치에 반대하지 못할 겁니다. 상대방이 카드 내면 이쪽도 카드 내야 합니다.

강천석 지난 50년간 우리 외교의 주축은 한·미 관계였습니다. 1980년대 후반 이후 4강 외교란 말이 등장했는데, 이 역시 대미 관계를 주축으로 해 왔습니다. 지금 시점에서 어떻게 하는 것이 지혜로운 대미 외교의 길이라고 보십니까?

김대중 우리 지도자들이나 국민들이 외교에 더 많은 관심을 가져야 합니다. 우리처럼 4강에 둘러싸인 나라는 하나도 없습니다. 미국과의 관계에 있어서 세 가지 원칙이 있어야 합니다. 첫째, 북핵 등 대량살상무기는 절대로 안 된다, 둘째, 한·미동맹은 확실히 지킨다, 셋째는 한반도 평화입니다. (셋째 부분에선) 미국이 우리 얘기를 들어야 합니다. 우리도 11번째 경제 대국이 됐고 이만큼 성숙했으니까 미국도 정당하게 대접을 해야 합니다.

강천석 작년부터 과거사 진상 규명 문제를 놓고 사회적 논란이 일고 있습니다. 시대가 바뀌면 과거도 현재의 눈으로 다시 본다는 차원인 듯합니다만, 마치 과거사라는 회오리바람이 불고 있는 것 같습니다.

김대중 과거사 정리 문제는 잘하면 약이 되고 못하면 독이 됩니다. 역사는 바르게 기록되어야 하니 과거사에 대해 진실을 밝히는 것은 반대할 수 없는 것입니다. 그러나 공정하게 하느냐, 어느 한쪽에 부당한 피해와 이익이 가게 하느냐에 따라 약이 되고 독이 됩니다. 과거사 대상이 된 사람이나 정권이 다 잘못한 것은 아닙니다. 잘한 일도 있습니다. 친일 문제만 해도, 독립운동에 투신한 사람들도 말기에 압박이나 유혹에 변절하는 그런 양면을 갖고 있습니다. 누구도 억울하지 않고, 누가 봐도 공정하고 믿을 수 있다는 과거사 규명이 된다면 이것은 좋은 일이고 그렇지 못하다면 불행한 일이 되고 국민 화해에도 도움이 안 됩니다. 그때 태어나지도 않았던 자손들이 과거에 대해 무슨 죄가 있겠습니까? 나만큼 박해받은 사람도 없고, 보복할 사람이 끝도 없었겠으나 대통령이 되고서 박정희기념관 만들고, 전두환·노태우 대통령을 석방했습니다. 과거 (나를) 납치한 사람도 하나도 건드리지 않았습니다. 대신 그런 일 없도록 하는 제도를 만들었습니다. 과거사 규명은 그런 것을 참고로 해서 했으면 합니다.

강천석 김 전 대통령은 박정희 시대에 고난을 겪은 정치인으로서 그 시대를 어떻게 평가하십니까.

김대중 박정희 시대를 논하는 데 나는 제일 부적임자 아닙니까? 나는 그분하고 맞부딪친 당사자입니다. 죽을 고비도 넘겼고 감옥살이도 했습니다. 내가 박 대통령이 생존해 있을 때부터 하던 얘기가, 박 대통령이 6·25전쟁의 폐허에서 실의에 빠진 우리 국민에게 "하면 된다"는 자신감을 준 것은 공로로 봐야 한다는 것입니다. 문제는 박 대통령이 경제 건설을 위해 자유가 나중에 간다고 한 것은 본말이 전도된 것이라고 생각합니다. 내가 대통령이 되고 국민들이 박정희기념관 만들겠다고 하길래 사실 고민했습니다. 기념관은 꼭 찬양관이라고 볼 수는 없다고 생각해서 하는 것이 좋겠다고 생각했습니다. 지난번에 박근혜(한나라당) 대표가 찾아와서 아버지 일 사과한다고 했을 때 참 기뻤고, 그래서 (박 대표에게) 내가 감사하다고 했습니다. 아버님 시대에 맺었던 원한을 따님이 와서 같이 풀고 한 것이 우리가 인생을 산 보람을 느끼는 것이라고 생각했습니다.

강천석 지역감정은 가해자나 피해자 모두 결국은 피해자가 되는 것이라고 봅니다. 아직도 우리는 지역감정의 문제를 완전히 통과하지 못하고 있는 것 같습니다. 우리가 무엇을 해야 하는지 체험적인 이야기를 해 주십시오.

김대중 어떤 사람들은 지역감정이 신라의 삼국 통일 이후 계속된 것이라고 하는데 엉터리 같은 소리입니다. 이승만 정권 때 전라도 사람이 경상도 가서 국회의원 하고, 반대로도 하고 한 것 알지 않습니까? 내가 목포에서 경상도 진주분 선거운동을 했는데 "당신 왜 경상도 사람 운동하느냐"는 소리 한 번도 들은 적이 없습니다. 박정희 대통령도 전라도 표 덕에 대통령 됐고, 그 후 20여 년간 전라도에서 여당이 다수였습니다. 그러다가 결국 전라도 사람이 견디다 못해 내가 등장하고 하니까 전부 나에게 표를 주고 했습니다. 전라도와 경상도에 야당이 세니까 군사정권이 가르기 작전을 했습니다. 못 고칠 감정도 아니고 고질도 아닙니다. 양쪽이 이해관계가 없잖아요. 대통령 때 노력을 많이 했으나 가장 성공하지 못한 것이 이 분야입니다. 하지만 씨는 뿌렸고, 그 씨가 아직 말라 죽지 않았습니다.

강천석 정치 생활 50년 동안 언론과의 관계도 많았을 것입니다. 언론 입장에서 권력은 너무 멀면 보이지 않고 너무 가까우면 화상火傷을 입습니다. 권력과 언론은 늘 부딪칠 수밖에 없습니다. 김 전 대통령 재임 중에 세무사찰도 있었는데, 언론과 권력의 관계, 언론과 정부 관계는 어때야 한다고 생각하십니까?

언론이 공정하게 해 줬으면

김대중 언론과 권력의 사이는 긴장된 관계 속에서 협력할 것은 협력하고 비판할 것은 비판하는 것이 제일 좋은 것으로 생각하고, 숙명적으로 긴장 관계는 없을 수 없는 거지요. 한쪽서 보면 언제나 상대방이 불만인 것이 언론과 권력 관계입니다. 과거 독재정권이 야당 사람들에게 뒤집어씌운 것을 언론이 그대로 보도했습니다. 그 후로 언론이 그것이 잘못이었다고 말한 일 없는데, 나는 그것을 해야 한다고 생각합니다. 그러나 우리는 언론이 안 하려야 안 할 수 없는 빡빡한 관계 속에 있었다는 것을 인정합니다. 저는 그것을 원한이라고 생각하지 않습니다. 처음에 언론사에 대한 세무조사 보고를 받고 고민을 했습니다. 몇몇 신문이 크니까 액수가 컸고 그래서 고통도 컸을 것입니다. 그러나 나는 대통령으로서 회피할 수 없었고 후회는 없습니다. 불행한 일이었는데, 투명한 언론 발전을 위한 계기가 되기를 바랍니다.

강천석 "신문 없는 정부보다 정부 없는 신문을 원한다"고 했던 토머스 제퍼슨도 대통령이 되고서는 신문 때문에 못해 먹겠다고 했다고 합니다. 김 전 대통령도 같은 심정이십니까?

김대중 다릅니다. 나는 대통령 되기 전에도 언론에 어려움을 겪었고 되고 나서도 겪었으니 내 욕심대로라면 언론이 공정하게 해 줬으면 좋겠습니

다.(웃음)

강천석 『조선일보』가 이제 여든다섯 살입니다. 일본에서 오래된 신문은 오래된 정치인과 비슷하다는 얘기들을 하는 걸 들었습니다. 둘 다 영광이 있는 만큼 상처가 많다는 것으로 생각됩니다. 가장 원로 정치인으로서 가장 오래된 신문을 보는 느낌이 어떠십니까?

김대중 『조선일보』는 이상재 선생 같은 애국자들이 관여하셨고, 우리 독립운동사에 찬란한 빛을 내는 신간회 운동을 주도했습니다. 그것을 정당하게 평가해야 한다고 생각합니다. 『조선일보』가 일제 말기에 어려움 속에서 복잡한 일이 있었던 것도 아는 일이고, 『조선일보』뿐 아니라 모든 신문이 역사를 회고해 보면 부끄러운 일도 많이 있었고 기록할 뜻있는 일도 많았습니다. 뜻있는 일을 계승하면서 우리가 과거의 신문을 비판하듯이 오늘의 신문도 미래에서 비판받는 것이라고 생각합니다. 많은 부수를 내는 신문일수록 책임도 큽니다. 후세에도 그런 평가를 받을 수 있는 신문을 해 주시면 고맙겠다 생각합니다.

강천석 현 정부 들어 성장과 분배 논쟁이 계속 이어지고 있습니다. 어떻게 평가하십니까?

김대중 정보화와 세계화에 따라 빈부 격차가 심해진 것은 사실입니다. 재임 중에 노력했으나 잘 극복하지 못했고 지금도 문제가 커지는 것 아닌가 싶습니다. 그러나 분배에 제일 치중하는 것이 공산주의인데 결국 실패했습니다. 시장경제에선 성장이 있어야 일자리도 생기고 분배할 수 있는 분위기도 형성됩니다. 성장과 분배를 병행해서 하되 그래도 성장이 주도하는 가운데 분배를 해야 하는 것 아니냐 하는 생각을 갖고 있습니다.

강천석 김 전 대통령의 요즘 전공과목은 외교이지만, 과거엔 경제였습니다. 우리 경제를 어떻게 전망하십니까?

김대중 우리가 살고 있어서 몰라서 그렇지 지금은 인류 역사상 최대의 대혁명기입니다. 이제는 어느 나라가 빌 게이츠를 몇 명 만드냐가 중요한 시대입니다. 우리 국민들은 지적·문화적 전통이 강하니까 잘 활용하면 21세기엔 세계의 6강, 7강이 될 수 있다고 봅니다. 중요한 것은 국민들이 할 수 있다는 의욕과 희망을 갖게 하는 것입니다. 경제에서 가장 중요한 것은 국민들에게 희망을 주는 일입니다. 기업가가 의욕을 갖게 하고, 돈 있는 사람이 주머니를 열게 하는 것도 같은 얘기입니다.

강천석 지도자들이 공허한 희망이 아니라 근거 있는 희망, 근거 있는 낙관을 국민들에게 전파해야 할 것 같습니다.

김대중 국민들 손에 쥐여 줄 수 있는 구체적인 희망이어야 합니다. 우리 국민들, 속지 않습니다.

강천석 요즘 한류 현상에 관심이 많으시다고 들었습니다.

김대중 중국 주변 민족은 곧 중국화됐습니다. 그런데 우리는 1000년 이상 중국으로부터 문물을 받아들이고도 중국화가 안 됐습니다. 받아들여서 우리 것으로 재창조했기 때문입니다. 여기에다 한국처럼 민주화 위해 싸우고 민주화 이룬 나라가 아시아에서 드뭅니다. 재임 중에 문화 예술에 간섭 말라 했습니다. 그러지 않았다면 「실미도」, 「태극기 휘날리며」도 가위질당하고 국가보안법으로 처벌받았을 겁니다. 이런 것이 합쳐져서 한류가 됐다고 생각합니다. 요즘 말레이시아 고관들이 식사할 때 화제가 「겨울연가」이고 우리 대사는 「겨울연가」 노래를 거기서 배웠다고 합디다. 이제 일방적으로 우리 것만 주지 말고 상대방 문화도 받아 주는 것만 잘하면 큰 발전이 있을 것입니다.

강천석 상대방 문화를 받아 줘야 한다는 것, 중요한 말씀으로 생각됩니다. 마지막으로 김 전 대통령은 역사에 어떤 인물로 기록되길 바라십니까.

김대중 내가 뭘 잘했느냐에 대해선 의견 차이가 있을 것으로 생각합니다. 하지만 아무리 나를 반대하는 사람도 한 가지 점에 있어서는 인정해 줄 것으로 믿습니다. 민주주의에 대한 내 신념을, 어떠한 생명의 위협과도 바꾸지 않으면서 지켰다는 것만큼은 부인하지 않을 것으로 생각합니다. 1980년에 군사정권에서 협력하면 살려 주고 아니면 죽일 것이라고 했습니다. 나도 살고 싶었지만, "일시적으로 살지만 영원히 죽는 길이 아니라, 일시적으론 죽겠지만 영원히 사는 길을 택하겠다" 면서 군사정권의 요구를 거절했습니다. 목숨을 내놓고 신념을 지켰다는 것은 평가해 줄 것으로 생각합니다.

* 이 글은 2005년 3월 1일 연세대김대중도서관 5층 집무실에서 있었던 『조선일보』 창간 85주년 특별 인터뷰 전문이다. 당시 강천석 논설주간이 인터뷰하였다.

한국과 동북아 평화·안보·번영을 위한 한국의 전략적 역할

강연 미국 아시아재단
일시 2005년 4월 25일

김대중 존경하는 더그 비라이터 총재, 그리고 아시아재단의 관계자 여러분!

아시아재단이 설립된 이래 50년 동안 한국과 아시아 각국의 발전 그리고 한국과 미국 간의 협력 관계 증진에서 이룩한 공헌에 대해서 이를 높이 평가하고 감사하는 바입니다.

오늘 "한국과 동북아 평화·안보·번영을 위한 한국의 전략적 역할" 이라는 주어진 주제를 가지고 몇 말씀 드리겠습니다.

1894년의 청일전쟁과 1904년의 러일전쟁에서 중국·러시아·일본 3국이 한반도의 지배권을 놓고 혈전을 벌인 끝에 두 번의 전쟁 모두 일본의 승리로 귀결되었습니다. 그리고 미국은 '가쓰라태프트 밀약'을 통해서 일본의 한국 병탄을 승인하였습니다. 이와 같이 미국, 일본, 중국, 러시아 4대국 모두 우리의 비극적 운명에 결정적인 영향을 주었던 것입니다. 이러한 역사적 사실이나 지정학적 현실은 4대국이 한반도 안보와 평화를 위해서 매우 중요하다는 것을 말해 주고 있습니다.

나는 1971년 처음으로 대통령 선거에 출마했을 때 한반도의 평화를 위한 4대국 보장론을 선거공약으로 내세운 바 있습니다. 지금의 6자회담은 4대국에 남북을 합친 것입니다. 저는 최근에는 6자회담을 성공시킨 후에 이를 상설화시켜서 한반도와 동북아시아의 안보와 평화를 위해 중심적 역할을 해야 한다고 주장하고 있습니다. 미국 정부 당국자 중에서도 그러한 의견을 표시한 분이 있고 중국도 그렇습니다.

우리가 가장 바라는 것은 한반도 평화이고 장차의 남북 간의 평화적 통일입니다. 이를 위해서 우리는 4대국이 긍정적이고 적극적인 역할을 해 줄 것을 간절히 바라고 있습니다. 이는 한국 외교의 핵심을 이루는 전략 사항인 것입니다.

존경하는 여러분!

최근 한·미 간에는 간혹 불협화음이 있는 것처럼 보입니다. 그러나 이것은 상당히 잘못된 평가입니다. 작년 말에 한국, 일본, 영국, 프랑스, 독일, 러시아, 인도, 이스라엘 등 10개국의 주요 언론이 각 국민의 대미 인식을 조사한 바 있습니다. 그에 따르면 한국인의 93퍼센트가 미국과 좋은 관계를 유지하기를 바란다고 했습니다. 그러나 한국인의 85퍼센트가 미국의 이라크전쟁을 잘못된 것이라고 답변했습니다. 이것은 무엇을 말합니까? 한국인은 미국을 좋아하면서도 현실적인 정책에 있어서는 반대할 것은 반대한다는 것을 표시한 것입니다. 이러한 경향은 영국이나 일본 등 대부분의 나라에서도 마찬가지입니다.

한국은 세계 어느 나라 못지않게 미국에 협력해 왔습니다. 1960-70년대 베트남전에 2개 사단을 파병하여 미국에 협력했습니다. 베트남전에 참가한 한국 병사 5천여 명이 전사하였습니다. 현재는 아프가니스탄에 파병하고 있습니다. 이라크에는 3,700명의 군인을 보내서 미국, 영국 다음가는 파병 국가가 되었습니다. 서울 바로 전면 휴전선을 따라 배치돼 있던 미군 2사단을 한국군과 교체해서 후방으로 이동하는 데 동의했습니다. 또 서울 시내에 있는 미군사령부를 남쪽으로 이전하는 데 약 40억 달러를 부담하면서 협력하고 있습니다.

한국인의 미국에 대한 태도는 다음의 세 가지로 요약할 수 있습니다. 첫째, 우리는 미국과 굳건한 동맹 관계를 유지한다, 둘째, 북한 핵을 절대 반대하며 미국과 같이 한반도 비핵화를 추진하지만 미국의 좀 더 유연한 대북 협상 자세를 바란다, 셋째, 대북 정책에 있어서 당사자인 한국의 상당한 역할을 미국이 인정해 주어야 한다는 것입니다.

존경하는 신사 숙녀 여러분!

북핵 문제의 해결 방안에 대해서 말씀드리겠습니다. 북한 핵 문제의 해결 방안은 사실 보기에 따라 매우 간단합니다. 북한은 핵을 완전히 포기하고 검증을 받아야 합니다. 그리고 미국은 북한의 안전을 보장하고 경제 제재를 해제해야 합니다. 이러한 양측의 카드는 동시에 주고받는 협상의 방식을 취해야 할 것입니다. 6자회담의 테두리 안에서 미국과 북한은 성실하고 허심탄회한 태도로 협상을 진행시켜야 한다고 생각합니다. 지금 북한은 한반도 비핵화에 대해서 이를 받아들이겠다고 말하고 있습니다. 미국도 유연한 태도로 북한에 반대급부를 보장해야 할 것입니다. 나는 이렇게 하면 핵 문제는 해결된다고 확실히 믿고 있습니다.

만일 미국이 북한의 안전을 보장하고 경제 제재를 해제했는데도 불구하고 북한이 핵을 완전히 포기하는 약속을 지키지 않을 때는 6자회담 참여 국가들이 단호한 태도를 북한에 대해서 취할 수 있을 것입니다. 부시 행정부 1기 4년 동안 적극적인 협상 없이 시간만 끈 결과 북한은 핵확산금지조약(NPT)을 탈퇴하고, 국제원자력기구(IAEA) 사찰 요원을 추방하였으며, 핵무기 개발을 발전시키고 있습니다. 사태는 더욱 악화된 것입니다.

북한은 6자회담에 복귀해야 합니다. 할 말이 있으면 6자회담에 나와 해야 합니다. 그러나 회담을 여는 것 자체가 중요한 것이 아니고 무엇을 합의하느냐가 중요합니다. 다음 제4차 6자회담에서는 앞서 말한 바와 같이 구체적으로 주고받는 성과 있는 협상이 이루어지기를 바랍니다.

존경하는 여러분!

한국은 21세기 경제적 번영과 통일을 위한 전략적 차원에서 북한에 대한 경제적 진출이 절대 필요합니다. 북한은 매우 우수한 노동력을 가지고 있고, 임금이 저렴하며, 같은 민족으로서 언어와 문화가 일치합니다. 이미 남북한 합작으로 건설한 북한 지역의 개성공단에서는 좋은 성과를 내기 시작하고 있습니다. 한국의 북한 진출은 중국의 독점적 진출을 견제하는 데도 필요합니다. 이는 한반도 주변의 역학관계와 장차의 통일을 내다볼 때 매우 중요합니다.

그러나 가장 중요한 경제적 영향은 한국의 철도와 도로가 북한과 연결됨으로써 한국과 일본 등 태평양 지역의 물자를 시베리아나 중국 내륙을 거쳐 중앙아시아 그리고 유럽의 파리, 런던까지 육로로 수송할 수 있다는 것입니다. 이는 물류 비용과 수송 기간을 30퍼센트나 절감하거나 단축할 수 있게 되고 믈라카 해협과 인도양의 해적의 위협도 걱정할 필요가 없습니다.

이와 같이 북한과 철로가 연결되면 '철의 실크로드'는 유라시아 대륙 전체를 연결하고 태평양과 대서양을 연결하게 됩니다. 또한 일본과 협력해서 한·일 양국을 연결하는 해저터널도 건설할 수 있습니다.

이러한 과정에서 한국은 동북아 물류의 거점이 될 것입니다. 물류가 일어나면 제조, 금융, 보험, 그리고 문화, 서비스 분야로 확대되어 우리는 큰 번영을 누리게 될 것입니다. '철의 실크로드'는 동북아시아에 투자한 미국 기업에도 많은 혜택을 줄 것입니다. 유라시아 대륙을 연결하는 '철의 실크로드'

는 21세기 한반도 번영의 필수 불가결한 전략이 되는 것입니다.

존경하는 여러분!

마지막으로 한반도 통일 문제에 대해서 간단히 말씀드리겠습니다. 우리는 독일식의 흡수 통일을 바라지 않습니다. 우리의 경제적 능력으로 보아 북한을 당장에는 전적으로 책임질 능력이 없습니다. 그리고 60년 동안 남북이 분단된 상태였고 그 사이 전쟁을 치르고 증오 속에 대결해 왔기 때문에 조속한 통일은 심각한 정신적 갈등을 초래할 것입니다. 이 점에 있어서는 동서독 관계가 우리에게 좋은 교훈을 주고 있습니다.

나는 한반도 통일은 3원칙 3단계의 기준 위에 이루어져야 한다고 주장하고 있습니다. 3원칙은 평화 공존, 평화 교류, 평화 통일의 원칙입니다. 3단계는 남북연합, 남북연방, 완전 통일의 단계입니다. 이것은 나의 햇볕정책의 구체적 전략입니다. 냉전의 찬바람 대신 따뜻한 햇볕을 보내는 이러한 전략이야말로 남북 간의 평화와 번영 그리고 통일을 가져오는 유일한 길이라고 생각합니다.

미국과 소련은 2차대전이 끝난 후 전후 처리 과정에서 한반도를 남북으로 양분했습니다. 그 결과 우리는 동족상잔의 전쟁, 60년 동안의 분단 등 엄청난 민족적 비극과 고통을 겪었습니다. 이러한 가운데 우리는 한국전쟁 이래 국가안보를 위해서 미국에 많은 신세를 졌습니다. 우리는 그 고마움을 잊지 않고 있습니다.

이제 미국은 한반도의 평화를 유지하는 데 우리와 굳건히 협력해 줄 것을 바랍니다. 그리고 우리가 열망하는 통일을 평화적으로 이룩하는 데 있어서 큰 기여를 다해 줄 것을 바라 마지않습니다. 그리하여 우리 국민과 더불어 영원한 우정과 신뢰와 협력을 함께 나누기를 바라 마지않습니다.

감사합니다.

질의응답

질문 6자회담이 교착상태에 있고 북한도 핵을 포기하지 않고 있습니다. 미국도 적절한 보상을 하지 않는데 해법은 무엇이라고 생각합니까?

김대중 북한은 공식적으로는 미국이 안전을 보장하고 경제 제재를 해제하면 검증을 받겠다고 얘기하고 있습니다. 그들은 핵 포기에 대한 대가, 즉 안전 보장과 경제 제재 해제를 해 줘야 한다고 주장하는데 미국은 나쁜 일에 보상해 줄 수 없다고 합니다. 우리는 북핵에 반대합니다. 그러나 북한은 미국이 (정권을) 전복시키려 하니까 자존, 존재 유지를 위해 핵을 고집하고 있습니다. 따라서 미국은 북한이 핵을 포기하면 무엇을 해 주겠다는 것을 분명히 말하고 6자회담에서 좋은 합의가 이뤄져야 합니다. 당근을 줄 때는 줘야 하고 압박만 계속하면 나머지 회담 참가국들이 불만을 표시할 수도 있는 것입니다.

질문 남한 정부는 북한의 인권이 개선되지 않고 있는데 왜 문제 삼지 않고 있습니까?

김대중 남한에서도 인권에 대해 걱정하고 강력한 생각도 있습니다. 그리고 미국과 국제사회의 비판에 대해서도 공감합니다. 그러나 우리는 두 가지 점에서 조금 다를 수 있습니다. 첫째, 남한은 북한 인권 문제에 대해 어느 정도 성과를 올리고 있습니다. 전후 60년 동안 못 해 오던 이산가족 상봉이 2000년 남북정상회담 이후 본격화돼 과거 35년 동안 200명에 불과했던 것이 그 이후 1만 명이 됐고, 편지로 소식을 전하는 이들도 있습니다. 탈북자도 6000명을 받아들여 자유를 찾게 했고 100만 명이 금강산을 관광했습니다. 남한이 북한을 국제사회와 똑같이 공개적으로 비판한다면 남북 관계는 단절될 수 있습니다. 같은 민족으로서 현실적인 점을 감안해 별도의 자세를 취하는 것입니다. 둘째, 공산 체제를 겨냥한 억압과 비판은 효과가 작고 어떻게 하든지 개혁 개방으로 유도할 때 가능하다는 것은 역사적 사실입니다. 소련과 동유럽에 대해 미국과 서방세계가 계속 비판했으나 이뤄 내지 못한 일을 미국·소련 간 데탕트, 헬싱키협정 이후 경제·문화 교류가 활성화되면서 공산권의 개혁 개방이 이뤄졌습니다. 밖에서 총 한 방 안 쐈는데 그대로 무너졌습니다. 중국도 닉슨 대통령이 마오쩌둥을 만나 개혁 개방을 이뤄 냈고 그 후 덩샤오핑이 나오고 오늘날 중국의 변화를 가져왔습니다. 베트남도 마찬가지입니다. 쿠바는 50년 동안 미국이 봉쇄했으나 인권을 발전시키지 못했습니다. 그렇다면 무엇을 배워야 합니까? 공산권 국가는 봉쇄하거나 압박하면 오히려 외부와 차단되고 인권은 발전하지 못합니다. 그러나 개방으로 유도할 때는 개선됩니다.

질문 한·일 관계 악화로 언짢아하는 이들이 많습니다. 전후 60년 이후 감정적인 문제 해결을 위해 일본이 할 수 있는 일은 무엇입니까?

김대중 예를 들겠습니다. 지난 1993년 영국 케임브리지대에 6개월 체류 시 옥스퍼드대학 일본문제연구소에서 초청 연설을 했는데 그때 일본인 교수와 학생들이 "영국이나 프랑스는 과거 식민 지배를 받았던 국가들과 관계가 원만한데 왜 한국은 과거에 집착하여 일본에 불평 혹은 원망하는가?"라는 질문을 받았습니다. 그래서 답하기를 "독일과 일본의 전후 태도를 비교해 보라. 독일은 나치 청산 과정에서 철저한 사과와 보상, 교육, 유대인 대학살 현장 보존을 거치면서 새롭게 태어났다. 그래서 영국, 프랑스 등 독일 이웃 국가들은 현재 유럽연합(EU), 북대서양조약기구(NATO)에서 독일과 협력하고 있고, 독일은 통일 시에도 주변국들의 지지와 협력을 받았다. 그런데 일본은 과거에 대한 교육은 제대로 안 하고 심지어 미화하며, 아시아 제국을 근대화시켰다느니 교육을 시켰다느니 마치 은혜를 베푼 것처럼 엉뚱한 소리나 한다"고 말했습니다. 그랬더니 그들이 "정말 그런 거 몰랐다. 크게 깨달았다"고 했습니다. 우리는 일본과 좋은 이웃이 되길 바랍니다. 그런데 일본은 극도로 우경화하고 있습니다. 그래서 불가피하게 비판하는 것입니다. 매우 슬픈 일입니다.

* 이 글은 미국 샌프란시스코에서 있었던 아시아재단 창립 50주년 초청 강연문이다.

남북 관계와 한반도 미래

강연 스탠퍼드대학교
일시 2005년 4월 27일

김대중 존경하는 존 헤네시 총장, 신기욱 소장, 페리 전 대북 정책조정관, 쇼렌스타인 사장, 그리고 이 자리에 계시는 신사 숙녀 여러분!

오늘 저에게 세계적으로 저명한 스탠퍼드대학에서 강연할 기회를 주신 것을 큰 영광으로 생각하고 감사의 말씀을 드립니다.

저는 먼저 저에게 주어진 주제인 "남북 관계와 한반도 미래"에 대해서 말씀드리고 여러분의 질의가 있으면 답변하도록 하겠습니다.

2000년 6월의 남북정상회담은 한반도 분단 이래 55년 만에 처음으로 남북의 정상이 한자리에 모인 역사적인 날이었습니다. 그 회담에서 남북한은 통일에 대한 제1단계의 원칙에 합의하고, 각종 교류 협력과 수백만 이산가족의 상봉에 대해서 합의했습니다. 또한 북한 김정일 국방위원장의 서울 방문에 대해서도 합의했습니다. 이러한 합의 결과는 냉전의 찬바람이 불던 한반도에 햇볕이 내리비쳐 따뜻한 한반도로 변화시키기 시작했습니다.

무엇보다도 전쟁의 위기가 항상 감돌던 한반도의 긴장이 크게 완화되었습니다. 6·15남북정상회담 이래 이산가족 상봉, 금강산 관광, 민간 교류 등으로

100만 명의 남북한 사람들이 서로 왕래했습니다. 경제, 사회, 문화, 체육 등 교류가 행해지고 있습니다. 남한의 자본과 기술로 북한 땅에 공단을 건설하여 이미 그곳에서 제품이 생산되기 시작했습니다. 철도와 도로가 휴전선을 가로질러 연결되고 있습니다.

존경하는 여러분!

그러나 가장 중요한 것은 남북 간 주민들의 민심이 크게 변했다는 사실입니다. 북한은 그동안 남한을 "미 제국주의의 앞잡이로서 미국과 더불어 북한을 전복하고 침공할 기회만 노리고 있다"고 북한 주민에게 일방적으로 선전해 왔습니다. 이러한 선전은 폐쇄 사회에 사는 북한 주민들을 완전히 세뇌시켰던 것입니다. 그러나 제가 북한을 방문해서 김정일 국방위원장과 회담하는 장면이 북한 텔레비전을 통해서 생생하게 보도되었습니다. 그리고 정상회담을 통해서 "평화적으로 같이 살면서 교류 협력하다가 평화적으로 통일하자"는 양측의 합의가 알려지면서 비로소 북한 민심에 변화가 일기 시작했습니다.

그러나 북한 민심의 결정적 변화를 일으킨 것은 남한의 북한에 대한 인도적, 경제적 지원이었습니다. 2000년 이후 남한은 북한에 매년 40만 톤의 쌀과 20만 톤 이상의 비료를 제공해 왔습니다. 이렇게 지원된 쌀은 굶주린 북한 주민들의 배를 채워 주었고, 비료는 북한의 농업 생산력을 획기적으로 증대시켰습니다. 그들은 이러한 지원을 통해서 남한이 잘산다는 것을 비로소 알게 되었고 또 그들에게 이러한 물자를 보내 준 남한 국민에 대해서 감사와 동경을 느끼기 시작했습니다.

재미있는 현상은 북한에 지원한 쌀과 비료를 담은 포대가 매년 수천만 개가 되는데, 이 포대가 북한 전역에 흩어지면서 그 포대에 인쇄되어 있는 남한 제품이라는 표시가 북한 주민에게 무언의 선전과 심리적 변화를 일으키고 있는 것입니다. 이제 북한 사람들은 반공개적으로 남한에 대한 호의와 고마움을 표시하고 있습니다. 현재 북한 전역에는 남한의 텔레비전 드라마와 음악 등이 암암리에 퍼지면서 남한의 문화가 북한 사람들에게 큰 영향을 주고 있습니다.

한편, 남한에서도 북한에 대한 생각이 많이 바뀌었습니다. 특히 2002년 부산 아시안게임과 2003년 대구 유니버시아드대회에 북한 선수단과 아름다운 여성 응원단이 참가하여 큰 반응을 일으킨 것을 계기로 남한 사람들의 북한에 대한 감정이 변화하기 시작했습니다. 그것은 과거에 공산 북한은 무조건 반대했지만 이제는 공산주의 그 자체는 반대하지만 동족 간의 인간적인 애정은 구분할 필요가 있다는 것입니다.

이러한 남북 민심의 변화는 남북 간의 교류 협력 외에 1,300년 동안 통일을 유지해 온 단일민족의 저력도 크게 반영된 것으로 보입니다. 우리는 1945년 일제의 패망과 더불어 뜻하지 않게 미국과 소련에 의해서 남북으로 분단되었습니다. 그 후부터 지금까지 60년 동안 우리 민족의 비극은 계속되고 있습니다. 분단, 동족상잔의 전쟁, 세계 유일하게 남아 있는 냉전 지대 등의 아픔을 면하지 못하고 있습니다. 그러나 6·15정상회담 이후 앞서 말씀드린 바와 같이 남북 양 지역에 변화가 일어나고 있습니다. 만일 북핵 문제가 해결되고 미·북 관계가 개선된다면 남북 관계는 급속한 화해 협력의 방향으로 나아갈 것이 확실합니다.

존경하는 신사 숙녀 여러분!

그렇다면 현재 초미의 관심사인 북한 핵 문제를 어떻게 해결해야겠습니까? 지금 6자회담의 개최 자체를 둘러싸고 북한과 6자회담 참여국 사이에 갈등이 계속되고 있습니다. 그러나 본질적으로 중요한 문제는 6자회담 개최 자체가 아니라 회담에서 무엇을 합의하느냐입니다.

핵 문제의 해결은 보기에 따라서 아주 간단합니다. 북한은 핵을 완전히 포기하고 철저한 검증을 받아야 합니다. 미국은 북한의 안전을 보장하고 경제 제재를 해제해야 합니다. 서로 불신이 강하기 때문에 그 실천은 동시에 병행해서 행해져야 합니다. 6자회담에서 이러한 합의가 이루어졌는데도 북한이 핵을 완전히 포기하지 않을 때는 6자회담은 북한에 대해서 보다 강력한 대책을 세워야 할 것입니다. 이것이 북핵 문제의 해결 방법이라고 생각합니다. 북한은 지금 핵을 포기할 용의가 있음을 공언하고 있습니다. 미국도 이에 상응하는 카드를 제시함으로써 6자회담이 해결의 실마리를 찾도록 해야 할 것입니다.

부시 행정부 1기 4년 동안 북·미 관계는 아무런 진전을 보지 못한 채 사태는 더욱 악화되었습니다. 북한은 핵확산금지조약(NPT)을 탈퇴했습니다. 국제원자력기구(IAEA) 사찰 요원을 추방했습니다. 이로 인해 우리는 북한의 핵 개발 상황을 전혀 알 수 없게 되었습니다. 이런 가운데 북한은 핵을 이미 제조했다고 공언하고 있습니다. 시간을 끄는 것은 사태를 더한층 악화시킬 뿐입니다. 주고받는 포괄적 협상을 추진하여 북핵 문제를 하루속히 종결시키는 것이 한반도 평화와 동북아 일대의 핵 확산을 막는 데 중요합니다.

북한이 핵무기를 실제로 보유하고 있다는 것이 확인되면 남한과 일본 그리고 대만으로까지 핵이 확대될 우려가 있습니다. 이는 동북아시아 일대를 핵의 지뢰밭으로 만드는 결과가 될 것입니다. 우리는 이러한 사태를 초래하지 않도록 단단히 유의해야겠습니다. 미국은 이 문제에 대해서 현명한 정책적 판단을 해서 6자회담을 주도해야 할 것입니다. 이러한 가운데 한·미 간의 긴밀한 협의와 협력도 이루어져야 할 것입니다.

존경하는 신사 숙녀 여러분!

한반도의 미래에 대해서 몇 말씀 드리겠습니다.

첫째, 한반도의 평화와 안정을 위해서는 무엇보다도 한반도의 비핵화가 실현되어야 합니다. 이 점에 있어서는 6자회담의 참가국 모두 이의가 없는 것은 다행한 일입니다.

둘째, 6자회담에서 북핵 문제가 원만히 해결되면 6자회담을 상설 기구로 만들어서 한반도 평화 유지와 동북아시아 전체의 안정에 주도적 역할을 하는 기구로 발전시켜야 합니다. 6자회담 체제는 미국이 주도한 성공적 작품입니다.

셋째, 한·미동맹은 한·미 양국의 공동의 이익과 동북아시아의 평화와 세력균형을 위해서 필수 불가결합니다. 한국민은 때로 미국의 정책에 대해 비판을 할 때도 있지만, 한·미동맹을 굳건히 유지해야 한다는 데는 전혀 이의가 없습니다. 주한 미군의 존재는 미래의 한반도와 동북아 지역의 안정을 위해서 꼭 필요합니다. 이는 남북정상회담 당시 김정일 위원장조차 동감한 사실입니다. 그리고 미국의 한반도 주둔은 미국의 이익을 위해서도 중요합니다.

넷째, 남북 관계가 개선되고 북한과 교류 협력이 촉진되었을 때 남한을 출발한 기차는 북한의 철로를 거쳐 중국 대륙, 시베리아, 중앙아시아, 유럽까지 연결될 것입니다. 한국의 부산항에서 유럽의 파리, 런던까지 연결하게 되는 '유라시아 철의 실크로드'는 일본이나 태평양 지역의 물자 수송에도 공헌할 것입니다. 동북아시아에 진출해 있는 미국 기업에도 이익을 줄 것입니다. 기차를 통한 수송은 배를 이용하였을 때보다 비용과 시간 면에서 30퍼센트가량 절약하는 이점이 있습니다. 해적으로부터의 피해도 없습니다. 그렇게 되면 서울에서 이루어졌던 '한강의 기적'은 북한 중국의 국경을 흐르는 '압록강의 기적'이 되어 한반도 전체의 번영의 원동력이 될 것입니다.

다섯째, 한민족 최대의 소원은 통일입니다. 우리는 독일과 같은 급격한 통일을 바라지 않습니다. 우리는 평화 공존, 평화 교류, 평화 통일의 3원칙 아래 1단계 남북연합제, 2단계 남북연방제, 3단계 완전 통일의 3원칙 3단계의 통일 정책을 추진할 것입니다. 이것이 우리의 햇볕정책의 골자입니다. 이러한 통일은 우리 민족의 미래에 큰 축복이 될 것입니다. 또한 동맹국인 미국이나 모든 주변 국가들과도 안정과 평화와 번영을 공유하게 될 것입니다.

존경하는 여러분!

남북 관계의 미래는 평화에 달려 있습니다. 평화 공존, 평화 교류, 평화 통일만이 우리가 나아갈 대원칙입니다. 민족의 통일을 평화적으로 이룩하는 길입니다. 우리는 이러한 민족적 소망을 달성하는 데 미국과 세계 모든 벗들이 큰 이해와 적극적인 성원을 아끼지 않기를 바라 마지않습니다. 무엇보다 이 자리에 계시는 분들의 성원을 바랍니다.

감사합니다.

질의응답

질문 남한 사람들은 막대한 통일 비용을 감당할 준비가 돼 있습니까?

김대중 막대한 통일 비용이라는 개념 자체가 흡수 통일을 의미합니다. 아까 내가 3단계 통일 방안을 말했는데 그 안에 답이 있습니다. 함께 평화적으로 공존하고 교류, 협력하면서 결국 평화 통일을 이루는 것으로, 첫 단계는 남북연합, 두 번째는 남북연방, 마지막으로 완전 통일을 이룩하는 것입니다. 이런 3단계를 밟아 가서 10년, 20년에 걸쳐 안정적으로 해 나가야 합니다. 우리는 지금 당장 막대한 통일 비용을 들여 가며 북한을 통일할 경제적 능력이 없습니다. 그리고 경제적 능력이 있다고 하더라도 남북한은 오랫동안 분단되어 있었기 때문에 심리적인 격차가 있습니다. 동서독은 급격한 통일을 이루면서 아직까지도 정신적 격차로 어려움을 겪고 있습니다. 과거에 독일 대통령을 만났을 때 그는 "베를린 장벽은 무너졌지만 사람들 마음 사이의 장벽은 무너지지 않았다"고 걱정하는 것을 보았습니다. 그렇기 때문에 시간을 두고 북한이 자기 힘으로 경제를 회생시킬 수 있도록 도와야 합니다. 북한은 저렴하고 우수한 노동력을 가지고 있습니다. 고등학교까지가 의무교육이고 7년, 10년의 군 복무를 합니다. 남북한은 언어, 문화 등을 공유하고 있습니다. 그렇기 때문에 북·미 관계가 개선되면 제2, 제3의 개성공단이 설립될 수 있고 한국은 북한의 사회간접자본에도 투자할 수 있습니다. 그렇게 되면 북한의 경제 자립은 10년이면 이룰 수 있을 것입니다. 북한의 경제 발전은 경제 발전뿐 아니라 민심의 큰 변화도 가져올 것입니다. 예로부터 머리 맞대고 함께 돈 버는 사람들이 서로 싸우는 일은 없다고 했습니다. 평화 공존, 협력을 추진하다가 이 과정에서 북한은 국제통화기금, 아시아개발은행 등의 차관을 받을 수 있고 미국, 유럽연합 등도 북한 경제에 진출할 수 있습니다. 문제는 북핵 문제와 북·미 관계 개선입니다. 이 문제만 해결되면 남북한 관계는 급속하게 발전하게 될 것입니다.

질문 1994년 핵 위기 때 대통령님이 지미 카터 전 대통령을 특사로 보내야 한다고 주장하셔서 지미 카터 전 대통령이 가서 효과를 봤습니다. 지금 김 전 대통령께서 북한 핵 위기를 해결하기 위해 어떤 역할을 하실 의향은 없으십니까?

김대중 나에게 대북 특사를 가라는 이야기를 의미하는 것 같습니다. 그와 관련된 주장이 있음을 언론을 통해서도 알고 있습니다. 1994년 첫 핵 위기 때 미국의 카터 대통령이 북한을 방문했고 핵 위기에 돌파구가 마련됐습니다. 하지만 카터 대통령 때는 가라는 사람도 있었고 카터에게 북한에서 오라고 하기도 하였습니다. 그런데 지금은 아무도 나에게 가라고 하지 않고 오라고도 하지 않습니다. 만약 가라고 하고 오라고 하면 그때 생각해 보겠습니다.

한반도 평화와 민족의 미래

강연 한신대학교
일시 2005년 5월 12일

김대중 존경하는 오영석 총장, 교수 여러분, 그리고 학생 여러분, 내빈 여러분!

오늘 저를 초청하여 강연할 기회를 주신 것을 매우 감사히 생각합니다. 한신대학교는 한국에서 가장 큰 대학은 아닙니다. 그러나 한신대학교는 그 어느 대학보다도 위대한 대학이고 평화와 민주주의 발전을 위해서 공헌한 대학입니다. 한신대학교는 위대한 선각자였던 김재준 목사를 위시하여 문익환 목사, 안병무 박사, 문동환 박사 등 기타 수많은 신학자와 목회자 등 통일과 민주주의에 헌신한 선구자들을 배출했습니다. 그런 가운데 한신대학교 학생들은 스승들과 더불어 자유를 위해서, 통일을 위해서 희생을 바치는 것을 주저하지 않았습니다. 저는 이러한 한신대학교의 위대한 공헌에 대해서 항상 존경과 흠모의 정을 갖고 있었기 때문에 오늘 이 자리에 기꺼이 나오게 된 것입니다.

존경하는 여러분!

지금 한반도는 매우 불길한 위기 국면으로 들어가고 있는 것 같습니다. 6자회담은 열리지 않고 있습니다. 북·미 간의 주고받는 협상의 전망은 불투명합니다. 북한의 핵실험 준비설이 나돌고 있습니다. 이에 맞서 미국의 선제공격설까지 나오고 있습니다. 북한과 미국 사이에 비외교적인 거친 비방들이 오고 가고 있습니다.

이 모든 것은 북한 핵 문제에 대한 해결책이 나오지 않기 때문입니다. 그러나 제가 항상 말한 바 있지만 북한 핵 문제 해결은 보기에 따라 매우 간단합니다. 북한은 핵을 완전히 포기하고 철저한 검증을 받아야 합니다. 미국은 북한의 안전을 보장하고 경제 제재를 해제해야 합니다. 서로 불신이 크기 때문에 동시에 실행해야 합니다. 북·미가 이러한 자세로 나올 때 6자회담은 이것을 수용하여 그 실천을 공동으로 담보할 수 있을 것입니다. 그리고 만일 한쪽이 약속을 어겼을 때는 6자회담에서 그 책임을 추궁하는 적절한 조치를 취할 수 있을 것입니다. 저는 여기에서 각 당사자에 대해서 몇 마디 제안을 하고 싶습니다.

첫째, 미국은 이 단계에서는 핵 문제의 평화적 해결 원칙을 고수하고, 제재 조치를 취하는 것을 서둘러서는 안 됩니다. 지금 미국의 일부에서 운운되고 있는 선제공격은 우리 민족을 공멸시킬 우려가 있기 때문에 결코 동의할 수 없습니다. 지금 단계는 북한의 핵 포기에 대한 상응한 대가를 주는 주고받는 협상을 할 단계입니다. 이러한 가운데 핵 문제의 한 당사자인 한국의 주장을 존중하고 그 역할을 활용해야 합니다. 북한 핵 문제가 파탄으로 갔을 때는 그 피해는 거의 전적으로 우리 민족이 감당해야 하기 때문입니다.

한편 미국 내 일부에서는 대북 강경 조치에 동조하지 않는 한국에 대한 비판이 일고 있습니다. 즉, 미군이 한국전쟁에 참전해서 많은 희생을 내면서 한국을 도와주었는데 지금 한국이 그 은혜를 저버리고 있다고 비판을 하는 지도자와 언론이 있습니다. 우리는 북한 공산군의 남침에 의해서 국가의 운명이 풍전등화와 같을 때 미군이 개입해서 이를 구원해 준 은혜를 결코 잊지 않고 있습니다. 그렇기 때문에 우리는 베트남전에 참전해서 5천 명의 전사자와 1만 1천 명의 부상자 등 많은 희생자를 내면서 미국에 협력했습니다. 그리고 이라크전쟁에 대해서도 국내의 상당한 반대가 있었음에도 불구하고 미국, 영국 다음으로 가장 많은 군대를 파병하고 있는 것입니다. 2차대전 이래 미국으로부터 많은 은혜와 관용을 입은 프랑스나 독일은 이라크에 파병하지 않았는데도 말입니다.

한편 우리는 미국의 책임에 대해서 기억해야 할 문제도 있다는 것을 지적하고 싶습니다. 1945년 일제 패망 시 미국과 소련은 한반도를 둘로 분단시켰습니다. 우리의 의사와 전혀 관계없이 이루어진 분단 때문에 남북은 동족상잔의 전쟁을 치렀고 60년 동안 만성적인 불안과 긴장 속에 살아온 것입니다. 최근 공개된 소련 국가보안위원회(KGB) 문서는 1949년 미군 철수 때 미국이 북한이 남침하면 좌시하지 않겠다는 경고만 했어도 스탈린은 남침을 허용하지 않았고, 한국전쟁은 일어나지 않았을 것이라는 점을 보여 주고 있습니다. 그러나 미국은 오히려 한국이 미국의 방위권 밖이라는 것을 밝히는 실수까지 범했던 것입니다. 지금 미국 내의 일부에서 제기되고 있는 일방적인 한국 비판은 타당하지 않습니다. 여론조사를 보면 한국 국민의 90퍼센트 이상은 미국을 좋아합니다. 다만 미국의 이라크전쟁에 대해서는 반대가 큽니다. 이 점은 일본, 영국, 프랑스, 독일 등 미국의 우방국들이 같은 경향을 보이고 있습니다. 미국은 좋아하지만 잘못된 정책은 반대한다. 이것이 우리의 태도인 것입니다. 그것은 당연한 것입니다.

둘째, 북한에 대해서 말하고 싶습니다. 북한의 핵 보유는 잘못된 전략이고 남한과 맺은 한반도비핵화선언에도 위배됩니다. 북한은 핵 포기의 용의를 계속 분명하게 밝히고 협상에 임해야 합니다. 지금 운위되고 있는 핵무기 발사 실험은 결코 해서는 안 됩니다. 만에 하나라도 그럴 경우는 북한은 국제적으로 큰 반발을 면하기 어려울 것입니다. 무엇보다도 6자회담에 출석해서 할 말은 하고, 요구할 것은 요구하는 당당한 협상의 태도를 보여야 합니다. 세 차례나 참석했던 6자회담에 출석조차 하지 않는다는 것은 모순되는 것이고 스스로를 고립시키는 것입니다. 한국과도 당국자회담 또는 정상회담을 조속히 열어 핵 문제는 물론 민족 공동의 과제에 대해서 대화하고 협력해야 할 것입니다. 서울로 못 오면 도라산역으로라도 와야 합니다. 이것은 6·15공동선언을 준수하는 길이고 우리 문제는 우리 민족끼리 해결하는 길입니다.

셋째, 한국은 1991년 남북 간에 맺은 한반도비핵화선언의 당사자이기 때문에 이를 위반한 북한 핵 문제 처리에 있어서도 당사자입니다. 우리는 북한 핵 문제 논의에 있어서 적극적인 당사자 역할을 할 권리가 있고 또한 책임이 있습니다. 우리는 북한에 대해서 6자회담에 적극 협력하고, 핵을 완전히 포기하도록 종용해야 합니다. 동시에 미국에 대해서도 북한에 대한 유연한 태도 속에 핵 포기에 대한 대가를 분명하게 제시하도록 요구해야 할 것입니다. 비료와 식량의 지원은 남한에 대해 불신과 적대감을 갖고 있는 북한의 민심을 감사와 동경으로 바꾸는 데 상당한 기여를 하고 있습니다. 이를 핵과 분리해서 다룰 필요가 있다고 생각합니다.

미국은 악을 행한 자와 대화할 수 없고 보상을 할 수 없다고 이야기합니다. 그러나 과거에 미국은 악마의 제국이라고 비방했던 소련과도 대화했고 한국전 당시 침략자로 규정했던 중국과도 대화했습니다. 뿐만 아니라 1953년 한국전쟁 중에도 북한과 대화해서 휴전협정을 맺었습니다. 그리고 휴전선의 북쪽 지역을 북한이 지배하는 것을 승인했던 것입니다. 즉, 미국은 양자 대화를 했을 뿐 아니라 주고받는 협상도 한 것입니다. 1953년에 맺은 휴전협정은 지금까지 반세기 동안 준수되어 한반도 평화에 기여하고 있습니다. 평화를 위해서, 국가의 이익을 위해서 필요할 때는 누구하고도 대화하는 것이 외교의 기본입니다.

존경하는 여러분!

다음에는 한반도 평화에 큰 전환점을 이룬 2000년 6·15남북정상회담에 대해서 몇 마디 하겠습니다. 저는 북한에 대한 불신과 증오가 팽배한 가운데서도 민족 화해와 국민의 안전을 위해서 필요하다고 믿었기 때문에 남북정상회담을 추진했습니다. 저는 김정일 위원장과 정상회담을 시작하면서 이렇게 말했습니다.

"누구나 영원히 사는 사람이 없고, 또 그 자리에 영원히 있는 사람도 없다. 지금 당신과 나는 남과 북을 통치하고 있는데 우리가 마음 한번 잘못 먹으면 민족이 공멸한다. 그러나 우리가 민족 앞에, 역사 앞에 경건한 마음으로 평화를 지키고 평화적 통일을 위해서 힘쓴다면 우리는 7천만 민족에게 안전과 번영을 줄 것이고, 후손들에게 축복을 줄 것이다. 그리고 우리는 역사 속에서 평가받을 것이다. 그러기 위해서는 분명히 할 것이 있다. 북한은 남한을 공산화한다는 생각을 완전히 버려야 한다. 우리는 절대로 공산주의를 받아들일 수 없다. 동시에 우리도 북한을 흡수 통일한다는 생각을 갖지 않겠다. 우리는 흡수 통일해서 북한을 먹여 살릴 경제적 능력이 없다. 우리는 서독이 아니다. 뿐만 아니라 우리는 불행히도 전쟁까지 한 처지이기 때문에 졸속한 통일은 큰 혼란과 정신적 갈등을 가져올 것이다. 그러므로 우리가 나아갈 길은 다음과 같은 3원칙 3단계이다. 3원칙은 평화 공존, 평화 교류, 평화 통일의 원칙이다. 3단계는 남북연합제, 남북연방제, 그리고 완전한 통일의 단계이다. 남북이 평화롭게 살고, 서로 교류 협력하다가 10년, 20년 후에 서로 안심하고 하나가 될 수가 있다고 믿을 때 완전 통일을 하자."

저는 정성을 다해서 설명했습니다. 김정일 위원장도 저의 이러한 충정을 잘 이해한 것처럼 보였습니다. 회담은 힘든 줄다리기였지만 결국 큰 성과를 올린 것은 여러분들이 이미 알고 계시는 바와 같습니다.

회담에서 우리는 민족 자주 문제에 합의했습니다. 제1단계의 통일 방안에 합의했습니다. 경제, 사회, 문화, 스포츠, 환경 등의 협력에 대해서도 합의했습니다. 가장 어려웠던 김정일 위원장의 서울 답방도 합의했습니다. 그리고 특별히 뜻깊은 것은 이산가족 상봉에 합의한 것입니다. 이산가족은 과거 35년 동안 200명 정도밖에 상봉을 하지 못했는데 정상회담 이후 1만 명의 이산가족들이 서로 만났습니다. 50년 동안 생사조차 몰랐던 혈육들이 만나서 얼싸안고 통곡하는 모습은 전 세계 사람들의 눈시울을 뜨겁게 했습니다.

존경하는 여러분!

남북정상회담의 성과는 이산가족 상봉뿐 아니라 많은 분야에서 나타나고 있습니다. 무엇보다도 남북 간의 긴장이 크게 완화되었습니다. 과거 판문점에서 총소리만 나도 놀라서 피난 소동이 일어났었는데, 이제는 북한이 핵무기 제조를 공언해도 국민들이 동요하지 않고 있습니다. 금강산 관광에 100만 명의 사람들이 북한을 다녀왔습니다. 남에서 북으로 8만 명, 북에서 남으로 4천 명의 사람들이 오고 갔습니다. 개성공단에서 제품이 생산되고 있습니다. 철도와 도로의 연결이 진행 중이거나 완성되었습니다.

그러나 무엇보다 북한 사회에 가장 큰 변화를 가져온 것은 남한의 비료와 쌀의 지원입니다. 남한이 매년 지원한 20만 톤 내지 30만 톤의 비료는 북한의 식량 생산량을 2배, 3배 증가시키는 효과가 있습니다. 또 매년 40만 톤을 제공한 쌀은 상당수의 굶주린 북한 동포들을 기아로부터 구하고 있습니다. 그들은 남한은 미국의 앞잡이이고 우리가 북한에 대해 침략의 기회만 노리고 있는 것으로 교육받아 왔는데, 남한의 이러한 지원을 보고 감사하는 마음과 잘사는 남한 사람들에 대해 동경심을 갖기 시작하고 있습니다. 이 얼마나 큰 성과입니까? 햇볕정책은 성공하고 있습니다.

다만 북·미 관계가 계속 악화되고 있는 상황에서 햇볕정책도 견제를 받아서 지금보다 훨씬 더 많이 이룩할 수 있는 성공을 못 하고 있는 것이 안타깝습니다.

존경하는 여러분!

북한과 화해하고 북한을 돕는 것은 북한만을 위한 것이 아닙니다. 바로 남한의 안보와 경제적 도약을 가져오는 데도 필요합니다. 이미 말한 대로 남북 간의 긴장은 크게 완화되었습니다. 북한에 대한 경제적 진출이 더욱 확대되어야 합니다. 그래야 지금 남한의 많은 실업자와 400조 원이 넘는 유휴자금, 한계 상황에 도달한 중소기업 문제 등을 해결하는 데 큰 도움을 가져올 수 있습니다.

또한 남북을 잇는 철도를 이용하면 북한의 압록강을 건너 중국의 오지와 시베리아를 넘어 중앙아시아, 동유럽, 서유럽까지 연결하는 철의 실크로드가 형성됩니다. 이렇게 되면 물류 비용과 수송 기간이 약 30퍼센트 정도 경감됩니다. 대서양과 태평양을 잇는 동쪽의 물류 기지가 한국이 되는 것입니다. 물류가 일어나면 생산이 일어나고 금융과 보험, 문화, 관광산업이 함께 일어나게 될 것입니다. 압록강의 기적의 시대가 올 것입니다. 이렇게 되면 한국은 21세기 동북아의 물류 거점이 되어 국운 융성의 시대를 맞이하게 될 것입니다. 물론 북한도 남한과 함께 큰 혜택을 보게 될 것입니다. 경제적 자립의 길이 열릴 것입니다. 이것은 남북의 평화적 공존과 통일에도 근본적인 촉진제가 될 것입니다.

존경하는 여러분!

21세기는 아시아의 세기입니다. 이는 미국을 위시한 세계의 거의 모든 학자와 전문가들이 다 같이 인정하는 사실입니다. 아시아 중에서도 동아시아의 시대가 오고 동아시아 중에서도 동북아시아 시대가 올 것입니다. 몇 가지

예를 들겠습니다. 국내총생산(GDP) 규모에 있어서 북미자유무역협정(NAFTA)이 세계 전체의 34퍼센트, 유럽연합(EU)이 29퍼센트, 동아시아가 19퍼센트를 차지하고 있습니다. 그러나 동아시아 경제는 급속히 성장하고 있기 때문에 앞으로 20-30년 이내에 유럽연합(EU)이나 북미자유무역협정(NAFTA) 지역을 앞서게 될 것입니다. 그런데 동아시아 중에서도 한국, 중국, 일본의 동북아 3국이 동남아시아의 동남아시아국가연합(ASEAN) 지역보다 현저히 큰 비중을 차지합니다. 인구 면에서 동남아시아국가연합(ASEAN)이 5억 4천만 명인 데 비해 한·중·일 3국은 근 3배인 14억 6천만 명입니다. 국내총생산(GDP) 면에서도 동남아시아국가연합(ASEAN)이 6,760억 달러인 데 비해 한·중·일 동북아 3국은 그 10배인 6조 3,250억 달러입니다. 따라서 한·중·일 3국이 협력하여 동아시아 전체를 이끌어 가게 될 것입니다.

그러나 지금 일본과 한국, 일본과 중국 관계는 상당한 갈등이 있습니다. 일본의 급격한 우경화와 잘못된 역사 인식 등은 동아시아의 미래 협력을 어둡게 하고 있습니다. 이 문제는 일본이 독일처럼 바른 역사 인식을 갖고 시정해야만 동아시아 전체의 신뢰와 협력을 얻을 수 있습니다.

한국은 미국, 일본, 중국, 러시아 4대국 사이에 끼어 있습니다. 최근에 예일대학의 폴 케네디 교수가 지적한 바와 같이 우리는 네 마리의 거대한 코끼리 사이에 둘러싸여 있는 것입니다. 운신을 잘해야 합니다. 우리는 강대국의 역학관계를 잘 이용해서 우리의 주체성을 지키고 강대국의 거대 경제력 사이에서 큰 성공을 찾도록 해야 합니다. 이것이 우리가 처해 있는 특수한 지정학적 위치에서 전화위복할 수 있는 길입니다. 우리 민족은 이를 해낼 지혜와 능력이 있다고 믿습니다. 젊은 여러분은 한민족의 일원으로서만이 아니라 아시아 또는 세계화 시대의 일원으로서 시야를 넓히고 실력을 갖추어서 자기 역량을 마음껏 발휘해야 할 것입니다. 한국은 지금 세계 11위의 경제 강국입니다. 21세기 지식정보화 시대, 문화창조 시대는 한민족의 특성에 가장 알맞은 시대입니다. 역사는 우리에게 기회를 주고 있습니다. 훨씬 더 큰 성공의 기회가 다가오고 있습니다.

친애하는 젊은이 여러분!

한 번밖에 없는 여러분의 청춘을 어떻게 살아야 합니까? 저는 먼저 여러분이 행동하는 양심이 될 것을 권합니다. 사람은 누구나 마음속에 천사와 악마가 있습니다. 천사의 지배력이 컸을 때는 선인이 되고, 악마의 지배력이 컸을 때는 악인이 됩니다. 그렇다면 천사가 승리하여 선인이 되려면 어떻게 해야겠습니까. 그것은 무엇이 되느냐보다는 어떻게 사느냐에 인생의 목표를 두어야 합니다.

사람은 누구나 자기가 원한다고 해서 부자가 될 수 있는 것도 아니고 높은 자리에 오를 수 있는 것도 아닙니다. 그러나 누구나 바르게 사는 일은 할 수 있습니다. 바르게 산다는 것은 내 양심 속에 있는 천사의 뜻에 입각해서 이웃을 사랑하고, 이웃을 위해 봉사하는 삶을 사는 것입니다. 이웃은 내 가족이고, 친구요, 거리에서 만난 사람입니다. 그렇게 사는 가운데 현실적인 성공도 있는 것입니다. 그러나 설사 현실적인 성공을 이루지 못했다 하더라도 자기 양심에 따라 떳떳하고 바르게 살면 그 사람은 마음의 충족감을 느낄 것입니다. 가족과 주위로부터 존경과 사랑을 받을 것입니다. 그리고 이 세상을 마칠 때는 자기 삶에 대해서 스스로 만족과 긍지를 가지고 눈을 감게 될 것입니다. 성공한 인생을 산 것입니다.

저는 제 일생 동안 힘들었지만 행동하는 양심으로서 살기 위해 온 힘을 다해서 노력했습니다. 저는 네 번의 죽음의 고비와 6년 반의 감옥살이, 20년 이상의 연금과 망명, 감시하의 생활 등 그야말로 파란만장의 삶을 살았습니다. 그러나 저는 제 양심의 명령대로 바르게 살기 위해 온 힘을 다했습니다. 1980

년 신군부는 군사쿠데타를 일으켜 저를 광주항쟁의 주모자로 몰아서 사형 선고를 내렸습니다. 그리고 그들은 저에게 자기들에게 협력하면 살려 주고 그렇지 않으면 죽이겠다, 협력만 하면 무슨 자리든 보장하겠다며 저를 협박하고 유혹했습니다. 그러나 저는 죽는 것은 두려웠지만 내 양심에 따라서 행동하기로 결심했습니다. 그리고 그들에게 말했습니다. "내가 당신들에게 협력하면 일시적으로는 살지만 영원히 죽는다. 그러나 당신들에게 협력하지 않으면 일시적으로는 죽지만 역사와 국민의 마음속에 영원히 산다. 따라서 나는 영원히 사는 길을 택하겠다. 나를 더 이상 설득하지 말고 죽여라." 이렇게 거절했습니다.

다음으로 여러분께 권하고 싶은 것은 서생적 문제의식과 상인적 현실감각을 갖고 세상을 살았으면 하는 것입니다. 다시 말하면 이상과 현실의 조화 속에서 살아가라는 것입니다. 이상에만 집착하면 공허해지고 현실적으로 좌절할 가능성이 큽니다. 반면에 현실에만 집착하면 이상은 힘을 잃고 인생을 값없이 낭비하게 됩니다. 따라서 이 두 가지가 반드시 조화롭게 상호작용을 하는 것이 중요합니다. 우리는 바르게 살아야 합니다. 동시에 현실 사회에서 성공도 해야 합니다. 바르게 살려고 노력할 때 현실을 생각해야 하고, 현실에서 성공하려고 힘쓸 때 바르게 사는 인생을 생각해야 합니다. 서생적 문제의식과 상인적 현실감각을 조화롭게 살려 나갈 때 여러분은 이상의 돛을 달고 현실의 뒤바람을 받으면서 성공하는 인생을 살게 될 것입니다.

경청해 주서서 감사합니다.

질의응답

질문 북핵 문제 해결과 한반도 평화를 위해 남북의 화해와 협력이 중요하다고 했는데 현재 남북 관계는 막혀 있습니다. 남북 관계 개선을 위해 어떻게 해야 합니까?

김대중 2000년 6월 15일 남북 문제는 우리끼리 해결하자고 (김정일 국방위원장과) 약속했습니다. 그런데 북쪽이 약속을 안 지키는 것을 볼 때 좀 실망스러운 느낌입니다. 북쪽은 남쪽을 좋은 의미에서 '이용'해야 합니다. 당국자회담이나 정상회담을 통해 (핵) 문제를 해결해야 합니다. (김정일 국방위원장은) 남쪽을 방문하기로 약속하고 안 지키는데 휴전선 근방에서라도 만나야 합니다. 핵 문제가 해결된 뒤 북측과 대화해야 한다는 (남한) 일부의 의견은 잘못된 것입니다. 핵 문제 해결을 위해서라도 대화해야 합니다. 민족 문제는 같은 민족끼리 머리를 맞대고 해결해야 합니다.

질문 한·미 관계가 어떻게 개선돼야 한반도 평화가 온다고 생각하십니까? 그리고 지금까지는 (핵 문제와 관련) 북한의 노력을 강조했는데 오늘 강연에서 미국 책임론을 제시한 특별한 이유가 있습니까?

김대중 한국이 미국, 일본, 중국, 러시아 등 주변 4개국과 관계를 잘 조정하는 것이 중요합니다. 현 단계에서 미국은 세계 유일의 강국입니다. 과거와 같은 불행이 없도록 하기 위해 미국을 활용, 동북아에서의 균형자 역할을 맡도록 해야 합니다. 김정일 국방위원장을 만났을 때 "미국을 활용해야 하고, 한반도 관계에 미국이 필요하다"고 말했는데 김 위원장이 화를 내지 않고 "남쪽 미군이 북쪽만 공격하지 않으면 미국은 있어야 한다"고 답해 깜짝 놀랐습니다. 그런 의미에서도 한·미동맹이 중요하고 6자회담을 잘 활용해야 합니다. 한·미동맹, 한·미·일 공조, 6자회담이 동심원을 이루며 상호 보완할 때 튼튼한 평화가 옵니다.

* 이 글은 한신대학교 개교 65주년 기념 초청 강연문이다.

6·15남북정상회담 5주년 기념 와이티엔(YTN) 특별 대담

대담 정애숙
일시 2005년 6월 10일

정애숙 안녕하세요. 건강한 모습으로 뵙게 돼서 반갑습니다.

김대중 네, 안녕하세요.

정애숙 (남북정상회담 자료 화면 시청) 언제 봐도 감동적인 남북 정상 간의 만남을 다시 봤는데요. 5년 만에 다시 보시니 어떠신지요?

김대중 지금 말씀한 대로 언제나 새로운 감동으로 광경을 보게 됩니다. 그리고 힘들게 회합을 만들어 냈고, 그 후 5년 동안 많은 우여곡절이 있었지만, 결국 우리는 한발 한발 앞으로 나가게 됐습니다. 남북정상회담을 한 것, 혹은 이렇게 계속 유지하면서 발전시켜 온 것 모두가 7천만 민족의 뜨거운 조국애와 서로 같은 동족끼리 평화적으로 살자는 열망이 뒷받침됐다고 생각하니까 감회가 새롭습니다. 그리고 한 가지 말씀드릴 것은, 5년 전 당시 순안공항에 김정일 위원장이 영접을 나올 줄 몰랐습니다. 그리고 인민군 육해공 3군 의장대가 나오고 저렇게 많은 사람이 나올 줄 몰랐어요. 모든 게 참 놀라운 일이었습니다.

정애숙 그 당시만 해도 많은 사람들이 남북 정상들이 평양에서 두 손을 맞잡을 줄 몰랐습니다. 그런데 현실로 이뤄 내셨고요. 말씀하신 대로 우여곡절도 있었고, 소중한 변화도 확인할 수 있습니다. 금강산 관광과 개성공단에서 만든 상품을 남한 사람이 사용하고…… 이런 소식 접하면 감회가 남다를 것 같은데요?

김대중 그렇습니다. 기쁘고요. 여기까지 온 것에 대해 자랑스럽습니다.

정애숙 그런 기쁨의 순간을 다시 나눠 보면요. 김정일 위원장과의 만남에서 많은 사람들이 과연 무슨 말씀을 나눴을까? 순안공항에서 이동하실 때 한시간 정도 한차에 동승했을 때 어떤 이야기 주고받았는지?

김대중 모두 그것을 굉장히 궁금하게 생각해서 질문을 많이 받았는데, 결국 말하면 차중에서는 대화가 없었습니다. 김 위원장은 "저기 나온 사람들이 전부 다 김 대통령을 자발적으로 환영하기 위해 나온 사람들이다."라는 말 외에는 별로 하지 않았습니다. 나 또한 그때는 김 위원장에게 긴장을 늦추고 할 수 없는 때였습니다.

북한은 남북정상회담을 하기 전 실무 접촉에서 평양에 오면 김일성 주석 묘에 참배하라고 요구했습니다. 그러나 우리가 그렇게 못한다고 했더니 그러면 정상회담 할 수 없다며 평양에 오지 말라고 했습니다. 또 북한은 특정 신문사, 방송기자는 평양에 들어오지 못한다고 주장했습니다. 나는 그런 상황에서 평양으로 출발했습니다. 그런 걸 다 무릅쓰고 올라갔거든요. 그리고 정상회담이라는 것은 사전에 의제 등을 조율해서 성명서라든가 선언서를 만드는 것이 필요한데, 북측은 평양에 오면 잘될 텐데 뭣 때문에 만나자고 하느냐고 했습니다. 이것은 전혀 국제적 관례에 맞지 않는 것입니다. 그리고 공항에서 숙소로 이동할 때도 저는 김정일 위원장이 제 옆에 타리라고 생각하지 않았어요. 왜냐하면 외국을 방문할 때 보면 앞 보조석에는 외국 의전관이 앉고 제 옆에는 아무도 안 앉거든요. 그런데 평양에서는 누가 탁 들어와서 앉더라고요. 보니까 김정일 위원장이에요. 김정일 위원장과 나는 숙소로 가는 도중 유리문을 내리고 연도에 50만 명이 넘는 북한 주민들이 환영을 나와 화답하려 보니까 얘기할 짬이 없었습니다. 또 북한 주민들이 환영하는 소리 때문에 얘기를 할 수가 없어요. 실제로는 얘기를 한 것이 없습니다. 그런데 사람들이 그걸 잘 안 믿어요. 무슨 얘기가 있었지 않으냐고.

정애숙 차 안에서는 말씀을 나눌 수 있는 상황이 아니었다고 말씀하셨는데…… 그 이후 회담에서 굉장히 밀도 있는 대화를 주고받은 상황인데, 김정일 위원장을 직접 만나 보니 어떤 사람이란 평가가 있었습니까?

김대중 첫째 느낀 것은 똑똑한 사람이라는 것입니다. 남쪽이나 세계 정세를 많이 알고 있었습니다. 그리고 남의 말을 빨리 알아듣고 그것이 합리적이면 받아들여요. 6·15공동선언 대부분이 우리의 주장이 거의 수용되었는데 김 위원장도 처음엔 완강하게 토론을 하다가 결국은 하나하나 받아들였습니다. 그러나 김 위원장은 말을 조리 있게 하는 분은 아니었습니다. 화제를 자주 바꾸고 여기 갔다 저기 갔다 이렇게 하지만, 자기 챙길 건 다 챙기고. 그러나 결국은 좋은 대화를 했다고 생각합니다.

정애숙 5년 전에 김정일 위원장이 답방 약속을 지금까지 안 지켜져서 마음으로 섭섭하지 않은지요?

김대중 좀 섭섭하지요. 약속을 해 놓고 일방적으로 안 오고, 답방하지 못하면 왜 못 온다는 양해도 구하지 않고 그런 것은 국제적으로 도저히 있을 수 없는 일입니다. 김정일 위원장에게 남한을 방문하란 말은 중국, 러시아, 스웨덴 정상들이 직접 많이 권고를 했습니다. 그 점에 있어서는 결국 서울을 방문했어야 합니다. 지금이라도 와야 합니다. 답방이니까 반드시 한국으로 와야 합니다. 한국에서 장소가 문제면 제주도도 좋고 도라산도 좋습니다. 꼭 와야 합니다.

정애숙 많은 분들이 5년 전 남북 관계를 회상하고 지금의 남북 관계가 달라진 기상도에 마음 아파합니다. 꼬여 있는 북핵 문제를 해결하기 위해 얽혀 있는 실타래를 누군가가 풀어 주길 바라는 기대감이 있는데, 6·15공동선언의 당사자이신 김대중 전 대통령께서 해 주시면 어떨까 하는 이런 기대감이 있는 것 사실이다. 이 부분에 대해 어떻게 생각하시나요?

김대중 그걸 얘기할 때 대부분 카터 전 대통령을 회고하는데요. 카터 전 대통령은 클린턴 대통령의 신임을 받아 가지고 간 겁니다. 미국 입장에서는 북한과 미국의 문제니까 미국 대통령의 신임을 받아야 됩니다. 그러한 신임 없이 내가 간다고 해서 미국을 대표해서 얘기할 수 없지 않습니까? 거기에 차이가 있습니다. 물론 내 개인적으로서는 기회가 닿으면 북한에 가서 김 위원장을 만나 민족 문제, 민족 장래를 위해 허심탄회하게 얘기하고 잘한 것은 잘했다, 못한 것은 못했다고 얘기하고 싶은 게 많습니다. 북·미 관계, 핵 문제는 내가 미국을 대표할 입장이 못 되니까 문제가 있습니다.

정애숙 김 위원장이 공식으로 초청한다면 갈 의향이 있다고 밝히신 바 있는데요. 만약 우리 정부에서 북한 설득자로 정식으로 요청한다면?

김대중 북한에서 김정일 위원장이 초청을 하고 우리 정부도 가 달라고 한다면 그건 내가 고려해야죠. 그러나 두 가지 다 여건이 갖춰져야 합니다. 그러지 않으면 가더라도 별로 도움이 안 됩니다.

정애숙 네. 알겠습니다. 시기는 못 박지 않았지만, 6자회담에 나오겠다, 이런 진일보한 소식이 들리고 있습니다. 그러나 좀 부정적 신호들도 혼재하는 상황에서 과연 북한이 6자회담 테이블에 나올 것으로 보시는지?

김대중 북한이 지금까지 6자회담에 나오지 않은 것은 잘못입니다. 북한은 왜 6자회담에 나와서 당당하게 자기주장을 얘기 안 합니까? 과거에 이미 세 번 나왔으면 네 번도 나올 수 있는 것 아닙니까? 물론 북한 입장에서는 미국이 북한에게만 핵을 포기하라고 하고 미국은 그에 대한 상응한 보상을 하지 않는다고 주장하지만, 그러나 안 나가니까 6자회담에 나오라는 것이 이슈가 되지 않습니까?

북한은 6자회담에 일단 참석해서 "우리는 핵을 포기할 용의가 있다. 검증도 받을 용의가 있다. 미국도 우리에게 대가를 내놔라. 우리가 요구하는 것은 우리의 안전 보장, 경제 제재 해제다."

이렇게 당당하게 얘기를 해야 합니다. 왜 평양에서만 큰소리를 하는 겁니까? 물론 그것도 나름대로 의미가 없는 것은 아니지만, 왜 그렇게 합니까? 북한이 이렇게 6자회담에 참여해서 북한의 요구를 이야기할 때 남한도 6자회담 참여국들의 생각을 조정할 수도 있습니다. 그러면 남한이 6자회담 국가들에 대해서는 미국도 이렇게 생각해야겠다, 북한은 이렇게 생각해야겠다, 조정도 할 수 있는 거 아닙니까?

정애숙 한국 정부의 역할, 북핵 문제를 풀기 위한 노력들이 충분하다고 보시는지?

북은 한국 정부를 이용해야

김대중 한국 정부가 제대로 역할을 하려면 북한은 한국 정부를 좋은 의미에서 이용해야 합니다. 북한은 남한을 만나서 북한이 미국에 요구할 사항을 이야기하고 미국과 한국은 동맹 국가이므로 북한의 요구를 미국에게 전달하도록 도와 달라고 이야기해야 합니다. 한국 정부가 북한의 이러한 요구를 미국에 전했음에도 불구하고 미국이 북한의 요구를 수용하지 않으면 그때 북한은 미국에 대해서 책임 있는 태도를 취해야 할 것입니다. 미국에 요구할 것은 이거다, 그런데 미국이 안 들어주는데 당신이 미국하고 동맹 국가니까 얘기해서 듣도록 해 달라, 그쪽에서 안 들으면 당연히 그에 대해서 책임 있는 태도를 취해야 할 것 아니냐. 이런 식으로 얘기를 하고…… 그렇게 되면 우리 정부는 미국 만나서 얘기할 수 있는 거 아닙니까.

그리고 북한 핵 문제는 법률적으로 한국도 당사자입니다. 아시다시피 한반도비핵화선언에 보면 남북은 일체의 핵, 플루토늄, 고농축우라늄 이건 다 못 갖도록 되어 있습니다. 그런데 북한이 어쩔 수 없이 하고 있는 거 아닙니까? 이것은 남북비핵화공동선언 위반입니다. 미국도 북핵 문제를 중국에만 의존할 것이 아니라 북핵 문제의 당사자인 한국을 이용해서 핵 문제를 해결할 수도 있을 것입니다.

정애숙 비핵화선언의 주축인 한국과 북핵 열쇠를 지닌 미국이 만나 곧 정상회담을 합니다. 2005년 6월이 한국 외교에서 북핵 해결을 위해 중대한 시점인데 동북아 균형자론, 주한 미군 재배치 등으로 한·미 관계에 대한 우려의 목소리 있습니다. 한·미 관계 진단과 두 나라가 그려야 할 미래 모습은 무엇인지요?

김대중 6월은 한국으로서 특히 노무현 대통령으로서는 대단히 중요한 달입니다. 한·미정상회담, 한·일정상회담, 남북장관급회담 모두가 잘되면 큰 진전이 있고, 못되면 여러 가지 어려움이 닥쳐올 것입니다. 한·미 관계에 대해 말씀드리면 동북아 균형자론에 대해서 여러 가지 오해도 있고 하는데 이번에 미국에 가면 분명히 얘기해야 한다고 생각합니다.

첫 번째 우리는 북한 핵을 절대로 반대한다는 것입니다. 거기에는 의심의 여지가 없다는 것을 이야기해야 합니다. 둘째는 북한 핵을 포기시키기 위해서 미국과 완전히 공조하지만 미국이 한반도의 긴장을 조성하고 심지어 미국 일부에서 얘기하고 있는 북한 선제공격 등은 절대 안 된다는 것입니다. 이것은 우리 민족의 생존이 걸린 문제입니다. 전쟁이 나면 죽고 사는 건 우리 한국 국민입니다. 그러므로 한반도 전쟁은 절대로 안 된다는 것을 분명히 말해야 합니다.

저는 2002년 2월 부시 대통령을 만났는데, 그때 부시 대통령은 북한을 '악의 축'이라 하는 등 한반도 긴장이 굉장히 높았습니다. 그러나 저는 부시 대통령과 장시간 대화해서 결국 부시 대통령이 기자들 앞에서 "북한을 공격하지 않겠다. 북한과 대화하겠다. 그리고 식량 지원하겠다"고 밝혔습니다. 그리고 부시 대통령은 도라산역에 가서 침목에 "철도가 빨리 연결되길 바란다"고 글도 써 주었습니다. 그런 의미에서 이번에 분명히 얘기해야 합니다.

부시 행정부 1기 4년 동안 북핵 문제는 거의 얻은 것 없이 시간만 보냈습니다. 이번에는 북한에 대해서 북한이 첫째 핵을 완전히 포기하고 사찰을 받아라, 그러면 우리는 북한의 안전을 보장하고 경제 제재 해제하겠다…… 그런데 북한이 듣지 않거나 약속을 어기면 그때 우리는 북한에 대해서 나머지 6자회담 참여국과 함께 제재를 포함한 여러 얘기를 안 할 수 없다. 이런 점에 있어서 부시 대통령과 합의 봐야 한다고 봐야 한다고 생각합니다. 미국에서는 흔히 김정일위원장이 약속을 안 지키고, 약속을 안 지키기 때문에 유엔 안보리에 회부할 수 있는 등 제재할 수 있는 것 아닌가, 그러면 한국도 거기에 대해서 긍정적으로 고려 안 할 수 없는 겁니다. 그러나 제재도 어디까지나 무력 사용은 어떤 경우도 배제돼야 합니다. 그렇게 분명히 서로 선을 그으면서 앞으로 나아갈 길을 협의했으면 어떨까 그런 생각입니다.

정애숙 체제 보장과 핵 포기, 미국과 북한이 서로 먼저 하라는데 이런 건 어떻게 조율할 수 있을까요?

김대중 서로 불신하니까 동시에 하고 병행해서 해야 합니다.

정애숙 한반도 주변 국가 중 가깝고도 먼 나라 일본이 있습니다. 독도 문제도 그렇고, 일본 각료들의 과거사 망언이 계속 나오고 있고 총리도 야스쿠니 신사 참배 뜻을 굽히지 않고 있습니다. 일본 우경화에 현명하게 대처할 수 있는 방법이 없겠습니까?

김대중 한마디로 말해서 일본은 지금 대단히 빠른 속도로 우경화되고 있습니다. 고이즈미 총리가 내년에 물러나더라도 일본 사람들 더욱 우경화될 가능성이 큽니다. 일본 내에서는 이렇게 돼선 안 된다고 말하는 사람들도 많습니다. 제가 이번에 일본에 가서 국회의장, 여야 총재들을 만났는데 그중에 그러한 인식을 하고 있는 사람도 있었습니다. 아시다시피 일본 민주주의는 자기들이 싸워서 쟁취한 민주주의가 아닙니다. 전쟁 지고 나서 미국의 맥아더가 와서 민주주의 하라니까 한 것입니다. 우리나라같이 목숨 바치고, 감옥 가고, 고문당하고 하면서 쟁취한 민주주의가 아닙니다. 일본은 민주주의에 대한 주체 세력이 없습니다. 그래서 아주 걱정스럽습니다.

나는 이번에 일본에 가서 솔직히 얘기 다 했습니다. 제가 1998년 일본을 국빈 방문했을 때 오부치 총리는 과거에 한국 민족에게 끼친 과오에 대해 통렬히 사죄하고 반성한다고 말했습니다. 일본 총리가 공동선언에서 한국을 거론해 사죄한 것은 그때가 처음입니다. 과거 무라야마 총리가 한 사죄는 아시아 전체를 향해서 두루뭉술하게 한 것입니다. 나는 오부치 총리의 그러한 사죄의 말을 듣고 앞으로 한·일 관계는 미래지향적으로 가자고 했습니다. 일본 전 국민들은 제가 일본 상하 양원 국회에서 한 연설을 생중계로 듣고 그때부터 분위기 달라진 것입니다.

최근 일본은 중국의 성장에 대해 두려움을 느끼고 대비해야겠다는 생각을 하고 있습니다. 또한 북한이 발사한 미사일이 태평양까지 가는 것을 보고 위기감을 느끼고 있는 것 같습니다. 이러한 생각을 갖고 있는 상태에서 일본 국민들을 납치하는 문제가 생기니까 그것이 도화선이 되어 전 국민이 우경화의 길로 들어서고 있습니다. 지금 누구도 막기 어려운 정도로 됐습니다.

일본의 정부 각료나 여당 간부들은 한·일합병은 우리가 동의해서 한 것이라고 이야기하고, 오히려 철도나 공장을 세워 주어 한국의 근대화를 이룩하게 해 주었다고 억지 주장을 하고 있습니다. 심지어 정신대는 본인들이 동의해 들어간 것이라고 기가 막힌 주장들을 하고 있습니다. 그래서 저는 "그렇게 당신들이 말하려면 왜 오부치 총리가 과거에 대해서 통렬하게 반성하고 사죄한다고 얘기했느냐. 일국의 총리가 국가를 대표해 사죄했으면 총리가 속한 정당이나, 최소한 각료들은 그 뜻에 어긋나는 말을 하지 말아야 할 것 아니냐. 또 여러분이 야스쿠니신사를 참배한 것이 전쟁에서 나라를 위해 싸우다 죽은 사람이니까 참배하는 것은 당연하다고 얘기하는데 우리가 그것을 반대하는 것이 아니지 않으냐. A급 전범 8명은 전쟁에서 죽은 것이 아니라 전쟁범죄를 일으킨 죄로 재판받아 처형당한 것이다. 어째서 문제를 바꾸려 하느냐. 우리도 일본과 좋은 관계를 바란다. 그러나 일본은 과거에 태평양전쟁을 통해 엄청난 군사력을 보여 줬다. 그리고 2차대전 후 폐허가 된 경제를 부흥시켜 지금은 세계 2번째 강국 됐다. 일본이 강국인 것은 다 보여 줬다. 이제 일본이 보여야 할 것은 도덕적으로 강한 나라이다. 주변국들로부터 일본이 믿을 수 있고, 과거와 다르다는 것을 보여 줘야 21세기 세계 속에서 선두에 설 수 있는 나라가 되는 것 아니냐." 그런 얘기 많이 했습니다.

정애숙 먼 나라 일본이지만 가깝게 느껴지는 끈도 있습니다. 바로 문화인데요. 재임 기간 문화에 대해서 각별한 애정이 있어 '문화대통령' 애칭까지 있었습니다. 그 결실이 한류 열풍으로 나타나는 것은 아닌가 생각해 봅니다. 한류 열풍을 지속적으로 이어 가기 위해서는 어떤 노력이 필요한지 조언을 부탁드립니다.

문화 예술은 권력이 간섭하면 죽는다

김대중 내가 한류 힘이 얼마나 큰지 느꼈던 한 예가 있습니다. 지난 4월 말 일본 도쿄대를 방문하기 위해 하네다공항에 내려 밖으로 나오니 로비에 천여 명의 사람들이 앉아 있었습니다. 내가 출국장을 나오니까 밖에 있던 사람들이 나를 보고 소리 지르면서 박수를 쳤습니다. 그래서 나는 나를 환영하는 사람들이 아닌데 왜 그러나 했더니 우리나라 탤런트 환영하러 나왔대요. 최근 한·일 간의 갈등으로 한류 열기가 식지 않았나 걱정했는데 그렇지 않았어요. 1998년 오부치 총리와 공동선언 이후로 한·일 국민들 간에 상호 왕래도 많이 했고, 월드컵도 같이했습니다. 또 우리가 문화도 개방해서 일본 문화를 많이 받아들였잖아요. 이런 것에 대해서 일본 사람들 고맙게 생각하고 그런 것들이 한류의 뿌리가 된 것 같습니다.

나는 우리나라의 미래가 한류를 어떻게 살리느냐에 크게 달렸다고 생각합니다. 자랑 같지만 국민의정부는 과거 정부에 비하면 많은 예산을 들여 문화 분야를 발전시켰습니다. 지금도 기록에 보면 나와 있지만 내가 문화관광부 업무 보고를 받으면 반드시 이런 얘기를 했습니다. "문화 예술인은 경제적으로 약자다. 정부가 도와주지 않으면 발전할 수가 없다. 그러나 문화 예술인은 창작하는 사람이기 때문에 정부나 권력이 간섭하면 죽는다. 과거와 같이 국가보안법을 적용하여 영화를 삭제하고, 연극 대본을 바꾸라고 하면 절대 안 된다. 도울 것은 적극적으로 돕되 간섭하면 안 된다."

제가 그러한 원칙을 갖고 문화 부분을 지원하지 않았다면 영화「실미도」나「태극기 휘날리며」와 같은 많은 국민들의 사랑을 받는 영화는 나오지 않았을 것입니다. 저는 영화제에서 주는 상을 받을 줄 꿈에도 생각하지 못했는데 춘사나운규영화제에서 공로상을 받았습니다.

현재 우리 한류는 중동 지방까지 나가고 있습니다. 작년에 동남아시아 말레이시아에 갔더니 그곳 한국대사가 자기는「겨울연가」주제가를 몰랐대요. 그런데 말레이시아에 부임해서 고관들이 식사를 하면서「겨울연가」주제가를 부르더래요. 그래서 할 수 없이 자기도 배웠다고 합니다. 유럽 가면 한국 영화가 상당히 유행하고 있습니다. 아시다시피 우리도 이제 경제 규모를 보더라도 제조업보다도 문화콘텐츠를 개발해야 합니다. 연극이나 음악, 영화, 애니메이션, 이런 것들은 엄청난 부가가치를 갖고 있습니다. 나는 한국은 앞으로 모든 분야를 잘해야 하지만 특별히 문화 분야를 육성하고 문화 종사자가 생계 걱정 없이 일하는 환경을 조성해 줘야 한다고 생각합니다.

정애숙 황우석 박사의 연구 성과를 떠올리지 않을 수 없는데요. 황 박사 연구에 대한 자금 지원이 국민의정부 시절 때 시작된 것으로 아는데 최초 한우 복제 송아지 '진이' 이름도 직접 지어 줬죠?

김대중 네 그렇습니다.

정애숙 황 박사와의 인연이 지금까지 이어지기 때문에 그 소식을 듣고 굉장히 기뻤겠어요?

김대중 과거에는 잘 몰랐습니다. 그러나 최근에 황 박사가 어느 모임에서 줄기세포 문제에 대해서 이야기하면서 김 대통령이 '비케이(BK)21 프로젝트'에 도움을 줬기 때문에 가능했다고 이야기했다고 합니다. 그래서 황 박사를 집에 초대해서 얘기를 들은 적이 있습니다. 그 자리에서 그 이야기를 다시 하면서 감사하다고 했습니다.

사실 비케이(BK)21은 내 공보다는 이해찬 당시 교육부 장관의 공이 더 큽니다. 나는 비케이(BK)21에 대해서는 아이디어가 없었습니다. 그런데 이해찬 장관이 그러한 아이디어를 냈습니다. 좋은 아이디어라고 생각했습니다. 그래서 저는 적극 지지했습니다. 그러나 대신 조건을 달았습니다. "이 사업은 절대로 사적인 감정이 들어가면 안 된다. 그리고 희망이 있는 사업을 선택해서 집중 지원해야 한다. 자선사업 하듯이 아무나 조금씩 지원하면 아무 성과도 올릴 수 없다"고 이야기했습니다. 저는 과거 야당 시절 기초과학 분야에

골고루 지원을 한 적이 있는데 당시 아무런 성과를 올리지 못한 경험이 있었으므로 이해찬 장관에게 철저히 하도록 주문했습니다. 그래서 그것이 황 박사뿐 아니라 지금 여러 사람이 비케이(BK)21 사업을 통해 상당히 발전하고 있는 것 같습니다.

정애숙 재임 기간 국제통화기금(IMF) 외환 위기 극복에 총력을 기울이셨고 어두운 터널을 빠져나왔습니다. 그런데 아직도 경제에서 풀어야 할 고민이 잘사는 사람은 계속 잘살고 어려운 사람은 계속 어려운 양극화 문제가 있습니다. 어떻게 풀어야 할까요?

김대중 이런 문제가 잘 해결되지 않으면 사회적, 정치적 불안 요인이 되고 경제 자체의 발전을 저해하는 요인이 됩니다. 경제는 성장과 분배의 균형을 잡아야 합니다. 성장이 돼야 분배할 파이가 나오고 또 분배를 해 줘야 그 돈 갖고 물건을 사기 때문에 성장을 뒷받침합니다. 성장과 분배는 서로 대립된 개념이 아니라 보완하는 개념이고, 그러한 문제를 어떻게 잘 하느냐가 정치라고 생각합니다. 그래서 이 문제의 해결은 첫째는 경제는 시장경제 원리대로 해야 합니다. 세계에서 칼 맑스가 출현한 이후 많은 분배주의자들이 시장경제를 적대시했지만 결국 다 성공하지 못했습니다.

유럽에서 영국 노동당이나 독일 사민당 등 좌파 정권이 성공한 것은 자기들이 주장했던 과거 분배 위주 경제로부터 성장하면서 분배하는 방향으로 선회했기 때문에 좌파 정권이 성공한 것입니다. 그런 점에 있어서 우리 기업들이 세계 어느 나라보다 유리한 조건에서 일 할 수 있게 해 줘야 해야 합니다. 그래서 승승장구 발전해 나가도록 해야 합니다. 그리고 경제 정의를 실현하려면 중소기업을 육성해야 합니다. 중소기업은 중산층이 성장하고, 고용 효과 면에서 매우 중요합니다. 대기업은 전부 자동화되어서 고용 효과가 적습니다. 그러나 중소기업도 선택과 집중을 해야 합니다. 유망한 업종의 기업을 찾아야 합니다. 가혹한 얘기 같지만 일부 희망 없는 기업은 도태되어야 합니다.

중소기업 정책은 자선사업이 아닙니다. 최근 중국이나 베트남, 태국 등의 기업들이 우리의 제조업을 따라오고 추월하고 있습니다. 이러한 나라들은 우리보다 임금, 토지 대금 등이 훨씬 저렴하기 때문에 우리 기업이 경쟁하기 어렵습니다. 그래서 중소기업도 엄격하게 선택해서 집중 지원하는 방향으로 해야 합니다.

실업자 문제 또한 요즘 맞춤형 학교 교육제도라는 것이 있는데 맞춤형 실업자 대책이 필요합니다. 정부가 지원하거나 주관하는 직업소개소가 기업과 실업자를 연계시켜 기업이 필요로 하는 훈련을 시켜서 실업자가 일자리를 찾을 수 있도록 해야 합니다.

정애숙 과거사 진상 규명 법안이 통과됐습니다. 그중 김대중 납치사건도 우선 조사 대상에 선정됐습니다. 과거사 진상 규명, 어떻게 마무리돼야 할까요?

과거사 진상은 반드시 규명해야

김대중 문자 그대로 진상 규명은 꼭 돼야 합니다. 해방 이후 60년 동안 못 했습니다. 제헌국회 때 반민족행위자 처벌법을 통해 친일 과거 청산을 하다가 이승만 대통령이 경찰을 투입해 해산시켜 못 하지 않았습니까? 그 후부터 현재까지 친일파들과 그 후예들, 그리고 군사독재자들이 집권하고 있어서 제대로 못 했습니다. 최근 일부에서 언제 적 일인데 지금 하느냐고 하지만 과거에 하지 않았기 때문에 지금까지 온 것입니다. 그래서 진상은 반드시 규명해야 하고 아주 공정하게 해야 합니다. 공정하게 하지 않으면 잘해 놓은 것까지 묻히게 되고 또 정권이 바뀌면 다시 조사하자는 얘기가 나오게 될 것입니다. 그러므로 절대로 공정하게 해야 합니다.

조사 방법에 있어서 예를 들어 일제시대 친일한 사람이 젊었을 때는 독립을 위해 싸워서 감옥살이하다가 이제 노년이 된 사람이나 이미 사망한 사람도 있습니다. 이러한 사람들의 공과는 둘 다 기록해 줘야 합니다. 그래야 자손들이 억울하지 않습니다. 또한 이미 사망한 사람도 지하에서라도 억울하지 않습니다.

그래서 진상 규명이 끝나면 모든 국민들이 공정하게 잘했다고 인정할 수 있도록 해야 합니다. 어떠한 보복적 냄새가 풍겨서는 안 된다고 생각합니다. 저는 어디까지나 진상 규명하고 피해자는 이제 진상 규명됐으니 용서하겠다는 용서, 가해자 측은 조상이 했다 하더라도 자기는 그 조상 덕으로 호의호식하지 않았습니까? 그건 국민 희생 속에서 한 것이거든요. 자기는 거기에 대해 반성하고 이렇게 해서라도 역사를 정리한 것은 뭐 우리가 받아들이겠다. 이렇게 모두 마음이 되도록 하면 이거는 성공하는 것이라고 생각합니다.

정애숙 퇴임 이후 강연도 많이 하고 독일 훈장도 받고, 바쁘실 텐데 남는 시간은 어떻게 보내시는지요? 이 여사와는 많은 시간 보내시나요?

김대중 옆에 앉아 있으니까 뭐하지만 집사람과는 모든 것을 서로 상의하고 얘기하고 시간도 많이 보낸다고 얘기할 수 있습니다. 그리고 집에 있으면 책도 읽고 국내외 신문, 잡지 등을 보고 있습니다.

정애숙 여기 와 보니 만 6천 권 넘는 책이 있어서 평생 이 책들과 함께 하셨구나 하고 놀라게 되는데요. 요즘에는 어떤 책을 읽으시는지요?

김대중 그렇게 많이 못 읽었고요. 요즘에는 주로 경제, 역사 서적 그런 것 조금씩 읽는데 나이 먹으니까 많이 읽기가 피로해요. 그리고 또 현실적으로 활동을 하고 있으니까 신문 같은 것 국내외 신문은 봐야 해요. 한번은 여기에 국회의원들이 와서 공부를 어떻게 하면 되느냐고 묻기에, 국회의원 하면 바

쓰고 현실에 묻히니까 거기에 알맞게 하는 것이 좋다고 생각한다, 그러기 위해서는 신문은 거의 전면을 펼쳐 가면서 필요한 것을 골라 가지고 정독해야 균형 잡힌 감각과 지식이 생긴다고 이야기했습니다. 또 당신들 각자가 자기가 속한 상임위에 관련된 책을 읽는 것이 도움 될 것이라고 얘기했습니다.

정애숙 앞서서 21세기는 한국 사람들이 비약하는 시기가 될 것이라고 말씀하셨습니다. 2007년 대선에 낡은 패러다임이 급속히 퇴조하고 빠르게 변화하는 세상 속에서 한국호를 이끌어 갈 대통령으로서 어떤 후보들이 어떤 자격을 갖춰야 한다고 생각하시는지?

김대중 좋은 질문인데요. 여하튼 인류 역사상 인류가 탄생하고 농업혁명, 도시혁명, 사상혁명, 산업혁명을 거쳐 왔거든요. 지금 21세기 지식혁명 시대를 맞아 이 시대 같이 급격한 변화를 가져온 시대는 없어요. 우리는 인류 역사상 가장 혁명적인 시대에 살고 있는데, 많은 것이 변하고 있습니다. 산업혁명 시대 이래 우리는 압도적 영향을 주었던 민족주의, 과거에는 민족은 있었지만 민족주의는 없었습니다. 그런데 이제는 민족주의도 변해요. 세계화 시대로 들어가니까. 그래서 민족주의도 이제 차츰 상대적 민족주의로, 과거의 민족주의는 배타적으로, 나만 잘살면 된다, 그러니까 심지어 제국주의로 나갔지만 이제는 남과 같이 살아갈 세상이다, 그러지 않으면 안 통하거든요. 그런 상대적 민족주의, 나아가서는 세계화 시대로 가게 되는, 그런 걸 내다보는 지도자, 그러니까 자기 국민만 생각하는 게 아니라 남과 같이 윈윈의 협력 관계를 해 나가는 것이 자기 민족도 위하게 되는 것입니다. 그런 데 대해서 확실한 생각과 방법을 가지고 있는 지도자. 그리고 내가 볼 때는 가장 개인적으로 중요한 것은 행동하는 양심, 이런 생각을 갖고 나가야 한다고 생각합니다.

사람은 누구나 마음속에 천사와 악마가 같이 있습니다. 그래 가지고 천사가 이기면 저 사람은 훌륭한 사람이라고 존경받고 악마가 이기면 나쁜 사람이라는 말을 듣습니다. 그러나 천사가 이겨도 방심하면 악마에게 지게 되고, 악마가 이겨도 노력하면 천사가 이기게 됩니다. 그것이 인간에 있어서 하나의 구원입니다.

아무리 나쁜 사람도 다시 천사가 될 수 있습니다. 그런 의미에서 행동하는 양심이 참 중요한데, 지도자가 되면 그런 양심을 가지고 자기 마음속에 있는 천사의 말에 귀를 기울이면서 국민에게 봉사하는 그런 사람이 돼야 하지 않을까 생각합니다.

그리고 우리 한국 같은 나라는 4대국 사이에 끼어 있지 않습니까? 지난번에 예일대의 폴 케네디 교수가 와 가지고 한국은 네 마리 코끼리 사이에 있는 나라다. 잘 헤쳐 나가야 한다고 했습니다. 그래서 현재 6자회담을 하고 있는데, 미국, 일본, 중국, 러시아 4자와 남북 6자거든요. 이를 잘 이끌어 나가는 것이 우리 지도자가 할 일이라고 생각합니다. 우리는 당장의 안보를 위해서 미국과 동맹 관계를 갖고 있고, 일본과도 공조를 하고 있고, 6자회담에 참여한 중국 러시아와도 좋은 관계를 유지하고 있지만, 크게 보면 결국은 6자회담의 틀, 이것이 장래 동북아시아 그리고 우리 한국이 안정 속에서 발전해 나갈 수 있는 분위기를 조성한다고 봅니다. 그래서 아까도 말했지만 미국 관계, 한·미·일 관계, 6자 관계 이 3중 외교를 통해 평화를 구심점으로 해서 3중 외교를 해 나가는 그런 지도자가 필요하고요. 그리고 무엇보다도 민생 문제, 경제 문제 그런 것에 대해서 확실한 비전을 갖고 있고 동시에 그런 것을 잘 처리할 그런 전문적인 유능한 사람들을 발굴해서 활용하는 그런 지도자가 필요하지 않은가 생각합니다.

정애숙 그렇다면 그런 자격과 역량을 갖춘 사람들이 지금 거론되는 대권 주자 가운데 있다고 보십니까?

나라가 잘되려면 훌륭한 국민이 있어야

김대중 그건 뭐, 그분들이 아직 한 거 안 봤으니까 모르죠. 내가 볼 때는 그런 방향으로 자기 생각을 가다듬고 그렇게 노력해 가면 상당한 발전을 해 나갈 수 있다고 봅니다. 중요한 것은 지도자도 중요하지만 국민도 중요합니다. 나라가 잘되려면 훌륭한 국민들이 있어야 합니다. 그런데 우리 국민들이 한 걸 보면 참으로 어디 내놔도 부끄럽지 않게 하고 있습니다.

그래서 우리 국민들의 뜻에 어긋난 사람은 정치인도 당하지 않습니까? 지난번에 탄핵 문제라든지. 그런 걸 보면 국민이 얼마나 무섭다는 걸 알 수 있잖아요? 기업도 그렇고요. 우리 국민들은 내가 볼 때 한마디로 잘난 국민입니다. 자기 운명을 개척할 능력이 있는 국민인데, 그러나 국민이 다 정치할 수 있고 국민이 다 경제 운영할 수 없는 거 아닙니까? 그래서 지도자가 필요한 겁니다. 지도자가 국민의 생각을 잘 받들고 국민이 미처 깨닫지 못한 것에 대한 비전을 제시하면서 국민의 동의를 얻어야 하고. 그런 지도자, 국민의 손잡고 반걸음 앞으로 가면서 그러면서 국민과 함께 가는 지도자, 국민의 손을 놓고 혼자 가면 안 됩니다. 그런 지도자가 필요하지 않으냐 생각합니다. 그래서 나는 이런 훌륭한 국민과 그렇게 훌륭한 국민 앞에서 선도해 나갈 수 있는 그런 능력 있는 지도자 이 둘이 같이 묶어져야 미래가 창창하게 열린다고 생각하고 기대하고 있습니다.

정애숙 잘난 국민, 훌륭한 국민이란 표현을 써 주셨는데요. 마지막으로 국민에게 꼭 전하고픈 말씀이 있다면?

김대중 나는 우리 국민들에게 요새 여러 가지 어려운 점이 있고 불만이 있겠지만, 한마디로 얘기해서 세계 나가보면 세계 중진국 이하의 나라들 전부 한국을 부러워합니다. 그리고 자기들이 나라를 개척해 나가는 데 한국을 모범으로 하고 있습니다. 그러기에 저는 나가 보면 대접을 많이 받을 때가 있습니다. 세계가 그렇게 부러워한 우리나라가 됐습니다. 아시다시피 6·25 전쟁 때 완전히 잿더미가 되지 않았습니까? 불과 반세기 사이에 우리가 경제적으로 세계 11번째 대국이 됐습니다. 이렇게 성공한 나라입니다. 우리는 외환 위기도 해 보니까 1년 반 만에 극복한다고 했는데 했잖아요? 그래서 이런 점에서 볼 때는 희망적인 것이 많습니다. 국민들에게 말씀드릴 것은 비관적으로 보면 그런 점이 많지만, 긍정적으로 보면 우리나라는 분명히 세계가 부러워하는 나라입니다. 국민들이 희망을 가지고 어려운 점이 있더라도 극복하면서 나가자, 그리고 여러분이, 정책을 올바르게 펴 나가도록 항상 관심을 갖고, 나라를 이끌어 나간다는 자신을 갖고 임해 주면 좋겠다는 생각입니다.

정애숙 오늘 긴 시간 귀한 말씀 고맙습니다. 항상 건강하시길 바랍니다.

6·15남북공동선언 5주년 기념 한국방송(KBS) 특별 대담

대담 유연채
일시 2005년 6월 15일

유연채 안녕하십니까? 남북정상회담의 흥분과 감격이 되살아나는 6·15공동선언 5주년을 맞았습니다. 바로 오늘입니다. 한국방송(KBS)는 6·15공동선언의 의미와 과제를 알아보는 시간으로 이 선언의 주역이셨던 김대중 전 대통령과 특별 대담을 마련했습니다. 안녕하십니까? 활동을 보니까 많이 바쁘신 것 같습니다.

김대중 예, 안녕하십니까?

유연채 어떻게 지내시는지요?

김대중 외국도 왔다가 갔다 하고, 또 국내에서도 회합에도 나가도 또 글도 쓰고 해서 그렇게 크게 바쁜 것은 아니지만 바쁘게 좀 생활하고 있습니다.

유연채 6·15공동선언의 합의대로라면 김정일 국방위원장이 이미 서울에 왔어야 하는데 지금 이 자리가 아쉬우시겠습니다?

김대중 서운하다는 생각도 있지만 참 아쉽다는 생각이 큽니다. 김 위원장의 서울 답방이 정 안 되면 휴전선 근처 도라산이라도 왔어야 정상들 간의 왕래가 되고 그래서 그것이 계기가 되어 남북 관계에 큰 도움이 될 텐데, 그렇게 되지 않아 아쉽습니다. 특히 2차 정상회담에서는 군사적 긴장 완화에 대한 여러 가지 합의가 될 것인데 그런 기회를 놓친 것이 참 안타깝습니다.

유연채 지난 5년을 되돌아보시면 많은 회한과 감동이 엇갈리실 것인데, 금강산 관광객은 100만 명을 넘고 그런 반면 이산가족 상봉은 중단되고 있습니다. 지금 평양에서 6·15 공동행사가 진행되어 조금 위안이 되실 것입니다만 현재 남북 교류를 어떻게 보십니까?

김대중 지금까지 상황은 6·15공동선언 당시 5년 전에 우리가 기대했던 부푼 꿈과는 상당한 거리가 있습니다. 그 원인은 남북 관계보다는 북·미 관계가 좋지 않아서 그것이 제약 요인이 되어서 그렇습니다. 파탄으로 안 간 것만도 다행으로 고비를 넘겨 왔습니다. 그러나 남북정상회담은 제가 그때 김정일 위원장에게도 이야기했지만 과거 7·4남북공동성명이라든가 1992년의 남북기본합의서, 기본합의서는 정말로 내용이 잘되어 있습니다. 그대로만 하면 아무 문제가 없을 정도로 평화라든지 서로 협력이 잘 기재되어 있는데, 그런데 그것이 미사여구만 되어 있고, 발표만 하고 실천이 없었습니다. 그래서 2000년 남북정상회담 때 김정일 위원장에게 우리가 일회성으로 하지 말고 하나하나 이산가족 문제, 남북 간의 왕래, 공단 설립, 철도·도로의 연결 등 아주 구체적인 것을 해 나가자고 이야기했습니다. 그 후로 아시다시피 남북 관계는 무엇보다도 긴장이 크게 완화되었습니다. 과거에는 판문점에서 총소리만 나도 피난 가려고 했는데, 이제는 북한이 핵 개발을 해도 별로 반응이 없을 정도로 긴장이 완화되었습니다. 그리고 북한 사람들의 남한 사람들에 대한 적대심이 사라졌습니다. 특히 비료, 식량의 지원으로 남한 사람들이 북한 사람들보다 잘산다는 것을 알고 고마워하는 마음도 생기고 부러워하고 있습니다. 이런 가운데 이산가족, 금강산 관광, 민간인 왕래도 8만 명 하고, 개성공단 등 처음에 기대했던 것만큼은 아니지만 그래도 끊임없이 해 나갔습니다. 거기에는 국민들이 아무리 북한이 핵무기를 개발하고 못마땅한 부분도 있지만 남북의 대화의 물꼬만은 놓지 말자, 한반도의 화해 협력을 실현해서 통일의 길로 나아가자는 국민들의 성원과 의지가 이만큼 끌고 온 것이 아닌가 생각합니다.

유연채 북·미 관계를 어렵게 한 것은 핵이라는 걸림돌이 있어서 그런 것 같습니다. 지난 5년을 돌아보면 핵 문제는 더욱 악화된 것 같습니다. 어떻게 평가하십니까?

김대중 그렇습니다. 핵 문제는 더욱 악화되었습니다. 제가 북한에서 김정일 위원장하고 얘기하고, 북한을 다녀와서 미국과 북한 사이에서 제가 연락 및 접촉을 해서 북한의 조명록 차수가 미국에 가서 클린턴 대통령을 만나고, 또 미국에서 올브라이트 국무장관이 북한 김정일 위원장을 만나는 등 서로 협력 관계로 발전했고 결국은 클린턴 대통령이 북한에 가서 마무리 지어서 모든 문제를 정상화하겠다는 그것까지 갔다가 미국 대선 때문에 그것이 좌절되었는데, 부시 정권이 들어서서 클린턴 정권의 일을 모두 부정하는 그런 상태로 되어 그때부터 지금까지 이렇게 어려운 상태가 된 것입니다.

유연채 6·15공동선언을 되돌아보면 많은 우여곡절이 있었습니다. 어떻게 평가하시는지요? 6·15공동선언의 의미가 퇴색되고 있다고 생각하시는지요, 아니면 지금도 발전하고 있다고 생각하시는지요?

처음으로 한국이 자기 의사로 자기 문제를 결정

김대중 6·15공동선언을 국민의 정신적인 면에서 보면, 6·15공동선언은 일제강점기하에 일본이 우리를 마음대로 지배하고 해방 후에는 강대국들이 둘로 나눠 좌우하고 쭉 그러던 것이, 최근 국제학술회의에 참관하기 위해 서울에 온 브루스 커밍스 교수도 말했지만 처음으로 한국이 자기 의사로 자기 문제를 결정한다는 의미가 있다고 했습니다. 그런 의미에서 6·15공동선언은 시종 우리가 주도하고 미국이 적극적으로 도왔습니다. 그리고 우리는 일본, 중국, 러시아를 무시한 것이 아니라 사전에 모든 것을 다 설명했습니다. 그러나 모든 것은 우리가 주체가 되어서 했던 것으로 내 문제를 내가 결정하는 그런 본보기를 보였다고 생각합니다. 우리 국민들의 결코 꺾을 수 없는 통일의 의지를 천명했다고 생각합니다.

유연채 6·15공동선언의 의미를 짚어 주셨는데요. 6·15공동선언의 평가 가운데 가장 아쉬운 것이 대북 송금 특검 문제인데, 이 부분에 대해서 여러 번 아쉬움을 토로하신 적도 있는데 어떻게 생각하십니까?

김대중 지나간 일이죠. 그런데 그렇게 안 되었으면 좋았을 것이라고 생각합니다. 알다시피 우리가 북한에 돈을 주고 회담을 했던 것은 없었던 것으로 특검도 인정하고 판명되었습니다. 그런 점에 있어서 일부 오해도 푼 계기가 되었다고 생각합니다.

유연채 이번에는 지난 11일에 있었던 한·미정상회담에 대해서 몇 가지 질문을 드리고자 합니다. 지난 한·미정상회담이 생각보다 회담이 잘되었다는 평가가 있습니다. 노무현 대통령과 대화를 나눠 보셨는지요?

김대중 사전에 많은 사람들이 이번 한·미정상회담을 걱정했던 것은 사실입니다. 그동안 여러 가지 말썽들이 있고 해서, 그런데 이번 회담에서 한·미동맹을 확신하고, 북한 핵 문제를 평화적으로 해결하기로 재확인한 결론을 내린 것은 다행입니다. 대통령이 국제학술회의에 오셔서 미국 방문에 대한 얘기를 하셨는데, 핵 문제는 우리가 당사자로서 남북비핵화선언에 보면 분명히 북한이 핵을 갖지 않기로 되어 있습니다. 그런데 북한이 핵을 갖는 것은 우리와의 선언을 위반한 것입니다. 이것은 법적으로 우리가 당사자입니다. 북한이 핵을 가지면 한반도의 안전을 위협합니다. 그러므로 지금처럼 계속 설득을 해야 합니다. 그리고 남북공동선언 했을 때 북한은 민족 자주를 우리와 합의하고 그것을 첫 번째 항으로 넣었는데, 민족 자주를 강조하면서 어째서 당사자인 남한과 핵 문제를 이야기하지 않습니까? 북한이 남북 자주를 얘기하면서 남측하고는 얘기를 안 하고 미국하고만 얘기하는 것은 잘못입니다. 그리고 우리는 미국과 북한 사이에서 미국의 강경 조치를 최대로 억제하고 있고, 또 북한의 입장을 미국에 충분히 전달할 수도 있고 충고도 할 수 있습니다. 또 미국의 뜻을 북한에 전할 수도 있고, 우리가 이런 도움을 줄 수 있는데 왜 민족 자주를 주장하면서 남쪽 노무현 대통령을 이용하지 않는 겁니까? 그런 점에서 정부가 적극적으로 북한을 그러한 방향으로 설득하고 핵 문제에 대해서 역할을 해야 한다고 생각합니다.

유연채 이번 한·미정상회담에서 핵 문제 해결에 있어서 이견이 없었고 외교적 해결에 한목소리를 냈다고 스스로 평가하고 있는데 그런 의미에서 이번 회담이 성공적이었다고 평가하십니까?

김대중 솔직히 이야기하면 소극적인 입장에서 성공적이었다고 생각하는 부분은 인색함이 없습니다. 그러나 이번에 북한 핵 문제를 해결하기 위해 북한이 핵을 포기한 다음에 미국이 어떤 대가를 줄 것인가, 그것을 동시에 하느냐 아니면 북한이 먼저 하고 미국이 나중에 하느냐, 북한이 가장 신경 쓰는 문제가 그 문제이기 때문에 그것이 결정되지 않은 것은 앞으로 계속 미국과 협의를 해야 할 것입니다.

유연채 북한이 핵을 포기한다면 보다 정상적인 관계가 될 것이라는 부시 대통령이 언급한 말의 중요성을 어느 정도로 보십니까?

김대중 과거보다는 한층 더 나은 표현을 하고 있습니다. 그런데 문제는 과거 부시 정부 1기 4년을 보면 대북 정책이 확인이 안 돼서 자꾸 흔들리는 경향도 있었습니다. 또 다 아시다시피 부시 정부 내에서는 대북 정책에 대해서 이견도 있고, 지금도 약간 있고…… 이 문제는 아까 말씀드린 바와 같이 북한이 핵을 포기하면 미국이 무엇을 반대급부로 줄 것인가? 그 실천은 동시에 할 것이냐, 어느 쪽이 먼저 하고 나중에 할 것이냐, 이 문제가 확실히 부각이 되지 않으면 이 문제는 성공을 자신할 수 없다고 생각합니다.

유연채 지금 말씀하신 대로 조금의 진전은 있었지만 그동안 북·미 관계를 보면, 양쪽이 나눈 설전을 보면 섬뜩하기도 하고 양측 간에 불신의 골이 너무도 깊은데, 북·미 관계가 상당한 위기 상황까지 온 것이라고 보십니까?

김대중 흔히들 신뢰가 없고 불신이 크니까 어렵다 하는데 그것은 사실이면서 사실이 아닙니다. 우리가 협상할 때 상대방이 좋아서 하는 협상이 있고, 상대방을 미워하고 싫어하면서도 내 이익을 위해서 협상을 할 수 있습니다. 레이건은 소련을 악마의 제국이라고 했지만 그 악마의 제국과 협상을 주고받았습니다. 닉슨은 중국을 한국전쟁에 개입했다고 해서 전쟁범죄자라고 했지만 자기가 필요하니까 중국을 찾아가서 마오쩌둥(毛澤東)을 만나 관계를 개선했습니다. 우리도 1953년에 휴전협정을 맺었는데 전쟁을 하면서 폭격하고 전투를 하면서 협상을 했습니다. 50년 동안 한반도는 그 협정에 의해서 제한적이지만 평화가 유지되고 있는 것입니다. 북한 핵 문제도 서로 이해가 맞으면 불신이 있더라도 주고받는 것을 할 수 있습니다. 주고받는 약속을 지키면 그때부터 차츰 신뢰를 쌓을 수 있을 것입니다. 나는 신뢰가 없더라도 전쟁이나, 핵 문제를 해결하는 방법은 있다고 생각합니다. 그것은 이해관계를 가지고 하면 됩니다.

유연채 주고받는 문제를 말씀하셨는데 북한은 미국으로부터 가장 받고 싶은 것이 체제의 안전 보장이 아닌가 생각됩니다. 최근 들어서 뉴욕 채널을 통해서 미국 측이 김정일 체제하의 주권을 인정하겠다는 소식이 얼핏 전해지고 있습니다. 만일 그 정도라면 북측에서 받을 수 있는 조건이 아닌가 생각되는데 어떻게 생각됩니까?

김대중 핵 문제가 해결되려면 미국하고 북한하고 사이에 외교 관계를 포함해서 관계가 정상화되어야 하고, 북한을 테러지원국으로 지정되어 있는 것을 해제해서 경제 지원을 받을 수 있도록 해야 합니다. 그렇게 해야 북한은 완전히 핵을 포기하고 철저한 검증을 받는 등 핵 문제가 해결됩니다.

유연채 그러한 북·미 관계에서 참여정부의 역할이 어느 정도 될 수 있을까 궁금증이 많습니다. 노무현 대통령도 "중대한 제안을 할 수 있다. 북핵 문제 해결에 남북이 당사자가 되어야 한다." 이러한 말씀을 했습니다만 어떻게 보십니까?

김대중 저는 노 대통령의 말이 옳다고 생각합니다. 우리가 당사자입니다. 그동안 우리가 그 문제에 대해서 침묵을 지킨 것인데, 우리는 북한에 대해서 핵을 포기하시오, 이건 한반도비핵화선언에 위배된다고 당당히 얘기해야 합니다. 그리고 미국에게는 북한이 원하는 것을 최대한 보장해서 핵을 완전히 포기하도록 합시다, 그 대신 미국이 그렇게 북한이 원하는 것을 주었는데도 북한이 약속을 지키지 않고 위반하면 6자회담에서 북한에 대한 대책을 논의할 수 있습니다, 이렇게 우리는 북·미 양측 사이에서 적절한 역할을 하고, 나머지 6자회담 참여 국가 대해서도 이야기하는 것이 좋습니다.

유연채 한·미동맹 관계에 대해 최근 들어 상당히 극단적인 평가들이 엇갈리고 있습니다. 한·미동맹의 현주소는 어떻다고 보시는지요?

가장 기본은 우리에게 이익이 되느냐

김대중 나는 그런 문제는 자세히 모릅니다. 한·미동맹에 있어서 가장 기본이 되는 것은 한·미동맹을 하는 것이 우리에게 이익이 되느냐, 미국에게 이익이 되느냐 하는 문제입니다. 목숨을 걸고 전쟁을 해야 하는 것이기 때문에 자기에게 이익이 되지 않으면 할 수 없습니다. 한반도 평화를 지키고 북한의 남침을 막고 하는 것은 우리에게 사활이 걸린 문제입니다. 거기에는 미국과의 군사동맹이 절대로 필요합니다. 또 미국도 6·25전쟁 같은 사태가 다시 일어나 남쪽까지 북한군이 밀고 내려오면 태평양 방위의 핵심 기지로 생각하는 일본이 굉장한 타격을 받게 됩니다. 그래서 서로가 필요한 것이기 때문에 이것은 계속될 수밖에 없습니다. 다만 그런 과정에서 전략적인 문제라든가 의견 차이가 있을 수는 있습니다. 그리고 한·미동맹이 동맹에 의한 목적이 제시된 대로 어디까지나 북쪽으로부터의 군사 위협을 막는 데 목적이 있는 것이지 그 이외의 우리에게 부담이 되는 문제는 별도의 문제로서 태도를 다시 취해야 할 것입니다.

유연채 한·미정상회담에서 동북아 균형자론에 대한 다소의 오해가 풀렸다고 합니다. 일각에서 동북아 균형자론에 대한 말이 많은데 어떻게 생각하십니까?

김대중 나는 그 문제는 균형자라고 얘기하는 것보다는 4대국 사이에서 균형 있게 대해야 한다고 했으면 좋았을 것이라고 생각합니다. 균형자라 하니깐 국내에서도 국외서도 한·미동맹을 소홀히 한 것이 아닌가 오해가 생기고, 정부도 지금 그 문제는 정리하고 있지 않습니까?

유연채 한국의 전략적 가치는 이미 끝났다란 발언에 대해 어떻게 생각하십니까?

김대중 그것은 해 본 소리일 것입니다. 그리고 그 사람이 혼자 미국 정책을 대표하는 것도 아니고, 아까도 말씀드렸지만, 한국이 전략적 가치가 끝났다면 자기 반대의 세력이 한국 끝까지 와도 된다는 소린데…… 그러면 일본은 어떻게 됩니까? 그것은 자기 상식으로도 맞지 않는 이야기고, 그렇다 해도 그런 소리를 공식적으로 한 것은 별로 신중치 못하다고 생각합니다. 원론적으로 이야기했지만 한·미동맹은 서로에게 필요합니다.

유연채 이번 평양 행사에 민간인뿐 아니라 정부 당국자도 참여하고 있는데 앞으로 남북 관계가 희망적이라고 보십니까?

김대중 남북 관계가 시원하게 풀리려면 북·미 관계가 풀려야 합니다. 북·미 관계가 해결되지 않으면 앞으로도 계속 남북 관계는 가다 서다를 반복하게 될 것입니다. 북·미 관계가 반드시 평화적으로 풀려야 합니다. 동시에 남북 관계에 있어서는 북·미 관계 때문에 진도가 느리거나, 약간 정체되더라도 거기에 실망하지 말고 꾸준히 해 나가야 합니다. 남북 관계는 우리, 북한 모두 절대적으로 필요합니다. 한국은 한반도 평화를 위해, 또 유라시아 대륙으로 진출하려면 북한을 거쳐야 철도가 갑니다. 21세기 우리나라의 발전에 굉장히 필요한 것입니다. 육지로 가는 것이 바다로 가는 것보다 물류 비용, 수송 기간 등이 30퍼센트 이득입니다. 이러한 경제적 이익이 있는데 못 하고 있는 것입니다. 또 우리나라에 400조라는 돈이 돌아다닐 곳이 없어서 부동산 투기나 하는데 북한은 투자를 목마르게 기다리고 있습니다. 또 중소기업도 남한은 인건비 등이 비싸서 다른 나라로 가는데 가서 성공한 사람이 별로 없습니다. 그런데 북한은 거리도 가깝고 언어도 같고 임금도 싸고 지식 수준도 높습니다. 이런 노다지를 캘 수 있는 장소를 우리가 못 가고 있는 것입니다. 북한 또한 앞으로 발전하려면 우리하고 협력해야 다른 나라들과도 좋은 관계를 유지할 수 있습니다. 우리는 북한에 경제를 발전시킨 노하우를 전수할 수 있습니다. 우리가 북한을 도와주면 북한은 한강의 기적이 아닌 압록강의 기적을 이룰 수 있습니다. 북한은 우리가 보낸 식량, 비료로 얼마나 덕을 보고 있습니까? 우리가 전쟁을 안 한 이상은 결국 잘되는 것입니다. 조금만 기회가 있으면 한 발짝씩 나가면 됩니다. 이번에 북한에 가는 사람도 그 전보다 늘지 않았습니까? 그것도 한 발짝 앞으로 나간 것입니다. 이 문제를 긍정적으로 보고, 우리 민족은 1,300년 통일국가였습니다. 남의 나라가 멋대로 갈라 놓은 것을 우리가 통일해야지요. 싸우고 분단하고 하는 것을 언제까지 할 것입니까? 최소한도 분단은 다음에 해결하더라도 화해하고 협력하는 것은 지금 당장에 해야 합니다. 서로에게 필요한 것입니다. 절대로 소신을 갖고 나가야 한다고 생각합니다.

유연채 햇볕정책을 이끌었는데, 일각에서 퍼주기다, 이런 목소리를 들었을 때 심정이 어떠하셨습니까?

김대중 나는 그렇게 말한 분들도 그럴 수 있다고 생각합니다. 그냥 주고받고 하듯이 식량을 줬다고 뭘 받고 하는 것은 아니니까요. 그런데 크게 보면 그게 아닙니다. 과거에 총소리만 나도 피난하고 하던 것이 6·15공동선언 이후 지금은 안전하게 살고 있습니다. 예전에는 북한 사람들이 적대적이었는데 지금은 이웃사촌처럼 다정합니다. 그런 계기가 바로 비료와 식량 원조 때문이라고 생각합니다. 식량을 보내면 적십자사 포대에 남한 제품이라는 것이 다 쓰여 있습니다. 남한에서 오는 것이라는 것을 다 압니다. 그것으로 굶주림을 면하고 있는데 북한 주민들이 어떻게 고맙다는 생각을 안 하겠습니까? 북한에 가는 비료 포대에는 회사 이름이 다 쓰여 있고, 그것은 북한의 곳곳으로 다 갑니다. 남한의 비료 덕분에 식량 생산량이 두 배로 늘어나는데 농민들이 곡식이 무럭무럭 자라는 모습을 보고 우리를 얼마나 고맙게 생각하겠습니까? 그리고 그 비료 포대의 재질이 좋아서 안 버리고 활용합니다. 심지어 유리창 깨진 곳에 부치기도 합니다. 그것은 북한 사람들의 마음을 바꿔 놓는 것입니다. 지금 북한에서는 남쪽의 드라마, 노래가 유행해서 북한 정부가 걱정을 하고 있다고 합니다. 지금 우리는 쌀이 너무 많아서 소비가 되지 않아서 창고에 보관하면 그 비용도 만만치 않습니다. 또 그 쌀이 변질되어 문제가 있습니다. 그런데 그런 쌀을 놔두고 민족에게 안 준다면 우린 민족 통일에 양심이 없는 사람들입니다.

또 그 쌀을 처리하는 데도 특히 경제적으로 돈이 많이 듭니다. 과거 공산주의에 대한 절치부심의 생각으로 북한에 보내는 것이 퍼주기라는 생각에서 싫을 수도 있습니다. 하지만 크게 봐서 민심을 우리 쪽으로 끌어들이고 평화를 만들고 있습니다. 이것이 우리의 안보와 정치의 안정에 얼마나 크게 도움이 됩니까? 독일이 통일을 할 때 얼마나 많은 돈을 주었습니까? 그런 점에 있어서 이해해야 한다고 생각합니다. 남북 관계에서 이것은 중요한 것입니다.

유연채 햇볕정책에 대해 일부 비판적인 시각을 갖는 분들은 북한 당국의 이제까지의 태도, 갑자기 대화를 중단하는 등 북한의 일방적인 태도에 실망하고 있습니다. 남북 대화의 제도화 문제 혹은 다른 방안은 없습니까?

김대중 북한의 예절을 벗어난 태도를 나도 많이 겪고 속이 많이 상했습니다. 북한의 이러한 모습에 중국도 마땅치 않게 얘기한 것을 들었습니다. 유럽 사람들도 우리나라에서 아시아유럽정상회의(ASEM) 했을 때 제가 북한과 대화하도록 권고하고 해서 유럽 나라가 일제히 북한을 도와주려고 했는데 북한이 약속도 잘 안 지키고 뭘 줘도 고맙다고 안 하고 그래서 굉장히 화를 내고 있다고 들었습니다. 우리가 볼 때 북한이 왜 그렇게 하는지 모르겠습니다. 김정일 위원장도 서울을 방문하기로 했는데 마땅히 해야 하고 또 방문하면 남북 화해 협력과 안정, 장차의 통일에 도움이 되는 것인데 한마디 말도 없이 안 오고 있습니다. 못 오면 못 온다고 말을 하고 미안하다는 말을 해야 하는데 안 합니다. 그건 당연한 상식인데 그렇게 하지 않습니다. 다른 문제도 그러는데……그러나 또 참고, 꾸준히 노력하니까 오늘까지 많은 사람들이 북한을 방문을 하고 화합하는 결과도 오지 않는가 생각합니다. 속상하면 속상한 대로 그렇게 생각하면서 더 큰 목적을 위해서 참을 것은 참고 한발 한발 나가야 하지 않는가 생각합니다. 북한이 약속을 어겼다고 모든 것을 다 포기하는 것은 우리들의 큰 목적인 평화적 통일을 위해서 옳지 않다고 생각합니다.

유연채 지금 정부는 공식 대화 라인에 의존하고 있습니다. 임동원 전 장관도 상호 특사 교환을 주문하고 계시고, 비공식적인 대화 채널의 필요는 어떻습니까?

김대중 당연히 필요합니다. 무엇보다도 정상회담에 대해서는 꾸준히 요구하고 노력해야 합니다. 다른 회의나 특사 1,000명 보내는 것보다 정상이 한 번 만나는 것이 더 중요합니다. 특히, 김정일 위원장이 휴전선 넘어서 남쪽에 온다는 것이 중요합니다. 그렇게 해서 평화를 정착시키고 민족끼리 화해 협력하는 획기적 전기를 마련해야 합니다. 그 외에도 차관급, 실무자 등 필요한 대로 다른 사람들도 자주 만나는 자리를 만들어야 합니다. 자꾸 만나면 그 자체가 좋은 영향을 줄 것입니다.

유연채 그런 차원에서 김 전 대통령께서 특사로 가실 의향이 있으신지? 혹은 그동안 제안을 받으신 적이 있으신지, 이번 기회에 한번 밝혀 주시죠.

김대중 그 문제는 지금 내가 가는 것은 중요하지 않고 뭐라 해도 현실적으로 나랏일을 맡고 있는 분이 만나는 것이 중요합니다. 지금은 남북정상회담, 장관급회담 이런 데 집중하는 것이 중요합니다. 과거 카터 대통령 이야기를 많이 하는데, 그때 카터는 클린턴 대통령의 전적인 신임을 받아서 간 것이기 때문에 협상이 되었던 것입니다. 그러나 제가 가면 북한 핵 문제를 이야기해야 하는데 그 문제에 있어서 제가 부시 대통령의 신임을 받을 수 없으니까 갈 수 없습니다. 물론 갈 기회가 되면 갈 수 있고, 또 가고 싶기도 하지만, 지금 남북 문제를 해결하는 데는 남북 정상들이 만나는 것이 중요합니다.

유연채 북한의 개방 의지는 어떻다고 생각하십니까?

남북 관계는 화해 협력의 무드가 높아질 것

김대중 미국하고 북한 문제만 좋아지면 저는 100퍼센트 자신하고 북한이

제2의 중국의 길을 갈 것으로 생각합니다. 다시 말하면 체제는 유지함으로써 경제는 개혁 개방하고 그러면 한반도에서 남북 관계는 화해 협력의 무드가 높아질 것입니다. 6·15공동선언에서 이미 제1단계의 통일 방안은 합의가 되어 있습니다. 북한의 낮은 단계의 연방제안과 남한의 남북연합제는 똑같은 것입니다. 양쪽 정부가 그대로 남아 있고 장관급회담, 국회회담 등을 통해 완전 합의제를 하는 그런 것은 분위기만 좋아지면 내일이라도 당장 할 수 있습니다. 우리는 앞으로 미래에 대해서 결코 비관할 필요가 없다고 생각합니다.

유연채 지금 남북 관계가 말씀하신 것의 어느 정도의 단계에 와 있다고 생각하십니까?

김대중 저는 햇볕정책을 주장하고 양측이 화해 협력 통일로 가자는 세 가지 원칙, 세 가지 단계를 주장하고 있습니다. 햇볕정책이라는 큰 테두리 안에서 남북 문제는 3원칙 3단계를 거쳐 나가자는 것입니다. 3원칙은 평화 공존, 평화 교류, 평화 통일로서 어디까지나 평화적으로 하는 것입니다. 3단계는 제1단계 남북연합, 제2단계 미국식의 남북연방 단계, 제3단계의 완전 통일의 단계인데 지금 우리는 제1단계의 입구에 와 있고, 6·15공동선언에 나와 있듯이 언제든지 할 수 있는 것입니다.

유연채 6자회담을 위한 북측의 앞으로의 결단은 무엇이라고 생각하십니까?

김대중 북한은 더 이상 6자회담을 불참하는 일은 안 했으면 좋겠습니다. 북한이 지금 6자회담을 나가지 않고 있으니까 중국, 러시아도 왜 안 나오느냐며 설득하고 있습니다. 실제는 6자회담 나가는 것이 중요한 것이 아니라, 회담에서 무엇을 주고받는 것이 중요합니다. 지금까지 세 번 나갔는데 아무것도 안 되었습니다. 그러면 북한은 당당히 6자회담에 나가서 나는 핵을 포기하겠다, 사찰도 받겠다, 그러니까 당신은 경제 제재 해제하고 안전 보장하고 서로 불신이 있기 때문에 서로 주고받자. 이렇게 주장하면 누가 뭐라 하겠습니까? 중요한 것은 북한이 6자회담에 참석하여 당당히 자기의 주장을 하는 것이 중요합니다.

유연채 미국 측의 결단도 필요하지 않은가 싶은데요. 과연 미국이 북핵 해결 의지가 있는지 의심하는 사람들이 있습니다. 미국이 그러한 의지가 있다고 생각하십니까?

김대중 지금 그런 말들 하는 사람이 많은데, 그게 사실이라면 미국의 그러한 전략을 제일 크게 도와주는 것은 북한입니다. 안 나오니까…… 북한이 나오고 안 나오고 하는 것이 문제의 초점이 되지 않습니까? 만약 그것을 깨고 북한이 나와서 당당히 요구를 하는데 미국이 들어주지 않으면 세계가 볼 때 미국이 잘못하고 있는 것을 알 수 있을 것입니다. 결과적으로 지금은 북한이 미국의 전략을 도와주고 있는 것입니다.

유연채 대한민국이 지향해야 할 목표는 무엇이라 생각하십니까?

김대중 예일대의 폴 케네디 교수가 한국은 네 마리 코끼리 사이에 있다고 이야기했습니다. 잘 헤쳐 나가야 합니다. 우리가 4대국을 어떻게 다루는가가 우리의 운명에 중요합니다. 과거 조선시대 말엽 4대국이 전부 우리의 운명에 부정적인 영향을 주었습니다. 우리는 앞으로 통일하는 데 있어서 이 4대국이 우리에 대해서 어떤 행동을 취하느냐에 따라 우리의 통일에 지대한 영향이 있습니다. 제가 1971년 처음 대통령에 출마를 했을 때 미·일·중·소 4대국이 한반도 평화를 보장해야 한다 했는데, 그 4대국에 남북을 합친 것이 지금의 6자회담입니다. 우리는 6자회담, 4대국을 잘 컨트롤해야 합니다. 안보 면에 있어서는 지금 이 단계에서 한동안 한·미동맹이 가장 중요하며, 한·미·일 공조가 그다음으로 중요합니다. 그다음으로 중국과 러시아가 포함되어 있는 6자회담이 중요합니다. 우리는 3중의 안보를 머리에 두고 있어야 합니다. 우리는 한반도 안보를 위해서 슬기로운 외교 관계를 해야 합니다.

유연채 앞으로 통일에 대해 하고 싶으신 일은 무엇인지요?

김대중 나는 나이도 있고 건강도 있고 해서 통일을 위해서 큰일을 할 수 있을 것이라 생각은 안 합니다. 하지만 한반도에서 절대 전쟁이 없어야 하고 화해 협력과 교류가 증진되는 방향으로 적극적으로 격려하고 있습니다. 외국에 대해서도 우리의 입장, 한반도에 있어서 남북이 평화적으로 공존하다가 때가 오면 평화적으로 통일하는 것이 주변 국가에 대해서 부정적인 영향을 미치지 않는 미래의 한국을 건설할 것이라고 설득하고 알려 주는 것이 좋지 않겠는가 생각합니다. 한반도 평화, 제가 관심을 갖고 있는 세계의 빈곤, 이런 것에 다소나마 도움이 되면 좋겠다는 생각을 하고 있습니다.

유연채 긴 시간 동안 말씀 감사합니다. 역사를 통해 우리는 많은 것을 배웁니다. 60년 전 얄타회담에서 강대국에 의해 분단되었던 남과 북, 이제 한 갑자가 흐른 오늘, 분단의 고리를 풀 중요한 시기를 맞았습니다. 과거를 되풀이할 것인가! 아니면, 새로운 역사를 만들 것인가! 우리의 선택에 달려 있습니다. 우리 힘으로 이끌어 낸 6·15공동선언이 헛되지 않도록 해야겠습니다. 6·15공동선언 5주년 특별 대담 「김대중 전 대통령에게 듣는다」 시간을 마치도록 하겠습니다. 안녕히 계십시오.

한반도 평화와 독일통일의 교훈

대담 리하르트 폰 바이체커
일시 2005년 12월 6일

한상진(사회) 이렇게 뵙게 돼 영광입니다. 세계의 존경을 받는 지도자를 모시게 돼 떨립니다. 논어의 "유붕이 자원방래하니 불역락호(有朋自遠方來不亦樂乎)"라는 말이 있습니다. 두 분이 어떻게 서로 만나게 되셨는지요?

김대중 폰 바이체커 전 대통령을 우리 사무실에서 영접하게 되니까 기쁜 마음을 금할 수 없습니다. 우리는 1960년대부터 한국, 일본, 독일에서 만나 기독교, 특히 한국의 민주주의 문제에 대해서 이야기했습니다. 폰 바이체커 전 대통령은 제가 일본에서 납치되었을 때 또 군사정부에서 사형 선고를 받았을 때 저의 구명을 위해서 애써 주었습니다. 또 대통령 궁에서 저희 내외를 면담해 주시는 등 저에게는 잊을 수 없는 친구이자 은인입니다. 특히 한국의 민주주의와 인권을 위해서 헌신적으로 도와주어서 우리 국민 전체의 친구이자 은인으로 생각하며 감개무량합니다.

한상진 폰 바이체커 전 대통령님, 김대중 전 대통령님과는 지금까지 40년 동안 친구로 지내고 계시는데요. 김대중 전 대통령의 어떤 점이 가장 인상에 남으셨는지 참 궁금합니다.

폰 바이체커 저는 세계교회협의회 중앙위원회 대표단의 일원으로 처음 한국을 방문했습니다. 당시 대표단 일부는 강원용 목사 등을 만나기 위해 서울을 찾은 이들이었습니다. 우리가 한국을 방문한 것은 빈민가에 살고 있는 가난한 사람들을 돕기 위한 것이었고 실제로 빈민 구제 활동을 펼칠 수 있길 바랐죠. 당시 대통령은 아니셨지만 제가 김대중 전 대통령을 처음 만나게 된 것도 바로 빈민 구제 활동을 통해서입니다. 그는 가난한 사람들을 위해 적극적으로 활동했습니다. 당시 김대중 전 대통령의 빈민 구제 활동이 비밀리에 북한과 협력하기 위한 것이 아니냐는 의혹이 있었지만 사실이 아니었죠. 김대중 전 대통령은 가난한 사람들을 돕는 것을 실천해 민주주의적 가치를 심으려고 하셨던 겁니다. 이런 인연으로 김대중 전 대통령을 만났고 존경심이 싹트게 됐습니다. 당시 김대중 전 대통령이 가난한 사람들을 돕는 것은 개인적으로 매우 힘든 일이었습니다. 하지만 김대중 전 대통령은 용기 있는 분이셨기 때문에 모든 역경을 헤치고 민주주의의 발전을 위해 노력하셨습니다.

한상진 오늘 이 자리에는 두 분의 부인께서도 함께하셨습니다. 정말 감사합니다. 지난 11월, 광복 60주년 기념사업추진위원회는 갤럽에 의뢰해 국민의식 조사를 했는데요. 광복의 여러 의미 가운데 지난 60년 동안 어떤 것이 어느 정도 실천되었는가를 물었습니다. 여기에 대해서 우리 국민의 80퍼센트는 광복 이후 국민의 자유 신장이 실현됐다고 보았습니다. 하지만 광복 이후 한반도에 통일국가를 세우는 것이 실현되고 있다고 본 사람은 40퍼센트에 불과했고, 46퍼센트는 거의 실현되지 않았다, 13퍼센트는 전혀 실현되지 않았다고 보았습니다. 광복 60년을 맞아 무엇보다 남북의 화해 협력 그리고 한반도 통일에 관심을 가져야 할 이유가 여기에 있다고 생각됩니다. 우선 북한 핵 문제로 갈등을 빚고 있는 최근 한반도 상황을 두 분께서는 어떻게 생각하시는지 여쭙고 싶습니다.

북·미 양자가 주고받으면서 동시적으로 해결해야

김대중 남북 간에는 보기에 따라서는 만족하지는 않지만 상당한 진전이 있었다고 볼 수 있고, 보기에 따라서는 근본적으로 아직도 진전이 없다고 볼 수도 있습니다. 둘 다 잘못된 것이 아닌데 다만 얘기하고 싶은 것은 지금 한반도를 둘러싼 정세, 남북 민족 상호 간의 의식 변화, 그리고 서로 평화적으로 공동 번영하면서 사는 문제는 북한에도 필요하고 우리에게도 필요합니다. 그러기 때문에 민족적인 정서로뿐만 아니라, 이해관계를 위해서도 필요합니다. 평화를 위해서, 번영을 위해서, 생존을 위해서도 필요한 문제이기 때문에 결국 이 문제는 발전되어 나갈 것입니다. 남북 관계는 실질적으로 많은 변화가 있었는데 미국과 북한 관계가 잘 발전되지 않아 여러 문제가 생긴 것입니다. 핵 문제에 있어서는 과거에 제가 여러 번 얘기했고 결국에는 현재도 그러한 방향으로 되어 가고 있지만 결국 북한은 핵을 완전히 폐기하고 검증을 받고, 미국은 북의 안전을 보장해 주고 경제적 제재를 해제해 주어야 합니다. 이것은 북·미 양자가 서로 주고받으면서 동시적으로 해결하면 되는 것입니다. 다행히 지금 이 문제는 북·미 간에도 대화가 있지만 6자회담이 있어서 노력을 하면 됩니다. 미국 부시 대통령이 북한이 먼저 핵을 폐기하는 것을 보고 나서 하겠다고 하면 안 됩니다. 6자회담이 성공하면 6자회담을 상설화해서 한반도와 혹은 동북아의 평화를 책임질 수 있도록 해야 합니다.

한상진 폰 바이체커 전 대통령께서는 어떻게 생각하십니까?

폰 바이체커 제 생각에 6자회담 개최는 매우 커다란 진전이라고 생각합니다. 그러나 김대중 전 대통령이 언급하신 것과 마찬가지로 두 가지 문제를 생각해 봐야 합니다. 첫 번째, 어떠한 형태로든 핵 무장 시도는 있어서는 안 될 일이라는 것입니다. 핵은 한반도뿐만 아니라 동아시아 및 전 세계에 상당한 위험을 가져올 것입니다. 두 번째 우리 모두는 세계화 시대에 살고 있다는 것입니다. 전 세계 어떤 국가도 지역 국가들과의 협력 없이 생존할 수 없습니다. 6자회담을 통해 북핵 문제에 대한 영구적인 방안이 나와야 합니다. 물론 북한의 일방적인 의무에 대한 이야기는 아닙니다. 예를 들어 미·중 관계를 살펴봤을 때 중국이 미국을 추월할 것이라는 의혹을 뿌리쳐야 하며 새로운 군비 증강으로 중국을 견제해야 한다는 생각도 버려야 합니다. 지금은 양국의 보다 깊은 이해와 적절한 협력이 절실한 때입니다. 6자회담이 단계적 협력을 취하고 세계화되고 있는 국제사회의 미래에 대해 제대로 인식한다면 전 세계 평화에 지대한 공헌을 하게 될 것입니다. 그렇기 때문에 세계가 6자회담의 진전 상황을 예의 주시하는 것입니다. 6자회담은 한 가지 목적이 아닌 영구적인 목적을 위한 회담이 되어야 합니다.

한상진 참 좋은 말씀입니다. 미래에 대한 희망을 갖게 해 주는 말씀입니다. 독일과 한국은 다 같이 2차대전 이후 강대국에 의해 분단되었습니다. 우리보다 먼저 통일을 이룩한 독일의 경우, 그 중요한 열쇠가 바로 주변 국가들의 협력이었는데요. 폰 바이체커 전 대통령님, 독일통일로 이어지는 주변국들의 협력과 이것을 얻기 위한 서독의 노력 등을 소개해 주시면 좋겠습니다.

폰 바이체커 2차 세계대전이 끝나고 미국과 소련이라는 두 강대국 간에 얄타회담이 개최되었습니다. 얄타회담으로 한반도에 삼팔선이 생겼고 유럽 또한 강제적으로 분단이 됩니다. 제가 살고 있는 베를린뿐만 아니라 독일 전체의 분단이 고의적으로 합의된 것이지요. 그 당시 우리는 유럽의 역사가 끝나가고 있다고 생각했습니다. 이러한 상황에서 깊은 역사적 통찰력을 지닌 많은 유럽 국가들이 자국의 권리를 포기하고 유럽공동체(EC)를 만들어 통합된 권리를 찾으려는 움직임을 보이기 시작했죠. 이를 계기로 유럽 국가들이 서로 화해하기 시작했습니다. 특히 수 세기 동안 앙숙 관계였던 프랑스와 독일이 화해를 하게 됩니다. 동유럽은 시간이 조금 흐른 후 유럽공동체에 가입했습니다. 이러한 화해 정신으로 유럽공동체의 창립 6개국은 조기에 화해할 수 있었고 유럽 역사의 새로운 장이 열린 것이죠. 유럽국에게는 대단한 안도감을 주는 부분이라고 할 수 있습니다.

한상진 헬싱키협정이 독일통일 더 나아가 동독의 변혁에 미친 영향도 설명해 주시면 좋겠습니다.

폰 바이체커 냉전 기간 동안 서방과 동방은 긴장 관계를 유지했습니다. 그러나 시간이 흐르자 많은 국가들이 긴장을 완화하는 데탕트 정책을 원했습니다. 인간다운 삶을 누리기 원했던 독일 국민들도 긴장 완화를 원했습니다. 대도시 한중간에 막힌 장벽 때문에 반대쪽에 있는 가족과 친지를 마음대로 만날 수 없는 상황은 현재로서는 상상하기 힘든 일이죠. 당시 서독 정부의 지도자들이 1975년 헬싱키에서 서방국가들과의 정상회담을 추진했습니다. 여기서 한 가지 부연 설명을 드려도 되겠습니까? 당시 처음부터 일이 순조롭게 풀린 것은 아니었습니다. 우방국이었던 미국을 헬싱키회담에 참가하도록 설득시키는 일은 쉽지 않았습니다. 당시 미국은 회담 결과가 어떻게 될 것인가, 이 회담으로 평화 증진을 기대할 수 있을 것인가에 대한 부분보다는 소련의 힘을 더욱 강화시키는 결과를 낳지는 않을까 하는 의혹을 품고 있었습니다. 하지만 미국은 결국 회담에 참가했고 당시 소련연방의 시스템을 해체시키는 첫 출발점이 됩니다. 헬싱키회담에 참가한 소련의 우방국에서도 새로운 세력들이 등장해 자신의 요구 사항을 보다 분명히 나타내기 시작하죠. 유럽에서 '자유운동'으로 알려진 폴란드의 자유노조운동 역시 헬싱키회담에서 비롯된 것입니다. 헬싱키회담은 끔찍한 냉전 시대에서 대화와 평화, 통일을 향한 전환점의 역할을 했습니다.

한상진 김대중 전 대통령께서는 재임 시 한반도 주변 국가와의 관계 개선에 큰 협력을 했습니다. 앞으로 통일을 위해서 인접 국가들과 어떻게 협력해 나가는 것이 바람직하다고 생각하십니까?

김대중 저는 지금부터 34년 전인 1971년 대통령 선거 출마 당시 그때 제가 내세운 선거공약 중에 미·일·중·소 4대국에 의한 한반도 평화 보장을 해야 한다고 했습니다. 4대국에 남북을 합친 것이 지금의 6자회담인 것입니다. 저는 일관되게 한반도 평화는 4대국과의 관계를 어떻게 하느냐가 중요하다고 이야기했습니다. 얼마 전 미국 예일대학의 케네디 교수가 한국에 와서 이런 말을 했습니다. "한국은 네 마리 코끼리 사이에 낀 작은 코끼리다. 네 마리 코끼리 사이에서 어떻게 운신하고 조정하느냐에 따라서 한국의 안전이 보장된다"는 이야기를 했습니다. 세계에서 미·일·중·러 4대국 사이에 끼어 있는 나라는 우리나라뿐입니다. 이러한 특수한 환경 속에서 주변 국가와의 관계를 잘 발전시켜 나가는 것은 우리의 생존과 지대한 관계가 있습니다. 조선왕조 말엽에 그러한 4대국 관계를 제대로 못 한 데서 실패한 것입니다. 제가 대통령이 되면서 '햇볕정책'을 제시했을 때 미국의 클린턴 대통령, 일본의 총리들, 중국의 장쩌민, 러시아 푸틴 대통령 등이 모두 적극 지지해 주었습니다. 대통령 재임 5년 동안 주변 4대국과 매우 좋은 관계를 유지했습니다. 이러한 관계는 우리가 남북 관계를 발전시키는 데 큰 힘이 됐습니다. 우리는 앞으로도 4대국과의 관계를 더욱 중시해서 앞으로 6자회담을 성공시켜야 할 것입니다. 그리고 6자회담을 상설화해서 남북한과 동북아시아 평화를 지키는 노력을 하는 것이 결국 한민족이 강대국 사이에서 자기 목소리 내면서 살아가는 지혜입니다. 우리나라의 생존과 발전은 4대국과의 관계를 원만히 해결하면서 균형적인 선린 관계로 발전시키느냐에 달려 있다고 생각합니다.

한상진 조금 전에 한국은 네 마리의 커다란 코끼리 사이에 낀 작은 코끼리라고 말씀하셨는데 한국도 코끼리는 코끼리입니까?

김대중 한국은 과거 산업사회 시대에는 큰 코끼리가 될 힘이 없었지만 지금은 지식정보화 시대로 우리가 해볼 만한 시기입니다. 최근 황우석 박사 이야기도 있지만 우리는 큰 코끼리뿐만 아니라 왕초 코끼리도 될 수 있습니다.

한상진 아주 고무적인 말씀입니다. 이번에는 국제적인 협력 속에 남북한이 국제적으로 풀어 가야 할 문제에 대해서 말씀드리고자 합니다. "모든 관계의 초석은 신뢰에 있다." 이런 이야기가 있습니다. 앞으로 남북한 신뢰 증진을 위해서 어떤 방법이 가장 바람직하다고 생각합니까?

모두 승자가 되는 통일을 해야

김대중 남북이 50년 동안 서로 어떻게 하면 상대방을 말살시키고 나만 잘 살면 되느냐는 자세로 살아왔습니다. 상대방에 대한 불신과 위기의식으로 신뢰가 생기지 못했습니다. 남북 간에 신뢰가 생기려면 너도 잘되고 나도 잘 되자고 해야 합니다. 통일이 되면 모두 승자가 되는 통일을 해야 합니다. 저는 2000년 김정일 위원장을 만났을 때 "사람은 누구나 영원히 사는 사람이 없다. 당신과 나는 남북을 대표하는 입장인데 우리가 마음 하나 잘못 먹으면 7천만 민족을 공멸시킬 수 있다. 그러나 우리가 바른 생각을 가지면 우리 민족은 혜택을 입을 것이고 평화, 번영을 누리고 미래에 대한 희망을 가질 것이다. 남한을 공산화한다는 생각을 꿈에라도 버려야 한다"고 이야기했습니다. 또 우리는 북한을 흡수 통일할 생각을 갖고 있지 않다고 했습니다. 조급한 통일은 남북 모두에게 좋은 일이 아닙니다. 저는 김정일 위원장과 이러한 이야기를 통해서 북한이 우리를 믿을 수 있도록 노력을 했습니다. 그때 남북이 자주적으로 노력하고 교류 협력하자고 합의했는데 그 후로 우리는 일관되게 그 약속을 지켰습니다. 때로는 북한이 말썽을 부려도 인내심을 갖고 약속을 지켰습니다. 그러한 결과 결국 북한도 태도가 달라졌습니다. 오늘날 과거 어느 때보다도 남북 간은 신뢰와 이해가 높아졌다고 생각합니다.

한상진 폰 바이체커 전 대통령님, 독일의 경험에 관해서 하시고 싶은 말씀이 있으실 텐데요. 신뢰 중진에 관해서요.

폰 바이체커 분단을 경험한 나라가 살길을 갖고 세계적인 경력을 갖출 수 있는 유일한 방법은 서로 힘을 합쳐 협력할 때 가능합니다. 이는 명백한 사실입니다. 하지만 이것은 빠른 시일 내에 이루어지는 것은 아니죠. 독일의 통일 경험에서 예를 들어 보겠습니다. 동서독 간에는 정치, 교육, 이념의 차이가 존재했지만 통일을 이뤘고, 통일한 지 15년이 지난 지금 2개의 거대 정당이 서로 돕는 새로운 정부가 들어섰습니다. 대부분의 거대 정당들은 동독 출신 인사들이 이끌고 있습니다. 현 독일 총리와 연정 파트너 의장도 동독 출신입니다. 이 모든 일들이 자연스럽게 일어났습니다. 우리가 해야 할 일을 시행하고 국내 개혁을 추진하며 주변국과 협력을 하기 위해서는 동서독이 서로 협력할 때 훨씬 수월해집니다. 2000년 남북정상회담이 개최되기 전 김대중 전 대통령은 양국의 차이에 대해 분명히 말씀하셨습니다. 그 후 일어난 일들을 보면 인내심, 용기, 이해가 필요하다는 것을 알 수 있습니다. 이러한 덕목은 김대중 전 대통령 안에 내재되어 있으며 이를 바탕으로 김대중 전 대통령의 자신감이 나오는 것입니다. 사회자님의 세대, 더 나아가 더 어린 세대들은 "훌륭한 신념은 신뢰와 협력에 있다."라는 사실을 이해하기가 보다 수월할 것입니다.

한상진 폰 바이체커 전 대통령께서 독일통일 15년이 지나고 나서 일어난 정치적으로 대단히 의미 깊은 말씀을 해 주셨는데요. 총리도 동독 출신이고 야당 당수도 동독 출신이라는 사실은 신뢰라고 하는 것과 연관해서 참 부러운 현상이라고 생각합니다. 김대중 전 대통령께서는 최근의 변화에 대해서 어떻게 생각하십니까?

김대중 저도 여야 양측의 대표를 동독 출신으로 선출하는 독일 국민의 아량과 결단에 대해서 놀랍고 높이 평가하고 있습니다. 독일통일은 동서독이 모두 잘되는 방향으로 문제를 해결했습니다. 독일의 이러한 예를 보고 배워 앞으로 남북이 통일이 되면 북한 사람도 없고, 남한 사람도 없는 하나의 민족으로서 함께 지도자도 선출하고 협력해야 한다고 생각했습니다.

한상진 남북 관계 개선을 위해 현실적으로 가장 필요한 것은 경제 교류와 협력을 강화하는 것이 아닐까 합니다. 독일의 경우 통일 이후 동독의 경제가 무너졌고 경제 부담을 서독이 모두 짊어지게 된 경험이 있지요. 먼저 폰 바이체커 전 대통령님, 경제 교류와 협력이 왜 중요하고 그것을 어떻게 하는 것이 통일을 위해 보다 바람직한지 말씀해 주시면 감사하겠습니다.

폰 바이체커 앞서 논의한 문제들에 대한 제 생각을 더 말씀드릴 수 있는 기회가 되겠군요. 물론 독일이 통일하는 데 있어 유럽과 국제적 상황은 매우 긍정적인 영향을 끼쳤습니다. 그러나 통일과 관련한 모든 일을 성취하기 위해서는 많은 노력과 시간이 필요합니다. 우리는 동독에 거주하는 젊은이들이 그들의 고향에서 좋은 교육을 받고 그곳에서 일자리를 얻을 수 있기를 바랍니다. 저희는 동독 젊은이들이 자신의 능력을 발휘하기 위해 서독에까지 와서 취업해야 하는 번거로운 상황이 없기를 바라고 있습니다. 두 번째로 동서독 간에는 실업률의 편차가 매우 큽니다. 이는 중요한 문제이지만 심각한 위험 요소가 돼서는 안 됩니다. 셋째로 독일통일 후 지난 15년 동안 서독은 매년 동독에 상당한 금액의 재정적 지원을 해 오고 있습니다. 그래서 서독의 재정 상황이 매우 안 좋습니다. 아마 한국의 상황보다 더 안 좋을 수도 있습니다. 어려운 상황인 것은 확실합니다. 이를 극복하기 위해서는 쉼 없는 노력과 꾸준한 인내심이 필요합니다. 그러나 상황은 개선되고 있습니다. 여기서 명심해야 할 점은 동서독의 규모가 서로 비교할 만한 위치에 있지 않다는 것입니다. 독일의 인구는 8천만인데 그중 80퍼센트가 서독인, 20퍼센트가 동독인입니다. 따라서 동독 재건을 위해 필요한 수송 등 여러 문제를 해결하기 위한 서독의 부담은 여전합니다. 제가 생각하기에 전반적으로 볼 때 6자회담은 한반도에 매우 좋은 기회이자 중요한 사안입니다. 김대중 전 대통령께서 6자회담의 이로운 점에 대해서 매우 설득력 있게 말씀해 주셨는데요. 6자회담은 미국, 일본, 중국, 러시아를 보다 긴밀히 한자리에 모이게 하는 기회를 제공합니다. 이는 한반도뿐만 아니라 세계 평화를 위해서도 중요한 점이지요. 일본과 중국이 긴밀한 관계를 유지하는 것이 중요합니다. 양국은 경제적으로는 가까운 관계를 유지하고 있습니다만 정치적으로는 아직도 해결할 문제가 많습니다. 미국과 중국도 마찬가지입니다. 남북 문제가 주가 되는 6자회담은 미국, 일본, 중국, 러시아 4개국이 보다 빨리 긴밀하게 만날 수 있는 매우 유용한 기회입니다. 유럽은 6자회담을 단순히 한국의 문제가 아니라 세계 평화를 위한 문제로 생각하고 있습니다. 6자회담은 세계 도처에 상당한 영향을 미칠 것입니다. 유엔 활동을 더욱 고무시킬 수도 있습니다. 만약 한국의 리더십하에 미국, 일본, 중국, 러시아 4개국이 보다 긴밀한 관계를 갖게 되는 6자회담이 지속된다면 유럽 헬싱키회담에서처럼 화합과 협력을 이끌어 낼 수 있습니다. 저는 한국에서도 이러한 저희의 경험이 되풀이되었으면 하는 바람입니다.

한상진 김대중 전 대통령은 재임 중 햇볕정책을 잘 수행하셨습니다. 사회 일각에서 '퍼주기'라며 대북 정책을 비판하고도 있습니다. 그러나 서독의 동방정책과 비교하면 대북 지원은 훨씬 작은 것 같습니다. 앞으로 북한을 위한 대북 교류 협력은 무엇입니까?

김대중 햇볕정책을 '퍼주기'라고 비난하는 이야기는 민족적 입장이 아니라 국내 정치적 입장에서 나왔습니다. 그런데 이제는 그런 말을 접고 남북 교류 협력을 이야기하니까 참 다행입니다. 우리가 북한과 경제 협력하는 것을 북한을 도와주는 것이라고 생각하는 것은 단견이고, 우리 목적과 일치하지도 않습니다. 우리는 물론 북한을 도와줘서 북한 스스로 경제를 재건하여 통일을 이루었을 때 서로의 부담을 더는 것이 큰 목적입니다. 그러나 남한도 북한을 적극적으로 이용해야 할 경제적 이유가 있습니다. 우리의 중소기업들은 국내의 노임이 비싸서 중국, 베트남까지 진출하고 있습니다만 실제로 성공하는 기업은 별로 없습니다. 그러나 북한은 남한과 거리가 가깝고 노동자들의 임금이 매우 쌉니다. 교육이 잘된 우수한 노동력이 있고, 또 언어가 통합니다. 우리 중소기업들이 북한에 진출하여 이러한 여건들을 활용하면 성공할 수 있습니다. 현재 남한에는 400조 원이 넘는 돈이 투자할 곳을 찾지 못하고 있습니다. 이 돈 중 100조 원쯤 북한에 투자된다면 어떻게 되겠습니까? 우리가 경각심을 가져야 할 것은 중국의 자본이 북한에 물밀 듯이 들어간다는 것입니다. 중국 상품이 홍수같이 북한으로 들어가고 북한의 귀중한 자원을 중국으로 가져갑니다. 북한도 한 나라에 예속되는 것은 원하지 않지만 중국에서 받지 않으면 도리가 없으니 그렇습니다. 그것은 제가 김정일 위원장과 이야기해 봤지만 분명한 사실입니다. 우리는 현재 북한을 구원, 자립화시키는 입장이고 이것은 우리 경제를 건전하게 발전시키는 길이기도 합니다. 또한 북한이 중국 등 어느 한 나라에 예속되지 않도록 하는 길입니다. 우리의 북한 진출은 압록강을 건너서 유라시아 대륙으로 가는 '압록강의 기적'을 일으키기 위해서도 필요합니다. 이러한 경제 협력은 오늘 북한에 100원 주고 10원 받는다 하더라도 내일은 우리가 200원을 받을 수도 있습니다. 이것은 남북 양쪽에 윈윈이 되는 길입니다. 작게 보지 말고 큰 시각으로 바라보아야 합니다. 북한과 철도가 연결되면 우리는 유라시아 대륙을 거쳐 유럽까지 진출할 수 있습니다. 철의 실크로드가 이어집니다. 우리나라가 물류의 동쪽 거점이 될 것입니다. 물류가 일어나면 문화, 관광, 보험, 금융 등 여러 산업이 일어나서 남북 양쪽이 다 같이 큰 혜택을 보는 시대가 옵니다. 북한에 대해서 손해 본다고 생각하지 말아야 합니다.

한상진 현실적으로 걱정스러운 것은 북한 인권에 관한 문제입니다. 얼마 전 메리 로빈슨 전 아일랜드 대통령이 한국에 오셔서 강연한 적이 있습니다. 모든 문제의 뿌리에는 절대 빈곤, 만성 질환, 식량 위기의 근본 문제가 있다는 점, 그리고 이러한 근본 문제를 해결하기 위해서 국제사회가 보다 깊은 관심을 가져야 한다는 점을 역설하셨는데요. 또 다른 한편에서는 북한 인권 문제를 정치적, 외교적 지렛대로 활용하려는 경향에 대한 우려의 목소리도 나오고 있는 현실입니다. 이러한 상황에서 어떻게 하면 균형적이고, 체계적인 인권 정책을 실현할 수 있겠습니까?

김대중 공산국가의 인권 문제에 있어서는 역사의 교훈을 봐야 합니다. 공산국가는 억압하고 봉쇄하면 아무런 변화를 보지 못합니다. 과거 소련에 대해서 50년 동안 봉쇄했지만 변화가 없었습니다. 헬싱키협정으로 데탕트가 시작됐습니다. 동서독 간의 경제, 문화, 인적 교류가 동독에 인권의 바람을 불게 했습니다. 동독은 외부 싸움에 진 것이 아니라 내부에서 변화의 바람이 일어났습니다. 중국도 한국전쟁 이후 봉쇄했지만 변화가 없었고, 닉슨이 찾아가서 변화되었습니다. 베트남도 전쟁으로도 안 됐지만 외교와 교역으로 변화가 가능했습니다. 쿠바는 50년 동안 봉쇄했지만 아직도 변화시키지 못했습니다. 저는 부시 대통령이 2002년 한국에 오셨을 때 이러한 모든 말씀을 다 드렸습니다. 북한도 결국은 마찬가지입니다. 공산국가의 교훈을 배워서 북한을 개방으로 유도하면 결국에는 우리가 바라는 시장경제의 방향으로 나가지 않겠습니까? 그렇게 되면 외국 사람이 왕래하고 북한 인권도 발전될 것입니다. 한국에 대해서 북한 인권 문제에 대해서 소홀히 한다는 이야기를 국내외에서 하는데 그렇지 않습니다. 우리가 북한에 대해서 식량, 의약품, 비료 등을 지원하고 있습니다. 이러한 지원으로 북한은 엄청난 혜택을 보고 있습니다. 사람의 인권에는 정치적 인권, 사회적 인권이 있습니다. 사회적 인권은 먹어야 사는 인권, 안전하게 살아야 하는 인권, 병 고쳐야 하는 인권 등의 의미로 남한은 많은 지원을 하고 있습니다. 북한에서 약 7천 명이 탈출했는데 인권을 이야기하는 미국이 수용하지 않고, 일본도 그들을 받지 않고 있지만 우리는 그들을 모두 수용하고 있습니다. 남북 이산가족이 50-60년 동안 못 만나고 2000년 정상회담 이전에는 200명밖에 만나지 못했는데 현재 1만 2천 명까지 만나고, 이산가족 면회소도 만들었습니다. 정치적 인권 문제를 이야기하면 북한이 반발해서 이산가족 상봉에 지장이 생길 가능성이 있습니다. 우리는 북한을 조용히 설득하면서 정치적 인권 문제를 개선하도록 하고 있습니다. 지금 우리는 북한 인권에 대해서는 상당히 기여하고 있다고 생각합니다.

한상진 폰 바이체커 전 대통령님은 어떻게 생각합니까?

폰 바이체커 김대중 전 대통령의 말씀에 전적으로 동의합니다. 물론 인권은 유엔헌장에 명시되어 있는 바와 같이 보호되어야 합니다. 인권 규정을 위반한 행위는 국제사회가 관심을 기울일 필요가 있습니다만 그와 관련된 범죄는 테러 방지를 위한 방법과도 연관이 있습니다. 테러와 인권 침해의 근본 원인이 무엇인가를 찾아낼 때에 비로소 그 문제를 해결할 수 있습니다. 사람들이 가난에 시달리고 있는지, 질병으로 고통받고 있는지, 생계 수단이 없어 강제 이민을 해야 하는지 등의 문제를 살펴보는 것이 인권 침해 문제를 해결할 수 있는 마지막 방안입니다. 항상 어떤 일의 동향을 살펴볼 때는 그 근본 원인이 어디에 있는지 생각해 보아야 하며 이는 매우 중요합니다. 평화의 전제 조건 중에서 보통 사람들의 존엄성 있는 삶에 대한 인권에 대해 살펴보지 않은 채 단지 인권 보호만을 위해 개별적으로 투쟁하는 것으로는 진정한 인권 보호를 할 수 없습니다.

한상진 독일의 경험을 잘 새겨 같은 실수를 안 해야 하는데, 통일을 하는

데 조심해야 할 점은 무엇인지, 또 원대한 꿈과 야망이 있다면 무엇입니까?

장차 남북연방제로 가야

김대중 우리는 독일 방식을 따르지 않아도 되지만 독일 방식에서는 많이 배우고 있습니다. 먼저 통일한 독일이 부럽지만. 독일통일의 여러 부작용을 보면서 교훈을 얻고 있어 다행입니다. 저는 햇볕정책을 내세우면서 평화 공존, 평화 교류, 평화 통일의 3원칙, 그리고 제1단계의 남북연합, 제2단계의 남북연방, 제3단계의 완전 통일을 이야기했습니다. 제1단계는 2000년 남북공동선언문에서 합의한 것과 같이 북의 '낮은 단계의 연방제'와 남의 '남북연합제'의 방식이 공통점이 있기 때문에 절충한다고 했습니다. 남북연합제는 남북 양측이 현재의 독립국가 체제를 유지하면서 남북의 정상들이 정기적으로 회합하고 각료회의, 국회회의를 통해 일종의 협의체로 협의해 나가는 것입니다. 이러한 남북연합제를 착실히 진행하면서 장차 남북연방제로 가야 합니다. 우리는 통일 문제에 있어서 서두르지 말고 착실히 해 나가면서 양쪽이 손해가 없도록 해야 합니다. 한반도 주변 4대국이 독일의 경우와 같이 기꺼이 협력할 수 있도록 노력해야 합니다. 4대국이 우리를 식민지로 만들지는 않겠지만 우리의 통일을 방해하는 역할을 할 수도 있습니다. 그러므로 4대국 외교는 매우 중요합니다. 우리는 경제적으로 세계 11번째 국가로서 우리 국민이 착실히 해 나간다면 주변 국가의 협력과 지원을 이끌어 낼 수 있습니다. 그러나 서둘지 말고 나만 잘되겠다는 생각을 가져서도 안 됩니다.

한상진 2002년 월드컵 때 "꿈은 이뤄진다"를 봤습니다. 우리 민족의 꿈과 희망인 한반도의 평화 체제 구축 방법은 무엇입니까?

김대중 현재로서는 6자회담에서 북핵 문제를 해결하는 것이 중요합니다. 북핵 문제가 해결되면 나머지 미사일 문제, 여러 가지 화학무기 문제도 해결될 것으로 생각합니다. 북핵 문제가 해결된 후에 6자회담을 상설화해서 한반 도와 동북아 안보를 책임지도록 해야 합니다. 더불어 한반도 평화협정을 만 들어 전쟁 상태를 종식시키고, 세계와 협력해서 세계 평화에 기여하는 나라 가 되어야 합니다. 평화를 위해서는 남북 간에 가난한 사람들에게 희망 주고, 세계의 가난하고 병들고 고통받는 사람들을 지원하는 나라가 되어야겠습니 다. 노르웨이, 스웨덴 같은 나라들은 우리나라보다 경제력은 약하지만 세계 의 가난한 사람들을 얼마나 많이 돕고 있습니까? 우리는 평화의 나라, 그리고 약자에 대해서 동정하고 도와주는 사랑의 정신을 실천하는 나라가 되어야 합니다.

서두르지 않으면서 충분한 준비를

폰 바이체커 너무 서두르지 마십시오. 그리고 우리가 이미 저지른 실수를 반복하지 마십시오. 우리는 화폐 통합을 서둘렀는데 당시 그렇게 해야 할 정 치적인 이유는 있었지만 경제적으로는 실수를 저지른 것과 마찬가지였습니 다. 또한 예측할 수 없는 상황에 대해 준비를 철저히 해야 합니다. 이 자리를 빌려 통일에 대한 준비가 충분히 되어 있지 않았음을 고백하고 싶습니다. 왜 냐하면 우리는 분단에 너무 익숙해 있었기 때문입니다. 분단을 극복하려는 의지는 있었지만 현실적으로 준비가 충분하지 못했습니다. 그리고 통일이 비교적 빨리 이루어졌습니다. 따라서 서두르지 않으면서 충분한 준비를 하 는 것이 중요합니다.

한상진 제가 한 가지만 꼭 여쭈어야겠습니다. 1985년 5월 8일 종전 40주년 기념 의회 연설에서 폰 바이체커 전 대통령께서는 나치의 만행에 대해서 거 듭 사죄하셨고 유대인, 집시, 소수민족 등 희생자들에게 용서를 구했습니다. 행동하는 지성으로 독일은 주변국의 신뢰를 얻었는데요. 동북아도 사정은 마찬가지라고 생각합니다. 일본은 과거사와 관련해 주변국들의 신뢰를 얻지 못하고 있는데요. 많은 사람들이 일본이 독일에서 배워야 한다고 충고하고 있는데 이에 대해 어떤 견해를 갖고 계시는지요?

폰 바이체커 모든 국가는 나름대로의 방식을 찾아야 합니다. 이 질문은 일본에서도 여러 번 받은 적이 있습니다. 일본에서도 과거사를 사죄하기를 원하는 사람들이 분명히 있습니다. 저는 주변국에 저지른 과거사에 대해서 특히 잘못을 저지른 사실에 대해서 정직해야 한다고 생각합니다. 이는 도덕적 의무일 뿐만 아니라 궁극적으로 다음 세대에게 보다 나은 미래를 누릴 수 있도록 해 줄 것입니다. 젊은 세대들은 과거의 만행에 직접 관여하지 않았기 때문에 이해하기 힘들 수도 있습니다. 그러나 그들이 올바른 미래에서 살아가기 위해서는 과거사에 정직해야 한다는 사실을 짐작할 수 있을 것입니다. 특히 과거 적대국들과의 관계를 개선할 필요가 있습니다. 독일과 프랑스는 화해를 이루었고 2차 세계대전의 첫 희생국인 폴란드와 러시아와도 관계 개선을 이루었습니다. 이러한 이유 때문에 구세대들이 과거의 적대국들과의 관계 개선을 위해 노력한 것입니다. 이러한 관계 개선은 과거를 진실되게 바라볼 때 가능합니다.

한상진 김대중 대통령님. 동북아 평화 체제를 위해서 일본의 역할에 대해서 한 말씀 해 주십시오.

김대중 한·미·일 3국의 협력 관계는 경제적 협력뿐 아니라 동북아 평화 발전을 위해서 절대적으로 필요합니다. 일본은 지금 어느 길로 가고 있느냐. 미국과 손잡고 중국과 대결하는 길로 가고 있느냐, 아니면 미국과 손잡고 중국, 한국과도 손잡는 방향으로 가고 있느냐 그것이 중요합니다. 그런데 지금 보면 우려스러운 점이 많습니다. 일본에 있어서 가장 큰 걱정은 급속한 우경화입니다. 그리고 그것을 막을 힘이 민간 속에서 일어나지 않고 있습니다. 우리나라처럼 민주주의를 위해서 목숨을 바치고 감옥을 간 사람들도 없고, 또 비정부기구(NGO) 같은 민간 조직도 별로 성공하고 있지 못하고 있습니다. 일본은 그러한 우경화를 막을 사람이 없습니다. 과거를 비난하면 반발만 하는 이런 상황이라서 일본에 대해서는 묘수가 없습니다. 이런 점에 있어서 일본에 대한 대책을 적극적으로 신중하게 만들어서 한·미·일 3국 공조 체제를 통해서 일본의 일을 잘 조율할 필요가 있습니다. 중국과 이야기해서 한·중·일 3국이 잘 협력해야 합니다. 그래서 일본이 과거를 분명히 반성하고 다시는 과거의 과오를 되풀이하지 않는 자세로 돌아오도록 노력해야 합니다. 그렇지 않으면 상당히 어려운 관계가 지속될 수 있습니다.

한상진 한반도 평화를 위해서 동북아, 세계 평화를 위해서 오늘 두 분이 하신 말씀을 가슴 깊이 새겨들어야 하겠습니다. 두 분의 말씀은 우리를 이끌어 갈 길잡이 역할을 할 것으로 생각합니다. 존경과 감사의 말씀을 드립니다.

---

* 이 글은 김대중 전 대통령의 노벨평화상 수상 5주년을 기념하여 2005년 12월 6일 연세대김대중도서관에서 리하르트 폰 바이체커(Richard von Weizsacker) 전 독일 대통령과 나눈 대담이다. 12월 8일 오후 11시 30분, 한국방송(KBS) 1텔레비전에 방송되었다.

세계화 시대에서 우리의 위치를 확보할 대통령이 필요

대담 김진용·허의도

일시 2005년 12월 15일

김대중 전 대통령이 최근 일고 있는 자신의 '방북설'과 관련해 "양측 정부의 입장이 다 정리됐다"면서 "방북을 준비 중"이라고 밝혔다. 그러나 김 전 대통령은 "많이 좋아졌지만 방북에는 건강이 걸림돌"이라며 구체적인 시기에 대해서는 답변을 유보했다. 김 전 대통령은 지난 12월 15일 『월간중앙』과 가진 단독 인터뷰에서 이번 "방북이 '(대통령) 특사' 자격이 아닌 민족의 장래를 논의하기 위한 것"이라고 설명했다. 하지만 그는 "특사나 공적 임무로 가면 대화의 폭이 줄고 행동에 제약이 따를 것"이라고 말해 특사 이상의 역할을 하게 될 것임을 시사했다. 남북정상회담과 자신의 통일 구상, 동북아 협력 관계 등에 대해 광범위한 해법을 찾겠다는 것.

김 전 대통령이 밝힌 북측과의 구체적 논의 사항은 미국에 대한 대응, 일본 문제 해결, 6자회담 상설화 문제, 북한에 대한 국제사회 비판에 대한 대응, 21세기 한민족의 위상과 목표를 정하기 위한 전제로서 남북의 평화적 협력 방안과 평화적 통일 방안 등 다섯 가지.

김 전 대통령 이날 인터뷰에서 최근 자신이 밝힌 통일 1단계 '남북연합'

진입 주장과 관련한 구체적 밑그림을 제시해 주목된다. 이와 관련, 김 전 대통령은 "남북연합 단계에서 남북이 남북연합기구(사무소)를 만들어 정책적 협의와 일상적인 문제에 대해 구체적으로 협의할 것" 이라고 말했다.

김 전 대통령은 그밖에 미국의 잇따르는 대북 강경 발언 기류와 일본의 급속한 우경화 기류에 대해서도 심각한 우려를 표명했다. 국내 문제로서 개혁·보수 세력 간 이념 갈등과 동서 갈등, 양극화 문제 등에 대한 처방전과 함께 한류와 아이티(IT) 붐에 대해서도 언급했다.

김 전 대통령과의 인터뷰는 지난 12월 15일 오전 서울 동교동 김대중도서관 5층에 자리 잡은 김 전 대통령의 집무실에서 1시간 45분 동안 이뤄졌다.

김진용·허의도 김 전 대통령께서 노벨평화상을 수상하실 때 감동이 아직도 생생한데 벌써 5년이란 시간이 흘렀습니다. 다시 한번 노벨평화상 5주년을 축하드립니다.

김대중 고맙습니다.

남북 양쪽 모두가 승리하는 해결 방안

김진용·허의도 지난 노벨평화상 5주년 기념식 특별 강연에서도 김 전 대통령께서 남북 평화 정책을 위해 '제1단계 남북연합-낮은 단계의 연방제'로의 진입이 필요하다고 말씀하셨는데 이렇게 판단하신 이유가 있을 것 같습니다.

김대중 국민의정부에서 일관되게 펴 온 햇볕정책을 한마디로 말한다면, 남북 관계를 평화적으로 해결하고 양쪽 모두가 승리하는 해결 방안을 찾아 가자는 것입니다. 한쪽이 이기고 한쪽이 지는 관계가 아니라 양쪽이 수평적으로 가자는 것인데, 그 모든 것의 근간이 평화입니다. 평화적으로 같이 살고, 평화적으로 통일하고, 평화적으로 공동 번영하자는 생각입니다.

제가 오래전부터 '통일 3원칙'과 '3단계 통일'을 이야기했습니다. 3원칙이 평화 공존·평화 교류·평화 통일이고, 3단계는 제1단계 남북연합, 제2단계 연방제, 제3단계 완전 통일입니다. 2000년 정상회담 때 북쪽에서는 아시다시피 "연방제를 지금 하자, 미국과 똑같은 연방제를 하자"고 했어요. 외교·국방권을 중앙정부가 갖는 사실상 연방국가를 하자고 하는데, 나는 "그것은 비현실적 아니냐", "지금 남북 군사력을 당장 어떻게 합치고, 남북 외교를 어떻게 합칠 수 있느냐"고 반문했어요.

내가 그렇게 무리해서 하면 되지 않는다고 해서 북쪽에서 태도를 바꿔 낮은 단계의 연방제로 표현했지만, 우리의 남북연합제를 받아들였어요. 이처럼 남북연합제는 남북공동선언에서 이미 합의한 것이어서 하려면 언제든지 할 수 있는 것이거든요. 앞으로 6자회담이 성공하고, 한반도에서 전쟁을 종식하는 평화 회담으로 발전이 이루어지면 제1단계로 남북연합을 할 수 있지 않으냐, 그렇게 생각한 겁니다.

김진용·허의도 남북연합 단계의 구체적 그림에 대해 구상이 있으실 텐데 들려주십시오.

김대중 남북연합제는 기본적으로 남북 양측이 현재대로 독립국가로서의 권한을 그대로 유지하면서 통일을 위한 노력을 점진적으로 해 나가는 제도입니다. 남북연합은 정상회담과 각료회담, 국회회담을 정기적으로 열어 한반도 평화와 상호 협력 등의 문제에 대해 협의하고, 거기서 서로 만장일치로 합의한 일을 실천하는 방식으로 해 나간다면 그것이 통일을 위한 본격적인 출발이 될 것입니다.

그렇게 되면 남북이 남북연합기구를 두고 거기서 서로 정책적 협의라든가, 일상적인 문제에 대해 구체적 협의를 계속해 갈 수 있을 거에요. 결의 기구는 아니지만 합의되면 뭐든지 할 수 있는 방향에서 시작해서 그다음 단계인 남북

연방 단계로 가는 것입니다. 그런데 거기까지는 상당한 시일이 걸릴 겁니다.

김진용·허의도 남북연합제로 들어가는 전제로 남북정상회담이 필요합니다. 지난번 6·15공동선언 때도 김정일 위원장이 서울을 방문하기로 하고도 안 왔는데, 김정일 위원장은 왜 서울 방문을 하지 않았다고 보십니까?

김대중 추측만 해 볼 뿐이지 잘 모르겠어요. 그쪽에서도 설명이 없으니까. 자꾸 온다고 중국 가서도 이야기했는데도 안 오는 것을 보면 올 생각은 있는데 결정을 못 하는 것이 아닐까 생각할 뿐입니다. 왜 못 오는지는 잘 모르겠어요.

김진용·허의도 지난 2월 문화방송(MBC) 인터뷰 때 김 전 대통령께서는 김정일 위원장이 초청할 경우에 북한을 직접 방문해 남북 평화를 위해 중재 역할을 할 의향이 있다고 밝히셨습니다. 북한에서 초청이 있었고 그동안 대통령님의 방북 제안이 정치인들 사이에 계속 나왔는데 마침 노무현 대통령도 며칠 전 방북을 제안했다고 들었습니다. 북한을 방문할 계획은 세우셨습니까?

21세기 한민족의 위상

김대중 (방북할) 생각이 있지요! 북한에서도 와 달라고 수차례 연락이 있었고, 또 노무현 대통령도 이번에 정식으로 다녀와 달라고 요청을 했고요. 양측 정부 입장이 다 정리됐고, 내 건강 문제가 제일 중요한데……. 하지만 특사나 공적 임무를 띠고 가면 자연히 대화의 폭이 좁아지고, 행동에도 제약이 생길 수 있어요.

그보다 같이 민족 장래를 생각하는 사람끼리 지금부터 민족의 앞날에 대해 서로 어떻게 해 나갈 것인지 생각하고 있습니다. 미국에 대해서는 어떻게 대응해 나갈 것인가, 일본 문제는 어떻게 해결할 것인가, 6자회담 상설화 문제에 대해서 어떻게 생각하는지, 그리고 북한에 대한 여러 가지 세계적 비판이 있는데 이런 문제에 대해서는 어떻게 대응하는 것이 옳은지, 이런 문제에 대해 허심탄회하게 이야기하고, 21세기 속에서 한민족의 위상을 어떻게 목표를 둬야 하고, 그 전제로 평화적으로 협력하고, 평화적으로 통일하는 과제를 어떻게 진행해 갈 것인가, 그런 얘기를 준비하고 있습니다.

김진용·허의도 혹시 김 위원장에게 방북 친서를 받으셨습니까?

김대중 (구두 요청은 있었지만) 친서 받은 적은 없어요.

김진용·허의도 요즘 새로 부임해 온 알렉산더 버시바우 주한 미대사와 미국무부, 부시 대통령 등이 북한에 대해 '범죄정권' 등의 표현을 써 가면서 비판적인 강성발언을 쏟아 내고 있습니다. 미국이 북핵 6자회담에 대한 기대를 포기한 것인지, 미국의 대북 정책에 어떤 변화가 있는 것인지가 궁금합니다. 미국의 최근 변화에 대해 어떻게 보고 계십니까?

김대중 지난번 회담까지 분위기가 상당히 괜찮았는데 또 미국 정부 지도자들이 북한에 대해 상당한 강공으로 나오는 것을 보고 걱정을 하고 있습니다. 하지만 북핵 문제를 해결하려 한다면 방법은 분명합니다. 북한은 핵을 완전히 포기하고, 철저히 검증을 받아야 해요. 그리고 미국은 북한에 대해 안전을 보장해 주고, 경제적 제재를 해제해 줘야 해요. 그래서 살길을 열어 줘야 합니다. 간단한 것인데 서로 상대를 불신하니까, 동시에 해야 합니다.

나는 1994년 제1차 핵 위기 때부터 이 이야기를 줄곧 해 왔는데, 미국에 부시 정권이 들어서면서 결국은 하지 않았어요. 북한에 일방적으로 핵만 포기해라, 그때 봐서 우리가 대가를 주고 싶으면 주겠다는데 말을 듣겠어요? 그래서 동시에 해야 하는데 이게 안 되고 있는 겁니다. 내가 볼 때 미국이 북한에 대해 강경 발언은 하지만, 네오콘 말처럼 미국이 군사작전을 할 힘은 없다고 생각해요. 미국은 이라크에서 발을 못 빼고 있고, 이란 문제도 있잖아요? 미국 국내에서도 지지받지 못할 겁니다. 특히 중국과 러시아가 옆에 붙어 있어서, 이라크와는 달라요. 군사작전을 하려고 하면 가만히 있겠습니까? 우리도 미국과 협력하지만, 그것은 평화를 위해 협력하는 것이지 전쟁으로 문제를 해결하려고 하면 쉽게 동의할 수 없어요.

김진용·허의도 미국은 마카오에서 북에 대한 금융 제재를 하고 인권 문제에 위폐·마약 문제까지 제기했습니다. 이러한 미국의 대북 압박에 대해서는 어떻게 보십니까?

김대중 지난 4월 미국 샌프란시스코 방문 때 스탠퍼드대 강연에서도 이런 말을 했어요. "미국은 북한이 약속 안 지켰다고 한다는데 북한은 또 미국이 안 지켰다고 한다. 이번에는 6자회담에서 합의해 북한에 대해 여러 가지를 보증해 주는데, 만약 그래도 북한이 약속을 안 지킨다면 북한을 뺀 5자회담에서 결정해 북을 제재할 수 있지 않나? 줄 것은 줘 보지도 않고 자꾸 제재 이야기만 먼저 해서는 안 된다. 북한은 핵을 포기하겠다, 이에 미국이 직접 검증하도록 하겠다는데 미국도 세계가 납득할 수 있는 일을 해야 하지 않나?"

미국의 네오콘이 힘을 회복해서 그런 주장을 하는 겁니다. 그러나 미국이 6자회담을 깨려고 하는 것은 아니라고 봐요. 6자회담이 깨지지 않는 한 이런 식의 주고받는 협상을 해야 합니다. 그리고 한국이 북한을 설득할 일은 설득하고, 미국을 설득할 일은 설득하면서 좀 더 적극적인 역할을 계속해야 합니다. 북핵 문제는 우리가 직접적인 당사자예요. 아시다시피 남북기본합의서에 의해 북한은 핵을 완전히 포기하기로 돼 있으니, 북한이 핵을 만든다는 것은 우리와의 합의를 깬 것입니다. 우리가 이 문제에 대해서는 주도적으로 말할 권한이 있고, 우리가 역할을 많이 해야 합니다.

김진용·허의도 지금 북·미 관계가 표류하는 이유는, 좀 더 세부적으로 들어가 보면 경수로 문제에 초점이 맞춰져 있질 않습니까? 지난번에 원칙적인 합의를 했음에도 북한은 경수로 사업을 즉각 재개하라고 하고, 미국에서는 핵 폐기 검증 후 해 주겠다고 하는 등 의견이 충돌하고 있거든요. 그 해법은 없을까요?

김대중 북한으로서는 핵 폐기 후 검증이 끝나면 우리는 줄 것만 주고 이행

안 하면 어떻게 하느냐, 그렇게 생각할 수 있어요. 또 북한이 불안한 것은 핵 문제가 끝나면 다시 미사일 문제, 미사일 문제 끝나면 생화학무기 문제, 대량살상무기, 그리고 휴전선에 있는 장사정포 문제 이런 것이 계속 나오고, 심지어 인권 문제도 나오게 되면 결국 내줄 것 다 내주고, 받을 것은 못 받고 끝나는 것 아닌가 하는 거죠. 그러니 동시에 주고받아야 한다는 겁니다. 그래서 북한은 미국이 북한의 경수로를 보장할 것이라면 보장한다고 말해 주고, 북한도 절대로 거짓말을 못 하게끔 핵 포기에 대해 완전히 검증하고, 확인하는 길밖에 없어요.

김진용·허의도 김 전 대통령께서 남북 문제를 개선해 온 과정에서도 "대한민국의 정통성을 지켜 나가면서 민주주의를 지켜야 한다"는 입장을 몇 차례 밝히셨습니다. 하지만 최근까지 우리 사회는 민족 공조와 한·미 공조의 선후를 따지며 갈등과 충돌이 계속 이어지고 있습니다. 이 두 부분을 어떻게 조화시켜서 한반도 문제를 풀어 가야 할까요?

민족 공조를 하지 않으면 미래가 없다

김대중 그 두 가지는 병행해야 하고, 상호 보완해야 합니다. 먼저 한·미 공조는 남북 관계뿐 아니라 주변 강대국 사이에서 우리가 살아 나가기 위해 우리 안전을 보장받는 길로는 미국이 월등히 좋아요. 그에 대해서는 김정일 위원장도 2000년에 만났을 때 "우리 주위에는 러시아·중국·일본이 있어서 미국이 와 있는 게 좋다. 통일 이후에도 있는 게 좋다"고 말한 적이 있어요.

청일전쟁, 러일전쟁 해 가며 일본·중국·러시아 모두 우리를 차지하려고 전쟁을 했어요. 만약 그때도 미국이 견제해 주었다면 그러지 못했을 겁니다. 미국은 오히려 일본이 우리나라를 병합하는 것을 지지하는 상태까지 가 버렸어요. 그러니 4대국 외교가 우리에게 굉장히 중요합니다. 그런 의미에서 미국과 공조도 중요하지만 나머지 일본·중국·러시아도 우리의 평화와 자주적 입장을 지키는 데 협력하도록 외교를 해야 합니다.

민족 공조를 하지 않으면 우리는 미래가 없지 않습니까? 21세기 세계화 시대에 언제까지나 이 나라가 둘로 갈라져 대결할 것은 아니잖아요? 경제적으로 봐도 우리는 북한에 진출하고 북한을 거쳐 유라시아 대륙으로 뻗어 나가야 합니다. 안보 면에서 보거나, 경제 발전 면에서 봐도 우리가 살기 위해서는 남북 관계에서 민족 공조를 해야 해요. 그런데 민족 공조는 남북이 '윈윈'이어야 합니다. 결국 우리 목표는 북한 경제를 자립화시켜서 통일을 해도 큰 부담을 지지 않아야 합니다. 그런 의미에서 동독과 서독 간의 통독에서 교훈을 얻어야 합니다. 아주 차분히 해 나가야죠.

김진용·허의도 현재 한·미동맹 관계는 잘돼 가고 있다고 보십니까? 김 전 대통령의 재임 시절과 참여정부의 한·미 관계를 비교해 봐서 크게 달라진 점은 없습니까?

김대중 크게 달라진 것은 없다고 봅니다. 가령 지금도 용산 미군 기지 이전 문제라든가 2사단 재배치 등에서 한·미 간 협조가 잘 이뤄지고 있잖습니까? 다만 하나의 과도적 마찰 현상은, 우리가 과거에 비추어 남북 문제를 자주적으로 해결하려고 하는데 미국과 북한 간의 관계가 잘 안 되니 그게 자꾸 껄끄러워지는데, 그것은 극복할 문제이지 그 때문에 한·미 공조와 남북 민족 공조가 상충하게 해서는 안 돼요. 미국이 있는 이유도 한반도 평화를 위해 있는 것입니다. 또 남북 협력이 있어야 평화가 있지 60년 동안 총칼 맞대고 있었는데 언제까지 이 짓 할 겁니까? 앞으로 미국은 북한과도 좋은 관계를 유지할 수 있을 것이고, 사실 북한도 그렇게 주장합니다. 내가 김정일 위원장을 만나 봐도 미국과의 관계 개선을 열망하고 있었어요. 이 두 가지 문제는 우리의 외교 역량 문제이고 조화시킬 수 있는 문제입니다.

김진용·허의도 북·미 간의 불신 속에서 협상이 표류해 교착상태에 빠진 것이 우려가 됩니다.

김대중 미국이 북한을 어떻게 하겠습니까? 지금 북한에서 군사작전을 하겠습니까? 그건 아니잖아요? 대화하는 방법밖에 없어요. 대화하는 길은 서로 주고받고 협상하는 방법밖에 없어요. 동시에 실행해서 서로 상대방을 안심시켜야 하는데, 다행히 6자회담이 있고 6자가 보증을 하니 북한도 미국도 함부로 못 해요. 결국 시간문제이지……. 그 방향 말고는 없습니다.

김진용·허의도 인천 맥아더 동상 시위와 관련해 걱정하는 말씀을 하셨는데요. 철거 시위에 대해서는 어떤 입장이십니까?

김대중 그것은 참 철없는 사람들 하는 짓이지요. 그런 소리 하면 그 사람들은 6·25전쟁 때 공산화 됐어야 한다는 말 아닙니까? 그때 맥아더 장군이 인천 상륙을 단행함으로써 결국 부산까지 내려가던 공산군이 다시 돌아서지 않을 수 없게 했어요. 인간 맥아더와 맥아더의 생애 업적을 찬양하는 게 아니잖아요. 인천 상륙작전을 통해 공산화를 막아 준 것을 평가하는 것인데, 그것이 왜 나쁩니까? 일부가 그런 짓을 하는 것은 한·미 관계에도 참으로 나쁠 뿐 아니라 국민 전체의 안보 의식에도 굉장히 좋지 않은 영향을 주는 거 아닙니까?

김진용·허의도 남북정상회담 때도 그랬지만, 최근에도 북한은 김일성 주석 묘소 참배를 우리 정부에 요구해 왔습니다. 앞으로도 빈번히 발생할 문제인데 어떻게 풀어 가야 할까요?

김대중 그 문제에 대해서는 두 가지로 얘기하겠습니다. 하나는 북한의 요구가 원칙적으로는 그렇게 할 수 있다는 겁니다. 우리가 다른 나라 갈 때도 그 나라에서 가장 신성시하는 장소를 찾아가 헌화하지 않습니까? 우리나라에 온 국빈들도 다 국립묘지에 가서 헌화하듯 하는 것이라는 말예요. 그런 의미에서 북한에서는 김일성 주석 묘가 가장 신성시되는 곳 아닙니까? 이전에 매들린 올브라이트 전 미 국무부 장관도 가서 했어요.

그것은 원칙이고, 또 우리 입장은 과거 전쟁도 하고 여러 가지로 봐서 국민 감정상 하기가 쉽지 않습니다. 내가 북한에 갔을 때도 "참배해라", "도저히 못 한다", "못 하면 오지 말라"고 했는데, 평양에 가서까지 승강이를 벌였습니다. 그런데 우리 측에서 "김 위원장에게 이렇게 말하시오. 아무리 좋은 합의를 해도 대통령이 김일성 주석 묘에 가면 그거 하나만 가지고 남쪽에서 난리가 난다. 그러면 우리가 민족의 화해 협력을 위해 애써 좋은 합의를 하더라도 참배 하나 때문에 무위로 돌아갈 수 있다. 당신들은 꼭 일을 깰 소리만 하느냐? 김일성 주석도 아마 지하에서 생각해도 그렇게 되기를 바라지 않을 것이다." 이렇게 했더니 그쪽에서 나중에 "(금수산기념궁전) 안 와도 좋다"고 물러서더라고요. 지금은 북에서 여기 와서 국립묘지 참배했잖아요. 원칙은 갈 수 있지만 국민감정과 역사적 상황이 그렇게 할 수 없었는데, 이 문제는 국민 여론에 따라 정부의 정책적 판단이 필요합니다.

김진용·허의도 김 전 대통령께서 슬기롭게 해결했지만 새해 방북 때 다시 요구가 있다면 어떻게 하실 작정이십니까?

김대중 그때 가서 생각해요.

김진용·허의도 지난 12월 8일 서울에서 북한인권국제대회가 열렸습니다. 여기서 발표된 「서울선언」 6항에 한국 정부의 반성 촉구와 북한 인권을 한국 정부가 방기한다는 비판이 들어 있습니다. 이러한 목소리에 대해는 어떤 생각이십니까?

생존을 위한 인권도 중요

김대중 북한 인권 문제에 대해 나는 부시 대통령과도 이런 얘기를 나눈 적이 있어요.

"당신들이 북한이 독재한다, 인권 문제가 있다고 하는데 우리도 전적으로 동감한다. 그러나 그 문제를 지금 해결하려고 해서 되는 것이 아니다. 우리가 과거 20세기 내내 다뤄 왔는데 공산국가에 대해 인권 문제를 가지고 공격하고 비판해서 성공한 일이 한 번도 없다. 소련과 50년간 냉전을 했지만 인권 문제 해결 못 했다. 하지만 헬싱키협정을 통해 데탕트 유도하고, 그래서 서로 경제·문화·인적 교류를 하게 됨으로써 공산권 내에도 서방의 바람 들어가고, 공산국가에서는 지금까지 서방과 비교를 통해 스스로 속은 것, 즉 자기들의 비참한 생활과 인권이 크게 침해된 것을 알게 된 것이다. 그럼으로써 내부 붕괴가 시작됐다. 세계를 둘로 갈라 지배하던 소련이 그렇게 무너진 뒤 동유럽도 따라 무너진 것이다. 중국도 서방이 반세기 동안 봉쇄했지만 아무런 성과를 못 얻었다. 결국 닉슨이 마오쩌둥(毛澤東)을 만나고, 덩샤오핑(鄧小平) 등장 후 닉슨이 중국을 유엔에 가입시키고 국교 정상화하는 길을 열어 줌으로써 정상화가 가능해졌다. 오늘날 중국은 마음 놓고 여행 가능한 나라, 또 인권도 과거에 비해 상당히 발전한 나라로 바뀐 것이 사실 아닌가? 베트남도 전쟁까지 해서 못 이겼지만 지금은 교역은 물론 국교 수립까지 이뤄지지 않았나? 그런데 미국 눈앞의 조그마한 섬 쿠바의 경우 미국이 50년간이나 봉쇄했지만 상황을 개선하지 못했다. 이것을 보면 공산주의 국가는 봉쇄하고, 억압할수록 더 강해지고, 개방하도록 유도하면 변화하고 민주화도 인권도 해결된다. 우리는 그것을 배웠다." 이렇게 말했어요.

북한도 마찬가지예요. 개방으로 유도하는 길밖에 없습니다. 그러기 위해 북·미 관계를 해결하고, 국제사회로 북한이 나오고, 북한으로 세계 자본이 들어가 문화 교류하면 북한이 변화를 안 하려야 안 할 수가 없어요. 지금 한국 정부가 북한의 인권을 등한시한다고 하는데, 어떤 점에서 보면 한국이 북한 인권을 위해 가장 큰 기여를 했어요. 인권에는 근대화 이후에 민주주의 시대에 나오는 정치적 인권, 말하자면 집회·결사·언론의 자유와 선거 같은 민주적 인권도 있지만 인간의 원초적인 인권도 있습니다. 먹여 살리는 것, 병든 사람 고치는 인권 말입니다. 우리가 지금 북한에 식량 보내고, 비료·의약품·의류 보내 줘서 북한 사람들이 당장 굶어 죽지 않고, 병들어 죽지 않고 있는데 그 사람들에게 얼마나 큰 도움이 됐겠는가, 그것도 인권입니다. 또 남북 간 이산가족이 국민의정부 들어서기 전까지 50년간 불과 200명가량 겨우 만났는데, 현재까지 1만 2천 명으로 늘었어요. 그 사람들이 죽기 전에 가족, 친척들 생사라도 알고 만나는 것이 얼마나 큰 인권입니까? 아마 가장 큰 인권일 겁니다. 그리고 북한 탈출자들은 어때요? 북한 인권을 말하면서 미국도, 일본도 그들을 안 받는다고 해서 우리만 받은 겁니다. 이런 생존을 위한 인권, 혹은 인도적 인권 이런 것을 우리가 하고 있는 겁니다.

김진용·허의도 북한의 인권 문제에 대한 문제 제기가 구체적으로 어떤 상황을 초래한다고 보십니까?

김대중 정치적 인권 문제는 공산주의의 개혁 개방 유도를 통해서 해야지, 다른 방법은 결코 성공한 적이 없어요. 인권 문제에 대해 유엔 결의도 했으니 이 문제에 대해서는 앞으로 조용한 외교를 통해 북한이 국제사회의 걱정에 대해 어느 정도 부응하는 태도를 취하도록 우리가 북한과도 대화를 통해 이야기할 수 있을 것이라고 생각합니다. 그런데 지금 인권 문제를 가지고 규탄하고 정부가 직접 나서게 되면 결국 지금 하고 있는 이산가족 상봉이 되지 않을 수 있고, 북한과의 다른 교류들도 단절될 겁니다. 지금까지 북한과 조용히 만나서 식량·비료 전해 준 것이 북한 동포들 마음을 얼마나 많이 변화시켰습니까? 과거에 갖고 있던 불신감·적개감이 한국에 대한 신뢰와 고마움, 부러움으로 변화된 것을 잘 알고 있을 거 아닙니까? 남북 긴장 완화, 안심하고 사는 생존, 한반도 전체의 분위기를 평화적으로 이끌어 가는 데 또 얼마나 큰 도움이 됐습니까? 그런 것을 깬다고 정치적 인권 문제가 해결되는 것은 아닙니다. 그럴뿐더러 모처럼 해 온 인도적 인권도 망치는 일을 왜 합니까? 그런 문제에 대해 지금은 서로가 사려 깊게 생각해야 할 때입니다.

김진용·허의도 생존적 인권과 정치적 인권에 대한 분리 대응에 공감합니다. 그런데 정부가 국내외적으로 이에 대해 적극적으로 설득시키고 이해시키는 노력에는 부족한 듯합니다.

김대중 그렇죠. 그런 것을 내가 미국 인권 지도자들과도 여기 왔을 때 그런 얘기했더니 상당히 이해했어요. 정부가 그런 점에서 설득해야 됩니다. 그렇다고 외부에서 북한의 정치적 인권에 대해 이야기한 것까지 우리가 하지 말라는 것은 아닙니다. 자기들이 원해서 하는 것은 하되, 우리가 하는 것에 대해 잘못한다고 판단하면 안 된다는 겁니다.

김진용·허의도 현재의 남북 협력과 통일이 궁극적으로 한반도 전체의 경제적 역량에 어떤 영향을 미칠지가 궁금합니다. 우리가 동아시아에서 나름대로 역할을 하기 위해서는 남북 협력과 남북 평화가 더욱 절실할 것 같습니다.

김대중 가장 중요한 것은 먼저 우리 민족 간 관계가 안정돼야 합니다. 남북이 서로 교류 협력해서 한반도 평화를 굳건히 지켜내려는 노력이 앞으로도 계속돼야 합니다. 그다음으로 한·중·일 동북아 주변 3국이 압도적인 인구와 경제력을 갖고 있는데, 이들 3국이 중심이 돼서 동아시아 전체의 협력 체제를 만드는 주축이어야 하는데, 일본의 우경화로 잘 안 돼 걱정입니다. 그다음은 동아시아 공동체를 만들기 위해 노력해야 해요. 1998년에 베트남에서 열린 아세안+3(ASEAN+3) 회의에서 내가 동아시아 공동체를 만들기 위한 스터디 그룹을 만들자고 제안해서, 동아시아포럼이 만들어졌고, 몇 차례 회의를 해왔습니다. 이번에 말레이시아에서 동아시아정상회의가 있었는데, 그것이 앞으로도 매년 있을 예정입니다.

하지만 방향을 그렇게 잡았지만 쉽게 될 문제는 아닙니다. 또 서두른다고 되는 것도 아니고요. 이런 방향에서 우리는 남북한 관계, 한·중·일 관계와 동아시아 관계를 위해서라도 한반도의 평화를 발전시켜 나가야 한다고 봅니다.

김진용·허의도 김 전 대통령께서도 언급하셨듯이 최근 일본의 우경화가 심각합니다. 고이즈미 준이치로(小泉純一郎) 총리의 대미 일변도 외교도 이웃 나라로부터 우려와 불만을 사고 있는데, 동북아 3국의 이러한 민족주의 색채는 동북아 평화 질서에도 위협이 되지 않을까요?

협조적 민족주의로 가야

김대중 세계 속에서 혹은 동아시아 속에서 자기 민족이 건설적 역할을 하는 민족주의는 권장할 만하지만 남이야 어떻든 우리만 발전하면 된다는 배타적 민족주의는 매우 위험합니다. 실제로 어려운 지경으로 들어가고 있습니다.

중국에서도 지금 중국이 세계 중심이라는 중화사상이 민족주의로 가고 있고, 일본은 아주 우경화가 급속히 진행되고 있어요. 그러나 결론적으로 말하자면 그것은 성공하지 못할 겁니다. 왜냐하면 동남아 세계도 달라져서 다 나름의 주관과 자기 민족의 주체성이 있기 때문입니다. 민족주의란 것도 결국 공동체 속에서 함께 협력하면서 제 입장을 세워 나가는 협조적 민족주의로 가야 합니다.

김진용·허의도 무엇보다도 한·일 관계가 점점 냉각 상태로 가는 것이 걱정입니다. 김 전 대통령 재임 때와는 많이 달라 보이는데요.

김대중 나는 대통령이 되고 나서 한·일 관계를 제자리에 세우려는 생각으로, 재임 5년간 일관되게 노력했어요. 그래서 상당한 성과도 올렸다고 봅니다. 일본 과거사에 대해 정식 사죄를 받고 미래지향적으로 나가는 데 합의했고, 반대로 일본에 대해서는 문화를 개방해 일본 문화가 들어올 수 있게 해주었어요. 그때 국내에서 반대도 많았는데, 내가 그런 얘길 했어요. "문화 개방해서 일본 문화에 먹히는 한국 문화라면 이런 것은 없어져야 한다. 우리는 과거 2000년 동안이나 중국 문화를 받아들였지만 중국화되지 않았고, 서구

문화 받아들이고도 서구화되지 않았다. 일제강점기 때도 일본화되지 않았는데 왜 지금 일본 문화를 두려워하느냐?"

우스운 이야기인데 당시 우리 언론이 일본 천황을 일왕이라고 썼습니다. 그러면서 내가 천황이라고 하니까 "왜 천황이라 하느냐"고도 했어요. 그래서 내가 "영국은 여왕이라고 하니까 여왕으로, 스페인은 황제라고 하니 황제라 불러주고, 우리나라는 대통령이니까 대통령으로 불리는 것"이라고 했습니다. 그렇게 불러 준 것에 대해 일본 사람들이 굉장한 감동을 받았어요. 그런 열린 정신들이 한류로도 연결되는 것 아닐까 생각합니다. 일본이 현재 강력한 중국에 두려움을 느끼고, 북한에 대해서도 납치 사건과 미사일 같은 것을 빌미로 우익 세력이 대두하고 우경화된 것입니다. 더 큰 문제는 젊은 국회의원들이 더 우경화됐다는 거예요. 이 사람들은 정말 앞뒤 안 따지고 민족주의적으로 나가는데, 왜 그럴까? 일본 사람들이 과거사에 대한 교육을 안 받았기 때문입니다. 그러니 모르고, 모르니 반성할 수가 없고, 반성을 안 하니 고칠 수도 없는 것입니다.

김진용·허의도 새로운 한·일 관계를 위한 해법은 없겠습니까?

김대중 일본은 사실 방법이 없다시피 합니다. 일본 정치인들이 자꾸 망언하는데, 망언하면 표가 늘어나기 때문입니다. 일본의 분위기가 그래요. 더 나쁜 것은 미국이 그것을 상당히 지원하는 것인데, 최근에도 고이즈미 총리가 미국과의 관계만 좋으면 한국과 중국은 저절로 좋아진다는 말을 함부로 내뱉고 있어요. 그래서 일본에 대해서는 당분간 엄격한 태도로 이에 대한 시정을 촉구해야 해요. 그 사람들이 잘못 나가고 있는 것이니, 잘못 나간 것을 고치라고 지적해야 합니다. 우리가 고칠 건 없어요. 일본도 그런 식으로 나가면 결국 고립을 자초할 것입니다. 일본 안에서도 안 된다는 사람 많아요. 하지만 일본은 전쟁에 진 뒤 맥아더가 하라 해서 한 민주주의입니다. 말하자면 주어진 민주주의라는 겁니다. 그러니 민주주의를 지켜내려는 세력이 없습니다. 그것이 일본의 큰 문제예요. 반면에 우리는 지금 누구도 쿠데타를 할 수 없고, 민주주의를 안 하고는 재집권을 못 하잖아요? 우리는 피 흘리며 민주주의를 쟁취했기 때문입니다.

김진용·허의도 김 전 대통령께서 재임 중 이루신 업적도 많지만 미처 다 하지 못한 아쉬움도 있을 것 같습니다. 퇴임 후에 돌이켜 보시면서 이것은 꼭 끝냈어야 했다는 아쉬움이 남는 것이 있습니까?

김대중 빈부 격차를 해소하지 못한 것을 제일 아쉽게 생각합니다. 노력은 했는데……. 정보화 시대에는 자연히 빈부 격차가 커지게 돼 있어요. 거기까지 하는 데 시간이 짧았습니다. 그래서 '기초생활보장법' 같은 것을 해서 적어도 160만-170만 명에게 기초생활을 보장해 주고 4대보험도 완비해서 실시했지만 사회적 격차는 결국 해결하지 못하고 물러났습니다. 그 점이 상당히 아쉬워요.

김진용·허의도 노무현 대통령이 한국의 망국적 국민병이라는 지역주의를 풀기 위해 연정도 제안하고 선거구제 개편 등 제도적 접근도 하고 있지 않습니까? 김 전 대통령께서도 이 부분에 많은 노력을 하셨는데, 아직도 풀리지 않는 숙제로 남아 있습니다. 왜 이렇게 어려운 겁니까?

김대중 예, 나도 그 문제에 대해 최대로 노력해 봤지만 불행히도 성공하지 못했어요. 그런데 이 동서 간 갈등, 지역감정을 어떤 사람들은 신라·백제·고구려 때부터 그랬다는데, 엉터리예요. 자유당 시절에는 전라도 사람이 경상도 가서 국회의원하고, 경상도 사람이 전라도에서 국회의원 했어요. 나도 목포에서 진주 사람 선거운동을 한 적이 있어요. 그때 누구에게도 왜 경상도 사람 운동하느냐는 말을 들어 본 적 없어요. 지역감정은 박정희 정권 이후예요. 이승만 정권 때 반독재 투쟁을 한 것도 경상도·전라도 야당이 같이 합세해 굉장히 성과를 올렸어요. 사실 박정희 대통령이 된 것은 전라도 덕이었어요. 14만 표 차이로 박정희 씨가 대통령이 됐는데, 서울·경기·인천·강원·충청에서 다 졌어요. 호남과 경상도에서만 이겼어요. 호남에서 35만 표차로 이겼는데, 그래서 박정희 대통령이 당선됐습니다.

또 호남에서는 여당인 공화당에게 일곱 번이나 다수 의석을 줬어요. 그런데 결국에선 박정희 정권은 내내 호남을 소외하고, 열등시하고, 이렇게 차별화해서 경상도 유권자들에게 나쁜 영향을 준 겁니다. 이 문제는 결국 잘못된 것이지만, 생긴 지 얼마 안 됐으니 때가 오면 해결될 겁니다. 젊은 사람들이 많이 등장하고 그렇게 되면 지역 갈등에도 많은 변화를 가져올 것이라고 생각합니다.

김진용·허의도 김 전 대통령께서 이전에 과거사 진상 규명에 대해 "약이 될 수도, 독이 될 수도 있다"고 말씀하셨지만, 김 전 대통령께서는 과거 군부 독재 정권에서 납치와 사형 선고 등을 받는 등 피해의 당사자이기도 했습니다. 과거사 문제가 어떻게 매듭지어지기를 바라십니까?

과거사 진실은 밝혀져야

김대중 나도 많은 일을 당했지만, 누구한테도 보복하고 싶은 생각이 없습니다. 그러나 진실은 밝혀지는 것이 좋다는 생각입니다. 그것은 많은 피해자들이 다 같을 거예요. 그러니까 과거사 문제는 진실을 밝히는 것, 그것도 과장 없이 정확히 밝히는 것이 초점이 돼야 합니다. 하지만 보복으로 연결되면 죄 없는 후손들까지 그 피해를 입게 되는 것입니다. 과거사 규명이 과장된다면 언젠가는 다시 뒤집히게 마련입니다. 그러니 과거사에 대해서는 공정하게 불필요한 피해를 주지 않고 진실로 밝혀져야 합니다. 궁극적 목표는 화해에 있습니다. 그런 방향에서 과거사 규명이 이뤄져야 한다고 봐요.

김진용·허의도 김 전 대통령께서는 1970-80년 오랜 투옥 생활과 납치사건, 신군부들에 의한 사형 선고 등 죽을 고비를 수차례 넘기셨습니다. 반면에 대통령 당선과 6·15남북정상회담, 노벨평화상 수상 등으로 화려한 스포트라이트도 받으셨습니다. 궁금한 것은 대통령께서 이 많은 굴곡을 겪으시면서 가장 마음속 깊이 새겨 놓은 일은 무엇일까 하는 겁니다.

김대중 1980년 신군부의 쿠데타 이후 사형 선고를 받았을 때입니다. 그때는 내 자신에게도 충격적이었지만, 광주에서 의거가 일어나고 그 사람들이 내세운 주장이 "김대중 석방해라", "전두환 물러가라", "계엄령 해제하라" 이 세 가지를 내세웠는데, 결국 내가 체포됐다는 소식을 듣고 광주서 그런 일이 벌어졌습니다. 나 개인에게도 그렇지만 참 많은 시민들이 목숨을 잃었는데 커다란 충격으로 남아 있습니다.(김 전 대통령은 두 번째 사건은 남북정상회담을 꼽았다.)

김진용·허의도 새해에는 지방선거도 있고 각 당 대선 주자들의 움직임도 바빠지고 있습니다. 김 전 대통령께서는 향후 '한국호'를 이끌어 갈 차세대 지도자들과 차기 대통령은 어떤 역량과 덕목을 가진 사람이라야 한다고 보십니까?

김대중 문제는 앞으로 우리가 어떤 세계에서 살게 되고 대통령은 어떤 일을 해야 할지가 기준이 될 겁니다. 우선 앞으로 우리가 세계 속에서 세계화 시대에서 살아갈 텐데, 이제는 세계적 안목을 가지고 세계 속에서 우리의 위치를 확보해 가고 발전의 길을 열어 가는 대통령이 절대적으로 필요하다고 봐요. 그리고 우리는 한반도 평화와 남북 경협도 하고 북한을 거쳐 압록강 건너 대륙으로도 뻗어 나갈 수 있는데, 번영과 발전을 위해서나 장차 통일을 위해서나 절대적으로 남북 관계를 해결할 능력을 가진 지도자를 꼭 필요로 합니다. 그리고 이제 21세기 지식정보화 시대에는 경제가 발전한다고 반드시 일자리가 늘고 서민들에게까지 이익이 간다는 보장이 없어요. 과거 산업사회와 다르거든요. 이런 사회에서 어떻게 서민들의 살길을 열어 주고 경제를 발전시키면서 복지를 증진시키는 일을 병행할 수 있을지도 중요합니다.

그리고 하나 더 말하자면, 지금 한류가 불고 있는데 이런 문화적 침투가 엄청난 의미를 차지합니다. 그래서 한류의 세계 진출을 적극적으로 도울 만한 지도자가 민족 발전에도 중요한 힘이 될 겁니다. 내 문화를 상대방에게 주려면 상대 문화도 받아들이는 자세가 필요합니다. 우리가 문화적으로 서로 존중하고 협력하는 문화 정책을 해 나가는 것이 필요해요.

김진용·허의도 혹시 마음속에 그런 조건들을 충족시켜 실천할 만한 지도자가 있습니까?

김대중 답변 안 할 줄 알면서…….

김진용·허의도 다음은 경제입니다. 앞서 재임 중 가장 아쉬운 부분이 빈부 격차라고 말씀하셨습니다. 엄밀하게 보면 빈부 격차뿐 아니라 중소기업과 대기업, 서울과 지방 격차 등이 모두 다 온존하죠. 그게 참여정부 들어 '양극화'로 불리게 됐습니다. 해법을 생각해 보셨습니까?

김대중 우리 경제는 급격한 성장을 해 왔고, 또 수출도 상당히 늘었거든요. 문제는 그렇게 쌓인 부가 편재하게 된다는 말입니다. 과거 산업사회 시대에는 경제가 발전할수록 많은 사람이 일자리를 얻으니 어느 정도 부가 나누어졌습니다. 하지만 지금의 경제는 부의 편중이 굉장히 심해요. 이것은 정부가 정책적으로 해결할 문제입니다.

우선 새로운 일자리 창출로 실업자를 줄여야 해요. 내가 재임 중에 '생산적 복지'를 말했는데, 생산적 복지는 자기 힘으로는 살길이 없는 중증 장애인이라든가 이런 사람들에게 국가가 생활을 보장해 주고, 그렇지 않은 사람들은 일하면서 배워 한 단계 높은 지식 노동자로 거듭나게 하는 것입니다. 문제는 현재 실업자나 생계 곤란자들에게 "국가가 자신들을 돌보고 있다"는 희망을 심어 줘야 한다는 것입니다.

김진용·허의도 재임 중 정경유착의 고리는 어떻게 끊으셨습니까?

김대중 기업은 투명하고 자유롭게 운영하도록 하는 동시에 세계적인 경쟁력을 갖는 기업으로 육성하되, 부당한 특혜의 고리를 끊고 우리 경제가 건전하게 발전해 나가도록 해 줘야 합니다. 내가 대통령에 당선된 뒤에 대기업 총수들을 한번 오시라고 했어요. 그분들에게 제가 이렇게 말했어요. "여러분이 지난번 선거 때 정치자금을 어디에 많이 주고 했는지 내가 다 안다. 그러나 하나도 걱정하지 마시오. 나는 대통령이 됐으니 그만이다. 앞으로 정치자금 걷을 일 없다. 정경유착은 꿈도 꾸지 말라. 정경유착을 통해 정부로부터 이권 받아 사업할 생각 말라. 여러분에게 바라는 것은 세계적으로 경쟁력 있는 기업을 만들어 돈을 벌라는 것이다. 돈을 많이 벌어 세금 많이 내는 여러분이 바로 애국자다." 5년 동안 내내 그렇게 했습니다. 그랬더니 퇴임할 때 전경련 대표들이 "앞으로도 이렇게만 됐으면 좋겠다"고 말씀하더군요.

김진용·허의도 경제 체질 강화와 관련해 질문을 하나 드리겠습니다. 김 전 대통령께서는 1997년 국제통화기금(IMF) 외환 위기의 소용돌이 속에서 당선되셨고 곧바로 우리 경제는 '국제통화기금(IMF) 체제'로 들어섰습니다. 그 위기를 극복한 '국가 최고경영자'로서 국제통화기금(IMF)이 우리 경제의 체질 강화에 어떤 영향을 미쳤다고 평가하십니까?

김대중 국제통화기금(IMF) 외환 위기가 어떻게 보면 우리 경제의 체질 강화에는 전화위복이었습니다. 아시다시피 6·25전쟁 이후 최대 국난이라고 했습니다. 그런데 국제통화기금(IMF) 감독하에서 금융이나 기업이 과감하게 체질을 개선을 할 수 있었어요. 그때 2,100개 금융기관 점포 중 600개가 문을 닫았습니다. 30대 대기업 중 16개가 문을 닫거나 주인이 바뀌었어요. 금융기관의 부실대출을 대폭 줄이고, 대기업 부채 비율을 줄이고, 내부 거래를 철저히 막았습니다. 이런 조치들은 과거 부실기업으로 처리됐던 기업들한테도 생명력을 불어넣었죠. 현대건설, 대우건설, 기아가 그런 경우라고 봐요.

지금 우리 경제 체질은 아주 좋아졌습니다. 정부는 앞으로도 기업들이 철저한 투명성과 함께 세계 경쟁에서 이겨낼 수 있는 힘을 키우도록 도와야 합니다. 그리고 노동자에게 공정한 대우를 해 주도록 요구해야 합니다. 또 중소기업들에 대한 지원도 집중해 중소기업이 나름대로 지식 기반을 갖춰, 세계적 경쟁 속으로 뛰어들 수 있도록 유도해야 합니다.

김진용·허의도 우리가 국제통화기금(IMF) 체제를 벗어나는 데 결정적인 역할을 한 것은 바로 아이티(IT)산업입니다. 그것은 당시 세계적 추세에도 맞고, 우리가 강점을 백분 살릴 수 있는 분야였습니다. 그때 국민의정부가 아이티(IT)라는 새 성장 동력을 잡을 수 있었던 것은 아주 특별했던 것 같습니다. 기회가 있을 때마다 말씀하신 앨빈 토플러의 『제3의 물결』을 떠올릴 수밖에 없었거든요. 당시 '아이티(IT) 청사진'을 그릴 때를 기억하십니까?

세계에서 선진적인 정보화 국가

김대중 옥중에서 『제3의 물결』을 봤어요. 대통령이 됐을 때는 외환 위기 극복에 몰두했지만, 한편으로는 정보화를 추진했습니다. 그런데 저 스스로 우리 국민의 정보화 적응 능력에 놀랐어요. '빨리빨리' 하면서 성격은 급한데, 그것이 장점으로 작용한 측면도 있어요. 당시 앨빈 토플러를 만나 이야기한 것도 비슷합니다. 유럽 사람과 일본 사람들은 정보화를 적대시하고 아주 싫어하는데 한국 사람들은 그렇게 좋아한다는 것입니다. 순식간에 피시(PC)방이 1만-2만 개 되는 나라가 우리뿐이에요. 그래서 지식기반 정보시대에 한국 사람들은 엄청난 적응력을 갖고 있어요. 정보화가 우리가 말하는 정보 기술(IT)·나노 기술(NT)·생명공학 기술(BT)·문화콘텐츠 기술(CT)·우주항공 기술(ST)·환경공학 기술(ET) 등 6티(T)가 있지 않습니까?

그 정보화가 전통산업까지 굉장히 개혁시켰습니다. 자동차·조선·철강산업 등이 전부 디지털화돼 제품이 우수해지고, 능률화되고, 코스트가 줄었습니다. 그것이 우리가 중공업 분야에서도 꾸준히 발전해 가는 원인이 됐어요.

그래서 얼마 전 정부의 관계 장관이 나한테 "20-30년은 정보화 갖고 먹고살 것"이라고 말하더군요. 우리가 세계에서 선진적인 정보화 국가가 됐다는 21세기에 가장 알맞은 방향으로 가고 있다는 것을 뜻합니다.

김진용·허의도 미래에 그런 큰 희망이 있는 것은 사실입니다. 그러나 체감 경기·체감 지수 같은 표현을 많이 쓰다시피 현실적으로 국민은 경제가 어렵다고 합니다. 시카고대 로버트 루카스 교수의 합리적 기대가설을 김 전 대통령께서 달리 간단명료하게 표현한 "경제는 심리다."라는 말이 생각납니다. 이 경구식 경제론에 입각해 볼 때, 현재 국민이 느끼는 경제의 어려움은 실제로 맞는 겁니까, 아니면 착시 현상입니까?

김대중 무엇보다 경제는 국민에게 희망을 줘야 성공할 수 있다 하는 것이 중요합니다. 우리가 외환 위기를 당했을 때 국민이 정부를 믿고 지원하고, '금모으기'를 해 주고 이렇게 협력하지 않았다면 성공할 수 없었습니다. 우리가 말하자면 금융 점포들이 문을 닫고, 30개 대기업 중 16개를 정리해도 국민들은 모두 협력해 주셨어요. 또 공무원·노동자를 정리해고 하는 것도 다 받아들였습니다. 이렇게 국민들이 협력한 것은 이 정부의 정책을 따라가면 경제가 살고 나도 살길이 생길 것이라고 믿었기 때문일 겁니다. 그런 식으로 국민에게 정부의 경제 정책을 설득하고, 약속대로 투명하고 능률적으로 국가 경제를 운영해 가면 국민 지지를 얻게 되고 경제를 살려 나가는 길이 보일 겁니다.

우리 경제가 그렇게 나쁜 것은 아닙니다. 아시다시피 수출도 잘되고 있고, 물가도 안정되고, 금리도 안정되고 다 괜찮아요. 그런데 빈부 격차 문제 해소나 중소기업 살리기 이런 것이 뜻대로 안 되니까 여러 좌절감이 생겨나는 것입니다. 그래도 난 우리 경제가 세계 어느 나라에 비해 봐도 손색없이 운영되고 있다고 봅니다.

김진용·허의도 그 손색없음의 상징이 바로 한류 아닌가 싶습니다. 그것은 한류도 경제·문화적인 측면에서의 의미 말고도 동아시아에서 한국발 영향력을 현실화하고 있다는 점에서 국민의 자신감과도 연결되는 것으로 평가됩니다. 한류를 어떻게 보십니까?

김대중 우리는 과거에 1,000년 이상 중국의 지배를 받으며 살아왔습니다. 조공을 바치고, 왕비와 세자 책봉도 다 승인을 받아왔고, 중국 문화를 받아들였어요. 그런데 놀라운 것은 중국 주변 국가 중에서 어떤 나라도 한국처럼 중국 문화를 받아들이면서 중국화 안 된 나라가 없다는 거예요. 불교를 받아들일 때도 우리 입장에서 재해석하고, 유교를 받아들이면서도 중국의 성리학을 이퇴계 선생이 집대성했습니다. 그래서 해동 불교니 조선 유학이니 이런 말이 나오게 된 것입니다. 그런 우리의 문화적 저력이 한류의 뿌리가 됐습니다.

더구나 우리는 유럽이나 일본처럼 부자 세습의 전통이 없어 아무리 영의정이라도 아들이 과거 합격을 못 하면 아무것도 못 합니다. 지식으로 모든 것을 판단하는 사회 기반이 마련돼 있었던 겁니다. 결국 공부를 안 하면 과거를 볼 수 없고 과거를 안 보면 그 사람은 출세할 수 없는 그런 전통을 가졌지요. 이것이 민간에도 영향을 미쳐 과거를 볼 자격이 없는 농민과 평민도 교육 전통을 가져왔습니다.

또 하나는 우리가 민주화를 하면서 많은 사람이 체포되고 고문당하고 죽어 가면서 민주주의를 쟁취했습니다. 그러나 중국과 일본은 민주주의의 뿌리가 없어요. 일본은 앞에서 말했듯이 맥아더가 민주주의를 만들어 주었을 뿐입니다. 우리 힘으로 얻어 낸 민주주의에서 새로운 창의력이 나온 겁니다. 중국·일본은 우리를 결코 따라올 수 없는 부분이 있어요. 그렇게 한류는 일어나 지금 붐을 일으키는 것 아닌가요?

김진용·허의도 김 전 대통령께서는 특히 문화강국론을 주창하시면서 문화 예술에 지원을 아끼지 않았는데, 이것이 한류를 만드는 데도 큰 보탬이 된 것 같습니다. 지속 가능한 한류를 위해 꼭 주문하고 싶은 것이 있다면 말씀해 주십시오.

김대중 국민의정부에 들어 제가 문화관광부 초도순시 때는 안 빠뜨리고 주문했던 것이 있습니다. "문화 예술은 약자이니까 정부가 재정적으로 지원을 해 줘야 한다. 그러나 절대 간섭하지는 말라. 그렇게 되면 예술이 죽는다." 그렇게 5년간을 했더니 우리 대중문화에서 새로운 가능성이 열린 것입니다.

요새 중국에서 하루에 1억 명이 우리 드라마를 본다고 하잖아요? 일본 사람들이 법석을 떨고 동남아, 중동, 유럽까지도 나가고 있습니다. 내가 볼 때 한류는 거저 생긴 것이 아니라 앞서 언급한 것처럼 우리 조상으로부터 내려온 지적 전통, 교육의 힘, 민주화 역량 등이 합쳐져서 만들어 냈다고 봅니다.

그러면 이런 한류를 어떻게 지속적으로 끌어갈 것인가? 지금의 한류에 자만해서는 안 됩니다. 우리 대중문화를 세계 각국이 계속 받아들이게 하려면 우리도 동시에 남의 문화를 받아들일 줄 알아야 합니다. 서로 주고받았을 때 우리 문화도 더 풍요로워집니다.

김진용·허의도 김 전 대통령 재임 중에 열렸던 2002년 월드컵의 감동과 환희를 국민들은 지금도 생생하게 기억하고 있습니다. 새해에 다시 월드컵이 열리는데 국민들은 벌써 기대감에 들떠 있는 거 같습니다. 2002년 월드컵 당시 대통령으로서 어떤 심경이셨습니까?

세계주의가 필요

김대중 2002년 월드컵 하면서 나는 걱정이 아주 많았어요. 사실 기뻐할 여유도 없었어요. 왜냐하면 9·11테러가 있었던 뒤여서 수십만 명이 모여든 상황에서 테러가 발생하기라도 하면 큰일이었거든요. 사실 난 월드컵 끝나는 날까지 마음을 놓지를 못했어요. 그러나 국민이 단결해서 월드컵을 성공시켰어요.

또 하나의 걱정은 한국 축구가 16강에도 못 들어가면 어쩌나 고민했어요. 다행히 우리가 16강에 들어 얼마나 기뻤는지 몰라요. 그리고 월드컵 경기 때 내가 가면 이긴다는 이상한 소리가 나와서 갈 수도, 안 갈 수도 없는 상황이 생기기도 했는데, 다행스럽게 갔을 때는 모두 이겼어요. 내가 갔는데 경기에 져 버리면 어떡하나 국민께 미안해서 어떡하나 고민이 많았죠. 아무튼 그렇게 해서 걱정했던 월드컵이 누구도 상상할 수 없는 대성공을 했거든요.

김진용·허의도 월드컵을 통해서 한국인들은 스스로 엄청난 저력을 느꼈다고 보는데…….

김대중 우리가 2002년 월드컵 때 경기에서도 성공했지만 더 자랑스럽게 생각한 것은 응원단들의 태도입니다. 축구장에서는 물론이고 시청 앞이라든가, 거리에서 수십만 사람들이 모여서 응원했는데 질서 정연하게 사고 하나 없이 해낸 것은 정말 대단히 평가받을 만해요. 정말 세계의 모든 사람들이 축구 경기에서 그런 관중은 처음 봤다고 했을 정도였거든요. 그래서 나는 국민적 성원은 나무랄 데 없고, 감독도 좋은 분이 온 것 같아 이번에도 적어도 16강 안에는 쉽게 들어가지 않을까 기대하고 있습니다.

김진용·허의도 20세기 후반 이후 탈이념 이야기를 많이 합니다만, 우리 10-20대 젊은이들이 의외로 보수화 쪽으로 가고 있다는 여론조사 결과가 나오고 있습니다. 그 자체를 긍정도 부정도 할 수 없지만, 김 전 대통령의 생각을 듣고자 합니다.

김대중 젊은 사람들이 과연 보수화됐다고 보느냐, 아니면 온건하게 됐느냐, 그건 견해가 좀 갈리는 대목입니다. 그런데 저는 온건화 됐다고 봐요. 젊은이들이 과거와 달리 온건한 쪽으로 가는 것은 우리나라에서는 이제 결국 독재가 사라지고 남북 관계도 극단적인 대립이 없어졌기 때문입니다.

그런데 요즘 젊은 사람들이 상당히 자기 생활을 '엔조이' 하는 방향으로 집중하니까 이상하게들 보지만, 어찌 보면 발전의 반영이라고 좋게도 볼 수 있어요. 젊은 사람들이 무엇을 타도하자 어쩌자 하는 것만이 꼭 바람직하지는 않잖아요?

하지만 젊은이들이 민주주의를 안 하고 독재로 갈 때 과연 가만히 있을까요? 또 우리나라에서 미국이 북한과의 관계에서 우리 의견을 존중하지 않으면 젊은 사람들이 미국을 비판하지 않습니까? 말해야 할 때는 합니다. 우리 젊은이들이 잘못 나가고 있다고는 생각하지 않습니다.

김진용·허의도 그 젊은이들에게 어떤 말씀을 해 주시고 싶으십니까?

김대중 이제는 배타적 민족주의로는 안 됩니다. 포용적 민족주의, 세계를 친구로 만들고 세계에 진출하는 세계주의가 필요합니다. 남북 관계에서도 공산주의는 배격하지만 북한 동포를 동족으로 생각하고 북한을 껴안고, 궁극적으로 통일을 위해 노력하는 젊은이였으면 좋겠습니다. 자기 인생을 스스로 이끌어 나가는 인격과 지적 능력, 그리고 직업에서도 확고한 대응을 가지고 바다로 나가는 젊은이가 되기를 바랍니다.

그리고 무엇보다 행동하는 양심, 말하자면 옳다고 생각하면 행동으로 옮기는 것이 중요합니다. 그래서 나만 행복해지려는 것이 아니라 우리 이웃과 사회를 사랑하고 모두 같이 행복한 사회를 만들어야 해요. 요새 텔레비전을 보면 순경이 박봉 받아 가난한 사람을 찾아다니고 조그만 구멍가게 주인이 음식 만들어 어려운 사람 돕고, 그런 걸 보았는데 우리나라에는 참 희망이 많다고 여겼습니다.

김진용·허의도 오랜 시간 좋은 말씀 주셔서 감사합니다.

* 이 글은 2005년 12월 15일, 김진용 『월간중앙』 대표와 허의도 편집장이 인터뷰하여 『월간중앙』 2006년 1월 호에 게재된 것이다.

평화와 희망의 한국

대담 엄기영 · 김주하
일시 2005년 12월 29일

엄기영 여러분 안녕하십니까? 2006년 새해 둘째 날 오늘 저희는 이곳 서울 동교동에 있는 연세대학교 김대중도서관에서 인사를 드립니다.

김주하 오늘 이 대담은 새해를 맞아서 한반도의 평화 정책을 기원하고 우리 사회의 밝은 미래를 소망하며 마련했습니다.

엄기영 지금부터 김대중 전 대통령을 모시고 우리가 새해 벽두에 그토록 바라는 평화와 희망의 대한민국을 함께 얘기해 보도록 하겠습니다. 지금 김대중 전 대통령님 그리고 또 이희호 여사님 자리를 함께해 주셔서 고맙습니다.

김대중 안녕하십니까?

엄기영 참 세월이 빨리 흐르는 것 같습니다. 대통령 퇴임하신 지 벌써 3년이 지났는데 그동안 어떻게 지내셨는지요?

김대중 집에서 주로 있었고요, 그리고 유럽, 말레이시아, 중국, 미국, 일본 등 해외도 몇 번 다녔고, 국내 여기저기 강연도 하고 또 많은 외국 손님이나 국내 손님들을 만났습니다. 그러면서 신문이나 책도 열심히 읽고 그런 생활을 하고 있었습니다. 또 아내하고 과거에는 바빠서 많은 얘기를 못 했는데 더 많은 얘기도 하고 그랬습니다.

엄기영 퇴임 후에도 아주 바쁘게 계시는데, 어떻습니까. 건강은 좀 어떤 편이신지요?

김대중 작년에 두 번 입원을 했는데, 신장이 좋지 않아요. 그래서 요새도 집에서 기계 시설을 해 놓고 투석 치료를 받고 있는데 많이 좋아졌습니다. 그리고 지난번에 폐렴 앓은 것은 완전히 나았고, 그래서 다른 데는 큰 지장이 없습니다. 아무래도 나이를 먹으니까 좀 기운이 떨어져요.

김주하 여사님께서도 불편하신 데는 없으시죠?

이희호 네. 건강은 좋고요. 매일 지내는 것이 거의 비슷하게 독서를 하거나 텔레비전을 보거나 신문을 봅니다. 그리고 오시는 손님들 맞이하고 그런 생활하고 있습니다.

엄기영 이제 두 분께서 금혼식을 향해 가시고 있습니다. 올해로 결혼 45주년이 되시는데 5년 뒤면 금혼식이지 않습니까? 언제 뵈어도 이렇게 다정한 모습이신데 특별한 비결이라도 있는지 말씀해 주시죠.

김대중 당신이 먼저 얘기해요.

이희호 특별한 비결이라는 것보다도 서로 대화를 자주 나누고, 하루 일과에 있어서 어떤 일이 일어났는지 얘기를 서로 합니다.

엄기영 활발하게 토론을 하시는군요.(웃음) 김 전 대통령께서는 어떻습니까?

김대중 그것은 부부간에 오래 살게 되면 장점도 눈에 띄지만 단점도 많이 눈에 띄지요. 그런데 그 단점을 보고 그것을 갖고 시비를 하기 시작하면 한이 없어요. 그러면 절대로 원만한 부부 생활을 할 수가 없어요. 부부간에 마땅치 않은 점에 있어서 때로 싸움을 하게 되는 경우에는 제일 좋은 방법은 아내가 화내면 남편이 대꾸를 안 해 버리고 남편이 화내면 아내가 대꾸를 안 해 버려야 돼요. 그래서 한 이틀 지나고 나서도 화가 나면 또 오늘만은 참자, 이렇게 참으면 이틀 전에 별것도 아닌 것 갖고 내가 그때 그랬다 이렇게 생각이 돼요. 그러니까 그게 아주 좋은 방법이에요.

엄기영 작년에 손녀 둘이 결혼을 했죠? 그래서 어떻습니까, 증손자 보실 계획 있으신지요?

김대중 그 가능성이 있지요.

이희호 올해 보게 됩니다.

김대중 두 손녀가 임신했어요. 그러니까 증손자 보게 되어 있어요.

김주하 증손자 이름도 혹시 지어 놓으셨나요?

김대중 뭐 낳을지도 모르는데 어떻게(웃음)……

엄기영 이제 2006년 새해 음력이 되면 경술년이 밝게 됩니다마는 올해 꼭 이것만은 이뤄졌으면 좋겠다 하는 바람 또는 소원, 그런 새해 계획 있으시다면 좀 말씀해 주시죠. 먼저 여사님부터 말씀해 주시겠습니까?

이희호 6자회담이 잘 이루어져서 정말 북한이 핵을 포기하고 미국이 북한을 인정하고 경제 제재를 그만하고 그래서 좀 원조함으로써 북한도 국제사회에 나와 가지고 국제사회 일원으로서 우리와 같이 더불어 살아갈 수 있으면 좋겠어요.

엄기영 민족적인 그런 기대를 말씀해 주셨는데 김 전 대통령께서는요?

김대중 나는 개인적으로는 건강이 좋아져서 국내외에서 하고 싶은 많은 일들이 있는데 그런 활동을 했으면 좋겠다는 것이고, 두 번째는 지금 집사람도 얘기했지만 남북 관계가 잘 풀려서 금년에는 한반도에 평화의 기운이 완연히 싹트고 그리고 남북 교류 협력이 한층 더 증진되는 해가 됐으면 좋겠다고 생각합니다. 세 번째는 국내적으로 지금 우리나라 경제가 상당히 발전을 하고 있지만 알다시피 빈부 격차가 심해지고 또 대기업보다는 중소기업이 더 어렵고 하니까 중소기업과 일반 서민이 희망을 갖고 살고 또 뭔가 참 잘되어 간다는 그런 변화를 느낄 수 있는 것이 금년에 이뤄졌으면 좋겠다는 그런 서너 가지 생각을 갖고 있습니다.

엄기영 국민적인 기대 꼭 이뤄지기를 빌겠습니다. 최근 김 전 대통령에 대한 국민적인 관심은 역시 북한 방문 문제가 아닐까 생각됩니다. 김 전 대통령께서 이제 북한을 방문하실 것이다 하는 원칙은 어쩌면 남북 당국 사이에서도 거의 기정사실화된 거 아니겠습니까?

김대중 네. 북쪽에서도 김정일 위원장의 초청이 거듭 있었고 또 남쪽에서도 노 대통령이 지난번 말레이시아 가기 전에 나한테 전화해 가지고 북한을 한번 다녀오도록 요청을 했고 또 정부가 여러 가지 할 수 있는 협력을 해 주겠다 이런 약속도 했습니다. 그래서 지금 남북 양쪽 정부의 그런 의사도 있고 내 자신도 또 북한을 방문하면 할 얘기가 있지 않나 생각해서 가는 방향으로 하는데 제일 변수는 건강입니다. 건강만 좋으면 한번 갔다 올까 그렇게 생각입니다.

김주하 언제 어떤 방식으로 가서서 또 무엇을 하실지, 구체적인 일에 사람들의 관심이 쏠릴 수밖에 없습니다. 언제쯤 가셨으면 좋겠다고 생각하는 날짜가 있으신가요?

김대중 아직 확정은 안 됐는데 역시 봄에, 해동하면 움직이는 것이 좋지 않나 그런 의견이 주위에 있습니다.

엄기영 북한을 방문하신다면 지금 교착상태에 빠진 6자회담이라든가 북·미 관계 또 남북 관계 이런 측면에서 상당히 의미가 크리라 저는 생각이 됩니다. 꽤 국민적인 기대도 높을 거고요. 어떤 자격으로 가시게 되는지 또 가서 김정일 위원장을 만나시게 되면 과연 무슨 말씀을 하실지 두루 궁금합니다.

우리 민족의 장래를 어떻게 개척해 나갈까

김대중 내가 어떤 자격으로 가길 바라냐는 것에 대한 노무현 대통령의 생각은 아직 못 들어 봤고요. 내 개인적인 생각으로는 역시 정부의 어떤 특사라고 하면 거기서 부여된 한정된 문제 가지고 논의를 해야 하는데, 난 그것보다는 오히려 그냥 개인적으로 방문하고 싶습니다. 그래서 같이 민족의 장래를 생각하는 사람끼리 우리 민족의 장래를 어떻게 개척해 나가면 좋은지 또 남북 양쪽 정부가 협력하는데 어떤 것이 바람직하다고 생각하는지, 미국에 대한 정책, 일본에 대한 정책 그리고 동북아 6자회담이 진행되는데 이 문제를 앞으로 더 발전시켜 나갈 것이냐의 문제, 6자회담은 어떻게 성공을 이룰 수 있겠느냐 등등을 얘기하고 싶습니다. 그리고 금년은 남북 간의 경제 협력, 문화 협력을 한층 더 증대시켜야 합니다. 지금 북한에 중국 자본과 상품이 홍수 같이 들어가고 있는데 거기에 대해서도 우리가 빨리 대응하기 위해서 북한에 진출해서 우리가 차지할 범위를 확대시켜 나가야 되지 않는가 생각합니다. 그건 북한도 바라고 있다고 생각하니까요. 여하튼 아직 간다고 제가 안 했기 때문에 무엇을 할 것이냐 그런 아이템은 확실히 구분 안 했지만 대강 그런 범위 내에서 생각을 해 보고 있습니다.

엄기영 네. 방북 경로도 또 관심사입니다. 지난번에 정동영 통일부 장관이 여기 사저를 방문해서는 철도편을 이용하는 것도 한 방법이겠다고 말씀하셨고, 전 상당히 의미가 있으리라 봅니다. 방북 경로는 어떻게 생각하고 있으신지요?

김대중 나도 그렇게 생각합니다. 제1선택이 기차로 가는 거예요. 북쪽만 동의하면 남쪽은 반대할 리가 없을 테니까요.

엄기영 이번에 북에 가시게 된다면 여사님하고도 같이 가시게 될 텐데, 어디를 가시게 되고 또 가서 어떤 일을 하실 계획이신지요?

이희호 뭐 저야 특별한 일이 없겠지요. 같이 가기는 하더라도…… 그러나 제가 관계하는 '사랑의 친구들'이 매년 의약품을 북한으로 보내고 있습니다. 금년에도 보냈고 작년에도 보냈고요. 그렇기 때문에 그 의약품이 잘 전달이 되어 어린이들이나 노약자들에게 큰 도움이 되었기를 바라는데 그 의약품을 보낸 후에 '사랑의 친구들'이 가서 본 결과 분배가 잘되고 있다고 합니다. 그래서 제 눈으로 직접 보고 싶고, 북한에 갔다 온 후 지금 5년도 넘었으니까요. 어떻게 변화가 되어 있나 그런 것도 보고 싶습니다.

김주하 지난 2000년 방북 때 여사님도 같이 가셨었잖아요? 그때 김정일 국방위원장을 같이 보셨을 텐데 인상이 어떠셨나요?

이희호 인상은 오래 사귀어서 만났던 분처럼 그렇게 다정하게 대해 줬고요. 또 유머 같은 것도 잘하시고, 사려가 깊어요.

엄기영 김정일 위원장이 서울을 방문할 가능성에 대해서는 어떻게 생각하시는지요?

김대중 지금까지도 왜 못 온다는 연락이 없고 하니까 확실한 이유는 모르겠는데, 본인이 여기 온다는 문제에 대해서 상당히 부담을 안고 있고 그것에 대해서 검토를 하고 있는 건 사실입니다. 제가 재작년 6월에 중국을 갔을 때, 중국의 지도자가 이야기하기를 그해 4월에 김정일 위원장이 중국 와 가지고 금년 내에 한국을 가겠다, 그리고 가면은 김 전 대통령도 만나겠다는 얘기를 했다고 나한테 알려 주었어요. 지금 처음 얘기 하는데 그동안 러시아가 중간에서 나로 하여금 하바롭스크에 와서 거기서 김정일 위원장을 만나는 것이 어떠냐, 그리고 원하면 푸틴 대통령이 동석하겠다는 말을 우리 외무부 측에 얘기한 적이 있었는데 내가 거절했어요. 서울로 온다고 했으니까 서울로 와야 한다, 그것이 의미가 있다고 거절한 일이 있어요.

엄기영 지난해 12월로 기억이 됩니다. 노벨평화상 수상 5주년 기념식 때 김 전 대통령께서는 이제 한반도 평화 정착을 위해서 남북연합으로의 진입이 필요하다, 이렇게 연설을 하셨는데 여기에 대해서 아직도 북핵 문제가 남아 있고 또 남북한 체제 차이가 아주 상극인 이런 상황에서 너무 때 이른 것 아니냐는 견해도 있는 것 같습니다. 김 전 대통령이 보시기에는 지금이 우리가 남북 평화 정착을 위한, 통일을 향한 그런 준비를 해야 될 단계라고 보시는지요?

김대중 이 문제는 남북이 정상회담에서 합의했습니다. 빠르다고 생각한 분들은 지금 그동안에 여러 가지 적대 관계도 있었고 체제도 다르고 하니까 그러지 않냐 그러는데, 그래서 그걸 감안한 것이 연합제입니다. 연합제는 지금과 같이 남이나 북이 다 같이 독립국가로서 기능을 그대로 보존하고, 그리고 남북이 대화를 하되 모든 것은 합의제 만장일치제로 하는 겁니다. 한쪽이 강요한 것이 없어요. 그러니까 중요한 것은 서로 많은 대화를 하고 정기적으로 대화를 한다는 것입니다. 그래서 합의된 것은 실천하고 안 된 것은 또 그 다음으로 넘기는 식으로 한다는 겁니다. 남북의 정상회담, 남북의 각료회담, 남북의 국회의원회담 등을 위시해서 남북 간의 회담을 진행시키고 서로 이해를 촉진시키고 협력할 건 협력하고 연구할 건 연구하고 이렇게 나가자는 겁니다. 현재 남북 간의 정부가 가지고 있는 권한에는 아무 문제가 없습니다. 이렇게 5년 10년이 흐른 뒤 좀 더 한 발짝 나가자 할 때 미국과 같이 연방제를 하고 이제 이만하면 됐다 할 때 통일을 하자는 겁니다. 남북연합, 남북연방 그리고 완전 통일 그렇게 3단계로 가자는 겁니다. 그러니까 이것은 아주 초보적인 통일을 위해 한 발 내딛는 거지 법적인 통일이라고 전혀 볼 수가 없습니다.

엄기영 지금 한 번 더 상황을 보게 되면 작년에 9·19공동선언으로 해서 상당히 물꼬가 좀 트이는가, 그랬더니 다시 교착상태에 빠졌고 또 최근에는 위조 달러 사건이 불거지면서 북·미 관계도 조금 껄끄럽게 된 것 같습니다. 김 전 대통령께서는 지금의 이 상황을 어떻게 파악하고 있으신지요?

김대중 좀 복잡하지요. 그런데 6자회담은 잘한 일이고 거기에 관련된 6자 누구에게나 이것이 도움이 되는 일입니다. 같이 협력해서 한반도와 동북아시아 평화 체제를 만들자 하는 거니까 누구에게나 이익이 되는 것입니다. 나는 결국 6자회담은 미국에도 이익이고 북한에도 이익이고 또 그 외에 주변 4대국에 다 이익이기 때문에 이것은 성공할 것이라고 생각합니다. 위폐니 마약이니 이런 문제들을 얘기하기 시작하면 미사일도 얘기해야 됩니다. 그러나 그것은 따로 미국과 북한이 증거 있으면 증거 내놓고 얘기하면 되고, 이 문제는 6자 간의 정치적인 협상이니까 이건 이것대로 따로 하는 것이 옳지 않나 그렇게 생각합니다.

김주하 그러면 우리 정부가 중재할 여지는 있다고 보십니까?

김대중 정부가 그런 중재를 할 수 있죠. 그런데 내가 이번에 북한 가는 것도 북한이 좀 더 한국을 활용하고 노 대통령을 활용해야 한다는 것입니다. 그래도 6자 중에서 북한을 이해하고 도와주고 있는 것이 우린데 북한이 중국에는 의존하면서 한국은 좀 덜 중요시하는 것은 북한이 재고해야 한다고 생각합니다. 그래서 그런 것도 김정일 위원장과 얘기하고 또 김정일 위원장이 빨리 노무현 대통령과 정상회담을 하라고 얘기하고 싶습니다. 여하튼 지난번에 6자회담에 북한이 복귀할 때 제가 임동원 특보가 정동영 장관하고 같이 북한에 갔을 때도 계속 북한에 대해서 권고를 했습니다. 한국을 이용하라고, 그래서 한국이 북한하고도 연락하고 미국하고도 연락해서 이 얘기를 전달해 가면서 협조할 수 있는 처지에 있기 때문에 한국을 이용하라고 했는데 내 말

듣고 한 건 아니지만 그 후로 일이 잘되어 갔습니다.

엄기영 한편으로는 북한의 인권 문제도 쟁점이 되고 있지 않습니까? 국제 사회에서는 북한의 인권 문제를 지속적으로 제기하고 있고 북한은 이것을 체제 위협으로 맞서고 있습니다. 그 사이에서 우리 한국의 역할이 너무 소극적이지 않으냐 이런 비판도 나오고 있는데, 어떻습니까? 북한 인권 문제를 바라보는 시각이랄까요, 그 해법을 말씀해 주시죠.

생존권·안보를 보장해 주어야

김대중 인권에는 두 가지가 있습니다. 하나는 먹는 인권으로 이것은 인간이란 종이 세상에 태어난 그 시간부터 가지고 있는 인권입니다. 이것은 병을 고쳐야 하는 인권, 추위 앞에서 옷 입고 살아야 하는 생존 인권을 말합니다. 이러한 인권에 대해서 우리는 지금 북한을 도와주고 있는 것입니다. 우리 다음으로 중국이 도와주고 있지만 우리는 북한에게 큰 도움을 주고 있습니다. 둘째는 인도적 인권입니다. 지금 남북한의 이산가족이 남북정상회담 이전까지 200명이 만났습니다. 그런데 남북정상회담 이후로 많은 사람이 만나서 약 1만 2천 명에 달했고 금강산에다 면회소까지 만들고 있습니다. 이것은 굉장한 인권입니다. 50년, 60년 못 만나고 언제 죽을지 모르는 사람들이 자기 혈육을 만나서 얼싸안는다는 것 이상의 인권이 어디 있습니까? 이것을 한국이 하고 있습니다. 그리고 세 번째는 북한에서 탈출해 온 탈북자들을 우리가 한 7,000명 받아들이고 있습니다. 그런데 이러한 탈북자들을 받아들이고 있는 나라는 세계에서 우리뿐입니다. 다른 나라에서는 말로는 인권, 인권 하지만 받지 않아요. 그래서 한국은 이러한 생존적 인권, 인도적 인권 이것은 해 주고 있는데 정치적 인권만 못 하고 있는 것입니다. 이것은 다른 나라도 못 하고 있어요, 말뿐이지.

내가 볼 때 북한을 정치적으로 변화시키려면 북한의 생존권을 보장해 주고 안보를 보장해 주고 북한이 외부하고 경쟁을 하게 만들어야 됩니다. 돈벌이를 하게 만들어야 해요. 그렇게 되면 외국하고 왕래를 하게 되고 외국 사람도 북한을 들어가고 또 북한은 투자도 받아야 하는데 그러려면 시장경제 원리를 체득해야 됩니다. 외국 사람들한테 여러 가지 거래에 대해서 편의도 봐줘야 하고, 이러한 상황에서 자연히 인권이 풀려 나가는 것입니다. 그리고 북한은 미국으로부터 안전을 보장받고 경제 협력을 얻는 것을 최고로 바라고 있는데 미국이 자꾸 북한을 봉쇄하니까 북한 입장에서는 백성들을 먹여 살려야겠고 또 잘못하면 미국이 쳐들어올지 모르니까 군사력은 길러야 되겠고 그래서 중국으로 기울어지고 있는 것입니다. 현재 중국의 자본과 상품이 북한에 홍수같이 밀려들어 가고 있습니다. 최근 북한 사람들은 완전히 중국풍에 휩싸여서 의복 등 여러 가지가 중국식으로 변해 가고 있습니다. 이것은 중요한 문제입니다. 특히 우리가 걱정이에요. 북한의 방대한 경제적 시장을 놓칠 가능성이 있고 또 북한을 거쳐서 유라시아 대륙으로 가는 길도 늦어지고 있는 거죠. 그래서 어떤 의미에서는 미국이 자기네는 북한의 인권 개선이라든가 북한의 잘못된 정책에 대해서 응징한다는 의미에서 봉쇄하고 있지만 현실은 중국이란 나라가 도와주고 있는 상황에서는 북한은 죽지 않아요. 오히려 자꾸 중국 품으로 밀어 넣고 있는 것입니다. 결과적으로 이런 면에 있어서 좀 더 현명한 정책을 취해야 합니다. 미국이 전후 50년 동안 공산국가와 대결해서 봉쇄하고 억압했을 때는 실패했고, 개방으로 유도했을 때는 성공했던 역사에서 배워야 합니다. 북한의 경우도 마찬가지입니다.

엄기영 이번에는 국내 문제를 한번 돌아볼까요. 지난해 12월로 기억이 됩니다. 김 전 대통령님께서 열린우리당 지도부를 만나서 정치적 계승자다, 그런 얘기를 한 이후에 열린우리당과 민주당이 서로 정치적 계승자다, 이런 주장을 하고 나섰는데 개인적으로 기분이 나쁘지는 않으셨겠습니다.

김대중 이것은 둘이 다 옳은 거예요. 내가 얘기한 것은 열린우리당이 계승자라고 얘기한 것은 아닙니다. 열린우리당에서 오신 분들 대부분이 과거에 다 나하고 같은 당 하던 분들이거든요. 그래서 내가 여러분들은 1955년에 결성된 민주당 법통을 우리가 줄곧 이어 와서 같이했지 않느냐, 그렇기 때문에 여러분은 그런 의미에서 정당의 계승자고 내 계승자도 된다. 그러한 의미에서 말한 겁니다. 그런 의미에서는 민주당도 마찬가지입니다. 그런데 나중에 보니까 열린우리당을 계승자로 얘기한 것같이 보도가 되어서, 나도 정치 해 봤지만 나한테 유리한 쪽으로 말한 거니까 그리고 그냥 말아 버렸습니다. 난 특정 정당에 대해서 특별히 지지하는 것은 과거에도 없었고 앞으로도 안 할 겁니다. 난 그런 걸 할 처지가 못 돼요.

김주하 앞으로 본격적으로 개헌론도 논의가 될 거고 또 다음 대권 후보들도 움직임이 치열해질 텐데 정치계의 원로로서 바람직한 정치 구도 방향이라든지, 아니면 정치계 인사들에게 당부할 말씀이 있다면 어떤 게 있을까요?

김대중 개헌 얘기가 나오는데요. 나도 해 보니깐 5년 단임은 일하는데 부족해요. 자기 재임 중에 국민의 심판을 받아서 잘했으면 잘한 대로 재선시킬 것이고, 못했으면 못한 대로 낙선시킬 것인데 국민한테 다시 심판을 받는 것이 필요하다고 생각했습니다. 그건 그렇고 국회의원 선거에 있어서는 지난번 선거 때 내가 한나라당하고 아주 인내심을 가지고 끈질기게 협상을 해서 마침내 한나라당이 한 그 비례대표부에서 한 정당이 독점하는 제도는 안 된다고 해서 마침내 한나라당이 동의를 했어요. 그런데 뜻밖에도 국회 마지막 날 상정이 되어서 투표하려고 하는데 자민련 부산 출신의 어떤 의원이 방해를 했어요. 그러니까 한나라당이 자기들은 하고 싶지 않았는데 할 수 없이 끌려갔는데 이거 그러면 그만두자고 나가 버렸어요. 그래서 끝났죠. 그거는 지금 난 다시 해야 한다고 생각합니다.

엄기영 지난 한 해 돌이켜 보면 또 여러 가지 아쉬운 일도 많았던 것 같습니다. 특히 국민의정부 시절 국정원장 두 분이 구속되는 일도 있었는데 전직 대통령으로서 아니면 혹은 개인적으로서 어떤 생각을 갖게 되시는지요?

김대중 내가 참 억울하게 생각한 것은 특검 때도 그랬는데 우리 정부가 나름대로 민족의 운명을 생각해서 굉장히 힘든 일을 했거든요. 그런데 그거 해 놓고 아주 억울한 누명을 쓰고 돈을 100억을 먹었네, 200억을 먹었네 하고 당했어요. 지금 대법원까지 가서 사실이 아니라고 판명이 됐는데 이번 이 일도 그래요. 이 일도 난 밑의 사람들이 한 것은 내가 대통령으로서 다 알 수가 없어요. 지금도 몰라요. 모르지만 적어도 그 두 사람은 절대로 내 말뜻을 어길 사람이 아니거든요. 그 사람이 시켜서 그 보고를 받았으면 그걸 나한테 가져와야지, 자기만 알아서 뭐 하겠습니까? 또 국정원장이라는 자리는 정보 활동을 하는 거 아닙니까? 그럼 정보를 하나라도 더 대통령한테 보고를 해야 대통령이 칭찬을 할 것 아니에요? 그런데 자기가 그 정보를 받아서 혼자 듣고 나한테 안 오면 그게 무슨 소용이 있겠어요? 절대 아니란 걸 내가 알아요. 그래서 이 문제에 대해서는 본인들이 일생을 국가를 위해서 나름대로 공헌을 했고, 평가할 만한 일생을 살아왔는데 저렇게 누명을 쓴 것이 본인들도 억울하지만 국가가 나라를 위해서 일한 사람을 이렇게 대접해서 되느냐 하는 그런 생각이 있습니다. 이제 그런 말해 봤자 소용없이 기소가 됐으니까 재판을 통해서 무죄로 판명 날 것으로 믿고 기대하고 있습니다.

김주하 두 분에 대해서 많은 시민들, 시청자분들도 궁금해하는 게 참 많습니다. 그래서 질문을 모아 봤거든요. 질문을 들으시고 또 답변 부탁드립니다.

질문 결혼을 앞둔 예비 신부인데요. 두 분을 보면 참 평등하게 잘 지내시는 거 같은데 저희도 결혼을 하면 어떻게 평등하게 잘 지낼 수 있는지 좋은 말씀 듣고 싶고 또 한 여성으로서 또 사회인으로서 어떻게 살아가면 더 좋은지 듣고 싶습니다.

가정을 이루면 사랑과 신뢰가 중요

이희호 어디까지나 가정을 이루면 사랑과 신뢰가 중요하다고 봅니다. 사랑 없이는 믿음도 없습니다. 믿고 의지하면서 서로 존중해 주며 살아가는 가운데 평등한 부부 관계를 이룰 수 있다고 생각합니다. 또한 어디까지나 여성은 어머니로서의 역할이, 옛날의 어머니나 현재의 어머니나 마음씨는 같을 것입니다. 그러나 시대의 변천에 따라서 그 시대에 적응되는 그런 자녀를 기르기 위해서 꾸준히 어머니도 스스로 공부하고 변하는 것에 대해서 자식을 적응시켜 나가는 것이 중요합니다. 물론 이것은 어머니 혼자만 하는 것이 아니라 아버지와 더불어 하는 것이지만 어머니는 좀 더 섬세하고 사려 깊은 점이 있으므로 더욱 아이들에게 애정을 기울여야 할 것입니다.

질문 저 같은 학교 졸업자들한테 중요한 것은 취업이 제일 급하다고 생각합니다. 특히 친구들 같은 경우를 보면 좋은 기업이라도 비정규직으로 취업한 경우에 앞으로 어떻게 해야 되는지 막막해하고 있습니다. 제 또래의 실업 문제를 해결할 수 있는 방안은 무엇이고 이런 거에 대해서 불안해하지 말라고 한 말씀 해 주시면 좋겠습니다.

김대중 지금 그 문제가 참 중요한 문제고 나 자신도 대통령으로 있을 때나 퇴임한 후에나 그 문제가 참 어려운 문제고 중요한 문제라고 생각합니다. 지금 제일 좋은 것은 모든 임시직을 정규직으로 해 주는 것인데 그렇게 하면 노동의 유연성이 없어서 현재 정규직이 필요 없더라도 함부로 내보낼 수가 없지 않습니까? 그것 때문에 혹은 그걸 구실로 해서 기업들이 임시직을 자꾸 늘려 간단 말이에요. 이것이 지금 문제입니다. 노동의 유연성에 대해서 노조, 기업, 정부가 대화를 통해 뭔가 해결책이 나와야 하고 또 모든 임시직을 정규직화할 수 없는 것도 사실이지만 그렇다고 해서 열악한 처우를 그대로 넘어가도 된다는 얘기는 아니에요. 그렇기 때문에 현재의 열악한 처우 즉, 싼 임금이라든가 여러 가지 복지 문제 등 적어도 생존에 관한 문제에 있어서 큰 지장이 없도록 정부, 기업, 노조, 사회적 지도자들이 시급히 대책을 세워야 한다고 생각을 합니다.

질문 서민의 한 사람으로서 요즘 경기를 보면서 참담하고 희망이 없습니다. 국제통화기금(IMF) 외환 위기를 지나면서 희망을 갖고 살아 보려고 했는데 너무 빈부의 차이도 심하고 이렇게 연말인데도 저희들 손님이 없어 가지고 힘들거든요. 그래서 김 전 대통령께 지금의 난관을 어떻게 극복을 해야 되는지 한번 물어보고 싶습니다.

김대중 아까도 얘기가 나왔는데 빈부 격차 문제에 있어서 저렇게 빈 쪽에 있는 분들은 한탄을 하는 그런 상황인데, 이것은 어느 정도 사실입니다. 현재 우리 경제를 보면 경제 체질을 강화시키고 당면한 여러 경제적 현상도 발전시키는 데는 어느 정도 성공하고 있지만 그것이 서민층에 미치지 못하고 있고 또 서민층은 상대적으로 자꾸 빈곤감을 느끼고 있는데, 이 문제는 금년에 정부가 본격적으로 노력해야 할 것입니다. 정부가 항상 다 잘할 수는 없습니다. 그래서 문제가 있는 대목은 외면하지 말고 바로 들여다보면서 국민 앞에서 정부가 본 바를 솔직하게 얘기하고 또 걱정되는 것은 솔직하게 얘기하면서 개선해 나가는 것이 바람직한데 금년이 그런 해가 아닌가 그렇게 생각을 합니다.

질문 2006년 독일월드컵이 최대 관심사인데 2002년 당시 경기장에 오셔서 함께 응원하시면 경기가 항상 승리로 마무리됐는데 이번 2006년에도 오셔서 응원하실 생각이 있으신지요? 그리고 이번에 우리 한국팀 태극 전사들의 예상 성적은 어떻게 생각을 하시는지 궁금합니다. 그리고 우리 태극 전사들에게 응원 한마디 부탁드리겠습니다. 파이팅!

김대중 지난 월드컵 때 내가 가면 이긴다는 잘못된 징크스 때문에 얼마나 가슴 졸였는지 모르겠어요. 가서 스탠드에 앉아서 경기를 보고 있으면 우리 공은 안 들어가고 그러면 내가 꼭 무슨 죄를 지은 것 같아서 아주 애먹었는데, 지금도 그런 말이 나오는군요. 여하튼 지금 내가 보면 감독도 상당히 공격적이고 당찬 감독이 온 것 같아요. 그리고 우리 선수들도 국제 무대에서 상당히 활약하고 있지 않습니까? 그런 감독과 선수들이 팀이 되어 가지고 독일에 가면 내가 볼 때 다시 한번 16강 이내로 들어가서 뭐 경우에 따라서는 4강, 3강까지도 하지 않는가 생각을 합니다.

엄기영 지금까지 각계각층의 시청자 여러분들의 질문까지 포함해서 한 시간 가까이 김 전 대통령 내외분과 좋은 얘기를 나눠 봤습니다. 앞으로 한반도의 평화, 양보와 나눔, 그리고 설득과 개방, 그런 정신으로 한반도 평화를 정착시켜 나가자 하는 오늘 말씀 아주 가슴에 와 닿습니다. 마지막으로 방송을 보고 계시는 시청자들에게 새해 인사 한마디씩 간단하게 해 주시면 고맙겠습니다. 먼저 여사님께서 해 주시겠습니까?

이희호 모두들 희망을 갖고 살아 나가기를 바랍니다. 그리고 다 같이 잘살 수 있게 가진 사람들은 조금 못사는 사람들을 위해서 나누는 그런 정신을 가지고 복지운동을 잘 해 나가 주기를 바라고 또 모두들 마음과 몸이 건강하시기를 바랍니다.

김대중 우리가 지금 모두 힘을 합쳐서 노력을 하면 우리는 다시 국운이 융성한 길로 나갈 수가 있어요. 때가 그렇게 됐어요. 지식 기반의 시대에 우리 국민이 지식에 대한 존경심이 많고 교육열이 강하지 않습니까? 문화적으로도 우리가 중국으로부터 유교와 불교를 받아들였어도 중국에 동화되지 않고 우리 것으로 만들고, 의지가 강한 국민이기 때문에 우리는 희망을 가지고 올라가야 합니다. 제일 중요한 것은 희망입니다. 희망은 누가 주는 것이 아니라 내가 만드는 겁니다. 희망을 찾아내고 희망을 지켜내면서 나가는 그런 한 해를 우리 국민이 살아 줬으면 좋겠어요.

엄기영 김 전 대통령 내외분께 오늘 아주 장시간 시간을 내주시고 정말로 좋은 말씀, 유익한 말씀 특히 희망의 말씀을 해 주셔서 우리 국민들에게 큰 위안이 됐을 줄로 압니다. 정말 고맙습니다. 문화방송(MBC) 신년 특집 「평화와 희망의 대한민국-김 전 대통령에게 듣는다」 오늘 순서 여기서 마무리하도록 하겠습니다.

김주하 시청자 여러분 새해 복 많이 받으십시오.

---

* 이 글은 2005년 12월 29일 오후 3시 연세대김대중도서관에서 녹화하여 2006년 1월 2일에 방송된 문화방송(MBC) 신년 특집 대담이다.

북·중 경제권 통합 전략적 대처 필요

대담 정서진

일시 2006년 1월 31일

　　한반도를 둘러싼 기류 변화가 심상치 않다. 북한 위폐 제조·유통 의혹을 둘러싼 북·미 간 갈등이 고조되고, 특히 미국은 대북 제재를 강화할 조짐을 보이고 있다. 이런 가운데 한국 측이 주한 미군의 전략적 유연성을 인정하고 미국 주도의 대량살상무기 확산방지구상(PSI)에 부분적으로 협력하기로 하는 등 한·미 관계도 재조정 국면을 맞고 있다. 지방선거를 앞둔 국내 정치 상황도 어수선하다. 『세계일보』는 창간 17주년을 맞아 김대중 전 대통령으로부터 북핵 문제와 한·미 관계, 남북 관계 그리고 양극화 해소 논란 등 국내외 주요 현안에 대한 견해와 우리 사회가 나아갈 방향을 듣는다. 김 전 대통령과의 인터뷰는 31일 정서진 편집국장과 전천실 통일부장, 황정미 정치부장 등이 참석한 가운데 서울 동교동 김 전 대통령 자택에서 1시간 20분 동안 진행됐다.

　　김대중 전 대통령은 31일 『세계일보』 창간 17주년 기념 인터뷰에서 미국에 대한 부정적인 인식을 수차례 표출했다. 김 전 대통령은 조지 W. 부시 대통령의 재임 중 북핵 문제가 악화된 반면 미국이 얻은 게 없다고 지적하면서

"이는 미국이 잘못한 것"이라고 비판했다. 김 전 대통령은 특히 북·미 관계가 남북 관계 발전의 저해 요인이 되고 있다고도 말했다.

정서진 국민의정부 이후 남북 관계에는 많은 변화가 있었습니다. 경협은 그런대로 좋은 방향을 유지해 왔지만 북핵 문제 등으로 우여곡절도 적지 않았습니다. 현재의 남북 관계를 총평한다면.

서로 안심하고 살아갈 수 있다는 기대

김대중 남북 관계는 정상회담 이전에 비하면 현격한 발전과 변화가 있었습니다. 다만 북·미 관계가 발전이 안 됐기 때문에 남북 관계가 많이 저해되고 있는 것이 현실입니다. 남북 간에는 서로 신뢰심이 생겼고 긴장도 크게 완화됐습니다. 우리가 지금 서로 안심하고 한반도에서 살아갈 수 있다는 기대를 갖게 됐습니다. 큰 변화가 온 것입니다. 우리가 단순히 북한에 인도적인 차원의 지원만 하는 것이 아니라, 북한에 개성공단을 만들었고 금강산 관광을 통해 경제적·문화적으로 진출하고 있습니다.

우리는 한반도라고 하지만 남한은 반도가 아닙니다. 남한은 대륙으로 못 갑니다. 동북아시아, 중앙아시아, 동유럽, 서유럽 이런 광대한 유라시아 대륙에 걸친 시장에 제대로 접근하지 못하고 있는 것입니다. 바다로 가지만 대부분 못 가고 있습니다. 북한과의 관계 개선을 통해 철의 실크로드라 할 수 있는 철도를 놓는 것이 21세기의 경제 발전을 위한 가장 중요한 조건입니다.

이를 위해 북한과의 관계 개선은 필수적입니다. 북한이 가난하니까 동냥이나 준다는 식의 생각은 발전적이지 못합니다. 앞을 내다보지 못한 잘못된 생각입니다. 퍼주는 문제가 아니라 우리가 살기 위해서, 발전하기 위해서입니다.

정서진 최근 김정일 국방위원장이 극도의 보안 속에 중국을 다녀왔습니다. 이를 계기로 북한의 개혁 개방 정책이 가속화할 것이라는 전망이 많습니다. 김 전 대통령의 의견은 어떤지요?

김대중 김 위원장의 이번 방중은 중국을 가서 보고 북한 경제 발전의 교훈을 얻고자 하는 점이 있고, 북한의 군부라든가 보수 세력에 중국의 발전상을 보여 줌으로써 그들의 폐쇄적 사고에 변화를 가져오려는 것으로 보입니다. 제가 2000년에 북한에 갔을 때만 해도 북한은 미국과의 관계 개선을 통해 변화와 국제사회 진출을 꾀하려고 했습니다. 그러나 노력했지만 성공적이지 않았습니다. 그래서 지금 북한은 미국과의 관계 개선이 잘 안 되니까 대안도 있어야겠다는 생각에서 중국을 하나의 전환점으로 삼은 것이라고 볼 수 있습니다.

정서진 위폐 문제가 6자회담 재개에 걸림돌이 되고 있습니다. 특히 위폐 문제를 둘러싼 북·미 갈등이 확산될 조짐을 보이고 있습니다. 이 문제를 어떻게 풀어야 할까요?

김대중 미국이 북한의 위폐에 대해서 직접적인 증거를 갖고 있는 것 같지는 않습니다. 지난해 9월에 열린 2단계 4차 6자회담이 상당히 성공적이었는데, 미국이 그 직후 찬물을 끼얹듯 이 문제를 들고나온 것은 우연인지 아니면 6자회담에서 북한에 많이 양보했다고 느끼고 있는 미국 내 보수 세력의 입김으로 6자회담에 영향을 주려는 것인지 잘 모르겠습니다. 다만 6자회담을 저해하는 방향으로 일을 풀어 가서는 안 됩니다.

정서진 북한의 인권과 납북자·국군 포로 등은 여전히 민감한 사안입니다. 이 문제는 어떻게 접근하는 것이 좋다고 생각합니까?

김대중 공산권은 억압과 봉쇄를 할수록 더 강해지지만, 그것을 풀고 세계를 알게 해서 자신들의 낙후된 모습을 깨닫게 하면 내부의 동요가 일어나게 되고 결국 변화가 옵니다.

북한도 마찬가지입니다. 전쟁 가지고는 영토를 점유할 순 있어도 사람들의 마음을 바꿀 수 없습니다. 이는 이미 세계에서 입증됐습니다. 개혁 개방을 유도하니까 소련 제국도 무너지고 중국도 변하고 베트남도 변했습니다. 억압 가지고는 쿠바도 못 바꾸었습니다. 이 같은 점을 조지 W. 부시 대통령과의 2001년 3월 정상회담에서 분명히 얘기했습니다. 그래서 부시 대통령이 (정상회담 직후) 기자회견에서 북한과 대화하겠다고 말한 것입니다. 그런 일도 있었습니다. 지금 크게 보면 미국의 북한 정책은 일관된 것이 없습니다.

특히 부시 대통령이 집권한 후에는 더욱 그랬고, 그 결과 미국만 손해를 입었습니다. 부시 대통령 집권 1기 4년간 북한은 핵확산금지조약(NPT)을 탈퇴했고 국제원자력기구(IAEA) 감시위원도 쫓아내 아무도 북한이 무엇을 하는지 모르는 사이 핵무기를 만들었습니다.

북한 인권을 말하는 나라는 많지만 탈북자를 받아 주는 나라는 하나도 없습니다. 말만 좋은 소리를 합니다. 또 생존적 인권과 관련해서도 우리는 북한에 식량, 비료, 약품을 지원하고 있습니다. 인도적 인권 부분에서도 많은 발전이 있었습니다. 남북이 갈라져서 50년 이상 서로 생사 소식도 몰랐습니다. 국민의정부 때까지 총 200명의 이산가족이 만났을 뿐입니다. 그런데 6·15정상회담 이후 1만 2000명이 만났습니다. 이제는 금강산면회소가 생겨서 정기적으로 같이 자면서 만날 수 있게 됐습니다. 북한 인권 문제에는 누구보다 우리나라가 가장 효과적으로 대처하고 있다고 볼 수 있습니다.

정서진 김 전 대통령의 방북에 대해 국민의 기대가 높습니다. 이번 방북에서 어떤 성과를 내기 위해 노력할 계획입니까?

김대중 제가 정부 대표도 아니고 6자회담에 대해 어떤 성과를 낼 입장이 아닙니다. 다만 한반도 평화를 염려하는 사람으로서 여러 가지 이야기를 해보고 싶다는 것입니다. 중요한 결정은 노무현 대통령과 김 위원장 두 분이 만

나서 합의할 일입니다. 저는 도움 되는 일을 해야겠다는 생각을 하고 있을 뿐입니다.

정서진 방북이 실현되면 구체적으로 김 위원장에게 어떤 말씀을 할 것입니까?

김대중 김 위원장과 저는 사전에 무슨 계획을 세우지 않습니다. 앉아서 둘이 얘기하면서 결정해 나가야 합니다. 그때(2000년)도 뭐 사전 합의 같은 것은 없었습니다. 직접 얘기해 보니까 잘됐습니다. 머리가 좋은 사람이고 국제 정세와 남한 사정을 잘 알고 있습니다. 남한의 영화, 가수 얘기는 나보다 더 잘합니다. 남의 말을 잘 알아듣고 그 말이 옳으면 그 자리에서 결정합니다. 옆에 김용순 대남 비서가 있었는데 그 사람한테 묻지도 않고 혼자 다 결정했습니다. 서로의 생각을 잘 알고 있고 대화 후에 서로 어떻게 행동했는지도 잘 알고 있기 때문에 잘될 것으로 생각하고 있습니다.

정서진 기차를 타고 방북하고 싶다는 희망을 피력한 것으로 아는데 실현 가능성은 있습니까?

김대중 가장 원하는 것은 육로를 통한 방북입니다. 2000년에도 갈 때는 비행기, 올 때는 육로가 좋겠다고 제안했는데 북한 반응이 좋지 않아서 실현되지 않았습니다. 기차를 통한 방북을 특별히 바란 것은 (경의선) 열차 개통에 관심이 많기 때문입니다. 정부 고위층도 그렇게 하면 좋지 않겠느냐고 했습니다.

정서진 한·미동맹이 재조정 국면을 맞고 있습니다. 시대에 따라 변화가 불가피한 측면이 있는데, 한·미동맹의 바람직한 모습은 어떠해야 한다고 생각합니까?

종속 국가가 아닌 이상 안 되는 것은 안 된다

김대중 한·미동맹에 균열이 있다는 시각은 현 상황을 오해하는 데서 생긴 것이라고 봅니다. 지금 한국은 미국, 영국 다음으로 많은 군대를 이라크에 파병하고 있습니다. 2차대전 때 미국에 많은 신세를 진 프랑스와 미국에 많은 타격을 준 독일은 모두 파병을 하지 않았습니다. 우리는 최전방에 배치된 미 2사단을 철수하는 데 동의해 줬고, 또 용산 미군 기지를 옮기는 것도 정부가 돈까지 대주면서 합의했습니다. 미국과 전략적 유연성 문제도 합의했습니다. 미국에 중요한 문제를 합의해 주지 않은 것은 없습니다. 종속 국가가 아닌 이상 안 되는 것은 안 된다고 할 수 있어야 합니다. 현재 상황은 결코 우려할 만한 것이 아닙니다. 지금 미국의 일부 지도자가 독일과 프랑스를 제쳐 놓고 우리만 배신자처럼 대하는 것은 차별적인 생각에서 비롯된 것이 아닌가 생각합니다.

정서진 최근 북한과 중국은 정치·경제적으로 급속히 가까워지고 있습니다. 중국이 북한을 겨냥해 '경제판 동북공정'을 진행 중이라는 지적도 나오고 있습니다. 어떤 대책이 필요할까요?

김대중 북한과 미국의 관계를 좋게 만들어야 합니다. 그것을 통해 북한이 국제통화기금(IMF)과 같은 국제 금융기구에서 돈도 빌려 쓰게 만들고, 일본과 국교를 정상화해 배상금도 받게 하고, 세계 각국이 북한에 투자하도록 우리가 역할을 해야 합니다. 중국이 북한에 들어가는 것을 막을 순 없습니다. 우리나라에 세계 모든 투자가 다 들어오듯이, 우리도 북한 들어가서 북한이 자유경제 제도를 이루도록 도와주고 압록강 건너 대륙으로 진출해 한강의 기적에서 압록강 기적의 시대를 만들어야 합니다.

정서진 노무현 대통령은 지난 18일 신년 연설에서 양극화 해소를 위한 '근본적 해결책'을 언급하면서 논란이 일고 있습니다. 양극화 문제의 해법은 무엇일까요.

김대중 경제를 발전시키고 양극화를 해소하는 문제는 왕도는 없습니다.

다만 제일 중요한 것은 경제 발전입니다. 발전이 없으면 나누어 줄 것도 없습니다. 발전을 하려면 투자가 왕성하게 일어나도록 분위기를 만들어야 합니다.

그리고 기업이 돈 많이 버는 것을 칭찬해야 합니다. 그래서 세금을 많이 내면 애국자로 취급하고, 국민 앞에서 그 사람들이 떳떳하도록 해 줘야 합니다. 돈 가지고 있는 것을 죄인 취급해서는 안 됩니다. 돈 버는 사람들 중에 잘못하는 사람은 그것대로 처벌하면 되지, 돈 버는 사람 전체를 죄인 취급해서는 안 됩니다.

정서진 지난 3년간 노무현 정부의 경제 정책에 대해 어떻게 평가하는지요?

김대중 이 문제에 대해선 크게 잘못했거나 실패했다고 보지 않습니다. 잘한 점도 있고 잘못한 것도 있습니다.

정서진 올해는 지방선거가 있고, 내년에는 대통령 선거가 있습니다. 그러나 지역감정 등 많은 문제가 여전히 풀리지 않고 있습니다. 우리 사회가 이런 문제에 어떻게 대처해야 할까요?

김대중 저는 우리나라 정치가 상당히 잘 발전돼 왔다고 생각합니다. 현재 한국에서 쿠데타가 일어난다는 것은 감히 상상도 할 수 없게 됐습니다.

그만큼 국민의 힘이 강해졌고 민주주의 기반이 튼튼해졌습니다. 이걸 누가 이룩했느냐. 국민입니다. 국민을 믿으면 됩니다. 우리 국민에게는 자정력이랄까 그런 능력이 있습니다.

선거 문화도 옛날에 비하면 많이 좋아졌습니다. 이젠 돈을 주고 하는 일은 거의 사라졌습니다. 잘못하면 그땐 국민이 가만있지 않을 것입니다. 언론이 국민에게 정확한 정보를 계속 주면 국민이 올바른 판단을 하고 여러 가지 문제를 해결할 것이리라 믿습니다. 국민을 믿고 국민과 함께 가면 됩니다.

정서진 사학법 개정으로 나라가 시끄럽습니다. 여야가 사학법 재개정 문제를 논의하기로 일단 합의했지만, 최종 합의는 여전히 쉽지 않을 것으로 보입니다. 정치권에서 이 문제를 어떻게 해결해야 할까요?

김대중 대화해야 합니다. 나는 얼마만큼 양보할 수 있는데 당신은 얼마나 양보하겠느냐는 식으로 주고받는 협상이 이뤄져야 합니다. 민주주의란 그런 것입니다. 대화하고 협상하는 길밖에 방법이 없습니다.

정서진 전직 대통령으로서 다음 나라를 이끌 지도자는 어떤 능력이 있어야 한다고 봅니까? 여야의 잠재적 대선 주자들에게 조언해 줄 부분이 있다면.

김대중 국민이 가장 원하는 지도자가 대통령이 돼야 합니다. 국민이 판단해서 뽑은 대통령이 설사 조금 못하고 누가 강요해서 시킨 대통령이 잘해도 전자가 훨씬 낫습니다. 국민이 자기 힘으로 뽑은 사람이기 때문입니다. 문제는 국민을 믿을 수 있느냐 하는 것입니다.

저는 국민을 믿을 수 있다고 생각합니다. 국민이 훌륭한 대통령을 뽑을 것이고, 좀 부족하더라도 국민이 스스로 뽑았기 때문에 지지할 것입니다.

남북 관계의 발전과 민족의 미래

강연 영남대학교
일시 2006년 3월 21일

김대중 존경하는 김동건 이사장, 우동기 총장, 이의근 총동창회장, 평화통일대구시민연대, 내외 귀빈 여러분!

그리고 친애하는 학생 여러분!

오늘 전통을 자랑하고 나날이 발전하고 있는 영남대학교가 저에게 강연을 하도록 하고 명예 박사학위를 받는 영광을 주신 데 대해서 진심으로 감사를 드립니다.

존경하는 여러분!

지금 남북 관계의 현황을 어떻게 평가할 수 있겠습니까? 한마디로 말해서 남북 관계는 6·15남북정상회담 이후 지난 6년 사이에 획기적인 진전을 이룩하고 있다고 말할 수 있겠습니다. 6·15공동선언은 미국 시카고 대학의 브루스 커밍스 교수가 지적한 대로 한민족이 역사 속에서 보기 드물게 자기 운명을 자기 의지를 가지고 결정한 사건인 것입니다.

우리 역사를 통해서 우리는 그 대부분이 중국에 종속되었고, 일제에 침탈되었으며, 미군정의 통치를 받기도 하였습니다. 그리고 냉전 체제는 우리가 우리의 운명을 자주적으로 해결하는 것을 불가능하게 만들었던 것입니다. 그러나 6·15남북정상회담은 우리의 운명에 간섭하는 모든 영향력을 배제하거나 설득하면서 자주적인 남북공동선언을 일구어 냈던 것입니다.

제가 순안공항에 내려서 김정일 위원장과 악수를 했을 때 김 위원장은 제게 "여기 무서운 곳을 어떻게 오셨습니까?"라고 했습니다. 이 말은 비록 농담이었지만 남북 간의 현실을 한마디로 상징한 말이었다고 생각됩니다.

그러나 평양 시내 연도에는 50만의 인파가 나와서 환영을 했고, 김 위원장과 총 10시간에 걸친 대화를 통해서 우리는 많은 상호 이해와 합의를 이끌어 낼 수 있었습니다. 매우 성공적인 방문이었습니다.

김정일 위원장은 총명한 사람이었고, 이쪽 말이 합리적이라고 생각하면 그 자리에서 즉시 수용하는 결단력을 보였습니다. 세계와 남한의 사정도 잘 알고 있었습니다. 한마디로 대화가 되는 사람이었습니다. 이 점에 대해서는 그 후로 김 위원장을 만난 올브라이트 미 국무장관이나 페르손 스웨덴 총리도 같은 인상을 받았다고 말하였습니다.

우리는 6·15정상회담을 통해서 민족 자주의 통일 원칙, 남측의 '남북연합' 주장과 북측의 '낮은 단계의 연방제'에 대한 공통성의 인식, 화해와 협력과 교류의 증진 등에 대해서 광범위한 합의를 보았습니다. 김정일 위원장의 서울 답방도 난산 끝에 합의되었는데, 이 합의는 여러분이 아시는 대로 아직 실행되지 않고 있습니다. 이번에 제가 방북하면 거기에 대한 설명도 있을 것으로 압니다. 김 위원장의 답방은 반드시 이루어져야 할 것입니다.

존경하는 여러분!

2000년 6·15 방북의 성과는 어떠한 것이겠습니까?

"퍼주기다", "북에 끌려다닌다" 등의 비판을 하는 분이 있습니다. 모든 문제에 대해서는 다양한 의견이 있기 마련입니다. 그러나 누구도 부인할 수 없는 것은 6·15정상회담 이후 남북 관계가 크게 변화했다는 사실입니다.

첫째, 한반도의 긴장이 크게 완화되었습니다. 옛날에는 휴전선에서 총소리 한 방만 나도, 베트남에서 미군이 패전해도, 우리나라는 전쟁의 공황 상태에 들어갔습니다. 그러나 지금은 그런 일 없이 국민들이 안심하고 살고 있습니다. 2002년 월드컵이 끝나 갈 무렵 서해 해상에서 남북 간의 해전이 있었을 때도 우리 국민은 흔들림 없이 침착히 대응하여 월드컵을 성공적으로 마무리 지었습니다. 그만큼 긴장 완화에 대한 신뢰가 컸던 것입니다.

둘째, 2000년 이래 남북 간에는 많은 교류가 이루어졌습니다. 120만 명이 금강산 관광을 다녀왔습니다. 10만 명이 넘는 민간인이 남북을 왕래하고 있습니다. 1만 2천 명이 넘는 이산가족이 상봉을 했고 앞으로도 계속할 것입니다. 체육인, 문화인 등의 왕래도 활발합니다. 7천 명이 넘는 탈북자도 순조롭게 남한 땅으로 들어와 살고 있습니다. 개성공단에서는 이미 10여 개의 공장이 가동되고 있고, 전체 가동이 끝나면 약 70만 명의 북한 노동자가 여기에서 일자리를 얻게 될 것이라고 합니다.

가장 뜻깊은 것은 이산가족의 상봉입니다. 60년 동안 혈육의 생사도 모르고 애타면서 한 분 한 분이 세상을 떠나가고 있는 것이 이산가족의 현실입니다. 6·15정상회담까지는 50년 넘도록 겨우 200명만이 가족을 상봉했습니다. 그러나 6·15 이후 이미 1만 2천 명이 상봉을 했습니다. 지금 금강산에 건설 중인 면회소가 준공되면 전면적인 상봉의 시대가 올 것입니다. 국군 포로나 납치 인사들의 가족들의 재결합도 있어야 할 것이고 이미 일부는 이루어진 예도 있습니다.

셋째, 우리는 북한의 경제적 어려움을 해결하는 데 도움을 주기 위해 정부와 민간이 힘을 합쳐서 비료, 식량, 의약품, 기타 생필품을 상당량 지원해 왔습니다. 그 결과 북한의 농업 생산을 크게 증산시키고, 지원된 식량은 굶주린 사람들의 고통을 덜어 주고 있습니다. 의약품 등은 환자들의 긴급한 수요를 채워서 많은 인명을 구제하고 있습니다. 남쪽에서 온 이러한 물자들은 북한 사람들에게 큰 감동을 주는 가운데 그들의 생각이 많이 바뀌어 가고 있습니다.

그들은 지금까지 남한 사람들이 미 제국주의의 앞잡이가 되어서 자기들을 말살하고 공격하는 데만 관심이 있는 줄 알았습니다. 그러나 원수로 생각했던 남한에서 남한 군대의 총사령관인 대통령이 평양을 방문하여 화해 협력을 호소하고, 곧이어서 식량과 비료 등 각종 구호물자가 도착한 것을 보고 지금까지의 북한 정부의 선전이나 자기들의 생각이 잘못되었다는 것을 알게 되었습니다. 이제 북한 사람들은 남한에 대해 동경심, 감사, 이런 생각이 널리 퍼져 있습니다. 뿐만 아니라 남한의 대중가요, 텔레비전 드라마, 패션 등은 북한의 사회생활에 공개, 비공개로 큰 영향을 주고 있습니다.

존경하는 신사 숙녀 여러분, 그리고 학생 여러분!

6·15정상회담 이후 비록 남북 관계에 큰 변화가 일어났다고 하지만 아직도 근본적이고 결정적인 변화는 이룩하지 못하고 있습니다. 그 최대 원인은 북·미 관계가 원만하게 해결되지 않는 데 있습니다. 그러므로 우리는 남북 관계 개선 못지않게 북·미 관계를 개선하는 데도 내 일같이 힘을 보태야 할 것입니다.

지금 북·미 관계의 초점은 북한 핵 문제입니다. 북한 핵 문제는 반드시 해결되어야 합니다. 북한은 핵을 포기하고 철저한 검증을 받아야 합니다. 그리고 미국은 북한의 안전을 보장해 주고 경제적 제재를 해제해야 합니다. 이러한 상대방이 요구하는 카드를 서로 주고받으면서 이를 동시에 실천해야 합니다. 왜냐하면 서로 불신이 있는데도 불구하고 한쪽보고만 먼저 실천하라하면, 그런 거래는 성공하기가 어렵기 때문입니다.

북한은 이미 자기네 핵을 완전히 포기하고, 심지어 미국의 검증을 받을 용의가 있다고까지 말하고 있습니다. 이제 미국이 보다 진전된 반대급부를 제시할 필요가 있다고 생각합니다. 그리고 6자회담에서 이것을 수용하고, 그 실천을 6자가 공동으로 보증하는 합의가 이루어져야 할 것입니다.

존경하는 신사 숙녀 여러분!

남북이 서로 평화적으로 살다가 평화적으로 통일하는 우리의 꿈을 실현하기 위해서 우리는 어떻게 해야 하겠습니까? 나는 여기에 대해서 '햇볕정책'을 제창하고 있습니다. 냉전의 빙벽을 무너뜨리고 따뜻한 햇살이 내리쬐는 남북 관계를 이룩하자는 것입니다. '햇볕정책'은 구체적으로 말하면 평화 공존, 평화 교류, 평화 통일의 3원칙 위에, 남북연합, 남북연방, 완전 통일의 3단계 통일을 실천해 나가자는 것입니다.

지금 현 단계에서는 평화 공존하면서 안심하고 서로 협력해 나가는 교류 협력이 매우 중요합니다. 그러는 가운데 남북 민족 간의 동질성 회복과 화해 협력을 증진시키고 북한의 경제력도 강화시켜 통일 시에 남쪽의 부담이 지나치게 크지 않도록 해야 합니다. 이렇게 해서 10년이고 20년이고, 평화 공존, 평화 교류하다가 서로 안심할 만큼 신뢰와 협력의 여건이 성숙되었을 때, 북한의 경제력이 상당히 발전되었을 때, 평화적으로 통일을 하자는 것입니다.

통일은 가장 중요한 민족의 목표이지만, 이것은 서두르지 말고 어디까지나 착실하고 안정된 기조 위에 추진해 나가야 할 것입니다. 통일 과정은 남북이 각자 윈윈(win-win)하는 공동 승리의 기반 위에 이룩해 나가야 할 것입니다. 우리 조상들은 삼국을 통일해서 천 년 이상 완전한 통일국가를 유지해 왔습니다. 이제 우리도 조상들의 가르침에 따라 자력에 의한 평화적인 통일을 이룩하는 역사를 다시 한번 실천해 나가야겠습니다.

존경하는 여러분!

북한과의 통일은 단순히 겨레의 재통합이라는 민족적 감상에서 필요한 것만은 아닙니다. 그것만이 우리 민족이 평화적으로 살고 경제적 도약을 이룩해서 다 같이 행복하게 사는 길이기 때문에 반드시 이룩해야 하는 것입니다. 평화를 위해서는 오늘의 남북의 교류 협력을 계속 발전시켜 나가야 합니다.

우리는 대구에서 있었던 유니버시아드대회에서 확인했습니다. 우리는 서로 사상은 다르지만 하나의 민족이고 하나의 핏줄로서 얼마든지 화해하고 협력하면서 살아갈 수 있다는 것을 말입니다.

다시 한번 강조합니다. 우리가 민족의 미래를 바르게 개척해 나가려면 다음과 같은 노력이 필요합니다.

첫째는, 평화 공존을 지향하면서 다시는 이 땅에서 동족상잔의 전쟁이 일어나지 않도록 평화 체제를 확고히 해야 합니다. 튼튼한 평화 체제를 구축해서 남북이 다 안심하고 살아가야 합니다. 오늘의 분단과 대결은 우리 민족의 의지와 상관없이 강대국들의 파워 게임 속에서 이루어진 것입니다. 이제 우리는 우리의 의지로서 이를 시정해야 합니다. 전쟁 상태의 종식과 평화 체제의 확정을 위해서 남북이 적극 협력해야 할 것입니다. 7천만 민족이 여기에 힘을 모아야 합니다. 미국 등 우방 국가들과의 협력도 평화를 위한 협력이 되어야 할 것입니다. 다시는 이 땅에서 전쟁의 검은 그림자가 우리의 생명과 재산을 위협하지 않도록 우리 모두 각오를 굳게 해야 합니다.

둘째, 남북 간의 정치, 경제, 사회, 문화, 환경 등 전반에 걸쳐서 협력 체제가 이루어져야 합니다. 남북 간의 협력, 특히 경제 협력은 북한만을 위한 것이 아닙니다. 남쪽을 위해서도 매우 중요합니다.

북한은 거리가 가깝습니다. 같은 민족으로서 문화와 언어가 같습니다. 북한의 노동력은 우수하고 임금은 저렴합니다. 따라서 남쪽에서 경영이 어려운 중소기업도 북쪽으로 가면 충분히 활로를 찾을 수 있습니다. 우리는 자본과 기술을 제공하고, 북한은 토지와 노동력을 제공하는 상호 보완적 협력은 남북 양쪽을 위해서 큰 보탬이 될 것입니다.

철도, 항만, 도로, 통신 등 각종 산업과 관광 등 북한 경제의 핵심적인 요소들이 남측과 30년 내지 50년 기간의 배타적 공동 개발을 위한 합의가 되어 있습니다. 우리는 개성공단의 성공을 기반으로 북한 전역에 대해 이러한 공단 건설도 추진해야 할 것입니다. 남한의 북한 진출은 남과 북이 다 같이 혜택을 보는 윈윈 베이스의 협력이 되어야 오래갈 수 있고 성공할 수 있습니다. 지금 남쪽에는 400조 원이 넘는 돈이 투자처를 찾지 못해 떠돌고 있습니다. 남북 간의 경제 협력이 본격화하면 이 중 상당 부분이 북한에 투자될 것입니다.

우리 경제의 활로를 찾기 위해서도 남북 간의 평화와 교류 체제가 필수 불가결합니다. 우리는 북한에 대한 약간의 지원을 문제 삼기에 앞서 남북 경제 협력이 곤란에 처한 우리 경제, 특히 중소기업의 활로를 여는 데도 중요한 길이라는 것을 인식하고 경제 협력을 위해서 적극적으로 나서고 지원합시다.

셋째, 한반도는 말은 반도지만 남쪽 부분은 반도가 아닌 상태입니다. 반도는 바다로도 통하고 육지로도 통해야 반도입니다. 우리는 북한을 지나서 유라시아 대륙으로 나아가지를 못합니다. 기차로도, 자동차로도, 동북아시아, 중앙아시아, 동유럽, 서유럽으로 가지 못하고 있습니다. 육로로 가는 것은 바다로 가는 것보다 약 30퍼센트의 비용과 시간의 절감을 가져올 수 있다고 합니다.

지금 시베리아와 중앙아시아 일대는 석유, 가스, 광물자원 등 풍부한 지하자원들이 쏟아져 나오고 있습니다. 그런데 우리는 여기에 접근하는 데 큰 제약을 받고 있습니다. 그 가장 큰 이유는 북한을 거쳐서 유라시아 대륙으로 나갈 수가 없기 때문입니다. 유라시아 대륙을 관통하는 '철의 실크로드'가 열렸을 때 우리는 세계 인구의 반이 넘는 시장에 빠짐없이 접근할 수 있습니다. 그렇게 되면 한국은 유라시아 대륙의 동쪽의 물류의 거점이 되어 서쪽의 파리, 런던, 암스테르담까지 연결되는 물류의 허브가 될 것입니다.

물류가 일어나게 되면 금융, 보험 등이 일어나고 생산업이 활기를 띠게 됩니다. 관광과 문화 예술이 발전돼서 '제2, 제3의 한류'의 전성시대가 올 것입니다. 그렇게 됐을 때 한국은 21세기 주류 국가로서 우리 역사상 처음 보는 세계적 국가의 큰 영광을 안게 될 것입니다. 우리 민족은 필요한 일을 무엇이든지 해내고 있습니다. 민주화를 이룩했습니다. 경제 번영과 아이티(IT) 강국을 실현시켰습니다. 외환 위기를 극복하고, 세계적 무역 대국으로 부상하고 있습니다.

축구와 야구에 있어서 우리도 놀라고, 세계도 놀란 엄청난 힘을 발휘하고 있습니다. 우리는 해낼 수 있습니다. 그러기 위해서는 남북 간의 평화, 전반적인 교류 협력, 그리고 유라시아 대륙으로의 진출이 필수 불가결합니다. 지금까지 우리는 많은 것을 해냈습니다. 우리는 해내야 합니다. 젊은 여러분들이 그 바통을 이어받고 힘찬 견인차의 역할을 해낼 것입니다.

내일은 젊은이의 것입니다.

야망과 헌신에 찬 젊은이야말로 민족의 꿈이요, 희망입니다.

여러분의 건승과 행운을 빕니다.

감사합니다.

질의응답

질문 이번에 영남대 정치학과에 입학한 새내기 조지연입니다. 제 꿈은 훌륭한 정치가가 되는 것인데, 대학에 입학해 보니 취업이 어려운 상황이라 그냥 공부나 열심히 해서 취직하라고 많은 분들이 이야기합니다. 저같이 훌륭한 정치가가 되고자 하는 새내기에게 좋은 말씀 부탁합니다.

김대중 지금 우리나라는 여성들이 각 분야에서 엄청난 속도를 가지고 진출하고 있는데, 정치계가 조금 비어 있는 것 같습니다. 그런데 지금 여성께서 나서고 있는 것을 보니까 정치계도 곧 남성들이 밀려나는 시대가 오지 않는가 생각됩니다. 그 꿈을 가진 것이 얼마나 좋습니까? 그 꿈을 끝까지 밀고 나가십시오. 도중에 변하거나 포기하는 일이 없기를 바랍니다.

정치인으로서 훌륭하게 성공하려면 다른 분야도 그렇지만 저는 서생적 문제의식과 상인적 현실감각을 가져야 한다고 생각합니다. 서생적 문제의식 즉, 원칙과 철학의 확고한 다리를 딛고 서서 그 기반 위에서 상인적 현실감각을 갖추어야 합니다. 마치 장사하는 사람들이 임기응변으로 돈벌이를 하듯이 현실을 잘 다루어 나가는 기술과 능력을 구비해야 한다고 생각합니다. 그 두 가지를 갖추었을 때 그 사람은 정치적 소신도 있고 이를 실천할 수 있는 능력도 있는 사람이 될 것입니다.

그리고 정치를 하는 데 있어서 제일 중요한 것은 국민의 생각입니다. 국민이 바라지 않은 일은 할 수 없습니다. 좋은 의견도 국민이 따라오지 않으면 기다리고 서서 설득해야 합니다. 국민의 손을 잡고 반 발짝 앞으로 가면서 그 손을 놔서는 안 됩니다. 자기가 옳다고만 생각하면 뭐든지 하고, 국민이야 따라오건 말건 상관없다는 생각으로는 절대 성공할 수 없습니다. 그러나 또 국민이 잘못 생각하고 있는데 거기에 영합하면 성공하지 못합니다. 국민이 잘못 생각할 때는 설득하고 교육시켜야 합니다. 그때도 기다려야 합니다. 이렇듯 국민과 같이 가는 자세가 필요하다고 생각합니다. 친구들이 직장을 갖고 취직하라고 이야기하면 그것을 거부할 필요가 없다고 생각합니다. 정말 유능한 정치인이 되려면 사회 경험도 필요하고 또 어떤 분야에서는 전문적인 지식과 능력이 필요합니다. 벌써 1학년 때부터 그러한 큰 뜻을 갖고 있으니 잘 해서 우리나라 여성 대통령까지 되시기 바랍니다.

질문 저는 대구 동구에 사는 강갑수입니다. 9·19, 6자회담 선언 채택에도 불구하고 북핵 문제의 평화적 해결이 어려워지고 있는 가운데 대통령님의 6월 방북이 예정되어 있습니다. 이번 방북이 북핵 문제의 평화적 해결에 어떠한 도움이 될 것인지 궁금합니다.

김대중 지금 미국이 북한에 대해서 필요하면 선제공격을 할 것이라는 말들이 있는데 제가 알기로는 그것이 미국의 정식 정책으로는 결정되지 않은 것으로 알고 있습니다. 그러나 그러한 가능성을 주장하는 사람들이 정권 내에 있는 것도 사실입니다. 우리는 어떠한 일이 있어도 한반도에서 다시 전쟁이 일어나도록 해서는 안 됩니다. 저는 재임 중 부시 대통령에게도 이 점만은 분명히 이야기하고 반드시 평화적으로 문제를 해결해야 한다고 이야기했습니다. 또 북한의 대량살상무기 같은 것을 그대로 방치할 수는 없지만 그것을 해결하려는 방법이 반드시 무력을 사용해야 한다는 생각을 갖지 말아야 한다고도 이야기했습니다.

부시 대통령이 2002년 2월에 서울을 방문했을 때의 일입니다. 그때 방한 1개월 전에 부시 대통령은 이란과 이라크, 북한을 '악의 축'으로 이야기해서 매우 긴장된 상태였습니다. 정상회담은 부시 대통령과 저와 단둘이 하는 단독 회담을 60분, 각료들과 하는 회담을 60분을 하기로 예정되어 있었지만 저와 부시 대통령은 진지한 대화를 하다 보니 단독 회담만 120분을 했습니다. 회담 결과는 매우 만족스러웠습니다. 부시 대통령은 회담 중 북한을 '악의 축'이라고 하는 이유로 북한 정권은 백성들 밥도 먹이지 못하면서 군비만 증강시키는 이해할 수 없는 독재정치를 하고 있다고 이야기했습니다. 그때 저는 이렇게 이야기했습니다. "지금 여러분들이 북한처럼 악을 행한 자와 대화를 하지 못한다고 말하지만 당신들이 존경하는 레이건 대통령도 소련을 악마의 제국이라고 이야기해 놓고 그 악마의 제국과 대화를 했다. 미국이 한국과 함께 6·25전쟁을 치르고 전쟁을 하고 있는 도중에도 북한과 휴전협정에 관한 대화를 했다. 그래서 1953년 휴전협정이 맺어져 지금까지 50년 이상 큰 탈 없이 휴전선을 지키면서 평화적으로 살아왔다"고 이야기했습니다.

이 자리에서 제가 여러분께 참고가 되기 위해서 말씀드리면 공산국가를 다루려면 공산국가에서 얻은 교훈을 헛되이 하지 말아야 합니다. 과거 미국은 소련을 50년 동안 냉전으로 봉쇄했지만 성공하지 못했고, 중국에서도 못 했습니다. 베트남과는 전쟁까지 했지만 못 했습니다. 지금 미국 눈앞에 있는 조그마한 나라 쿠바도 50년 동안 봉쇄했지만 변화시키지 못했습니다. 그러나 소련이건 동유럽이건, 중국이건 베트남이건 서로 교류 협력하고 개혁 개방으로 유도했을 때는 모두 변화했습니다. 어떤 나라는 민주국가로 변하고, 어느 나라는 독재가 크게 완화되어 미국, 서방국가 등과 좋은 관계를 유지하고 있습니다.

제가 이번에 북한을 방문하면 저는 정부 대표도 아니고 특사도 아니기 때문에 공식적인 사명을 수행할 수는 없습니다. 다만 같은 민족으로서 민족의 운명과 관계가 있는 사안에 대해서 이야기를 할 것입니다. 우리 민족이 평화를 유지하면서 남북 양쪽이 모두 승리하는 통일을 하려면 어떻게 해야 하는가와 그러한 가운데서 6자회담이라든가 북·미 관계, 북·일 관계는 어떻게 할 것인가에 대해서 북쪽의 이야기도 듣고 우리 쪽의 말도 하려고 합니다. 그러나 아직 상대와 이야기를 하지 않았기 때문에 지금 이 자리에서 제가 무슨 말을 하려고 한다고 이야기하면 그것이 오해를 살 수도 있기 때문에 이 정도 수준에서 여러분에게 말씀드리려고 합니다. 결론적으로 남북 관계 전반에서 평화를 위해서 더한층의 교류 협력을 위해서 필요한 그러한 대화를 하려고 합니다.

질문 안녕하십니까. 저는 중국의 칭다오에서 한국 최고의 명문 대학교 영남대학교에 유학 온 이나라고 합니다. 김대중 전 대통령님을 뵙게 되어 아주 영광입니다. 중국에 돌아가서도 자랑할 수 있을 것 같습니다. 제 생각에는 동북아 지역의 평화를 위해서는 남북통일뿐 아니라 중국, 한국, 일본 3국의 평화적인 외교 관계도 또한 중요하다고 생각합니다. 김대중 전 대통령께서는 이 3국의 평화적 외교 관계를 위해서는 어떠한 노력을 해야 한다고 생각하십니까?

김대중 3국 간의 협력 관계는 동북아시아의 평화를 위해서뿐만 아니라 동남아시아의 안정과 평화를 위해서도 매우 필요합니다. 대통령에 재임 중 아세안+3 정상회의에 참석해 보면, 동아시아 전체에 있어서 가장 큰 영향력을 갖고 있고 경제적·군사적 실력을 갖고 있는 나라가 한·중·일 3국입니다. 그렇기 때문에 결국 3국 관계가 동아시아 전체의 평화에 중요한 역할을 한다고 생각합니다.

재임 중 아세안+3 정상회의에서 한·중·일 3국 정상회의를 해마다 했습니다. 그러나 최근 일본과의 관계 때문에 중단되고 있는 것 같습니다. 지금 문제의 근본 원인은 일본이 과거사에 대해서 올바른 반성을 하지 않는 데 있습니다. 일본은 과거 자기들이 일으킨 전쟁에 대해서 오히려 자기들이 억울하다고 생각하고 있습니다. 일본은 동남아시아로부터 석유, 고무, 주석 등의 원료를 수입하려는 것을 미국이 막았기 때문에 할 수 없이 전쟁을 일으킨 것이라고 항변하고 있습니다. 어떤 의미에서는 미국이나 영국이 일본을 전쟁으로 유도해서 전쟁을 일으킨 것이라는 식으로 이야기하고 있습니다. 이 점을 일본의 많은 사람들이 공감하고 있고 급속히 우경화하고 있습니다. 일본이 미국과 전쟁을 하게 된 것은 물론 일본이 먼저 기습을 했지만 근본적으로는 미국이 일본에게 중국 침략을 중단하고 군대를 철수하지 않으면 원료의 수입을 막겠다고 한 것입니다. 그런데 일본은 본인들이 저지른 부당한 중국 침략 부분은 빼 버리고 미국이나 영국이 원료 수입을 중단시켰다는 부분만을 이야기하며 자기들이 오히려 희생자고, 히로시마나 나가사키에 원자폭탄을 맞은 것도 자기들이 세계에서 유일한 원자폭탄 피해자라고 생각하고 있습니다. 이렇듯 일본은 자기 쪽에 유리한 부분만을 이야기하고 있습니다.

저는 일본이 이렇게 된 원인이 일본 국민들이 전후 과거사에 대한 교육을 받지 못했기 때문이라고 생각합니다. 일본 국민의 80퍼센트 이상은 일본이 과거에 저지른 나쁜 짓을 모릅니다. 때문에 세계 2위의 경제력을 갖고 있고 군사력을 갖고 있지만 왜 죄인 취급을 받아야 하느냐는 생각을 갖고 있습니다. 최근 일본은 중국의 경제적 성장에 질투와 두려움을 느끼면서 미국과만 가까우면 된다는 생각으로 미국과의 관계에 아주 적극적으로 나서고 있습니다.

총리의 야스쿠니신사 참배도 국민들의 전반적인 지지를 받고 있습니다. 총리가 신사참배를 하지 않겠다고 하면 오히려 국민들이 반발합니다. 일본 문제는 고이즈미 총리 개인의 문제로 보아서는 안 됩니다. 근본적으로 일본 국민들이 잘못된 방향으로 가고 있습니다. 고이즈미 총리는 야스쿠니신사 참배를 하면서 전쟁에 나가 전사한 사람들을 추모하는 것이 뭐가 잘못이냐고 이야기하지만 이것은 도저히 이해가 가지 않는 말입니다. 우리는 단순히 전쟁에서 죽은 사람들을 추모하는 것을 반대하는 것이 아닙니다. 그러한 잘못된 전쟁을 일으켜 수많은 무고한 사람들을 죽게 만든 사람들 즉, A급 전범 13명을 야스쿠니신사에 안치해 놓고 추모하는 것이 나쁘다는 것입니다. 이것은 마치 독일에서 히틀러 같은 사람들을 안치해 놓고 독일 대통령이 그 앞에서 무릎을 꿇고 고개 숙인 것이나 마찬가지입니다.

저는 작년에 일본 도쿄대 강연에서도 이야기했습니다. "일본은 같은 범죄 국가인 독일에서 배워야 한다. 독일은 전쟁이 끝나자 과거사에 대해서 철저히 사과했다. 그리고 과거 나치의 유대인 수용소 등 범죄적인 장소를 모두 보존하고 어린아이부터 과거사에 대한 교육을 철저히 하고 있다. 독일 사람들은 자신들이 과거에 저지른 일을 모두 아는데 왜 일본 국민들은 모르는가. 독일이 이렇게 철저히 과거를 반성하고 독일 총리가 유대인 추모비석 앞에서 무릎을 꿇고 눈물을 흘리며 사죄하는 것을 보고 독일을 그토록 두려워하고 독일통일을 반대하던 프랑스, 영국, 네덜란드가 오히려 독일통일에 적극 찬성했다. 통일독일은 이제는 유럽의 중심 국가가 되었다. 이러한 것을 당신들이 알아야 한다. 이번에 일본이 국제연합(UN) 안보리 상임이사국으로 진출하려 했다가 좌절된 것은 바로 옆의 나라인 한국, 중국의 지지를 받지 못했기 때문이다. 당신들이 오죽했으면 이러한 사태가 오느냐"고 이야기했습니다.

일본 내에서도 이래서는 안 되겠다는 뜻이 있는 사람들이 있습니다. 그러나 그러한 세력은 힘이 없습니다. 그 이유는 우리나라는 민주주의를, 우리 국민들이 피를 흘리며 쟁취했습니다. 감옥도 가고 고문도 당하고 죽기도 하면서 민주주의를 쟁취했습니다. 때문에 우리는 민주주의를 지키는 힘이 튼튼합니다. 지금 우리나라에서 군인이나, 경찰이 쿠데타를 일으켜 정권을 잡는다는 것은 꿈도 꾸지 못합니다. 그러나 일본에는 민주주의를 지키는 저항 세력이 없습니다. 개인으로서는 안타까워하지만 집단적인 힘을 발휘하지는 못합니다. 이러한 점 때문에 일본에 대해서 걱정입니다. 저는 일본을 비난하는 것보다는 걱정하는 입장입니다. 일본이 과거에 대한 반성이 부족하다는 의미에서 같은 피해자인 중국과 우리가 함께 일본에 대항해야 하지만 우리의 진실한 목적은 일본이 진지하게 반성하는 것입니다. 우리는 중국에 대해서도 앞으로는 같이 협력해서 일본을 반성시켜서 한·중·일 동북아 3국이 아시아 전체의 중심적 역할을 하면서 평화와 번영을 위해 앞장서 나가는 것을 바라는 것입니다.

질문 광주 조선대학교에서 영남대학교 교환학생으로 온 김정현입니다. 이번에 김대중 전 대통령께서 지방대학에서는 처음으로 그것도 영남 지방에서 명예 박사학위를 받는다는 소식을 들었을 때 기쁘기도 했지만 한편으로는 뜻밖이기도 했습니다. 제가 영남대에 와서 다른 학우들과 지역감정에 대한 특별한 느낌을 받지 못했는데 김대중 전 대통령께서 대구와 영남대를 방문하신 의미가 궁금합니다.

김대중 대구 영남대에 오면 왔지 그 의미가 무엇이냐는 질문을 듣고 느낀 것은 참 어려운 질문이라는 것입니다. 제가 꼭 그 목적으로 온 것은 아닙니다만 박정희 대통령의 최고의 정적이었던 제가 영남대에 온 것이 호남과 영남의 지역감정 해소에 다소나마 도움이 되었으면 하는 바람에서 왔습니다. 동서 지역 갈등에 대해서 사람들은 백제, 신라 시대부터 시작되었다고 하는데 다 엉터리 같은 소리입니다. 그것은 우리 조상들에 대한 모욕입니다. 백제, 고구려, 신라 3국이 투쟁을 하다가 신라로 통일이 되었는데, 백제를 통합한 것이 660년이고 고구려를 통일한 것이 668년입니다. 그 후 약 1,300년 동안 우리는 흔들림 없는 통일국가를 유지해 왔습니다. 거기에는 아무런 지역차별이 없었습니다. 그렇기 때문에 백제니, 신라니 하는 것은 조상들에 대한 모독입니다.

저는 자유당 시절부터 정치를 했는데, 자유당 시절에도 동서 갈등이 없었습니다. 이승만 정권을 가장 크게 반대한 곳이 경상도와 전라도였습니다. 국회의원도 영남에서 호남 사람, 호남에서 영남 사람이 당선되었습니다. 여러분! 박정희 대통령을 어느 지역에서 당선시켰는지 아십니까? 바로 전라도, 경상도입니다. 1963년 대통령 선거 때 박정희 대통령은 서울, 경기, 인천, 강원, 충북, 충남에서 모두 졌습니다. 그리고 겨우 전라도와 경상도에서 이겼습니다. 당시 윤보선 후보와의 표 차이가 14만 표 차이였는데 전라도에서 35만 표를 이겼습니다. 전라도에서 35만 표를 더 얻지 못했다면 대통령에 당선되지 못했을 것입니다. 국회의원도 1963년 6대 국회의원부터 12대까지 일곱 번을 공화당이 전라도에서 다수를 차지했습니다. 이것이 백제, 신라 시대부터 온 것이라면 어떻게 이러한 일이 가능했겠습니까?

지역감정은 정치인들이 정치적 이익을 위해서 문화적인 위화감을 조성하고 열등감을 조장하는 가운데 생긴 것입니다. 제가 1971년 처음 대통령에 출마했을 때 경상도 지역을 방문하면 사람들이 인산인해를 이루었습니다. 그리고 제가 지원한 많은 사람들이 국회의원에 당선되었습니다. 그런데 그 후로 차츰차츰 나빠져서 이렇게 된 것입니다. 이것은 근본적인 것도 아니고 오래된 것도 아닙니다. 최근 그러한 생각이 많이 달라지고 있는 것 같은데, 여러분들이 나를 환영하는 모습이 하나의 증거가 아닌가 생각됩니다. 저는 지역감정 문제를 두려워하지 않고 걱정하지도 않습니다. 그러나 우리가 노력을 해야 합니다. 노력을 하지 않으면 더욱 나빠질 수도 있고 영원히 고쳐지지 않을 수도 있습니다. 지금은 남북이 함께 살길을 모색해야 할 때입니다. 세계화 시대입니다. 그런데 우리끼리 동서 지역 문제 가지고 싸우면 어떻게 되겠습니까? 이러한 문제에 오염되지 않은 젊은 학생 여러분들이 앞장서서 타파해 나가야 합니다. 우리 조상들이 1,300년 전에 하던 통합을 우리가 세계화 시대에 하지 못하고 오히려 지역 이기주의로 빠져 간다면 어떻게 조상님들을 대할 수 있으며 이 시대를 살아가는 젊은이라고 할 수 있겠습니까? 그러므로 여러분들이 큰 결심을 가지고, 나는 이 문제를 잘 해결하지 못해 미안한데, 여러분들이라도 잘 해 주시면 감사하겠습니다.

질문 영남대 의류패션을 전공하고 있는 유대산입니다. 밸런타인데이 때 이희호 여사님께서 초콜릿이나 사탕을 주셨는지요? 또 이희호 여사님께서는 화이트데이 때 초콜릿이나 사탕을 선물받으셨는지요? 노벨평화상을 받으셨는데 살면서 부부싸움을 하게 되면 그땐 어떻게 평화적으로 해결하시는지요?

김대중 왜 하필 그러한 질문을 하는지…….

나는 밸런타인데이니, 화이트데이니 하는 것들에 관심이 없어요. 그런데 집사람이 초콜릿을 갖다주더라고요. 그래서 갖다준 것이 좋았는데, 화이트데이를 잊어버렸어요. 그런데 화이트데이 때도 집사람이 사탕을 가져다주잖아요? 그래서 완전히 제가 낙제점을 받게 되었습니다. 노벨평화상을 받은 사람은 부부간에 원만하게 살려면 어떻게 하느냐는 질문에 답을 드리면 노벨평화상을 줄 때 그러한 지침은 없었습니다. 그런데 노벨평화상은 아니고 내가 살아온 삶의 경험에 의하면 부부간에 원만히 살려면 항상 상대방의 장점을 보고 칭찬해 주어야 합니다. 그러면 상대방은 칭찬을 받으니까 기분이 좋아서 장점이 더욱 많아지게 돼요. 결국 장점이 늘어나고 단점은 상대적으로 비율이 줄어들게 돼요. 서로 상대의 장점을 키우면서 서로 발전해 나가는 것이 됩니다. 우리는 부부싸움을 안 해요. 부부싸움을 안 하는 것이 거룩해서도 아니고 또 완벽한 부부라서가 아니라 집사람은 내가 화를 내면 그때부터 상대를 하지 않아요. 그러다 보니 싸움이 이루어지지 않아요. 그래서 나도 화가 나면 가만히 있어요. 그런데 내가 볼 때 부부간에 한쪽이 화를 내면 다른 한쪽이 가만히 있으면 싸움이 이루어지지 않아요. 또 내가 화를 못 참을 것 같으면 오늘 하루만 참자, 그리고 내일 이 문제를 단호히 주장하겠다고 하루를 연기하고, 그다음 날도 화가 안 풀리면 또 하루만 더 연기하겠다, 그렇게 2-3일 지나면 괜히 쓸데없는 일 가지고 그랬다는 생각이 듭니다. 그리고 그때 화를 참기를 잘했다는 생각이 듭니다. 여러분들이 친구들과 서로 상대를 비판할 때 결코 상대에게 가슴에 못이 박힐 이야기를 해서는 안 됩니다. 결론적으로 부부간에 서로 상대의 장점을 보고, 칭찬을 하고, 화가 나면 참고, 싸움까지 가져가지 않는 것이 좋습니다. 여러분들도 모두 결혼하면 원만한 부부 관계를 유지해서 성공적으로 살아가기를 바라겠습니다.

미국 신뢰받는 도덕성, 지도성이 필요하다

대담 『아사히신문』
일시 2006년 4월 25일

일본의 종합 전략을 생각함에 있어, 지금 가장 중요한 시점은 무엇일까. 우리들은 우선 미국, 유럽, 아시아에서 정책 결정에 관여했던 수뇌, 고관을 중심으로 격동하는 세계의 전망을 물었다. 세계가 지금도 미국을 축으로 움직이고 있는 것은 의심할 여지가 없다. 그러나 냉전기에는 자유주의 세계를 이끈 확고한 지도자가 '대테러전쟁'을 계기로 '단독행동주의'로 기울어진 것에 대한 우려의 목소리가 있다. 한국의 김대중 전 대통령은 "미국이 세계의 주도권을 잡는 것은 자연스러운 일이다."라고 언급하면서도 동시에 "세계에서 신뢰받는 도덕성, 지도성이 필요하다"고 설명했다.

프랑스의 베드린 전 외상은 이라크전쟁에서 미국이 "어떠한 정보나, 분석에도 등을 돌려 전쟁으로만 해결한다는 과오를 범했다"고 엄하게 비판했다. 그리고 "때로는 미국의 패권에 저항할 필요가 있다"고 말한다. 당사자인 미국에게도 자성의 목소리가 나오고 있다. "미국은 9·11 이후 전통적으로 수출해 온 것을 변화시켜 왔다. 희망과 낙관주의를 세계에 수출해 왔으나 지금은 분노와 공포를 내보내고 있다." 이렇게 말하는 것은 아미티지 전 미국 국무부 부장관이다.

그렇다면 중국, 인도의 급성장으로 아시아는 어떻게 변화하는가. 김대중 전 대통령은 "아시아에서 가장 중요한 것은 한국, 일본, 중국의 협력이다."라고 말해 장래에는 "아시아의 유럽연합(EU)"을 지향해야 한다고 한다. 그러나 그러기 위해서 필요한 것이 상호 간의 신뢰이다. 일본의 젊은 세대는 "과거에 일본이 무엇을 했는지를 모르기 때문에 반성할 수 없고, 그렇기 때문에 진정한 사죄가 없다."라며 반일 감정의 고조를 우려했다. 군인 출신인 아미티지 전 부장관은 "중국이 대만 위기를 준비하기 위해 조달하고 있는 군사력은 일본에 대해서도 사용이 가능하다"고 경계하는 한편, "미국과 중국은 반드시 충돌을 한다는 위치에 있지 않다"고 한다. 베드린 전 외상은 중국의 장래에 대해 "중국 내부에서 정책 수정의 메커니즘은 움직이고 있다"고 말해 비교적 낙관적이다. 삼자삼론, 시각은 각각 다르지만 공통되는 것은 대국을 판단하는 전략적 사고이다. 김대중 전 대통령은 전략 사고의 방법으로서 "서생적 문제의식과 상인적 현실감각이 중요"하다고 말했다. "원칙을 견지하지만 방법은 유연하게"라고도 한다. '신전략'을 생각함에 있어 우리들이 배우고자 하는 요점이다.

질문 9·11테러 이후 미국 혹은 서양 사회와 이슬람 사회가 "문명과 문명의 충돌의 시대"가 되었다는 불안감이 퍼지고 있다.

김대중 말하는 바와 같이 이슬람 사회가 피해자로서의 본능을 숨기지 않는 시대가 되었다. 그러나 지금은 세계화가 진행되고 공존공영의 시대를 만들어 나가야 한다는 시대적 요구도 있다. 신앙이 침해받지 않는다는 확신만 있다면 문명의 충돌을 피할 수도 있다. 우선 중동 지역의 대립이 해소되는 것이 중요하다.

질문 미국에 의한 일국 지배, 단독 행동주의라는 말도 자주 나온다.

김대중 미국이 세계의 주도권을 갖는 것은 어떠한 의미에서는 자연스럽다.

그러나 조건이 있다. 세계를 어떻게 하겠다는 철학이 있어야 한다. 세계에서 신뢰받는 도덕성, 지도성이 필요하다. 그것이 없다면 결국 중동 및 이슬람권, 유럽연합(EU)과의 사이에서 충돌하여 지도력이 약해져서 파국을 일으킬 것이다.

질문 중국과 인도가 앞으로 큰 힘을 갖게 되리라고 생각한다.

김대중 역사의 필연이다. 세계가 봉건시대에 있었을 때 중국과 인도는 단연 세계의 선두를 달리고 있었다. 산업혁명 및 제국주의의 대두로 미국과 영국이 선두에 서게 되었지만, 또다시 지식산업의 시대에 들어가면 중국과 인도가 대두한다.

질문 한반도와 아시아의 미래를 어떻게 생각하는가?

김대중 한반도는 대국의 파워 게임의 최대의 희생자였다. 일본이 점령했기 때문에 비운이 일어났고, 구소련과 미국이 마음대로 분단시켜 전쟁까지 일으켰다. 남북한은 2000년 6월의 정상회담에서 "우리를 도와주는 나라는 어디에도 없다. 우리의 운명은 우리가 열어야 한다"고 선언했다. 그 후 긴장이 완화됐지만 충분하지 않다. 결국 북·미 관계가 개선되지 않으면 한반도의 평화와 공존은 어렵다. 아시아에서 가장 중요한 것은 한국과 일본, 중국의 협력이다. 작년 말레이시아에서 동아시아 정상회담이 있었다. 이것은 1998년 베트남 아세안+3(ASEAN+3) 회의에서 내 제안이 실현된 것이다. 장래에는 아시아의 유럽연합(EU)을 지향할 수 있다고 생각한다.

질문 1992년 대선 이후 유럽의 각지를 걷고 유럽연합(EU)의 탄생을 피부로 느꼈다고 하는데.

김대중 유럽의 특징은 서독이 주변국의 신뢰를 받았다는 것이다. 과거를 철저하게 반성하고 사죄했다. 젊은 세대에게는 나치스의 죄악을 교육하고 유대인 학살의 장소를 보존하였다. 주변국은 독일을 나치스와 동일시하지 않게 되었고, 동독이 붕괴했을 때도 모두가 통일을 지지했다. 독일이 새로 태어났다는 인상을 주지 못했더라면 통일도 없었을 것이고 유럽의 친구가 되지도 못했을 것이다.

질문 아시아 속에서의 일본을 어떻게 보고 있는가?

김대중 주변국에서 신뢰를 얻지 못했을 뿐만 아니라 점점 우경화하고 있다. 가장 걱정스러운 것이 젊은 국회의원과 젊은 세대들이다. 과거에 일본이 무엇을 했는지를 모르기 때문에 반성을 할 수가 없다. 그렇기 때문에 진정한 사죄도 없다. 상징적인 것은 야스쿠니신사 참배지만, 고이즈미 총리도 국민이 우경화되지 않았더라면 야스쿠니를 고집하지 않았을 것이다. "언제까지 옛날이야기를 하느냐."라는 태도로는 반일적인 분위기가 나타나도 그것을 멈추게 할 용기도 의욕도 없어진다. 미국과 손을 잡고 있으면 괜찮다는 태도도 인상을 나쁘게 하고 있다. "더욱더 아시아의 친구가 되도록 노력을 해야 한다."라는 방향으로 변할지 여부에 따라 장래가 결정될 것이다.

질문 지금의 6자회담의 틀을 장래에는 동아시아의 안정을 위해 활용해야 한다고 주장하고 있는데.

김대중 2004년에 중국에 갔을 때 장쩌민(江澤民) 전 국가주석에게 그 이야기를 하였다. "6자회담을 상설화하여 안보 및 평화를 위해 노력하는 기구가 되는 것이 좋다"고 말했다. 이야기를 들은 탕자쉬안 국무위원이 석식의 자리에서 "중국은 그 생각에 찬성한다"고 말해 주었다.

질문 정치, 외교적인 전략에서 가장 중요한 것은?

김대중 성공에는 서생적인 문제의식과 상인적인 현실감각이 필요하다. 원칙과 철학만으로는 안 되고 어떻게 하면 돈을 벌 수 있는가 하는 감각, 이 두 가지의 조화가 이루어졌을 때 좋은 정치를 할 수가 있다. 21세기는 전 세기와 크게 다르다. 인류는 본 적도 들은 적도 없는 변화 속에 던져져서 한눈을 팔면 시대의 흐름에서 뒤처진다. 경제에서도 눈에 보이는 공장 및 생산물보다 지식 및 디지털 산업이 중요한 시대로 들어갔다. 이 현실을 인식하는 것이 필요하다.

한반도 평화의 조건

대담 미하일 고르바초프
일시 2006년 6월 18일

문정인(사회) 「KBS스페셜」은 오늘, 특별한 만남을 준비했습니다. 김대중 전 대통령과 고르바초프 옛 소련 대통령과의 특별 대담입니다. 고르바초프 옛 소련 대통령은 냉전 체제 해체의 설계도를 만들었고 김대중 전 대통령은 6·15남북공동선언을 통해 한반도 평화 구축과 공동 발전의 토대를 마련했습니다. 최근 한반도에는 북한 미사일 문제로 긴장이 다시 고조되고 있습니다. 북핵 해결을 위한 6자회담은 교착상태가 계속되고 있습니다. 두 전직 대통령은 한반도 평화와 동북아의 번영을 위해 어떤 해법을 제시할지 주목해 보고자 합니다.

노벨평화상 수상자, 두 지도자의 여섯 번째 만남이 갖는 의미

문정인 김대중 전 대통령님, 고르바초프 옛 소련 대통령님 반갑습니다. 두 분께서는 민주주의와 인권 그리고 평화를 위하여 많은 공헌을 해 왔습니다. 그 결과 두 분께서는 노벨평화상을 받으셨습니다. 그리고 두 분을 모셔서 이렇게 대담을 갖게 된 것을 큰 영광으로 생각합니다. 김 전 대통령님께서 고르바초프 전 대통령을 여섯 차례 만난 것으로 알고 있습니다. 처음 인연은 어떻게 되었고 어떻게 관계를 발전시켜 왔습니까?

김대중 1993년 7월에 제가 모스크바에 있는 외교대학원에서 정치학 박사를 받았는데 그때 항상 뵙고 싶었던 고르바초프 전 대통령을 개인 사무실에 찾아가서 만나 뵈었습니다. 그 이후로 한국 국내에서도 2번 뵈었고 해외…… 로마 같은 곳에서도 뵙고 해서 오늘까지 여섯 차례 만나게 되었습니다.

문정인 고르바초프 전 대통령님, 우리 김대중 전 대통령님에 대해서 어떤 인상을 가지고 계십니까?

고르바초프 김대중 전 대통령님은 무엇보다도 매우 흥미로운 분이라고 말씀드릴 수 있겠습니다. 자유와 민주주의 같은 가장 숭고한 가치들을 지켜내고자 노력하시는 분이죠.

저는 김 전 대통령에 대해 마치 친척과도 같은 친밀함을 가지고 있습니다. 우리는 매우 가까운 친구입니다. 단순히 인간적인 면에서뿐만 아니라 지성적인 면, 이데올로기적인 면에 있어서도 그렇습니다. 저는 이러한 우리의 우정을 매우 소중하게 생각하고 있습니다.

냉전의 마지막 장벽, 한반도 분단은 어떻게 봐야 하나?

문정인 이제 한반도 평화에 대해서 말씀을 나누어 보고자 합니다. 김 전 대통령님께서는 1970년대 냉전의 양극 구도가 아주 견고했을 때 이미 '4대국 보장론'을 제안하셨고 남북한에 대한 주변 4강 교차 수교를 강력히 주장하셨습니다. 어떻게 그 어려운 상황에서도 그런 생각을 할 수 있으셨는지, 그리고 우리 한국의 분단과 통일에 대해서는 어떤 역사적 인식을 갖고 계시는지 말씀해 주십시오.

김대중 4대국을 한반도 평화의 책임 당사자로서 제가 제기한 것은, 아시다시피 조선왕조 말엽 그때에 일본과 중국(청나라)이 우리나라를 두고 전쟁을 했고 또 일본과 러시아가 전쟁을 했습니다. 또 일본이 두 전쟁을 다 이기니까 미국이 일본하고 협의해서 소위 가쓰라태프트 밀약을 해서 한국을 일본이 병탄하는 것을 지원해 줬습니다.

이렇게 4대국이 우리나라 운명과 관계가 있습니다. 역사적 사실로 봐도 이것(4대국)은 중시하지 않을 수 없는 것입니다. 또 역사는 역사라고 해도 지금의 현실에서도 4대국이 다 나름대로 상당한 영향을 한반도에 미치고 있습니다. 지정학적으로도 우리는 4대국이 싫다고 한반도를 떼서 짊어지고 다른 곳으로 갈 수도 없습니다. 폴 케네디 교수가 와서 이야기했다시피 "한국은 네 마리 큰 코끼리 다리 사이에 끼어 있으니까, 그것을 어떻게 잘 헤쳐 나가느냐에 따라서 한국의 운명이 결정된다"고 하는데 그런 지정학적 위치에 있어서도 4대국은 무시할 수가 없습니다.

또 실제로 과거 미국과 소련은 냉전의 당사자였고 한국은 냉전에 의해서 고통을 받고 있고 여러 가지 영향을 받고 있습니다. 그렇기 때문에 이 문제에 있어서 미국과 소련은 물론 한국전쟁에 참가했던 중국, 한국전쟁 때 미국의 후방 기지로서 지원했던 일본 등 직접·간접으로 한국전쟁에 참가했던 나라들이 한국 문제와 평화 문제에 대해서 협력해야 한다는 것입니다.

제가 그때 이런 주장을 했는데 당시 공화당 대통령 후보였던 박정희 대통령이 "소련과 중국은 우리의 적성 국가인데 적성 국가보고 우리의 평화를 보장하라고 하는 것이 말이 되는가. 이상한 사람이다."라고 말씀하셨어요.

그래서 그때 제가 답변하기를 "그 사람들이 우리에 대해서 그런 적성 국가적인 입장에서 부정적인 영향을 끼치고 있기 때문에, 그렇게 하지 말고 우리가 평화적으로 살도록 책임지고 협력해야 한다. 왜냐하면 당신들은 우리를 분단시킨 책임자들 아니냐. 그리고 또 북한 배후에서 전쟁을 지원한 사람들 아니냐. 그러니까 한반도 평화에 대해서는 당연히 책임져야 하고 또 우리는 그런 요구를 할 권리가 있다." 제가 그렇게 답변한 일이 있습니다.

문정인 고르바초프 전 대통령님, 대통령님께서 한국 사람들에게 깊은 인상을 주셨던 것은 소련 자체의 변화도 있지만, 사실상 주변 4강의 남북한 교차승인을 위한 물꼬를 텄다는 데 많은 의미를 두고 있습니다. 그 당시 어떻게 해서 1990년 한소 수교를 하게 되셨는지 그리고 그때 한반도 분단과 한반도 평화를 어떻게 보셨는지, 이 점에 대해서 말씀해 주시면 감사하겠습니다.

고르바초프 김대중 전 대통령께서 말씀하신 한반도 분단에 대한 시각과 평가에 지지를 표하고 싶습니다. 2차대전 후 한반도는 분단이 되었죠. 이것은 당시의 세계질서를 그대로 반영한 것이었습니다. 전후 세계는 여러 블록으로 갈라져 있었죠. 독일도 분단되어 있었고, 한편에서는 국제분쟁이 일어났습니다. 전 세계적인 현상이었죠. 당시 세계는 양대 세력이 대치했습니다. 이 양대 세력의 뒤에는 미국과 소련이 있었죠. 우리 모두에게 매우 힘든 시기였습니다. 그래서 당시의 어려움을 극복하는 데는 많은 노력이 필요했습니다. 우리는 결국 냉전을 종식시키긴 했지만, 이런 가정을 해 보고 싶군요. 만일 냉전 체제 당시 소련과 미국이 관계를 정상화하지 않았다면, 또 소련과 중국 사이의 관계도 정상화되지 않았다면 어떻게 됐을까요? 아마도 냉전 체제 당시의 난제를 해결하고 새로운 시대로 나아간다는 것은 기대하기 어려웠을 것입니다. 이제 냉전의 시대는 지났습니다. 지금 중부, 동부 유럽에서는 민주주의 과정이 진행되면서 새로운 변화의 바람이 불고 있는데요. 이러한 조류는 이제 한반도에서도 진행되어야 합니다. 그런데 지금 한반도에는 아직까지도 냉전의 장벽이 그대로 남아 있는 것입니다.

한반도 분단에 참여한 국가들은, 남북한 국민들이 통일된 국가에서 살고자 하는 바람을 알아야 하며, 한반도 분단 해소를 위해 책임감을 가지고 그들이 해야 할 역할을 이해해야 한다는 것입니다.

북핵과 미사일 문제, 6자회담 교착상태 어떻게 풀어야 하나?

문정인 고르바초프 전 대통령님이나 김 전 대통령님께서는 생각이 너무나 같으신 것 같습니다. 그 당시 서로 만나 보지도 않으셨는데도 불구하고 이렇게 같은 생각을 하실 수 있었다는 것이 상당히 놀라운 일이라고 생각됩니다. 두 분 다 한반도와 동북아의 평화와 안정에 대해서 관심이 많습니다. 현재 우리의 평화와 안정을 위협하는 가장 큰 변수가 있다면 그것은 북한 핵 문제라고 할 수 있겠습니다.

김 전 대통령님께서 재임 중에 '페리 프로세스'를 가동시켜서 북한 핵 문제에 대해서 해결의 돌파구를 마련했는데, 지금 다시 어려워지고 있습니다. 무엇이 문제일까요?

김대중 북한의 핵 문제에 있어서요. 이것이 최대 변수라기보다는 나는…… 북한은 국제사회 규범을 지키고 평화에 협력하는 태도를 확실히 하고 또 미국은 북한에 대해서 생존을 보장해 줘야 합니다. 안전을 보장하고 또 국교도 하고…… 국제연합(UN) 가입하는 데 찬성했으면 국교도 하는 건 당연하지 않습니까? 그리고 경제적 제재도 해제하고…… 그래서 우리가 볼 때, 북한이 국제사회에 나오면 당연히 세계를 알게 되고 여러 가지 책임도 지게 되고 국제사회에서 이득을 얻으려면 국제사회로부터 좋은 평가를 받아야 하고 그러니 북한이 달라질 것입니다.

또 북한은 지금 말하기를 "만일 우리에 대해서 안전만 보장해 주고 여러 가지 제재를 해제하면 핵도 포기하겠다. 미국이 와서 직접 검증해도 좋다."
이렇게 말하니까 미국은 거기에 대해서 상응하는 안전 보장이나 경제 제재
해제 같은 대가를 주고…… 그런데 일부에서는 그러더라도 말하자면 "북한
이 말 바꾼다. 속인다." 할 때 그때는 6자회담에서 나머지 나라들, 북한 빼고
5자가 합의해서 북한을 제재할 수 있지 않습니까?

그런데 그런 거래를 안 해 보고, 지금 제재부터 하려는 일부 강경파들, 그
런 분들이 오히려 일을 어렵게 하고 있다고 생각합니다.

나는 북한의 핵은 절대로 안 되는 것이고 이것은 없어져야 하는 것이고 그
렇지만 한편으로는 핵을 없애는 동시에 북한 생존권도 보장해서 책임 다하
도록 하고 생존권을 보장해 주는데도 불구하고 계속 좋지 않은 일을 하면 그
때는 국제적인 제재 혹은 6자회담 제재를 할 수 있다는 이야기입니다.

문정인 고르바초프 전 대통령님께서는…….

고르바초프 이미 김 전 대통령과 저는 이 북핵 문제에 대해 의견이 일치합
니다. 미국은 북한에 대해 구체적으로 요구하고 있는데요. 그것은 잘 알려져
있는 핵 프로그램에 대한 것이죠. 핵과 관련된 모든 연구와 모든 작업을 포기
하라고 요구하고 있습니다.

그런데 이러한 요구와 함께 같이 제안되어야 할 사항이 동반되지 않고 있
습니다. 핵을 포기할 경우 안전을 보장하고 경제적으로 지원하겠다는 약속
이 없는 것입니다.

북한은 사회, 경제적으로 심각한 상황에 처해 있습니다. 북한은 지금과 같
이 봉쇄되고 고립되어 있는 상태에서는 살 수가 없으며, 원조를 필요로 하고
있습니다. 북한에 대한 경제 제재는 해제되어야 합니다. 그리고 북한에 도움
을 주고 있는 한국에게도 압력을 행사해서도 안 됩니다.

무엇보다 중요한 것은 북한 사람들로 하여금 북한이 안전을 보장받을 수

있다는 확신을 갖도록 할 수 있어야 하는 것입니다. 만약 이러한 확신을 심어 줄 수 있다면, 평화를 위한 과정은 가속화될 수 있을 것입니다. 그런데 누군 가 이런 긴장 상태를 이용하여 일종의 게임이나 도박을 하면서 자국의 과제 를 해결하려 해서는 안 됩니다.

제가 생각하는 북핵 문제에 대한 접근 방식은 이렇습니다. 한국인의 입장 이 고려되어야 합니다. 아울러 주변국의 이해관계도 고려해야 합니다. 결과 적으로는 서로 협력해야 합니다. 어떤 개별 국가의 이해관계만을 생각하지 말고 다른 쪽의 이해관계도 아울러 생각해야지요. 여기서 특별히 언급해야 할 점은, 북한이 스스로는 현재 상황을 바꾸기가 어렵다는 점입니다. 체제 문 제를 포함해 많은 과제가 산적해 있기 때문이죠.

문정인 고르바초프 전 대통령님께서는 한때 슈퍼 파워였던 소련의 지도자 이셨습니다. 지금은 미국이 슈퍼 파워라고 할 수 있겠습니다.

그런데 미국은 북한과 직접 대화를 해서 문제를 해결하면 될 텐데 왜 직접 얘기를 하려고 하지 않는지, 그 이유를 어떻게 보시는지요?

고르바초프 글쎄요……. 미국은 이렇게 생각하는지도 모릅니다. "한반도 에서 갈등이 계속되고 또 오래 유지될수록 미군이 한국에 계속 주둔할 수 있 고, 또 미국 무기가 한반도에 배치되어 있는 데에 대한 논거가 더 힘을 얻을 수 있다"고 말입니다.

하지만 한반도에 평화를 정착시키고 통일 과정을 진행시키기 위해서는 김 전 대통령께서 말씀하신 대로 해야 합니다.

문정인 김 전 대통령님, 지금 고르바초프 전 대통령님께서 상당히 흥미 있 는 말씀을 하셨습니다. "주한 미군이 계속 있고 미국이 동북아에 계속 주둔 하려고 하면, 한반도에서 어떤 긴장이 있어야 되는 것이 아닌가."라고 하는 이런 말씀하신 것 같습니다. 김 전 대통령님 견해는 어떠신지요?

김대중 지금 고르바초프 대통령께서 말씀한 주한 미군 문제인데…… 이 주한 미군은 우리가 마지막 한반도 평화를 위해서 활용하면 그것은 선善기능을 하는 것입니다. 조선왕조 말엽에 미국이 적극적으로 개입해서 외국이 우리를 침략하고 병탄하려는 것을 막았다면 상당한 성과가 있었을 것입니다.

이 점을 제가 북한에 가서 김정일 위원장과 이야기했을 때, 김정일 위원장 자신도 "남쪽에 있는 미군이 북한에 대해서 공격만 안 하면, 우리는 지금은 물론 통일 이후까지도 미군이 있는 것이 좋다"고 했습니다. 이 말은 그 후 올브라이트 장관이 (북한에) 갔을 때도 김정일 위원장이 했습니다.

그래서 이런 점에 있어서 우리는 "주한 미군이 긴장을 강화시키고 여러 가지 분규를 일으키는 쪽으로 행동을 하느냐. 아니면 여기서 주변 강대국들의 자의적인 야심을 억제하면서 한반도 평화를 지키고 동북아시아의 평화를 지키는 방향으로 하느냐"가 문제라고 생각합니다.

그것을 (결정하는 역할은) 우리에게도 있습니다. 우리가 "주한 미군은 어디까지나 평화를 중시하고 방위를 위해서 있는 것이지, 전쟁을 위해서 있는 것이 아니다." 하는 것을 확실히 하고 또 이 점에 있어서 북한이 같이 협력을 해야 합니다.

그렇게 되면 주한 미군은 선기능을 할 수 있다고 생각합니다.

북한 미사일 문제, 어떤 영향을 미칠까?

문정인 현재 핵 문제 못지않게 다시 불거진 문제가 미사일 문제라고 생각합니다. 이 미사일 문제 어떻게 보십니까? 어떻게 다루어야 할까요?

김대중 지금 미사일 문제가 돌출돼 가지고 (있습니다.) 이것이 만일 실제로 발사되어서 미국 본토 가까이까지 가는 것이 입증되면 상당한 문제가 생길 것으로 보고 있습니다. 그리고 미국의 네오콘이라든가 일본의 극우 세력 이런 사람들은 아주 좋다구나 하고 군비 강화 혹은 재군비 방향으로 달려갈 것이라고 생각합니다.

그 사람들의 진짜 목표는 북한이라기보다는 중국입니다. 그런데 지금 중국을 목표로 할 수 없으니까 북한을 말썽거리 악당으로 만들어서 그렇게 분위기를 조성해 가는 면도 있습니다. 전부 그런 것은 아니지만요.

그래서 이번에 만일 미사일 발사하면 틀림없이 전쟁 선호하고 냉전주의적인 사람들이 이것을 최대로 악용할 것이고, 그래서 상당히 부정적인 결과가 나올 가능성이 있다고 생각해서 지금 걱정하면서 보고 있습니다.

문정인 고르바초프 전 대통령님께서는 북한의 미사일 문제에 대해서 어떻게 생각하십니까?

고르바초프 지금 세계 곳곳의 언론이 북한 미사일 문제에 대해 보도하고 있는데요. 마치 상당히 심각한 문제인 것처럼 말하고 있습니다. 그러나 제 생각으로는 아무 일도 없을 것으로 봅니다. 단지 게임이 진행 중이라고나 할까요? 북한은 일종의 도박을 하고 있는 것이죠. 긴장을 강화하는 것입니다. 저는 이로 인해 국가 간에 불신이 더 커질 것으로 생각합니다.

국가 간에 신뢰가 없다면 아무것도 해결할 수 없습니다. 북·미 양자 간에는 물론 6자회담 당사국 사이에도 신뢰를 구축해야 합니다. 주변국 사이에 신뢰가 구축되어야만 세계에서 매우 중요한 지역인 한반도에서 긴장이 해소될 수 있고 한국인의 뜻대로 평화를 정착시킬 수 있을 것입니다.

6자회담, 어떻게 풀어야 하나?

문정인 작년 9월 19일, 제4차 6자회담에서 베이징공동선언이 나오지 않았습니까? 그래서 북핵 문제, 한반도 평화 정착 문제 그리고 동북아의 다자간 안보협력 문제가 다 광범위하게 다루어졌습니다. 그래서 우리는 상당히 큰 희망을 가졌습니다.

그런데 갑자기 북한 위조지폐 문제, 돈세탁 문제가 나오면서 모든 것이 다 교착상태에 빠져 있거든요.

이것을 어떻게 봐야 할까요? 그리고 어떻게 풀어 나가야 6자회담이 활성화되면서 핵 문제부터 한반도 평화 정착, 동북아 다자 협력까지 풀어 나갈 수 있을까요?

김대중 (지난해) 9월 19일 합의가 상당히 잘된 것 아닙니까? 그렇게 되니까 위조지폐 문제가 돌출했단 말입니다.

거기에는 그런 합의와 건설적인 발전을 별로 바라지 않는 냉전주의적인 사고를 가진 사람들, 자꾸 긴장을 조성하려고 하는 사람들이 이런 위조지폐 문제에 관여했거나 아니면 환영을 하고 있다고 생각합니다. 그래서 실제로 그 사람들 목적대로, 지난해 9월 19일 좋은 성명 발표해 놓고, 지금은 완전히 정체 상태에 있거든요. 그러면 미국은 북한을 어떻게 할지 해결책이 있나? 미국도 없는 것입니다. 그래서 미국 내에서도 자꾸 "직접 대화해야 된다. 줄 것은 주고, 받을 것은 받는 일을 하라"는 이야기 나오고 있습니다.

그래서 6자회담 참가국들이 한반도 평화 문제에 대해 계속 노력해서, 한반도에 평화가 오는 것을 바라지 않는 그런 사람들에게 결코 이익을 줘서는 안 된다고 생각합니다.

그리고 북한과 우리 남쪽이 서로 협력해서 외부의 부정적인 공격이 스며들지 못하도록 혹은 성공하지 못하도록 해야 합니다.

솔직한 얘기로 북한이 하는 일이 때때로 강경파들, 미국에서 네오콘이라든가 일본에서 극우라든가, 이런 사람들만 좋게 하고 신나게 하는 일이 간혹 있습니다. 그것은 본의가 아니겠지만 그런 점에서도 매우 주의해야 한다고 생각하고 있습니다.

문정인 고르바초프 전 대통령님께 한 가지 여쭤어보겠습니다. 이번에 광주(노벨상) 정상회의에서 채택한 「광주선언」을 보면 "6자회담을 상설화시키자, 그렇게 해서 이것을 유럽의 '다자안보협력' 체계와 같이 구축해 나가자"는 논의가 있었습니다. 이것이 가능할 것 같습니까? 일부에서는 6자회담의 상설화가 너무나 이상적인 것이 아닌가라는 주장도 있는데요.

고르바초프 제가 먼저 말씀드리고 싶은 것은 바로 이 6자회담이라는 기구가 생기고 나서 불과 얼마 지나지 않아 이 기구의 잠재력을 볼 수 있었다는 점입니다. 어떻게 해서든 이 틀을 유지하고 잘 활용해야 합니다. 분명히 이 6자회담을 가지고 게임을 하고 회담이 성공적으로 진행되지 못하도록 방해하려는 측이 있을 것입니다.

그러나 6자회담의 지속을 막는 어떤 사건이나 영향에 대해서도 굴복하지 않고 이 틀은 계속 유지되도록 해야 합니다. 제 생각에는 여론이 중요합니다. 한 국가의 여론뿐만 아니라 동북아 지역, 나아가 세계의 여론이 6자회담에 강한 영향력을 행사하도록 해야 할 것입니다.

시민사회의 역할도 중요합니다. 시민사회가 여론을 형성하고, 또 6자회담 차원에서 정책이 실현되도록 영향을 미칠 수 있다고 생각합니다. 미래를 위해 새로운 질서를 준비한다는 것은 매우 광범위한 문제입니다.

아시아·태평양 지역에는 많은 기구들이 있습니다. 군사 안보 분야 외에도 경제 관련 기구 등 다양한 형태가 있습니다. 그 메커니즘도 다양합니다. 그런데 제가 말하고 싶은 것은 이런 다양한 기구들 중에서도 한반도 문제를 논의하기 위한 '6자회담'의 잠재력이 대단히 크다는 점입니다. 한반도는 아시아·태평양 지역의 다른 어떤 곳보다도 세계의 방향을 좌우할 만큼 큰 변화가 일어나고 있는 곳이기 때문입니다.

그리고 6자회담이라는 메커니즘은 북핵 문제를 해결하기 위해 생겼지만, 결국 이 메커니즘은 이 지역의 다른 문제를 해결하는 데도 이용될 수 있을 것입니다. 6자회담은 그럴 만한 자격이 있다고 봅니다.

이것은 중요한 문제로서 여러 가지 경우를 고려해 봐야 하니까 아직 제가 확정적으로 말할 수는 없을 것입니다.

그러나 한 가지 분명하게 말할 수 있는 것은, 6자회담은 전적으로 한반도 문제를 해결하기 위해 활용되어야 한다는 점입니다.

문정인 김대중 전 대통령님께서는 재임 중에 동아시아의 '다자협력'에 대해서 큰 지평을 열었습니다. '아세안+3'도 만드셨고, 그다음 '동아시아비전 그룹'을 통해 동아시아 공동체의 비전을 만들었습니다. 그래서 경제 부분은 상당히 많은 진전을 가져왔는데, 대통령 재임 중에 안보 부문에 있어서 '다자안보협력'은 그렇게 큰 성과는 못 봤다고 보거든요. 그래서 6자회담의 상설화 문제와 김 전 대통령께서 보시는 미래의 '다자안보협력' 문제를 어떻게 연관시켜서 볼지 말씀해 주십시오.

김대중 동아시아 안보의 핵심은 동북아시아입니다. 동북아시아의 안보 문제에 관련한 나라들이 모두 6자회담에 관계되어 있습니다.

그래서 저는 지금부터 35년 전, 1971년에 대통령 나왔을 때도 '4대국 한반도 보장론'을 이야기했습니다. 지금 6자라는 것은 그 4대국에 남북한이 합쳐져서 6자입니다. 대통령 퇴임 후 최근에도 6자회담 상설화를 주장했고, 중국 가서 장쩌민 주석하고 외교 담당 국무위원인 탕자쉬안(唐家璇) 씨를 만나서도 이 이야기를 했는데, 탕자쉬안 씨가 나중에 저한테 "우리 중국은 당신 생각을 지지한다"고 했습니다. 또 미국 내에도 그런 생각을 가진 분들이 있습니다.

한반도의 평화는 핵 문제 하나 해결된다고 다 끝나는 것이 아닙니다. 미사일도 있고 대량살상무기, 기타 여러 가지 화학무기들이 있지 않습니까? 그래서 한반도 평화, 동북아시아 평화를 위해서는 6자가 협력만 하면 흔들림 없이 나갈 수 있습니다. 그래서 이 문제는 계속해서 우리가 추진해 나가야 한다고 생각합니다.

북한의 개혁 개방과 남북 경협 확대 방안

문정인 이번에는 북한 경제 이야기를 좀 나눴으면 합니다. 2002년 7월 1일 조치 이후에 북한이 개방 개혁 쪽으로 가는 것은 분명한 사실입니다. 그러나 개방과 개혁의 속도가 너무 더디지 않으냐는 말도 있습니다. 그리고 요즘 특히 우려가 되는 부분은 중국과 북한의 경제 협력이 가속화되고 있는데, 어떤 분들은 "북한이 결국 중국 동북 3성 일부가 되는 것이 아닌가, 아니면 발해만 경제권의 일부가 되는 것이 아닌가?" 하는 우려를 제기하고 있습니다.

김 전 대통령님께서는 북한 경제 개방 개혁의 속도와 폭, 중국과 관계 등의 맥락에서 남북한 경협의 방향을 어떻게 잡아야 하는지 말씀해 주셨으면 합니다.

김대중 북한은 경제를 개혁 개방하는 것만이 자기들이 살길이라고 확실하게 알고 있습니다. 그런데 개혁 개방이 성공하기 위해서는 국제통화기금(IMF)에서 돈도 빌리고 세계은행, 아시아은행에서도 빌리고 또 외국 투자도 유치해 와야 하는데, 그것을 할 수 있도록 해 주는 나라는 미국입니다. 지금 미국이 다 막고 있거든요. 그러니까 이것이 속도를 내서 갈 수가 없죠.

그래서 이 문제도 결국은 6자회담에서 핵 문제가 해결되면 북한에 대한 그런 경제적 족쇄가 풀려나가지 않겠나…… 이렇게 보고 있습니다. 그 사이 중간적인 조치로서 중국이 지원하고 있고 우리가 지원하고 있는데, 중국이 북한을 동북 4성으로 만들려고 한다는 것은 과장된 이야기입니다. 나는 중국이 그런 생각을 지금 구체적으로 가지고 있다고는 보지 않습니다.

그런데 지금 북한 소비재의 거의 80퍼센트가 중국서 오고 있습니다. 북한 상점에는 중국 상품 일색이에요. 구체적인 산업 분야에도 투자하기 시작했고…… 그런데 내가 분명히 아는 것은, 북한은 중국에 예속되는 경제체제 만드는 것을 절대로 바라지 않습니다. 그 점에 대해서 상당한 경계심을 가지고 있습니다.

그러나 그 사람들은 지금 길이 없지 않습니까? 국제적으로는 (지원이) 안 돼, 미국이 막아 버려서…… 또 우리도 한계가 있어, 그래서 지금 중국밖에 없는데, 이렇게 (북한을) 계속 견제하고 억압하면 본의 아니지만 북한이 중국에 끌려들어 갈 가능성은 상당히 있다고 봅니다.

그렇기 때문에 우리도 북한에 진출해서 중국하고 같이 서로 견제하고 서로 협력하면서 북한 경제를 살려 주는 조치가 필요합니다. 또 그것이 우리의 이익입니다. 우리는 북한에 진출해야 중소기업도 살릴 수 있고, 또 북한에 가서 사회간접자본에 투자해야 앞으로 남북 통일 경제에 있어서 나라를 발전시켜 나가는 길을 이을 수 있습니다.

무엇보다도 중요한 것은 북한을 거쳐서 압록강을 건너 가지고 유라시아 대륙으로 나가는 것입니다. 우리는 말이 반도라고 하지만, 바다로도 가고 육지로도 가는 것이 반도인데, 우리는 육지로 못 가고 있습니다. 북한하고 문제가 해결돼서 철도가 열려야 합니다. 저는 6·15정상회담 때부터 철도 이야기 자꾸 하고 있고 또 현재 러시아 푸틴 대통령하고도 이 문제를 가지고 많이 이야기하고 있습니다. 이것은 모든 관계국에게 이익이 됩니다. 북한도 이익이 되고 우리도 이익이 되고 러시아도 중국도 이익이 되는 것입니다. 유라시아 대륙으로 철도가 나가려고 하면 북한 철도를 우리가 복선화시키고 현재 노후화된 철도 시설을 보수해야 합니다.

그렇게 하면 우리 한국이 21세기 세계 경제 속에서 비약적인 발전을 할 것이라고 봅니다. 흔히 하는 말로 과거를 '한강의 기적'이라고 하지만, 이제는 '압록강의 기적'을 이룩할 수 있습니다. 이런 생각으로 북한 경제 지원을 가난한 친척에게 속으로는 귀찮게 생각하면서 할 수 없이 준다는 식으로 생각하지 말고, 이것이 남한의 중소기업들을 북한에 진출시켜서 살리는 길이고, 이것이 평화를 강화시킴으로써 우리나라에 외국 투자가 늘게 하고 우리나라 기업인들이 더 많은 활동을 할 수 있게 하는 길이고, 이것이 우리가 유라시아 대륙으로 나가서 결국은 세계 경제 속에서 한국이 우뚝 서는 길이다…… 하는 생각을 가지고 봤으면 좋겠습니다.

문정인 한 가지 민감한 질문을 해 보겠습니다. 남북한 경제 교류 협력의 중요성을 상당히 강조하셨는데 만일 북한 핵 문제라든가 미사일 문제로 긴장이 고조되는 상황에서도 개성공단, 금강산 사업, 중소기업의 대북 진출이 계속되어야 한다고 보십니까?

김대중 그렇게 경제적 협력이 계속되기 위해서는 아까 고르바초프 대통령께서도 이야기했지만 반드시 안보 문제가 해결되어야지요. 그게 안 됐는데 돈 가지고 가서 투자할 사람이 누가 있겠습니까?

그리고 또한 북한은 그런 사람들에 대해서 적극적인 지원을 해 주고, 안전한 사업 경영을 보장해 주고, 그리고 북한은 스스로가 절대로 전쟁을 바라지 않는다, 스스로는 어디까지나 평화를 바란다는 점을 확신시켜 줘야 합니다. 그래서 그 두 가지 문제…… 북한의 안전 평화 문제와 우리의 투자 문제, 이 두 가지가 결국 서로 연계되어 있다고 생각합니다.

고르바초프 제가 몇 마디 보충하겠습니다. 제가 아는 정보에 의하면 북한도 역시 남북 경협에 대해 어떤 의구심 같은 것을 가지고 있는데요. 제 생각에는 어떤 경우에도 이미 시작된 남북 경협은 계속되어야 한다는 것입니다.

이런 경제 교류를 통해 남북 관계가 안정적인 방향으로 나아가도록 전반적인 영향력을 행사해야 합니다. 제가 말하고 싶은 것은 남측의 노력 없이는 결코 많은 것을 얻을 수는 없습니다.

그렇다고 북한을 마치 동생 보듯 하라는 것은 아닙니다. 말하자면 약소국이라서 마음대로 좌지우지할 수 있다는 식으로 대한다면 북으로부터 아무것도 얻을 수 없을 것입니다. 그렇게 되면 북한은 "어떻게 버텨 내야 할 것인가." 하는 문제 앞에서 다른 해답을 찾으려 할 것입니다. 군대를 동원하고 무력에 의존하려 할 것입니다. 그러면 다시 긴장이 발생하겠죠.

문정인 고르바초프 대통령께서는 사실상 소련 사회주의경제의 대전환을 만드신 장본인이십니다. 특히 개방, 글라스노스트, 개혁 페레스트로이카라고 하는 개념을 만들고 과거 소련에 전반적인 변화가 오도록 하셨습니다. 그때의 경험에 비추어 봤을 때, 지금 북한은 어떠한 형태의 개방과 개혁을 해야 한다고 보십니까?

고르바초프 예, 우리 러시아에는…… 다른 나라가 우리로부터 배울 만한 경험이나 교훈도 있고, 동시에 다른 나라가 피해야 할 부정적인 경험도 있습니다. 이런 점에서 저는 김대중 대통령께서 말씀하신 것과 관련해 몇 가지 주목해 주셨으면 하는 점을 말씀드리겠습니다.

우선 북한의 경제 개혁은 과연 성공할 것인가의 문제입니다. 그것은 북한 개혁의 내용과 수준, 속도 등 여러 가지 요인에 따라 결정될 것입니다. 그런데 여기서 가장 중요한 것은 바로 "체제 자체를 어떻게 할 것인가"입니다. 과거 소련에서 개혁 개방을 할 때는 어떻게 해서든 기존의 사회주의 체제를 유지하면서 모든 개혁을 하려고 했습니다. 하지만 그렇게 되지는 않았어요.

기존의 체제란 변해야 하는 것이었고 또 어떤 형태로든 변할 수밖에 없었습니다. 문제는 기존의 사회주의 체제를 "어떤 형태로 바꾸어 갈 것인가"입니다. 러시아의 경험에서 출발해야 하는가? 중국의 경험을 끌어와야 하는가? 아니면 베트남의 경험을 본떠야 하는가? 이것은 북한 스스로가 결정해야 합니다.

핵심은 "사람들이 어떻게 바뀌도록 할 것인가"입니다. 사람들에게 동기 유발이 있어야 합니다. 바로 이런 차원에서 기존 체제를 변화시켜야 한다는 것입니다. 사람들을 고무시켜 새로운 성과가 나오도록 해야 하는 것입니다.

그 방법은 시장경제를 도입하는 것입니다. 다른 여러 가지 동기 유발을 위한 정책을 시도해 봤지만 아무것도 성공하지 못했습니다. 과거 사회주의 국가들은 지금 각 국가마다 나름대로의 방법으로 시장경제를 도입해 가고 있습니다.

물론 북한도 이러한 길을 걷고 있는데요. 북한이 서둘러서는 안 됩니다. 북한을 재촉해서도 안 됩니다. 만일 내부에 혼란이 생겨 상황이 급박해지면 모든 것을 망칠 수 있습니다. 북한은 인력 양성을 위해 남한으로 사람을 보내 배우게 하고 또 이곳(남한)에서는 어떻게 일을 하는지 보여 주어야 합니다.

김대중 전 대통령께서도 좋은 말씀을 하셨습니다. 한국의 중소기업을 북한으로 보내서 기술을 전수하고, 북한 사람들과 함께 전망 있는 사업을 같이 하면 좋을 것입니다. 그러면 일자리도 생길 것이고 사람들의 소득도 늘게 됩니다. 단 전체적으로는 안정이 필요하고요.

문정인 그런데 고르바초프 대통령께서 조금 전에 상당히 본질적인 문제를 제기했다고 생각되는데요. 그것은 "경제 개혁의 속도와 정치 개혁의 속도를 어떻게 조화시키는가" 하는 문제입니다.

개방 개혁을 많이 해서 북한 체제에 위협이 된다면 북한은 할 수가 없게 됩니다. 그래서 어떻게 하면 정치적 안정을 유지하면서 그 안에서 개방 개혁을 해야 하는가…… 이것이 아마 북한 지도부의 가장 큰 고민일 것이라고 생각됩니다. 고르바초프 대통령께서는 직접 체험을 하셨는데 북한의 이 문제에 대해서는 어떻게 생각하시는지요?

고르바초프 예, 우리가 과거 소련에서 개혁을 시작했을 때…… 개혁을 진전시켜 나가자 당시 소련의 지배 계층은 저항하게 되었습니다. 공산당 간부와 관료들이었죠. 특히, 기업의 권한이 확대되는 데에 대한 저항이 심했지요. 그렇게 되면 경제를 감독하는 당위원회의 입지가 도전받게 된다고 생각했기 때문입니다. 개혁을 하려면 이러한 저항까지 모두 고려해야 할 것입니다.

그래서 북한은 경제 개혁을 점진적으로 단계를 밟아 해 나가야 합니다. 그들을 빨리하라고 재촉하면 안 됩니다. 그러면 위험합니다. 우리는 이랬습니다. 옛 소련의 보수 진영은 아무것도 변화시키지 않으려 했던 반면, 민주 진영은 장애물을 딛고 오로지 전진, 전진해 나가야만 한다고 말했습니다. 이것이나 저것이나 양쪽이 다 극단적으로 가는 것은 위험합니다. 최적의 길을 찾아야 합니다.

김대중 문제는 중요하니까 한마디 하겠는데……. 정치 (개혁)하고 경제 개혁을 어떻게 조화해서 나가는가 하는 문제인데, 러시아와 동유럽은 정치 개혁과 경제 개혁을 병행해서 했습니다.

그런데 중국이나 베트남은 정치는 그대로 가면서, 말하자면 체제를 유지하면서 경제만 근대화하는 방식으로 해서 상당한 성과를 올리고 있습니다. 내가 볼 때, 북한은 당연히 중국식이라는 말은 싫어하지만, 중국이나 베트남 같이 체제는 유지하면서 경제를 발전시키는 것을 할 것입니다.

그러나 세상에는 다 이치가 있습니다. 경제가 발전되면 중산층이 성장됩니다. 중산층이 성장되면 결국에는 정치 개혁을 요구하게 됩니다. 영국 산업혁명 때도 그랬고, 프랑스 대혁명도 그런 중산층 요구를 안 들어주었기 때문에 대혁명이 일어난 것입니다.

지금 중국도 벌써 3년 전에 공산당 당헌을 바꿔서, 공산당 당원 자격으로 노동자·농민 한 계층으로만 했던 것을, 이제는 지식인과 기업가까지 포함하는 '3개 대표론'을 장쩌민 주석이 내세웠습니다. 그것은 변화를 말하고 있는 것입니다. 처음에는 북한도 중국식을 따라가겠지만 결국은, 경제가 발전되려면 더구나 급속히 발전되려면 그런 정치적 변화가 없이는 안 되기 때문에 변화가 올 것으로 봅니다.

고르바초프 잠시 저의 의견을 말씀드리겠습니다. 중국과 베트남은 경제 개혁을 하고 있는데요. 경제 정책은 변화시키면서도 기존 정치체제를 유지하고 있습니다. 제가 말씀드리고 싶은 것은, 중국에서는 경제 개혁을 시작하기 전에 문화혁명이 있었다는 점입니다.

문화혁명의 핵심은 당시 경제 개혁을 추진하던 세력을 축출하는 것이었습니다. 중국공산당 안의 보수 세력들이 문화혁명을 도구로 정치투쟁을 했던 것이지요.

중국은 15년 만에야 문화혁명으로부터 벗어날 수 있었습니다. 개혁 개방이 본격적으로 이루어지기 전에 문화혁명과 같은 정치적 조치가 먼저 있었던 것이죠. 기존 사회주의 체제를 유지하면서 경제 개혁을 한다고 해서, 경제만 변하고 당이나 정치는 전혀 변하지 않을 수 있다는 것은 아닙니다. 체제는 항상 변하고 있습니다. 단 점진적으로 변하는 것이죠.

정부의 역할이 변하고 당도 변하게 됩니다. 그러나 국가마다 사정에 따라 진행되는 것이죠. 그러니까 경제 개혁과 함께 정치체제가 성공적으로 변해가려면 바로 그 나라의 토양에서 나온 것이어야 합니다. 다른 나라에서 가져올 수 없는 것입니다.

그 나라의 문화, 경제 상황 등을 고려한 것이어야 합니다. 교육, 학문 등 그 나라가 가진 모든 요소를 고려한 것이어야 하죠. 결국은 체제 개혁을 하고 있는 사회주의 국가들은 어떤 기준이나 방향으로서의 민주주의 원칙은 따르면서도 저마다의 방식을 찾는 것입니다.

북한 인권 문제, 어떻게 대응해야 하나

문정인 그런데 지금 일각에서는 북한의 인권 문제가 상당히 논쟁화되고 있습니다. 한국 정부는 인권을 주장하면서도 북한 인권에 대해서는 외면하고 있다는 주장이 많습니다. 김 전 대통령님께서는 어떻게 생각하시는지요?

김대중 저는 그 문제에 대해서…… 제가 청와대에 있을 때인 2002년 2월, 부시 대통령이 청와대에 오셨습니다. 바로 한 달 전 1월에 이라크와 이란과 북한을 악의 축으로 지정하고 온 거예요.

그때는 북한을 공격한다는 말도 있었고 해서, 나도 상당히 긴장해서 맞이했는데, (부시) 대통령이 만나자마자 북한 인권 문제를 이야기하면서 북한을 완전히 비난했습니다. 백성들 밥도 못 먹이면서 전쟁 준비나 하고…… 이런 이야기를 했어요. 그래서 내가 부시 대통령에게 이야기했습니다. "물론 북한 인권이 좋지 않은 것은 다 안다. 그런데 그런 인권 문제에 있어서 지금 압박한다고 해서 되는가? 당신들이 50년 동안 인권 문제 가지고 소련을 압박하고 냉전 했지만 바꾸지 못했고, 중국도 그렇게 했지만 못 바꾸고, 베트남도 그렇고, 지금 쿠바같이 바로 눈앞에 있는 조그만 섬도 못 바꾸고 있지 않은가?

그러면 어떻게 해서 바꾸었는가? 소련하고 동유럽하고 유럽안보협력회의,

헬싱키협정을 만들어서 서로 교류하고 협력하는 체제를 만드니까 소련 사람들이 세계를 알게 되었던 것이다. 그러자 이래서는 안 되겠다고 하는 기운이 일어나니까 고르바초프 대통령이 그것을 장악해서 위대한 페레스트로이카 혁명을 한 것이다. 중국도 안 되니까 닉슨이 중국에 가서 마오쩌둥을 만났다. 그래서 결국은 중국의 안전 보장, 국제연합(UN) 가입, 국교 정상화를 이야기하면서 마오쩌둥이 같이 동의하여 덩샤오핑을 등용했고 개혁 개방을 해서 오늘날같이 변한 것 아니냐. 베트남하고는 공산주의 인권 문제 해결한다고 전쟁까지 했지만 결국 못 이기고 나왔는데, 지금 외교하고 교류하니까 모든 것이 잘돼 우리가 안심하고 가서 투자할 수 있는 나라가 되었고, 과거에 비하면 인권도 많이 개선되어 가고 있는 것이다.

결국 공산당의 변화는 개혁 개방으로 유도할 때 되는 것이지, 외부에서 압력 가하면, 오히려 이것을 '제국주의적 세력의 음모'라고 구슬려 가지고 백성은 더 교화되고, 더 독재를 강화한다. 그래서는 안 된다."

그랬더니 부시 대통령이 납득을 해서 기자회견 하면서 "북한을 공격하지 않겠다. 북한하고 대화하겠다"(고 했어요.) 내가 대화하라고 (했어요.)

당신들 나쁜 짓 하는 사람하고 대화하지 않는다는데, 대화에는 나쁜 짓 한 것, 좋은 일 한 것이 문제가 되는 것이 아니라, "필요한가? 이익이 되는가?"가 문제다, 레이건 대통령은 소련을 악마의 제국이라고 해 놓고도 대화하지 않았느냐, 당신네는 6·25전쟁 때 전쟁 도발한 사람들하고 전쟁 중에 대화해서 휴전협정을 맺지 않았느냐, 그런 소리 하지 말고 대화해야 한다, 이 얘기를 했더니 대화하겠다고 선언했어요. 식량도 주겠다고 했는데, 그런데 그 이후에 제대로 안 됐습니다.

문정인 고르바초프 대통령께서는 북한 인권 문제에 대해서 어떻게 생각하십니까?

고르바초프 인권은 매우 근본적인 문제입니다. 경제 개혁의 성과가 없어 생활에 활력을 주지도 못하고 또한 사람들은 전체주의 체제 아래에서 통제를 받아, 학문이나 비즈니스, 문화 등에서 자신들이 이니셔티브를 가질 수 없다면, 인권이라는 것은 아주 중요한 문제로 떠오릅니다.

그렇다고 해서 모든 분야의 인권 문제를 동시에 해결해야 하는 것은 아닙니다. 국가별 상황과 문화에 따라 비전을 가지고 매우 주의 깊게 개선해 나가야 하고 또 시간도 필요합니다.

페레스트로이카를 옛 소련 공산당 관료들이 저지하려 했을 때 옐친의 그룹은 이에 반대하며 모든 문제를 빨리 해결하려고 했습니다. 사유재산을 확대하고 국영기업을 사유화하는 등 모든 조치를 빨리 진행하려고 했습니다. 그 결과 소련이 붕괴된 것입니다. 매우 위험한 교훈인 것이죠.

그다음 푸틴 대통령에 와서야 러시아는 정치적 안정과 함께 경제 성장이 시작되었습니다. 모두 주의 깊게 봐야 할 부분입니다.

김대중 조금 전에, 한국은 북한 인권에 대해서 관심이 부족하다는 국제 여론에 대해 이야기를 했는데, 인권에는 정치적 인권이 있고 또 사회적 인권이 있습니다.

정치적 인권은 영국에서의 1688년 명예혁명 이후 시작되어 영국 산업혁명 이후 부르주아 중산층이 일어남으로써 정치적 인권, 언론·집회·결사의 자유 같은 것이 본격화된 것입니다. 역사는 길지 않습니다.

그러나 사회적 인권이라는 것은 수십만 년 전에 인류가 이 지구상에 태어난 그 시간부터 먹어야 살고, 어린 애는 어머니 젖까지 먹어야지 삽니다. 그리고 병들면 고쳐야 해요. 그러한 인권은 오랫동안 계속되어 왔습니다.

먼저 정치적 인권에 대해서 보면, 조금 전에 말한 바와 같이 공산국가는 개혁 개방이 안 되는 이상, 효과가 없기 때문에 (북한의 정치적 인권 개선이) 큰 효과를 못 올리고 있지만, 다만 북한에서 탈출한 사람들을 약 8000여 명 받아들여서 여기에 생활 터전을 마련해 주는 것은 부분적으로 하고 있습니다. 다음으로 사회적 인권에 대해서 보면, 우리가 식량을 보내 주고 있지 않습니까? 비료 10만 톤 보내면 증산이 10만 톤 더 됩니다. 그러면 20만 톤이 됩니다. 그리고 의약품 같은 것도 보내 주지 않습니까?

이렇게 해서 북한 사람들이 지금 굶주리지 않게 하기 위해 많은 도움을 주고 있습니다. (북한의) 사회적 인권에 대해서는 세계 어느 나라보다 우리가 기여하고 있는 것입니다. 그러나 우리가 만일 정치적 인권을 떠들면 북한과의 관계가 여기서 전부 뒤죽박죽이 되어 버립니다. 성과도 못 올리면서 혼란만 가지고 오는 일을 우리가 하는 것은 현명하지 못합니다.

다만 세계의 다른 국가들이 북한에 인권 문제가 있다고 생각하면 그 분들이 이야기하는 것은 자유입니다. 그러나 그것을 똑같이 우리보고도 하라는 것입니다. 다른 상황에 있는 나라더러 그렇게 하라는 것은 현실적인 이야기가 아니라고 생각합니다.

한반도 평화와 동북아 다자안보 체제의 가능성

문정인 우리 한반도의 평화 안정이라고 하는 것은 동북아의 전반적인 전략 구조하고 분리해서 볼 수는 없는 것이 아니겠습니까? 그런데 요즘 보면 '중국 위협론'이라고 하는 것이 중국의 부상과 더불어 크게 대두되고 있습니다. 그러면서 미국은 일본하고 동맹을 강화시키면서 중국을 보이지 않게 고립시키고 억제하려고 하는 움직임도 있습니다. 이런 것이 한반도와 동북아의 평화·안정에 주는 함의는 무엇일까요? 한국 정부는 여기에 어떻게 접근해 나가야 할까요?

김대중 중국이 지금 바라는 것은 오랜 가난에서 벗어나고, 그동안 여러 가지 굴욕의 역사가 있었는데, 정상적인 국가가 되고, 그리고 지금도 수많은 빈곤층이 있습니다.

그것이 5000만 명이라고도 하고 1억 명이라고도 하고 또 몇억 명이라고도 합니다. 그런 문제 때문에 매일같이 지방에서 시위가 일어나고 말썽이 생기고 있거든요. 중국도 지금 절대로 안심할 수 있는 것은 아닙니다. 그래서 중국은 경제 발전에 전념하고 싶어 한다고 나는 봅니다.

중국이 지금 대외적으로 제2의 미국이 되고 그래서 세계국가가 되고 지배자가 되길 바란다고는 보지 않습니다. 만일 그렇게 나오게 되면 많은 부작용이 있을 것입니다. 또 미국이 있고 일본이 있고 모든 나라가 있는데 중국의 그런 야심이 쉽게 이루어질 것도 아닙니다.

먼저 그렇게 하지 말고(중국 위협론을 제기하지 말고), 모두 중국과 대화를 해서 중국도 좋은 방향으로 개혁 개방을 하고, 민주화도 하고, 인권도 신장시키고…… 이런 방향으로 하도록 해서 중국도 같이 안심하고 살 수 있는 나라가 될 수 있으면 좋은 것 아닙니까?

문정인 유럽에서는 '러시아 위협론'이라는 것이 없습니다. 러시아는 유럽 안보협력기구(OSCE)의 일원이고, 나토 국가들하고도 잘 지냅니다. 이런 현상이 왜 동북아에서는 없는 것일까요?

고르바초프 이제 이 문제에 대해 동북아에서도 모색이 시작된 것입니다. 6자회담과 같은 기구에 앞으로 더 많은 나라들을 포함시킬 수도 있습니다. 어떤 구상이 유효할지는 두고 봐야 알겠죠.

유럽의 경우 안보협력회의와 같은 기구는 1975년부터 시작돼 지금의 안보협력기구로 발전해 왔습니다. 이 회원국들이 지난 1990년에는 파리헌장을 채택했죠. 유럽에서 "대결과 분열의 시대는 종말을 고했다"고 선언한 것입니다. 유럽에서는 이런 다자간 안보협력이 계속돼 왔고 앞으로도 계속될 것입니다.

제가 소련 지도자였던 지난 1986년, 블라디보스토크 선언을 통해 동아시아 국가 간 안보협력기구를 제안한 적이 있습니다. 이 지역의 모든 상황을 관찰해서 평가하고, 특정 지역에 위험이 있을 경우 적시에 개입해서 해결할 수 있어야 한다는 것이었죠.

그런데 아무도 반응을 보이지 않았어요. 유일하게 코멘트를 한 사람이 존 볼튼인데, 그가 동아시아에 와서 말하기를 고르바초프가 제안한 것은 너무 유토피아적이라는 것입니다. 그러나 이제는 아닙니다. 바로 그 시기가 온 것이죠.

김대중 그래서 현재로서는 중요한 것이, 6자회담을 성공하도록 하는 것입니다. 6자회담이 성공하면, 지금 중국 문제의 당사자인 중국은 물론 일본, 미국, 한국 등의 나라들이 모든 문제를 협의로써 풀어 나갈 수 있다는 자신이 생기고 또 그럴 수 있는 토대가 생깁니다.

우리가 잘 알듯이 중국이 북한하고 가깝지만 핵 반대하지 않습니까? 그리고 북한보고 국제사회에 협력하라고 하지 않습니까? 그런 것으로 볼 때도 중국을 나쁘다고만(위협이라고만) 생각할 것이 아닙니다.

이런 점에서 한국 일본, 미국, 중국 그리고 러시아와 북한도 포함하는 6자회담 당사국이 협력 체제를 앞으로도 계속 유지해 나가야 합니다. 6자회담은 아주 잘 만든 것입니다.

한반도나 동북아시아에 영향력 줄 수 있는 나라가 다 끼어 있습니다. 그렇기 때문에 여기서 이야기가 되면 그 누구도 이의를 제기할 수 없습니다. 확실한 보장이 됩니다. 그래서 이 6자회담 중요성을 우리 국민도 한 번 더 인식하고, 6자회담이 잘되도록 바라고 지원해야 하지 않을까 생각합니다.

문정인 장시간 감사합니다. 지금까지 두 분의 지도자로부터 한반도와 동북아의 평화 번영을 위한 새로운 대안을 모색해 봤습니다. 오늘 얻을 수 있는 교훈은 명백합니다. 강압과 대립보다는 화해와 협력, 급진적 변화보다는 점진적 변화, 일방주의보다는 다자주의 협력, 그리고 열린 마음으로 서로를 이해하고 안정을 모색할 때 동북아와 한반도에 평화 번영이 온다는 것입니다. 장시간 감사합니다. 여기서 오늘의 특별 대담 마치도록 하겠습니다. 대단히 감사합니다.

---

* 이 글은 2006년 6월 18일 연세대학교 김대중도서관에서 있었던 미하일 고르바초프(Mikhail Gorbachev)와의 대담으로, 2006년 6월 24일 오후 8시 「KBS스페셜」에 방영되었다.

미국과 북한은 주고받는 협상을 해야 한다

대담 안잘리 라오
일시 2006년 9월 23일

라오 대통령님, 「토크아시아」(Talk Asia)에 오신 것을 환영합니다. 우선 대통령님의 햇볕정책에 대해서 이야기를 나누기를 바랍니다. 햇볕정책이 아주 좋은 의도가 있다는 것을 알고 있지만 항상 비판가들도 있었다고 생각합니다. 대통령님께서 햇볕정책에 대해서 생각하신 것이 기대에 미치셨습니까?

김대중 남북 관계에 있어서는 상당히 햇볕정책이 잘 진전이 되었는데, 북·미 관계가 클린턴 정권 때는 잘 협조해서 됐지만 부시 정권 들어서면서 아주 악화되고 경색되어 햇볕정책의 진전에도 상당한 갈등을 가져온 것입니다. 햇볕정책은 완전한 성공이라고 할 수는 없지만 상당히 큰 성과를 올린 것이 사실인데, 무엇보다도 남북 간의 긴장이 크게 완화되었습니다. 그전에는 미국이 베트남에서 패전하고 나올 때나 또 판문점에서 북한 경비병이 총을 쏘거나 하면 공황 상태가 일어나서 피난 갈 준비를 하고 공포에 떨었는데, 남북정상회담 이후에는 그런 일이 없었습니다. 이번에 북한 미사일이 발사되고, 핵무기 제조 등 그런 문제가 있어도 국민들이 놀라지 않고 이제 북한을 많이 알게 되니까 북한에 대해서 자신감을 갖고 그런 문제에 대해서 한반도에서 우리 국민이 자신을 갖고 살아 나가는 데 많은 기여를 한 것이 햇볕정책이라고 생각합니다.

햇볕정책 이후에 북한 사람들의 생활에도 큰 변화가 있습니다. 이제 북한은 배급제도를 유지하는 계획적인 공산주의 사회가 아니라 각자가 알아서 살아가는 그런 시대가 되었습니다. 최근 북한 사회에는 장사하는 사람들이 아주 많이 퍼졌고 그러한 사람들은 북한 내부에서만이 아니라 국경을 넘어서 중국을 왕래하는 사람들이 굉장히 많습니다. 그런 사람들은 금지되어 있지만 경비병들에게 뇌물을 주면서 자유롭게 왕래하고 있습니다. 이렇듯 북한 사회가 내부적으로는 실질적으로 계획경제에서 시장경제로 바뀌어 가는 그런 큰 중요한 의미가 있습니다. 그전에는 남한에 대해서 불신과 증오 일변도였는데 우리가 식량을 주고 비료를 준 이후로 우리에 대해서 상당히 감사하고 부러워하고 그리고 "우리도 저렇게 잘살았으면 좋겠다"고 생각하는 등 남한에 대한 적대감이 크게 감소되었습니다.

라오 대통령님께서는 북한 사람들의 생활 개선 이런 이야기를 말씀하셨는데 북한 사람들은 갈수록 그렇지만 더 고립되어 가고 있다고 말씀드릴 수 있겠고, 이러한 것들이 또 북한의 미사일 발사나 김정일 정권 이런 것 때문이라는 것을 알고 있습니다. 김정일이라는 사람은 굉장히 가려져 있는 인물이고 겉으로 드러내기를 꺼리는 인물인 걸로 알려져 있는데 대통령님께서는 김정일 국방위원장을 직접 만나 보고 실제로 어떤 인물이었는지 말씀 좀 해 주시기 바랍니다.

김대중 아주 재미있는 질문인데요. 김정일 위원장은 그동안 외부에서 생각하던 그런 인물과 상당히 다릅니다. 이 점은 올브라이트 전 국무장관이 가서 보고 온 것도 그렇고, 일본의 고이즈미 전 총리도 같은 이야기를 하고 있고, 스웨덴의 페르손 전 총리도 그런 이야기를 하고 있습니다. 김정일 위원장은 상당히 머리가 총명하고 또 판단력이 빠르고 또 상대방의 말을 들으면 즉각 가부간의 결정을 하는 등 그런 장점이 있습니다. 물론 김정일 위원장은 철저히 일인 독재를 하는 사람이기 때문에 일인 독재의 폐해는 그것대로 우리가 생각해야 합니다.

라오 제일 유명하고도 사람들이 가장 신기하게 생각하는 대통령님과 김정일 국방위원장님과의 대화는 바로 북한 공항에 내려서 공항에서 차를 타고 두 분이서 함께 가실 때 나눴던 대화가 아닐까 싶은데 실제적으로 그때 무슨 대화를 나누었는지 사람들이 아무도 모르는 그런 상황입니다. 지금 대통령님께서 당시 무슨 대화를 나누었는지 밝혀 주실 수 있습니까?

김대중 우리나라에서 설명해도 잘 납득이 안 되는 그런 경우에는 "버선목을 뒤집어 보일 수도 없고 참 답답하다." 그런 말이 있습니다. 그때 저는 사실 김정일 위원장이 공항에 나올지 안 나올지 몰랐습니다. 그런데 나왔는데 국빈으로서 외국에 가면 영접한 차는 내가 혼자 타는데 내가 차에 타고 있으니까 누가 차에 '턱!' 앉더라고요. 보니까 김정일 위원장이 앉아 있어요. 그런데 타 본 사람은 이해할 수 있겠지만 약 60만 명의 사람들이 도로에 나와서 소리치고 꽃대를 흔들고 만세를 하는데 말해도 들리지도 않는 상태고 또 나는 아직 김정일 위원장과는 일면식도 없고 그런 중대한 대화를 할 때는 상당히 긴장하고 함부로 말할 수도 없고 그래서 대화할 수 없었습니다. 그 두 가지, 즉 말을 해 봤자 안 들리고 또 말할 심정도 아니고 그래서 그냥 서로 밖의 사람들에게 손을 흔들어 주어야 하기 때문에 또 말할 수도 없었어요. 그렇게 해서 거의 한마디도 못 하고 있는데, 김정일 위원장이 한 번은 "잘 모시겠다!" 그런 말을 한 기억이 있고 대화가 실제로 없었습니다.

라오 대통령님과 김정일 위원장은 이야기가 서로 잘 통했다는 것을 대통령님의 말씀으로 알 수 있는데 그때 당시 대통령님께서 북한을 방문하시면 김정일 국방위원장이 서울을 답방하겠다고 약속하고 그 약속을 지키지 못했습니다. 대통령님께서는 참 많이 실망하셨을 것 같은데요.

김대중 많이 실망했고, 사실 약간 기분이 안 좋습니다. 그런 데다가 못 오면 못 온다고 얘기하고 사과를 해야 하는데 거기에 대해서 공식적으로 일언반구도 없습니다. 중국의 장쩌민 주석이나 러시아의 푸틴 대통령도 "답방을 하라"고 하고 "더구나 당신보다 나이가 많은 분이 여기까지 왔는데 당신이 찾아가지 않는다는 것은 예의가 아니다."라고 상당한 이야기를 하면 그때마다 그분들에게 가겠다고 얘기했다는 것을 들었는데 결국 안 왔습니다. 그 점에 있어서는 매우 유감일 뿐 아니라 왔었으면 훨씬 더 남북 관계가 평화롭게 잘 진전되었을 텐데 참 아쉽다고 생각됩니다.

라오 지금 김정일 국방위원장은 답방 문제를 고집을 부리고 있고 핵무기의 개발에 있어서도 고집을 부리고 있지 않나 이렇게 생각됩니다. 7월에 있었던 북한의 미사일 발사 이것이 아시아 지역에서 얼마나 큰 영향을 미쳤다고 생각하십니까?

김대중 그것은 한마디로 말해서 북한이 큰 잘못을 저질렀다고 생각됩니다. 그로 인해서 아시아 긴장이 고조되었고 일본이 재군비 쪽으로 우익의 힘이 급속화되었습니다. 또 북한 자체에 대해서 미국이나 일본이 제재로 나서고 있고, 유엔도 북한에 대해서 염려하는 등 이것은 북한에 대해서 도움이 안 되고 아시아 전체의 안전과 평화를 위해서도 도움이 안 된다고 생각됩니다. 그래서 왜 그런 어리석은 짓을 하는지 저는 그런 일을 해서는 안 된다고 공개적으로나 사적으로나 굉장히 강력한 공표를 했는데 그것이 소용이 없었어요.

라오 김정일 국방위원장은 항상 미국과의 일대일 대화를 원한다고 이야기해 왔습니다. 하지만 워싱턴은 지금 "그것은 현실화되지 않을 것이다." 이렇게 이야기하고 있습니다. 대통령님께서도 김정일 위원장을 만나 보셨는데 북한을 다시 6자회담의 협상 테이블로 오게 하기 위해서 다른 방법이 있다고 생각하십니까?

김대중 미국이 김정일 위원장과 직접 대화를 안 하겠다는 것은 이해하기 어렵습니다. 대화란 것은 친구와 하는 것만이 대화가 아니라 적하고도 이해관계가 일치하면 대화를 하는 것입니다. 레이건은 과거 소련을 '악마의 제국'이라고 해 놓고도 대화를 했고, 또 미국은 북한에 대해서 6·25전쟁 중에도 휴전협정 대화를 1년 이상 해 가지고 휴전협정을 성립시키지 않았습니까? 그 외에도 과거에 많은 대화를 했는데 이제 와서 대화를 할 수 없다는 것은 납득할 수 없습니다. 대화한다는 것이 꼭 양보한다는 것도 아닌데 왜 안 합니까? 물론 나는 6자회담을 지지하고 6자회담의 테두리 안에서 하는 것도 반대하지 않지만 아무튼 그 사람이 원하는 대화에 적극적으로 응할 필요가 있다고 생각합니다. 실질적으로 테두리 내에서도 대화할 수 있고 밖에서도 대화할 수 있는 것입니다. 그리고 북한이 6자회담에 다시 나오게 하는 것은 지난번에 4차까지 나오지 않았습니까? 4차회담에서 작년 9월 19일 날 아주 좋은 기회였는데 바로 그다음 날 방코델타아시아 은행의 돈 이야기가 나왔단 말이에요. 그러니까 북한이 지금 "미국이 그것에 대해서 증거를 내놔라. 그러면 그것에 대해서 책임을 지고 납득 하겠다"고 이야기하고 있습니다. 그런데 미국이 안 내놓으니까 북한은 "그것이 해결되기 전까지는 6자회담 못 나가겠다." 이렇게 이야기를 하고 있는 것입니다. 나는 북한이 6자회담에 나가서 그런 얘기를 해야 한다고 생각합니다. 그리고 미국은 북한에 대해서만 "왜 6자회담 안 나오느냐." 이런 이야기를 하고 있지만 여하간 미국이 지금 증거가 있으면 내놓든지 아니면 확실치 않으면 그 문제에 대해서 보류를 하든지 해서 6자회담이 열릴 수 있도록 길을 열어주고 도와주어야 한다고 생각합니다.

라오 현재 북한은 핵무기를 개발하고 있다고 인정했습니다. 그리고 북한이 미국과의 일대일 대화를 진정으로 원한다면 이러한 핵 프로그램을 중단시킬 수 있지 않겠습니까? 그러므로 현재 주도권을 쥐고 있는 쪽은 미국이 아니라 북한이 아니겠습니까?

김대중 그 말씀은 일리가 있고, 공감을 하고 있습니다. 동시에 북한은 미국에 대해서 자기의 안전을 보장하고 경제적 제재를 해제하는 조건이면 자기들도 "핵을 포기하고 그래서 미국이 직접 와서 감시해도 좋다." 이렇게 제안을 하고 있습니다. 그러니까 직접 대화하자 이런 것입니다. 그러나 미국이 안 받아들이니까 문제가 악화되는 것입니다. "네가 먼저 포기해라. 그러면 그때 우리가 알아서 해 주겠다." 이런 식으로 미국이 하고 있다고 생각하고 있으니까 북한은 "미국을 믿을 수 없다." 그래서 문제가 그렇게 되고 있는 것입니다. 그러나 여기서 분명히 말씀드리고 싶은 것은 북한은 미국과의 관계 개선을 열망하고 있습니다. 그것만이 자기들이 살길이라고 생각하고 있습니다. 그리고 그것만이 중국의 속국 비슷하게 중국의 영향력 아래로 들어가는 것을 막는 길이라고 생각하고 있습니다.

그래서 나는 북한에게 한번 기회를 주어야 한다고 생각합니다. 말하자면 북한의 안전을 보장하고 경제적인 제재를 해제해서 국제사회에 나오도록 해 주어야 한다고 생각합니다. 그러나 그렇게 해 주었는데도 만일 약속을 안 지키면 그때는 6자회담에 참가한 북한을 뺀 나머지 5자회담이 북한을 제재해야 합니다. 그때는 중국도 반대하지 못할 것이고 우리도 반대하지 못할 것입니다. 한 번 그러한 결단을 미국이 내리는 것이 좋지 않으냐 그렇게 생각합니다. 결국 북한이 핵무기를 가지고 그 핵무기를 가지면 아시아 전체가 남한도 일본도 대만도 모두 핵 보유 국가가 되어 핵의 지뢰밭같이 되는 것을 막기 위해서도 미국도 미국의 국익을 위해서도 그러한 과정을 거치는 것이 좋습니다. 그래서 북한이 약속을 지키면 좋고, 안 지키면 그때는 모두 합쳐서 제재를 하자 그런 이야기입니다.

라오 부시 대통령은 북한을 악의 축이라고 비판했었습니다. 대통령님께서도 김정일 위원장을 만나 보셨고 영리하고 결단력이 있는 인물이다, 이런 말씀을 해 주셨는데 부시 대통령이 말씀하셨듯이 김정일 위원장이 악합니까?

김대중 나는 그가 신봉하는 공산주의를 실천하는 정치에는 악이 많다고 생각합니다. 그러나 개인적 지도자로서 또는 인간으로 볼 때는 아까 말씀드린 그러한 평가를 내리고, 또 만나 본 여러 사람들이 그런 평가를 했습니다. 나는 2002년 1월에 부시 대통령이 북한을 '악의 축'이라는 발언을 하고 2월에 한국에 오셔서 나와 대화를 했는데 우리는 장시간 아주 좋은 대화를 나누었습니다. 그때 나는 이야기했습니다. "레이건은 소련을 악마의 제국이라고 했는데도 대화했고, 6·25전쟁 중에도 대화했다. 그런데 대화를 하는 것과 악마의 제국과 무슨 관계가 있느냐? 필요성이 있고 이해관계가 있으면 대화하는 것이지, 대화도 서로 우호적인 대화도 있고 적대적인 대화도 있다." 부시 대통령은 그것을 받아들였어요. 그래서 정상회담 후 공동 기자회견 할 때 세 가지를 얘기했어요. 하나는 북한을 공격하지 않겠다. 둘째는 북한과 대화하겠다. 그리고 재미있는 것은 내가 이야기한 레이건에 관한 이야기를 본인이 직접 "레이건은 소련을 악마의 제국이라고 해 놓고 대화를 했다. 나도 대화하겠다"고 이야기했어요. 그리고 "북한에 식량 주겠다." 이렇게 이야기했는데 그것이 그 후로 실천이 제대로 안 되었어요.

라오 부시 대통령이 악의 축 발언을 하셨을 그때 당시 대통령께서 북한과 아주 좋은 관계를 유지하고 지속시키기 위한 노력을 하고 계셨습니다. 그때 당시 미국과 동맹 관계를 유지하면서 남북 관계를 발전시키는 데 어떠한 노력을 했고, 얼마나 어려우셨습니까?

김대중 클린턴 대통령 때는 공개적으로 내 "햇볕정책을 지지한다. 북한에 대한 모든 정책은 김대중 대통령이 앞장서면 뒤에서 내가 밀어주겠다"고 선언을 했습니다. 그런데 부시 대통령이 들어온 후 소위 말하는 에이비시(ABC·Anything But Clinton) 정책을 "클린턴이 한 정책은 모두 반대다." 그런 말이 농담으로 나올 정도로 대북한 정책에 있어서 상당한 거부를 보였습니다. 그렇듯 아주 어려운 지경에 있었는데, 나는 그러나 그것 때문에 미국에 대해서 반미적으로 반응하거나 부시에 대해서 비난하지 않았습니다. 그것 빼고도 많은 점에 있어서 한국은 미국과 이해를 같이하고 있고 또 우방으로서의 역사를 가지고 있습니다. 동시에 이 문제도 근본은 우리가 어떻게 하면 한반도 평화를 실현시킬 것이냐에 대한 방법에 대한 문제이기 때문에 나는 끈기 있게 부시 대통령을 설득했습니다. 그래서 아까 말과 같이 2002년 2월에 서울에서 회담한 후 부시 대통령이 몸소 기자회견에서 발표하고 그랬던 것입니다. 우리는 정치적으로 미국과 민주주의를 공동 이념으로 하고 있고 시장경제를 공동 정책으로 하고 안보 면에서 공산주의를 반대하고 한반도 평화를 지키는 점에 있어서 일치하고 있습니다. 이러한 3대 원칙에 일치하고 있는 만큼 나머지 문제는 때론 의견이 일치하지 않더라도 조절하면서 세 가지를 확고히 하는 한·미 관계는 아주 반석 위에 있다고 생각합니다. 일부에서 말하는 것을 너무 과도하게 생각할 필요가 없다고 생각합니다.

말이 나왔으니까 한마디 덧붙이겠습니다. 지금 미국에서 한국에 대해서 6·25전쟁 때 도와준 은혜를 모른다거나, 또 한국을 믿기 어렵다는 말들이 나오는데 나는 그 점에 있어서는 생각을 달리합니다. 우리는 동맹국으로서 미국에 협조를 충실히 했습니다. 베트남전에 참전하여 5천 명의 사상자가 발생하고 1만 명의 부상자를 냈습니다. 이라크에는 미국, 영국 다음에 우리가 가장 많은 군대를 보내고 있고 앞으로도 계속 유지할 것 같습니다. 우리는 서울 바로 전면에 있는 제일 중요한 울타리인 아주 우수하고 장비가 좋은 2사단이 빠져나가는 데 동의해 주고 우리가 대신 맡았습니다. 그리고 용산에 있는 미군 기지를 평택으로 이전하는 데 그 비용도 대면서 평택 현지 주민들이 주택 철거에 반대하니까 경찰이 강제적으로 철거시키고 있는 그런 일까지 하고 있습니다. 한·미자유무역협정(FTA)은 지금 일본도 안 하고 있는 것을 우리가 하고 있습니다. 이렇듯 우리는 안보 면에서나 경제 면에서나 미국에게 긴밀히 협력하고 있습니다. 그런 의미에서 나는 미국 사회가 한국이 많은 일을 협력하고 있음에도 불구하고 비판하는데, 프랑스는 2차대전 때 미국에 신세를 졌지만 이라크 파병 안 하고 미국을 비판하고, 독일도 독일통일에서 미국의 신세를 졌습니다만 파병하지 않고, 얼마나 많은 점을 미국에 피해를 주었습니까? 나는 독일을 비판하는 것이 아니라 그런 관계에 있는 나라들은 덮어놓고 우리 한국에 대해서만 비판하는 것은 문제가 있다고 생각합니다. 또한 한국에서 전쟁이 일어난 원인은 미국과 소련이 한반도를 둘로 갈라놓았기 때문입니다. 이런 점에 있어서 나는 미국이 독일이나 프랑스와 똑같이 동맹국으로서 한국을 대해야 한다고 생각합니다. 여론조사를 해 보면 한국 사람의 80-90 퍼센트가 미국을 좋아합니다. 그러나 과반수의 사람들이 미국 정책에 대해서 문제를 가지고 있습니다. 나는 그것은 자연스러운 일이라고 생각합니다.

라오 현재 미국 정부 내에서는 강경한 입장에 있는 사람들이 더 많다고 생각합니다. 그렇다면 이 북핵 문제를 해결하는 데 있어서 중국이 얼마나 영향력을 행사할 수 있다고 생각하는지요?

김대중 결국 북한은 가난한 나라지만 지독하게 병적일 정도로 자존심이 강한 나라입니다. 중국이 북한을 컨트롤할 수 없습니다. 물론 영향력은 있지만. 문제는 북한은 미국과 이야기하고 싶어 합니다. 양보해도 미국에게 양보하고, 받아도 미국으로부터 받고 싶어 합니다. 그것이 자기네가 안심하고 국제사회에서 살아 나가는 길이라고 생각합니다. 제일 중요한 것은 미국이 북한에 대해서 어떠한 태도를 취하느냐가 중요하고 그다음이 중국이나 한국이라고 생각합니다.

라오 대통령님께 개인적인 질문을 드리고 싶은데, 1973년 대통령님께서 납치를 당하고, 그 이후 많은 고통을 당하신 것을 잘 알고 있습니다. 그때부터 지금까지 대통령님의 많은 경험을 봤을 때 대통령님의 그러한 신념, 믿음을 지키기 위해서 많은 고통을 당하신 것이 그만큼 가치가 있었다고 생각하십니까?

김대중 당신 나라의 건국 투사들 즉 조지 워싱턴이나, 토머스 제퍼슨 그런 분들이 "자유가 아니면 죽음을 달라." 하고 싸우지 않았습니까? 사람은 뜻을 가지고 삶의 보람을 느낄 수도 있지만 또는 자유나, 정의 그러한 대의를 위해서 목숨을 바치며 기꺼이 싸우는 사람들이 있습니다. 내가 당신 나라 건국 위인들과 똑같은 사람이라고는 할 수 없지만 그런 사람들의 제자 격은 되어서 나도 그런 대의를 위해서 싸웠다고 생각합니다. 그러나 그런 공포 속에서 몇십 년을 살아가고 사형 선고를 받아 목에 밧줄을 걸고 교수형에 처할 것을 생각하면 굉장히 두려운 것은 사실입니다. 나에게 사형 선고를 해 놓고 군사정부 사람들이 "당신이 우리와 협력하면 살려 주겠다. 만일 그렇지 않으면 반드시 죽이겠다"고 협상했습니다. 그때 제가 대답하기를 "내가 지금 당신들과 협상하면 일시적으로는 살지만 나는 영원히 죽는다. 그러나 내가 당신들과 협상 안 하면 나는 일시적으로 죽지만 우리 국민들의 마음과 역사 속에 영원히 살 것이다. 나는 역사 속에 영원히 사는 길을 택하겠다"고 거절했습니다. 그때 나를 살리는 데 카터 대통령과 레이건 당선자 두 분이 아주 결정적인 역할을 했습니다. 그리고 일본에서 납치되어 끌려올 때 바다에서 수장될 위기에 있었는데 그것을 막아 준 것도 일본 미국중앙정보국(CIA)이 정보를 캐치해서 정보를 일본에 넘겨주어, 그래서 비행기가 나타나서 구해 준 것입니다. 나는 2번에 걸쳐 죽음의 고비를 넘겼는데 미국의 도움을 받아 내 개인적으로도 미국에 대해서 큰 은혜를 느끼고 감사하게 생각합니다.

라오 대통령님께서는 전라도의 아주 작은 섬에서 태어나신 걸로 알고 있습니다. 전라도라는 지역은 한국에서도 조금 무시당한 지역이라는 것으로 알고 있는데 대통령님께서 정치인으로 활동하시는 데 이런 것이 어떤 영향을 주었습니까?

김대중 지역적 차별이 우리나라에서는 상당히 심한데 그것은 박정희 대통령이 당선되어 자기 정권을 유지하기 위해서 차별 정책 그리고 경상도 우월 정책을 써서 그것이 아주 큰 폐단이 되고 있습니다. 그러나 전라도 사람들은 다 똑같은 한국 사람들입니다. 나는 김해김씨 전라도 출신인데 김해 김이라는 것은 경상도입니다. 이 말은 우리 조상들이 경상도에서 왔다는 말입니다. 경상도 사람도 전라도가 조상인 사람이 많습니다. 그런 정도 가지고 지역감정을 조장하고 차별을 조장하는 사람들은 우리 국민과 민족에게 큰 죄를 지은 것이라고 생각합니다. 이런 문제는 해소되어 갈 것으로 생각됩니다. 이번에 내가 부산대에서 강연을 했는데 진정한 환영을 받고 왔습니다. 나는 이 문제에 대해서 비관하지 않습니다.

라오 대통령님께서는 대통령으로 당선되시고 정치 활동을 하는 데 있어서 전라도에서 오셨다는 것에 대해서 개인적으로 어떠한 차별을 느끼신 것이 있었습니까?

김대중 나는 그것은 느끼지도 않았고, 그런 경향이 설사 있더라도 무시하고 살았습니다. 나는 많은 경상도 사람들을 총리로도 임명하고 대통령 비서실장으로 임명하고 장관으로도 임명했습니다. 그래서 우리 정부에서는 그런 일이 전혀 문제가 되지 않았습니다.

라오 대통령님께서는 농부의 아들이셨습니다. 정치 이외에 다른 어떤 일을 하고자 하는 생각은 없으셨습니까?

김대중 정치 외에 해운업을 해서 상당한 성공을 했었습니다. 정치 이외에 내가 하고 싶은 것은 대학교수를 하고 싶었습니다.

라오 대통령님의 가장 어려운 시기라고 할 수 있는 것이 대통령님의 자제분들이 사법적으로 곤란을 겪었던 그때가 아닌가 생각됩니다. 그때 당시 대통령님은 위대한 정치 지도자로서 존경받고 있었습니다만 아버지로서 이런 것에 어떠한 영향을 받으셨습니까?

김대중 한마디로 말해서 국민에게 굉장히 죄송했고 큰 고통을 받았습니다. 동시에 그 사건들은 많은 부분이 조작된 사건이었습니다. 거기에 대해서는 말하자면 여러 가지 많지만 진실을 얘기하는 자체가 옳고 그름이 있기 때문에 여하튼 제가 자식들 교육을 잘못한 점으로, 지금도 그렇게 생각하고 또 아버지 때문에 어떤 면에서는 희생된 자식들에 대해서도 미안하게 생각합니다.

라오 대통령님께서는 넬슨 만델라 대통령과 많은 비교가 된다고 말할 수 있습니다. 두 분 모두 재야인사로서 활동하시다가 나중에 대통령에 당선되어 큰 활동을 하셨습니다. 또 두 분 모두가 노벨평화상을 수상한 공통점을 가지고 있습니다. 대통령께서는 노벨평화상을 수상하신 것이 정상회담 그것으로 인해서 많은 논란이 있어 왔다는 것을 알고 있습니다. 대북 송금 지원으로 정상회담이 이루어진 것이 아니냐는 비판도 있었습니다. 이런 것에 대해서 대통령님께서는 어떻게 생각하시는지요?

김대중 넬슨 만델라 대통령은 나보다 훨씬 더 고생도 많이 하셨고, 또 남아공이라는 우리나라보다 훨씬 나쁜 조건 속에서 그런 투쟁과 성취를 해낸 것에 대해서 존경하고, 나에게는 대선배로서 내가 배울 점이 많다고 생각하고 있습니다.

그리고 북한에 대한 문제는 정부로서는 돈을 준 적이 없습니다. 현대가 주었는데 그것은 엄청난 북한의 이익권을 장악하고 대가를 준 것입니다. 마치 영국의 디즈레일리 총리가 수에즈 운하를 살 때 프랑스보다 영국이 먼저 샀는데, 그때도 법적으로 문제가 있었습니다. 그러나 디즈레일리 총리는 어느 정도 문제가 있는 줄 알면서도 돈을 개인에게 주어서 계약을 하도록 한 것과 같이 나도 북한에게 장차 우리가 북한에서 발언권을 강화시키는 데 필요하다는 생각에 그렇게 했고, 그것이 지금 부분적으로 실천되고 있습니다. 이것은 우리가 앞으로 북한에 큰 영향력을 발휘하게 될 것입니다. 우리가 30-50년 동안 철도, 항만, 정보통신, 관광시설 등을 확보했기 때문에 현대가 그러한 계약을 하는 것을 대통령의 특별 권한으로 승인해 준 것입니다.

라오 대통령님의 일생 동안 다른 사람들과 다르게 많은 일을 겪으셨고 또 많은 업적을 남기셨다고 생각합니다. 대통령님의 인생 중 가장 하이라이트가 될 만한 업적은 무엇입니까?

김대중 정치적으로는 50년의 독재를 종식시키고 여야 간 평화적 정권 교체를 한 것, 경제적으로는 외환 위기를 단시일 내에 극복한 것, 남북 관계에서는 정상회담을 한 것, 내 개인적으로서 노벨평화상을 받은 것 이런 것이 해당된다고 생각합니다.

---

* 이 글은 2006년 9월 23일 오전 10시 30분, 연세대 김대중도서관에서 있었던 시엔엔(CNN) 「토크아시아」(Talk Asia) 인터뷰를 녹취한 것이다. 안잘리 라오(Anjali Rao) 앵커와 60여 분 동안 진행된 이 인터뷰는 아시아·태평양, 북미, 유럽 지역 등 세계 전역에 2006년 10월 7일부터 9일까지 네 차례에 걸쳐 매회 30분간 방송되었다.

미·중과 협력하되 할 말은 제대로 해야

대담 송영승
일시 2006년 10월 3일

김대중 전 대통령은 특별 회견에서 "동북아 정세가 2차 냉전 시대를 지향하고 있지 않나 하는 생각이다. 또 한 번 우리가 시련 속에 있지 않나 걱정을 금할 수 없다"며 동북아 질서 재편에 대한 걱정을 토했다. "줄 것은 다 주면서……"라며 참여정부의 외교에 대한 비판과 함께 '슬기로운 외교'에 대한 조언도 쏟아 냈다. 회견날 저녁에 나온 북한의 핵실험 발표에 대한 입장은 추가로 보내왔다. 회견은 3일 오전 10시 30분 시작돼 당초 예정을 30분 넘긴 1시간 30분가량 진행됐다.

송영승 북한 핵을 둘러싼 북한과 미국의 대치, 일본의 우익 아베 정권 출범, 중국의 동북공정 등으로 한반도 주변 정세가 어지럽습니다. 최근의 동북아 정세를 어떻게 평가하십니까.

김대중 동북아 정세는 제2차 냉전 시대를 지향하고 있지 않나 하는 생각입니다. 1차 냉전이 미·소 대립이었다면 2차 냉전은 미·일 대 중·러인데 그 사이에 한국이 1차 냉전 때와 같이 주 무대가 되는 상황으로 가는 게 아닌가,

또 한 번 우리가 시련 속에 있지 않나 걱정을 금할 수가 없습니다.

송영승 북한 외무성이 '핵실험' 계획을 공표하면서 국제사회가 요동을 치고 있습니다.

김대중 핵실험은 안 됩니다. 핵은 미사일과 다릅니다. 남북이 합의한 한반도비핵화선언을 위반하는 것입니다. 북한의 핵실험은 한국·일본·대만을 핵의 지뢰밭으로 만들 위험성이 있고, 동북아의 평화에 중대한 위협이 됩니다. 결과적으로 가장 큰 위협을 받는 것은 남한입니다. 북한이 핵실험을 하게 되면 미국은 미사일방어(MD) 개발 등 군비를 더한층 강화할 것이고, 일본에서는 핵 무장을 해야 한다는 목소리가 커질 것입니다. 미국은 북한에 (불법 자금 돈세탁 의혹을 제기한) 방코델타아시아(BDA) 문제를 빨리 해결해 주고 북한과 주고받는 협상을 해야 합니다. 북한은 방코델타아시아(BDA) 문제가 늦어진다고 해서 핵으로 가서는 안 됩니다.

송영승 한반도에서는 북핵 문제가 주기적으로 발생하는 이슈인데 북핵 문제의 근본적인 해법을 말씀해 주십시오.

김대중 해법엔 전제가 있어요. 미국이나 일본이 정말로 핵 문제를 해결하고 싶은 거냐, 그것이 확실하면 해법은 있습니다. 그렇지 않고 미국·일본이 동맹을 강화하고 미사일방어(MD) 체제를 만들고 일본이 개헌까지 운운하는 판에, 그 사람들이 잠재적인 적으로 중국을 설정하고 북한을 악당으로 만들어 자기네 세계 전략의 희생양으로 이용하려는 입장이라면 해결할 기미가 없습니다. 그래서 내가 자꾸 북한에 미국 네오콘(강경 보수 세력)이나 일본 극우 세력에 구실을 주느냐, 내가 보기엔 북한이 떳떳한 점도 많은데 당당하게 6자회담에 나가 핵을 포기하고 미사일도 모라토리엄(발사 유예)할 용의가 있다고 말하라는 것입니다. 대신 우리의 안전을 보장해라, 경제 제재를 해제하라고 문제 제기하라는 것입니다. 특히 방코델타아시아(BDA) 문제는 증거가 있으면 내놔라, 그러면 처리하겠다고 6자회담 가서 얘기해야죠. 미국도 미흡합니다. 있으면 증거를 내놓아 북한을 책임지게 만들고, 없으면 방코델타아시아(BDA)를 해결해 줘야 하는데 잘 안 되고 있습니다.

송영승 우리 외교 정책을 둘러싼 논쟁이 격화되고 있습니다. 그중에는 한국 정부가 미국에서 중국으로 외교의 중심을 이동하고 있다는 의문, 즉 외교의 중심축에 대한 논란이 있습니다.

김대중 전체적으로 외교가 별로 안 좋은 거 같아요. 우리나라는 4대국에 포위된 유일한 나라인데 상당히 걱정스러운 면들이 있습니다. 그 책임이 우리에게만 있는 것도 아닙니다. 미국은 한국전쟁 이후 중요한 동맹국인데 미국에선 한국에 대한 분위기가 별로 안 좋아요. 부시 정부에서 백악관 비서실장을 한 카드와 국무부 부장관 하던 아미티지 등과도 최근 얘기했는데, 우리가 베트남 파병하고 이라크 파병도 미국과 영국 다음으로 많이 하고, 미 2사단을 전방에서 뽑아내는 것도 동의해 주고, 일본도 안 하는 자유무역협정(FTA)을 추진했죠. 내줄 거 다 내주면서 미국 입장을 고려한 나라인데 2차대전 때 미국과 싸운 독일만큼도 대접을 안 해 주고 있습니다. 이건 굉장히 우리 외교가 문제가 있다는 것입니다.

공화당 싱크탱크 책임자가 왔을 때도 미국 사람들은 한국이 은혜를 모른다고 비판한다고 하더군요. 그래서 6·25전쟁 당시 미국하고 소련하고 삼팔선 그어서 분단된 것 아니냐, 또 조급히 철수하고 한국은 미국의 방위권 밖이라고 떠들어서 최근 소련 국가보안위원회(KGB) 해제 문서를 보면 김일성이 그것 때문에 스탈린 설득해서 한국에서 전쟁했는데 왜 그런 일은 생각 안 하느냐 했더니 잘못한 것이라고 얘기하더라고요. 우리 국민이 성질이 급해서 흑백논리, 적이냐 내 편이냐 식으로 자꾸 보는데 예일대 폴 케네디 교수가 말했잖아요. 한국은 네 마리 코끼리 다리 사이에 끼어 있으니까 운신을 잘해야 한다고요. 미국 갔다 온 사람들이 전부 미국이 우리보고 나쁘다고만 한다는데 우리 외교 당국과 국민, 여야 모두가 좀 더 우리 입장도 세워서 따지는 게 필요하지 않은가 생각합니다.

송영승 부시 행정부와 같은 근본주의적, 보수 성향의 미국 정부가 지속되는 한 남북 관계가 우리 뜻대로 진행되지 않을 것 같은 생각도 듭니다만.

김대중 미국이 북한을 봉쇄하고 경제 제재한다는데 그렇게 해서 성공할 수 없습니다. 공산국가를 압박해서 성공한 예는 없어요. 중국도 베트남도 못 했고 쿠바는 50년 동안 봉쇄해도 현재까지 못 하고 있어요. 북한 같은 데서도 "봐라. 우리가 못산다. 이게 전부 미 제국주의 때문이다."라고 국민을 단결시키고 적개심을 일으키는 겁니다. 반면 대화를 통해서는 해결이 안 된 데가 없습니다. 북한을 자꾸 밀어붙이면 우리한테 손 벌리고 중국한테도 손 벌리잖아요. 내가 김정일 국방위원장을 만났을 때 받은 인상은 북한이 중국 일변도가 아니었습니다. 그런데 (미·일이) 중국이 두려워 잠재적인 적으로 생각하고 북한을 몰아붙여서 결과적으로 북한이 중국에 전적으로 의존하게 만드는 것입니다. 지금 중국군이 압록강 주변에 포진해 있어요. 북한 상품의 80-90퍼센트가 중국 제품입니다. 그렇게 되면 압록강 선에 있던 중국 힘이 휴전선까지 내려오고, 남한에 온 압력은 바다 건너 일본과 태평양으로도 가는 겁니다.

송영승 노무현 정부는 국민의정부의 대북 정책을 계승한다고 했지만 남북 관계는 진전이 별로 없습니다. 이렇게 된 데는 미국이나 일본의 대북 정책 탓도 있지만 한국 정부의 대외 정책 역량에도 문제가 있어 보입니다. 정부가 무엇을 해야 한다고 보십니까?

김대중 한국도 이만큼 성장하고 경험도 많이 쌓고 경제력도 있는 만큼 이제 대북 문제는 한국이 주도적으로 해야 합니다. 어떤 일이 있어도 한국에서 전쟁이 다시 일어나선 안 됩니다. 한 번 당했으면 됐지 왜 두 번 당해야 합니까? 그런 점에서 미국에 대해 협력할 건 하고 안 되는 건 안 되는 걸로 나갈 수밖에 없습니다. 남북정상회담을 해야 합니다. 내가 해 놓은 것에서 한 발 더 나가는 합의를 봐야 돼요. 일단 만나게 되면 역사적 평가를 위해서라도 뭔가 일을 만들게 됩니다. 그렇게 해 놓으면 보수 세력이 정권을 잡더라도 바꾸기 어렵습니다. 햇볕정책은 성공한 겁니다. 훨씬 더 성공할 수 있는데 북·미 관계 때문에 지금 안 되는 거지요. 개성공단 제품도 미국에 수출하지 못하게 하잖아요? 우리 기계, 우리 돈 갖고 하는 건데 북한 노동자 쓰니까 안 된다고요. 남북 문제는 평화협정을 추진하고 불가침조약도 체결해서 군사적 긴장을 완화시켜야 해요. 또 북한에 중국이 반半을 하면 우리도 반半은 도와줘서 균형을 잡아야지, 중국이 지금같이 북한 쪽으로 밀려오면 나중에 정치력, 군사력도 그렇게 돼요. 미국을 잘 설득해야 합니다. 한국은 절대로 우리(미국)와 좋은 관계다, 동맹으로서 충실한 생각을 갖고 있다, 그러나 한반도 문제에선 의견이 다른 점도 있다고 미국이 생각하게 만들어야 합니다. 그렇지 않고 한국이 미국을 싫어한다, 중국 쪽으로 가는 거 아니냐, 이렇게 자꾸 부정적으로 생각하게 만들면 일이 어려워요.

송영승 김 전 대통령의 대북 특사설도 계속 나오는데, 어떻게 생각하십니까.

김대중 특사는 대통령 생각을 잘 아는 장관급이나 국무총리급 사람이 가서 현 정권의 업적이 되게 해야 합니다. 내가 간다는 것은 우리 민족의 장래를 어떻게 볼 것이냐, 4대국 사이에서 어떻게 하면 우리 민족이 살아나고 무난히 통일할 수 있겠느냐, 이런 기본적 문제를 얘기하려는 것이고요. 또 북한보고 제발 미국 네오콘이나 일본 우익 세력만 좋아하는 부적절한 일 좀 하지 말라는 얘기죠. 이번에 일본 아베 총리가 된 것도 결정적으로 납치 문제가 도움을 줬어요. 다 돌려보내고 한 사람 문제 때문에 그런데요. 무슨 뜻이 있어서 그러는지 얘기 좀 하려고 방북할 생각을 가졌거든요. 그런데 상황이 남도 북도 좋지 않아서 못 가고 만 거지요.

송영승 김 전 대통령 재임 중인 1998년 21세기 한·일 파트너십 선언이 있었지만 이후 한·일 관계는 곡절이 많습니다.

김대중 일본 문제는 어렵게 돼 가고 있습니다. 일본 우익 세력이 헌법도 고치자, 해외 파병도 하자, 전쟁도 할 수 있다는 분위기입니다. 문제는 일본의 민주주의가 피 흘리고 싸워서 쟁취한 게 아니라는 겁니다. 전쟁 후 맥아더가 들어와 민주주의 하라고 하니까 한 거지요. 민주주의 뿌리가 약하니까 저렇게 돌아가도 안 된다고 하는 사람들이 적어요. 또 과거 나쁜 짓에 대해 교육을 안 시켜서입니다. 독일은 교육하고 반성하고 배상해서 새로 태어나는 독일을 확립시켰어요. 그러니까 프랑스·영국·소련도 통일하라며 도와주지 않았습니까? 독일은 어떤 의미에선 적게 주고 많이 받은 거지요. 그런데 일본은 정반대예요. 독도 문제도 있는데, 내 앞 정권에서 독도에 군함 보내고 할 때 독도는 가만있어도 우리가 유효적으로 지배하고 있고 그대로 가면 기정사실화돼 우리 것이 되는데 저럴 필요가 없다고 한 적이 있죠. 난 5년간 독도의 '독' 소리도 안 했습니다. 일본 사람의 70퍼센트 이상이 독도가 뭔지도 몰랐어요. 그러다 지금 다 알아 이제 우리 영토다 이렇게 나오는 겁니다. 그렇더라도 일반적인 외교 문제와 독도 문제는 갈라야 합니다. 외교는 아무리 미워도 국익을 위해 필요하면 이웃사촌보다 더 다정하게 손잡고, 아무리 좋게 생각해도 국익에 안 맞으면 냉정하게 하는 겁니다. 우리는 4대국에 대해 절대로 원수지면 안 됩니다. 문제 있으면 따지더라도 거기에 국한시켜야지 나머지로 확대시켜선 안 됩니다. 다만 일본에 대해 우리가 비판적으로 한 것은 실패했다고 보지 않아요. 미국에서조차 일본에 대한 비판적 얘기가 나오고 있잖습니까? 일본이 자꾸 우경화하는데 중국과 협력해 견제하는 게 필요하고 우리 경제나 안보를 위해 일본이 도와주는 것도 필요합니다.

송영승 중국의 동북공정으로 한·중·일 간 역사 전쟁의 전선이 한층 복잡해지고 그것이 3국 간 양자 외교에도 영향을 미치고 있습니다.

김대중 나도 놀랐어요. 내가 몇 년 전에 중국 지식인과 만나 당신들이 천하중심 사상을 옛날부터 갖고 있는데 지금도 갖고 있는 거 아니냐고 물어봤는데 시인하는 태도를 취했습니다. 이번에 동북공정을 보고 중국의 패권주의적 생각이 보이고, 참 실망했어요. 그런 엉터리 소리가 어딨습니까? 고구려가 우리 땅이란 것은 자기들도 역사책으로 얼마나 써 놓고 이제 그런 소리를 합니까? 하나의 교훈도 준 것이지요. 우리나라에서 반미 얘기하는 사람들한테는 "그럼 중국이다."라는 심정이 약간은 있었는데 결국 외국은 다 외국이다, 이해가 맞으면 좋아지는 거고 이해가 안 맞으면 나빠지는 거라고 교육을 시킨 셈입니다. 그러나 중국도 우리에게 중요하고 절대로 적대시할 필요가 없어요. 동북공정 문제는 그것대로 철저히 연구해 이론과 학문을 갖고 대응해야지, 그 문제와 오늘날의 문제를 혼합해선 안 됩니다. 러시아는 많은 자원을 갖고 있고, 앞으로 유라시아 관통 철도를 연결하는 데 있어 중요해집니다.

전시작전통제권 환수

송영승 전시작전통제권 환수 문제를 둘러싸고 국론이 분열되는 듯한 양상마저 보이고 있습니다. 과연 이것이 그럴 만한 사안입니까? 어떻게 하면 지혜롭게 대처할 수 있을까요?

김대중 작통권이나 한·미자유무역협정(FTA)은 국론 분열을 할 필요가 없는 문제입니다. 다 잘되자는 얘기 아니요. 작통권 회수를 반대하는 분들도 아직 국방을 단독으로 하기 어려우니까 회수해선 안 된다는 거지, 그거 자체가 나쁘다는 건 아니거든요. 그런데 문제는, 상대방이 안 하겠다고 하면 좋지만 우리가 어떻게 되건 자기네 세계 전략 때문에 안 할 수 없다고 나오는 거 아닙니까? 작통권 회수에 반대하는 분들은 미국에 해야지 우리 정부보고 얘기하는 건 맞지 않죠. 현재 큰 오해가, 우리 정부가 미국 감정을 자극하는 일들을 해서 미국이 토라져서 그럼 너 가져가라식으로 됐다고 말들을 하잖아요. 이건 정부로서도 큰 문제죠. 우리 정부도 이렇게 하면 우리가 잘 해 나갈 수 있다는 걸 국민들한테 설명해 줘야 합니다. 한국의 주 방위는 우리가 책임지는 것입니다. 그러면 방위를 책임질 사람이 내세우는 조건이 중요합니다. 미국이 (환수 시점을) 2009년이라 하지만 우리는 2012년이라 하고 있습니다. 3년이 더 필요하다는 거고 우리가 근거 있게 주장한다면 미국은 받아들여야 합니다. 지킬 사람이 필요하다는 것을 받아들여야지 내놓을 사람이 이기면 된다고 얘기할 순 없지요. 미국도 어떻게 구체적으로 우리가 안심하도록 지원할 것인지 얘기해야 합니다. 한 가지 분명한 건 작통권은 우리가 인수 안 하고 싶어도 해야 하는 상태가 된다는 겁니다.

송영승 고려대 최장집 교수는 최근 『경향신문』 인터뷰에서 노무현 정권이 정당정치를 폄훼하면서 관료 엘리트 중심의 국정 운영으로 민주주의를 후퇴시켰다고 주장했습니다. 진보적 학자인 최 교수의 이 발언에 정치권 안팎의 관심이 집중되고 있습니다. 오늘날 정당의 역할에 대한 의견을 듣고 싶습니다.

김대중 최 교수가 작심하고 얘기한 모양이던데(웃음)……. 정당보다도 지금 민주당, 열린우리당에 대한 얘기인데요. 우리가 50년 전에 민주당을 만들지 않았습니까? 1955년인가 그래요. 그런데 네 가지 원칙이 있었습니다. 하나는 독재에 반대하고 민주주의를 지킨다, 둘째는 관권 경제에 반대하고 시장경제를 지킨다, 셋째는 사회복지 제도를 최대한 강화한다, 넷째는 남북 대결 체제에서 평화 통일로 간다는 것이었죠. 이 전통은 지금 보더라도 훌륭한 것입니다. 민주당이 노무현 대통령을 당선시켰고 노 대통령은 민주당 후보자로서 민주당의 전통과 정강 정책을 충실히 지키겠다고 국민한테 약속을 했어요. 햇볕정책을 계승한다 해 놓고 대북 송금 특검을 했는데 특검만 하더라도 현 정부가 무리하게 강행해 가지고 수많은 희생을 냈고, 결국 (박지원 실장이) 1백50억 원을 수뢰했다고 했는데 무죄 판결을 받지 않았습니까. 여하튼 지금 분당을 했는데, 그 분당한 게 표 찍어 준 사람들한테 승인받은 적이 없거든요. 표 찍어 준 사람들은 그렇게 바라지 않았다고 생각합니다. 그것에 오늘 여당의 비극이 있다고 생각합니다. 말하자면 산토끼 잡으려다가 집안 토끼 놓친 격입니다. 오늘날 열린우리당이건 민주당이건 비극은 결국 국민이 지원했던 당이 갈라서면서입니다. 정당이 국민을 두려워하고 국민과의 약속을 천금같이 생각해야 하는데 그런 면이 부족하지 않으냐, 그래서 우리 정당정치가 상당히 후퇴해 버렸습니다. 자유당 때 이래 쭉 양당정치가 제대로 돼왔는데 선거 때 표 얻었던 약속을 다 뒤집고 국민이 납득하지 않는데 갈라선 건 이번이 처음입니다. 그런 면에서 우리나라 정당사에선 대단히 불행한 일이었다고 생각합니다. 야당에 대해선 내가 할 말이 없고요.

자유무역협정(FTA)과 양극화

송영승 한·미자유무역협정(FTA) 문제는 어떻습니까?

김대중 우리를 너무 과소평가하면 안 됩니다. 미국화된다고 하는데 지금 우리가 강철에서 미국을 이겼고 자동차도 잠식해 들어가고 있잖아요? 한국이 21세기 지식기반 사회에는 상당한 역량을 갖고 있어요. 왜 우리가 갑자기 조선에서 세계 1등 된 줄 아세요? 디지털 기술과 접목시켜서 그렇게 된 거지요. 그런 걸 팔아먹을 시장이 필요하고 그러니까 치고 들어가야 합니다. 그런데 지금 걱정하는 문제들에 대해선 대책을 세워야 합니다. 농산물 같은 취약 부분은 정부가 보완 조치를 해서 경쟁력이 있도록 도와줘야 합니다. 칠레하고 할 때도 그렇게 반대하지 않았습니까? 그런데 해 놓고 보니까 잘 됐잖아요. 만약 우리가 미국하고 안 한다고 생각해 봅시다. 일본이나 중국이 미국과 자유무역협정(FTA) 해서 거의 관세 없이 파고들어 가는데 우리는 비싼 관세에 물려 딱 막히면 어떡할 겁니까? 다만 이해관계자들이 겁먹으니까 정부가 철저히 교육하고 준비해야 합니다. 미국 시장에 들어가는 것만 생각하지 말고 들어오는 것에 대한 대응책도 충분히 있다는 것을 국민에게 손에 쥐여 주듯이 알려야 합니다.

송영승 양극화 문제 해법을 찾을 수 있을까요? 국민의정부에선 생산적 복지를 내세웠습니다마는.

김대중 자기 힘으로 살아갈 수 없는 사람들을 위해 한 게 기초생활보장제입니다. 근본 문제는 취직입니다. 취직이 안 되니까 못사는 거지요. 대기업은 돈을 벌어들이고 푸니까 구매력이 생기지만 일자리는 그렇게 많지 않아요. 이건 중소기업이 해야 하고 경쟁력 강한 기업들을 육성해야 됩니다. 그게 부품소재 산업입니다. 지금 막대한 양을 외국에서 사들여 오는데 그걸 우리나라에서 해야 됩니다. 그러면 좋은 조건의 일자리가 많이 생길 수 있습니다.

송영승 반기문 외교장관이 유엔 사무총장에 내정되면서 한국 외교의 위상도 달라진 것 같습니다.

김대중 큰 희소식이라 생각해요. 반기문 장관 자신이 세계적으로 1급 외교관인 점이 크게 작용했다고 보고요. 또 우리끼리는 좋으니 나쁘니 하지만 한국이 국제사회로 나가면 모범 국가입니다. 유엔 회원국이 192개국인가 된다는데 그중 150-160개국은 한국을 모범으로 생각합니다. 또 한반도가 분단된 나라이기 때문에 협상이나 조화, 이런 면에서 더 경험이 많을 거라는 생각도 들어 있다고 봅니다. 반 장관이 국가적 자산이고 큰 역할을 할 것이라 기대합니다.

---

* 이 글은 『경향신문』 창간 60주년 기념 특별 인터뷰 기사다.

한반도의 현실과 4대국

강연 전남대학교
일시 2006년 10월 11일

김대중 존경하는 강정채 총장, 교수 여러분, 그리고 사랑하는 학생 여러분. 또한 이 자리에 계시는 모든 여러분!

오늘 민주 한국의 자랑인 전남대학교가 저를 강연에 초청해 주시고 명예 문학박사 학위를 수여해 주신 데 대해서 큰 영광으로 생각하며 감사해 마지 않습니다. 광주와 전남대학교는 이 나라 민주항쟁의 상징으로서 대한민국 역사가 계속되는 한 그 영광이 영원할 것입니다.

존경하는 여러분!

오늘 저는 이 자리를 빌려 '한반도의 현실과 4대국'에 대해서 몇 말씀 드리고자 했습니다. 그런데 지난 9일 돌연 북한에서 핵실험에 성공했다고 선언하여 우리를 놀라게 했습니다. 마침내 북한이 또 한 번 일을 저지른 것입니다. 북한의 이번 핵실험은 절대로 용납할 수 없는 행위입니다.

이번 핵실험으로 북한은 민족의 운명을 백척간두의 위기로 몰아넣었습니다. 북한은 1991년에 체결된 '한반도비핵화공동선언'을 정면으로 위배했습니다. 미·일 강경 세력을 크게 고무했습니다. 북한은 이러한 핵실험을 통해

343

서 북·미 간의 직접 대화를 하고자 하지만 그러한 벼랑 끝 전술로는 성공하기 어렵습니다.

북한은 핵 무장을 단념해야 합니다. 미국의 거대한 핵전력 앞에 별 성과도 얻지 못하면서 미·일의 강경 정책만 부추기는 일은 그만두어야 합니다. 핵무기를 포기해야 합니다. 그 대가로 북·미 양자 간의 직접 대화를 요구하는 것이 바람직하다고 생각합니다.

다음으로 미국에 대해서 몇 말씀 드리겠습니다. 이번 북한의 핵실험은 북한의 핵확산금지조약(NPT) 탈퇴, 국제원자력기구(IAEA) 요원 추방, 미·북 간 제네바합의의 파기와 함께, 미국의 대북 핵 정책의 실패를 입증하고 있습니다. 우리는 1994년 이래 주고받는 일괄 타결을 주장했습니다. 클린턴 정권은 이를 적극 수용함으로써 거의 성공의 단계까지 갔습니다. 그러나 부시 정권은 이를 외면하다가 오늘의 실패를 가져온 것입니다. 이제 미국은 핵을 갖게된 북한과 어떻게 대화할 것입니까?

하나는 군사적 조치를 취하는 것인데, 미국은 현재 그러할 능력이 충분치 않으며, 또한 우리는 이를 절대 반대합니다. 한반도에서의 핵전쟁은 7천만 민족의 공멸을 의미하기 때문입니다.

두 번째로는 북한의 핵 보유를 악의적으로 무시하고, 압박과 경제 제재를 계속하는 것입니다. 그러나 이는 오히려 북한의 도발을 조장하는 결과가 될 것입니다.

마지막으로 북·미 대화를 통해서 해결하는 것입니다. 이는 미국의 한반도 문제 전문가들도 이를 적극적으로 주장하는 분들이 많습니다. 미국은 '악의 축'인 북한과 대화할 수 없다고 하지만, 이는 이론적으로나 역사적 사실로 보나 정당하지 않습니다.

대화는 친구를 사귀는 것이 아닙니다. 평화를 위해서, 국가의 이익을 위해서 필요하다면, 사악하다는 어떠한 정권과도 대화하는 것입니다. 닉슨은 '전 쟁범죄자' 라고 낙인찍힌 중국의 마오쩌둥을 찾아가서 대화하였습니다. 레이 건은 '악마의 제국' 이라고 지칭하던 소련과 대화했습니다. 아이젠하워는 한 국전쟁 중에도 북한과 대화하여 휴전협정을 맺게 했습니다. 오늘의 평화는 그 덕입니다.

대화를 위해서는 미국 의회에서 결정한 대북 정책조정관을 조속히 임명해 서 대북 정책을 재조정하도록 해야 합니다. 미국은 북한의 정권 교체를 노릴 것이 아니라, 주고받는 협상을 추진해야 할 것입니다. 그리하여 북한 핵을 제 거하고 한반도 비핵화에 동참하도록 해야 할 것입니다. 북한도 한반도 비핵 화에는 동조하는 자세를 보이고 있습니다.

현재의 사태를 해결하는 핵심은 북한이 핵을 포기해야 한다는 것입니다. 또한 이러한 결과를 도출하기 위해서는 미국과 북한 사이에 주고받는 협상 이 있어야 합니다. 우리는 원칙을 확고히 지키면서도 사태를 파국으로 몰고 가지 않도록 현명한 판단과 자세가 필요합니다.

한반도에서의 햇볕정책에 대해서 여러 가지 논의가 있습니다. 그러나 지 금까지 결과로 볼 때 햇볕정책은 남북 간에는 성공한 것입니다. 다만, 북·미 관계가 장애가 되어서 완전한 성공에는 이르지 못하고 있습니다.

그러나 지금까지도 이미 큰 성과를 올렸습니다. 무엇보다도 긴장이 완화 되었습니다. 옛날 같았으면 지금처럼 북한이 핵실험을 했다 하면 공포 분위 기 속에 피난하는 소동이 일어났을 것입니다. 그러나 우리나라는 지금 아주 안정되어 있습니다. 국제적인 신용기관도 북한 핵실험이 있음에도 불구하고 한반도의 안정에는 변화가 없을 것이라고 발표한 바 있습니다.

남북 간에는 이외에도 1만 3천 명의 이산가족이 상봉했습니다. '국민의정 부' 이전에는 50년 동안에 겨우 200명이 만났습니다. 북한 사람들의 남한에 대한 적개심이 우호와 선망과 감사의 심정으로 크게 바뀌고 있습니다. 130만 명이 금강산 관광을 다녀왔습니다. 23만 명이 넘는 사람들이 남북을 왕래하고 있습니다. 개성공단이 열렸고 앞으로 35만 명의 북한 노동자가 그곳에서 일하게 될 것입니다. 휴전선의 상호 비방 방송이 중단되었습니다.

경의선과 동해선의 철도가 연결되었고 이제 개통만 남았습니다. 이 철도가 압록강을 넘어 동북아시아, 중앙아시아, 유럽으로 연결되면 유라시아 대륙을 관통하고, 태평양과 대서양을 연결하는 '철의 실크로드'가 될 것입니다. 엄청난 부와 발전을 우리나라에 가져오게 될 것입니다. 문자 그대로 '압록강의 기적'의 시대가 다가오는 것입니다. 북도 좋고 남도 좋은 윈윈(win-win)의 결과가 될 것입니다.

존경하는 여러분!

다음에는 한반도를 둘러싼 4대국과의 관계에 대해서 몇 말씀 드리겠습니다. 21세기는 아시아의 시대가 올 것이라고 합니다. 그러나 그 아시아 시대의 중심이 되는 것은 한·중·일 동북아시아 3국이 될 것입니다. 여기에 미국과 러시아 등이 참여하는 것입니다.

조선왕조 말엽에 우리나라가 국권을 상실할 때도 미·일·중·러 등 4개국이 우리 운명을 좌우했습니다. 청일전쟁, 러일전쟁, 가쓰라테프트 밀약 등에 네 나라가 관여했습니다. 이러한 지정학적 위치는 세계에서도 유례를 찾아보기 어렵습니다. 미국 예일대학의 폴 케네디 교수는 "한국은 네 마리의 코끼리 다리에 둘러싸여 있는 존재이다. 이 사이를 잘 헤쳐 나가는 것이 중요하다"고 말했습니다.

나는 35년 전 1971년 대통령에 출마했을 때 미·일·중·소 4대국에 의한 한반도 평화 보장을 주장한 바 있습니다. 그리고 지금은 4대국에 남북을 합친 6자회담이 상설화되어야 한다고 강조하고 있습니다.

4대국에 둘러싸여 있는 우리의 위상으로 보아서 외교는 매우 중요한 의미가 있습니다. 외교적으로 4대국을 잘 활용하면 우리는 안정과 번영의 큰 성공을 이룩할 것입니다. 조선왕조 말엽과 같이 이에 실패하면 큰 불행이 다시 오지 않는다고 장담할 수가 없습니다.

우리 민족은 외교의 중요성을 무엇보다도 크게 생각하고 우리 전체가 외교 잘하는 민족이 되어야 할 것입니다. 한마디로 말해서 4대국 모두가 우호와 친선, 공동 승리의 협력 관계를 실현시켜 나가야 합니다. 단 한 나라와도 적대하면 그 나라가 우리나라를 도와줄 힘은 없어도 해코지할 힘은 충분히 발휘할 수 있습니다.

외교를 잘하는 것은 굴종이 아닙니다. 작은 나라가 대국 사이에서 살아나고 번영을 누리는 하나의 예술과도 같은 것입니다. 우리 민족은 그러한 일을 해낼 능력이 있다고 생각합니다. 다시 한번 말합니다. 외교 잘하는 민족이 됩시다.

이제 4대국별로 우리의 대응할 길을 말씀해 보겠습니다.

먼저 미국과의 관계에 대해서 말씀드리겠습니다. 미국은 우리 안보에 가장 중요한 나라이고, 경제를 위해서도 그렇습니다. 우리가 미국과 튼튼한 방위동맹을 유지해 나가는 한 북한이 도발할 가능성은 거의 없습니다. 미군의 한반도 주둔은 동북아시아에서 미국의 이익을 위해서도 필요한 것입니다. 4대국 중에 한반도에 대해서 영토적 야심을 갖지 않았던 나라는 미국뿐입니다.

현 단계에서 우리에게 가장 중요한 맹방은 미국이라는 것을 다시 한번 강조하고 싶습니다. 미국이 중요한 만큼 미국의 정책 여하는 우리의 운명에 지대한 관계가 있습니다. 우리는 미국이 한반도에서 평화를 유지하는 데 한국의 주장을 적극적으로 수용하기를 바랍니다. 한반도는 우리가 죽고 사는 터전이기 때문에 우리의 주장은 절대로 존중되어야 합니다.

우리는 공산주의를 반대합니다. 북한에 대해서도 군사적으로나, 경제적으로나, 정치적으로나, 우리는 자신을 가지고 있습니다. 그러므로 미국은 한국의 주장에 귀 기울이고 한반도 문제는 한국이 주도적으로 처리하도록 도와주어야 할 것입니다.

다음에는 일본에 대해서 몇 마디 하겠습니다. 일본은 우리의 경제와 안보를 위해서 중요합니다. 특히 안보에 있어서는 미·일 동맹이 한반도에서의 안보를 뒷받침하고 있는 이상 일본 역시 중요하지 않을 수 없습니다. 그러나 우리에게 큰 걱정거리는 일본이 급격히 우경화하고 있다는 사실입니다. 전쟁을 부인하는 평화헌법을 개정하려 하고 있고, 한반도 침략과 태평양전쟁의 책임을 부인하는 새로운 국가주의적 교육을 시도하고 있습니다. 이러한 경향은 신내각의 출범과 더불어 한층 더 강화될 것으로 예상됩니다. 일본은 지금 한국과 중국은 물론 동남아시아 국가들로부터 의혹의 눈초리를 받기 시작하고 있습니다. 미국에서도 대일 비판의 소리가 일어나고 있습니다.

일본은 2차대전 당시 공동의 침략자였던 독일로부터 배워야 합니다. 독일은 침략 전쟁의 잘못을 철저히 인정하고 충분한 사과와 배상을 했습니다. 독일은 침략 전쟁의 진실에 대해서 어린 세대부터 교육시켜 왔습니다. 이러한 독일의 반성과 시정의 태도는 주변 각국의 신뢰를 얻게 되어 독일통일을 용이하게 할 수 있었습니다. 우리가 바라는 바는 아니지만 일본은 이대로 가면 아시아의 나라와 큰 갈등을 일으킬 가능성이 있다고 믿습니다.

다음은 중국에 대해서 몇 마디 하겠습니다. 중국은 우리의 중요한 경제 파트너이며, 한반도의 평화와 북한의 핵 개발을 억제하는 데 있어서도 상당한 협력을 같이하고 있습니다. 중국은 21세기의 경제를 제패하는 패자가 될 가능성이 있습니다. 중국은 1820년경 당시 전 세계 국내총생산(GDP) 중에서 영국이 5퍼센트, 미국이 1퍼센트일 때, 27퍼센트를 점유하고 있었습니다.

지금 미국과 일본 일부에서는 공동으로 중국을 봉쇄하려 하는 경향이 있으나 이것은 단견입니다. 중국을 봉쇄하면 봉쇄할수록 중국 군부를 중심으로 한 민족주의가 크게 일어나서 지금 모처럼 개혁 개방의 흐름 속에 일고 있는 민주화의 가능성을 말살하게 될 것입니다. 그리고 동북아시아에서의 긴장은 크게 고조될 것입니다.

마지막으로 러시아에 대해서 말씀드리겠습니다. 러시아는 이제 급속히 그 중요성이 높아지고 있습니다. 시베리아와 연해주에는 석유, 가스 등 기타 지하자원과 수산자원이 풍부하게 있습니다. 이제 러시아는 사우디아라비아를 제치고 세계 최대의 산유국이 되고 있습니다. 뿐만 아니라 한반도를 종단하고 유라시아 대륙을 관통해서 서부 유럽까지 가는 철도의 주요 선로 국가로서의 가치도 매우 큽니다.

'철의 실크로드'의 개통이야말로 우리나라가 육로로 유라시아 대륙과 유럽에 진출해서 큰 경제적 성공을 이룩하는 핵심적인 수단입니다. 따라서 러시아의 중요성도 우리는 크게 인식해야 할 것입니다. 또한 러시아는 6자회담의 일원으로서 한반도의 평화와 북한 핵 문제의 해결을 위한 중요한 파트너이기도 합니다. '압록강의 기적'은 러시아의 협력 없이는 생각할 수 없습니다.

우리는 미·일·중·러 4대국을 잘 활용하면 우리의 안전을 성공적으로 지켜낼 수 있을 것입니다. 4대 강국과 경제 협력을 증진시키면 우리는 21세기 경제적 선진국의 중추가 될 것입니다. 4대국 외교는 그토록 중요합니다. 그리고 우리가 4대국의 협력 속에 평화적인 통일을 이룩하면, 한국은 4대국 모두와 좋은 관계를 유지하는, 궁극적으로는 중립적 위치를 취하는 것이 우리를 위해서나 4대국 각 나라를 위해서나 현명한 조치가 될 것이라고 생각합니다.

사랑하는 젊은이 여러분!

마지막으로 여러분에게 인생을 살아가는 데 필요하다고 생각하는 몇 마디 말씀을 드리겠습니다.

첫째, '행동하는 양심'이 되십시오. 우리의 마음속에는 남을 나와 똑같이 사랑하는 천사가 있고, 나만 생각하며 남을 해코지하고자 하는 악마가 공존하고 있습니다. 그러나 우리 노력 여하에 따라서는 천사가 이기기도 하고 악마가 이기기도 합니다. 천사가 이기게 하기 위해서는 내 이웃을 사랑해야 합니다. 부모, 형제, 아내, 자식, 친구, 사회, 국민들을 사랑하는 것이 이웃을 사랑하는 것입니다. 그러한 이웃 사랑에 치중하는 사람은 높은 자리에 올랐든 오르지 못했든, 부자가 되었든 못 되었든, 오래 살았든 못 살았든, 인생의 삶에 성공한 사람이 될 것입니다.

둘째, '서생적 문제의식'과 '상인적 현실감각'을 간직하십시오. "무엇이 옳으냐. 무엇을 해야 하느냐" 하는 원리 원칙에 대한 문제의식을 갖고 판단하되, 이를 실천하는 데 있어서는 마치 장사하는 사람이 돈벌이하는 데 지혜를 발휘하듯이 능숙한 실천을 해 나가야 합니다. 이 두 가지를 겸비하는 것이야말로 인생의 사업을 성공적으로 이끌어 가는 길입니다.

셋째, 모든 일을 결정할 때는 세 번 생각하십시오. 예를 들어 여러분이 학교를 졸업하고 어떤 직장에 취직할 때 먼저 어느 직장이 좋은지 선택을 합니다. 그다음에는 거기에 문제점이 없는가, 내게 정말로 적합한가 하는 것을 살펴봐야 합니다. 그리고 마지막으로는 작은 문제점이 있다 하더라도 그 직장을 택하겠다고 하든가, 문제점이 너무 크니까 포기하겠다든가, 결론을 내리게 됩니다. 이렇게 논리학의 변증법의 정반합과 같이 세 번 생각하게 되면 대부분의 일에 있어서는 실수 없이 성공적으로 처리해 나갈 수 있다고 생각합니다.

넷째, 외교하는 국민이 되십시오. 앞에서도 말한 바와 같이 한국은 그 지정학적 위치로 인해서 외교가 생명입니다. 그러나 우리 국민은 외교에 관심이 너무 적습니다. 성질이 급해서 외교를 그르칠 수도 있습니다. 앞서도 말한 바와 같이 외교가 우리의 운명을 좌우한다는 것을 깊이 깨닫고 우리 주위에 있는 외국인부터 사귀기 시작하십시오. 가능한 한 세계 여러 나라를 자주 다니십시오. 한국과의 관계를 돈독히 하고자 하는 벗들이 많이 생기도록 4천7백만 전 국민이 외교 국민이 되어야 합니다. 19세기와 20세기는 민족주의 시대였지만, 21세기는 세계주의 시대입니다. 우리 모두가 세계인이 되어야 합니다.

사랑하는 학생 여러분!

여러분의 선배들은 오늘의 민주주의와 국가적 번영, 그리고 한류의 세계적 진출을 위해서 피와 땀과 눈물을 흘렸습니다. 한국은 이대로 가면 단군 이래 처음으로 세계 속에서 우뚝 서는 큰 봉우리가 될 것입니다. 선배들의 희생에 보답하기 위해서도 사랑하는 국민을 위해서도 여러분은 이러한 사명을 완수해야 할 것입니다.

사랑하는 여러분!

거듭 말합니다. 21세기는 지식 기반과 교육 수준이 뛰어난 한국의 세기입니다. 여러분 모두가 21세기의 승자가 되십시오! 여러분 모두가 민족의 통일과 발전의 일꾼이 되십시오!

감사합니다.

질의응답

질문 저는 전남대 사범대 교육학과 김건우입니다. 지난 9일 북한의 핵실험 이후 한반도의 위기설이 제기되고 있습니다. 노무현 대통령도 대북 포용정책의 수정에 대해 언급하고 있습니다. 김 전 대통령께서는 대북 포용정책의 수정과 포기에 대해 어떻게 생각하는지 여쭙고 싶습니다.

김대중 사회하는 여학생이 저를 거듭 선배라고 그러는데 저는 오늘 처음 전남대학교에 왔는데 여러분이 내 선배고, 저는 후배가 되는 것이 아닌가 생각합니다. 잘 부탁합니다.

요새 내가 볼 때는 아주 해괴한 여론이 돌아다니고 있습니다. "북한이 핵 실험을 하는 것은 햇볕정책의 실패를 말하는 것이다. 포용정책 그만둬야 한다. 금강산 관광도 그만두고, 개성공단도 그만두어야 한다." 이렇게 말하고 있습니다. 그런데 여러분들이 기억을 더듬어 봐도 북한에서 "남한에서 햇볕정책 하니까 핵 개발하겠다"고 한 적이 한 번도 없었습니다. "우리가 (북한이) 핵 개발한 것은 미국이 우리를 못살게 굴고, 대화하자고 해도 안 하고, 우리의 살길을 안 열어 주니까 살기 위해서 마지막 수단으로 핵 개발한다." 이렇게 말하고 있지 않습니까? 그런데 왜 죄가 없는 햇볕정책에다가 그렇게 합니까? 만만한 것이 햇볕정책이라고 하는 것은 내가 볼 때는 타당한 주장이 아니라고 생각합니다.

오늘 아침에 노무현 대통령께서 전화를 해서 같이 대화를 했습니다. 그 가운데 햇볕정책에 대한 말을 했습니다. "왜 포용정책이 죄가 있느냐? 포용정책은 남북 관계를 조금이라도 긴장을 완화시키면 시켰지 악화시킨 일이 없는데 어째서 그렇게 말하느냐? 나는 그렇게 생각한다." 했더니 대통령께서 자기도 전적으로 동감한다고 말씀했습니다. 그래서 오늘 참모들하고 회의하는데 그 문제를 논의하겠다고 말씀했습니다.

나는 우리가 자학을 해서는 안 된다고 생각합니다. 왜 우리가 없는 죄를 있다고 떠들어 대야 합니까? 문제를 정치적으로 흐리게 만들면 바른 정책을 해 나갈 수가 없습니다. 햇볕정책은 분명히 남북 관계에서는 성공했습니다. 아까 말한 대로 많은 성공을 한 것입니다. 금강산 관광, 개성공단 그것이 무엇을 의미합니까? 북한 영토 내에 우리가 들어갔다는 것을 의미합니다. 한쪽은 5킬로미터, 한쪽은 10킬로미터, 그만큼 휴전선이 올라갔다는 얘기입니다. 그렇게 해서 우리가 개성에서 돈 벌고 있지 않습니까? 금강산 관광으로 130만 명의 남한 사람들이 금강산에 갔는데 그들을 보고 북한 사람들은 "우리는 밥 먹기도 어려운데 남한 사람들은 배가 불러서 이제는 관광까지 다닌다. 얼마나 부러우냐?" 이런 생각을 북한 사회에 막 퍼지게 만들었습니다. 이것이 어찌 큰 성과가 아니겠습니까? 그래서 나는 우리가 잘못한 것은 잘못했다고 반성하지만 그렇지 않고 조금이라도 기여한 부분은 정당하게 평가해야 한다고 생각합니다. 지금 북한 핵 문제의 책임이 북한과 미국으로 돌아가야 할 것이 아무 책임도 없는 한국으로 돌아오는 어리석음을 범하고 있습니다. 이런 의미에서 햇볕정책은 그것 나름대로 상당한 성과가 있었다고 생각합니다. 그러나 더 큰 성공을 할 텐데 북·미 관계 나빠서 못 했습니다. 이것은 여러분들이 다 아는 사실입니다. 이 문제를 해결하기 위해서 "햇볕정책은 잘못됐다"고 선언하고 금강산이나 개성에서 철수하면 오히려 더 악화됩니다. 책임 있는 미국과 북한이 풀어야 합니다. 그것이 올바른 대처라고 생각합니다. 여러분도 공감할 것이라고 생각합니다.

질문 저는 신방과 1학년 박설입니다. 북한 핵실험 발표 이후 국제연합(UN) 안전보장이사회는 긴급회의를 열어 국제연합(UN) 헌장 7장을 통한 대북 제재안을 집중 논의하고 있습니다. 국제연합(UN) 헌장 7장은 경제 제재는 물론 군사적 제재를 가능케 하는 국제법적 근거를 제공하고 있습니다. 대북 제재안이 통과될 경우 한반도는 전쟁 위기 상황에 놓일 가능성이 높습니다. 김대중 전 대통령께서는 군사적 제재까지 고려한 안보리 대북 제재 결의에 한국이 동참하는 것에 어떻게 생각하고 평화적 해결 방안은 무엇이라 생각하는지요?

김대중 아주 좋은 질문을 하셨는데요. 국제연합(UN) 안보리의 제7장은 경제 제재와 군사 제재를 포함하고 있습니다. 41조는 경제 제재, 42조는 군사 제재 문제입니다. 그런데 지금 논의되고 있는 것은 41조를 원용하냐 하지 않느냐를 논의하고 있는데 그것도 아직 확정되지 않았습니다. 군사 제재를 하는 방향으로 가는 것은 아주 가능성이 작다고 봐야 합니다. 아마 없을 것입니다. 그것은 중국이 단호히 반대하고 있는데 상임이사국 1개국이라도 반대하면 어떠한 결의도 하지 못한다는 것을 여러분들은 잘 아실 것입니다.

그래서 경제 제재 쪽으로 갈 가능성이 있고 우리는 그 문제에 대해서 어떻게 대처해야 합니까? 어제 전직 대통령과 노무현 대통령과의 모임에서 여러 가지 얘기가 나왔는데 저는 노 대통령에게 얘기했습니다. "우리가 북한에게 핵을 발사하지 말라고 막는 데는 앞장서야 했지만 북한 핵이 발사한 지금은 북한을 징계하는 문제에는 앞장설 필요가 없다. 유엔이 하는 것도 보고 러시아, 일본, 중국 등의 태도를 보고 마지막에 우리가 신중하게 결정하는 것이 좋다고 생각한다." 이렇게 말했습니다. 그리고 본문에서도 말한 대로 지금 미국은 전쟁할 힘이 없습니다. 중동에 묶여서 거의 없습니다.

경제 제재도 효과가 의문시됩니다. 이것은 미국 전문가들이 얘기하고 있습니다. "이제 대화밖에 없다." 하는 것은 아버지 부시 때 국무장관 하던 베이커 전 국무장관과 국회에서 민주당의 외교대표인 바이든 상원의원도 얘기하고 있습니다. 공화당 사람들도 얘기하고 있습니다. 결국 북한이 발사한 것은 잘못됐고 단호히 비난받아야 합니다. 그리고 북한은 핵무기를 취소시켜야 합니다. 북한이 핵무기를 갖고 있으면 우리가 제일 피해를 입게 됩니다. 그렇지만 이 문제를 우격다짐으로 해결하려고 하면 되지 않습니다. 설득을 통해서 해결해야 하는데 그러기 위해서는 미국과 북한이 대화를 해야 합니다. 왜 대화를 안 합니까? 평화를 위해서 옳은 일을 위해서는 악마와도 대화를 하는 것입니다. 이제까지 해 오지 않았습니까? 그런 의미에서 이 문제의 해결은 반드시 미국과 북한이 직접 대화를 하고 6자회담이 이것을 도와주고 그렇게 해 나가야 한다고 생각합니다. 그리고 대화에 성공하면 이미 작년 9월 19일에 상당한 성공을 했습니다. 그런데 그 후로 엉뚱한 마카오 은행의 북한 예금 동결 문제가 나와서 사태가 이렇게 됐는데…… 그 문제만 하더라도 그렇습니다. 미국은 증거가 있으면 내놓고 북한이 책임지게 하든지 없으면 취소해야 합니다. 왜 세계 사람들 앞에서 말해 놓고 증거를 안 내놓습니까? 문제는 우리가 순리대로 해야 합니다. 밉건 좋건, 잘하건 못하건, 핵 문제와 미사일 문제의 한쪽 상대는 북한입니다. 또 다른 상대는 대표가 미국입니다. 이 중심된 두 나라가 대화를 하지 않으면 어떻게 풀어 나갑니까? 아까도 말했지만 햇볕정책을 공격한다고 해결될 문제가 아닙니다. 이런 문제를 해결하는 데 있어서 북·미 양측이 대화를 하고 세계가 협력해서 북한이 핵을 포기하고 그 대신 미국은 북한에 대해서 안전을 보장하고 경제 제재를 해제하고 국교를 정상화해서 북한이 세계 속에서 살 수 있도록 해 주어야 합니다. 못살게 하니까 결국에서는 갖은 노략질을 하게 되는 것입니다. 이런 점에 있어서 한국은 원하건 원치 않건 직간접적으로 당사자이므로 문제가 평화적으로 해결될 수 있도록 이성적으로 생각해 갈등의 요소를 해소하는 데 도와줘야 합니다. 젊은 여러분들도 그러한 슬기로운 생각을 가지고 대처해 주기를 바랍니다.

질문 저는 전남대 총학생회 부회장 류선민입니다. 국민들은 한·미자유무역협정(FTA)이 한국에게 기회인지 위기인지에 대해 많은 걱정을 하고 있습니다. 김대중 전 대통령께서는 한·미자유무역협정(FTA)을 어떻게 생각하고 위기가 아닌 기회가 되기 위해서 준비해야 할 것은 무엇입니까?

김대중 이것도 아주 중요한 질문입니다. 한·미자유무역협정(FTA)은 근본적으로는 해야 하는 것입니다. 잘 대비를 해서 하면 약이 되고 제대로 대비를 못 하면 독이 됩니다. 자유무역협정(FTA) 자체는 약도 아니고 독도 아닙니다. 우리가 하기에 따라 달라집니다. 그런데 여러분이 아시다시피 19세기와 20세기는 민족주의 시대입니다. 경제도 크게 보면 민족주의 경제입니다. 그러나 21세기는 이미 세계화 시대가 되었고 경제도 세계적인 경제입니다. 지금 우리나라만 가지고 되는 일은 없습니다. 심지어 우리나라에서 구멍가게의 아줌마도 우리나라에 들어와 있는 세계적인 쇼핑몰과 경쟁하고 있습니다. 여기에서만 경쟁하는 것이 아니라 아프리카나 중남미, 유럽 어디하고도 경쟁해야 합니다. 이런 시대에 살고 있기 때문에 우리만이 폐쇄적이고 쇄국적인 생각만으로는 살 수 없습니다. 지금 우리나라가 이만큼 성장한 것도 세계 시장에 나가서 물건 많이 팔아서 성장한 것입니다. 우리는 그 전에 칠레와 자유무역협정(FTA)을 체결해서 많은 걱정이 있었지만 성공했습니다. 복숭아가 어쩌고, 포도가 어쩌고 하는 등 문제가 있었지만 모두 큰 걱정 없이 해결되고 오히려 지금 우리가 덕을 보고 있습니다. 미국도 우리가 잘하면 덕을 볼 것입니다. 못하면 피해를 볼 것입니다.

그래서 우리는 원칙적으로는 미국 시장에 뛰어들어야 합니다. 세계에서 가장 큰 시장인 그곳에서 돈벌이 안 하고 어디에서 합니까? 또 우리가 안 한다고 남이 안 합니까? 앞으로 일본이나 중국, 동남아 국가들이 미국과 자유무역협정(FTA) 맺어 가지고 관세 내리고 그렇게 하는데 우리만 비싼 관세 가지고 미국 시장에 가면 누가 우리 물건 사 줍니까? 안 할 수가 없습니다. 우리만 안 한다고 되는 문제도 아닙니다. 그런데 자유무역협정(FTA)을 해 나가는 데 있어서 가장 생각해야 할 것은 자유무역협정(FTA)은 해야 할 것이므로 약이 되도록 노력해야 한다는 것입니다. 특히 농업 분야 같은 것은 가장 큰 취약점인데 과거처럼 보호만 하면 안 됩니다. 나도 그렇게 해서 결국은 성공 못 했습니다마는 이제는 한편으로는 보호하면서 빨리 농업 분야가 경쟁력을 가져서 우리도 세계시장에서 농업 분야에서 승리하도록 역량을 키워야 합니다. 그것은 농업의 기술적인 분야도 있고 상거래 분야도 있습니다. 그래서 이런 것에 대해서 확고한 대책을 가지고 있어야 합니다.

제가 엊그제 여기 오기 전에 정부에서 미국 자유무역협정(FTA) 문제를 지원하고 있는 한덕수 전 경제부총리를 집에서 만나 얘기했습니다. "자유무역협정(FTA)이 왜 필요하고, 하게 되면 어떻게 되고, 그리고 문제점이 있으면 어떻게 보완하느냐 등의 문제를 국민들 손에 쥐여 주듯이 설명해서 국민들이 안심하도록 해야 한다"고 이야기했습니다.

이런 식으로 대비하고 자유무역협정(FTA)에 나가면 우리나라는 돈 벌 수 있습니다. 지금 우리나라는 자동차와 조선, 섬유, 철강 등 모든 분야에서 세계적인 경쟁력을 갖추고 있으며 능력도 있습니다. 정보통신은 말할 것도 없고, 조선은 세계에서 지금 부동의 1위입니다. 철강도 조강 분야는 세계 6위이고 자동차도 세계에서는 5위이지만 엊그제 신문 보니까 일본의 도요타를 제치고 유럽으로 진출하고 있습니다. 우리는 능력이 있습니다. 겁만 낼 것이 아닙니다. 오히려 세계 여러 나라들이 우리를 부러워하고 있습니다. 유엔 회원국이 192개국이 있는데 그중의 20-30개국 빼고는 모두 한국을 부러워합니다. 민주주의와 시장 제도, 사회보장, 평화 유지에 대해 유엔의 다수 국가에서도 모범 국가로 인정하고 있습니다. 그러기 때문에 이번에 반기문 외무 장관이 유엔 사무총장에 무투표로 통과가 되지 않았습니까? 우리는 자신을 가져야 합니다. 자신을 갖는다는 것은 오만이 아닙니다. 내가 가진 능력에 대해서 확신을 갖는 것입니다. 동시에 내게 문제점은 없는지 철저히 대비하는 것이 자신입니다. 그래서 나는 자유무역협정(FTA) 문제를 대처하는 데는 그러한 자세로 해 나가야 한다고 생각합니다. 그리고 세계 최고의 시장에 진출해야 합니다. 자유무역협정(FTA)에 대해서는 미국뿐 아니라 앞으로도 계속해 나가야 합니다. 그렇지 않으면 시장을 빼앗깁니다. 각 나라에 대해서는 여러 가지 문제점을 대처해 나가면서 자유무역협정(FTA)이 우리의 성공을 보장하고 국가의 부강을 보장하는 길이라는 것을 여러분에게 말씀드립니다.

질문 저는 전남대 대학원 세계한민족네트워크 전공에 재학 중인 우즈베키스탄에서 유학 온 메흐리니소입니다. 한국 민주주의 발전에 있어 김대중 전 대통령의 업적은 높이 평가되고 있습니다. 한국형 민주주의가 아시아 민주주의 발전의 모델이 될 수 있다고 생각하시는지요?

김대중 우즈베키스탄에서 온 학생이 너무 한국말을 잘해서 한국 학생이 질문한 것보다 더 알아듣기 쉽습니다. 이렇게 중앙아시아에서 우리와 오랫동안 관계한 나라에서 여기로 공부하러 와서 이렇게 한국말을 잘하는 이런 것이 세계화의 조짐인데요. 이런 의미에서 전남대학이 큰 기여를 하고 있어서 감사하게 생각합니다.

민주주의에 있어서는 여러 가지 전설이 있는데, 민주주의는 서구의 것이니까 아시아에는 적합하지 않다는 이야기가 한동안 있었습니다. 그런데 저는 그때 싱가포르의 리콴유 총리와 『포린어페어스』 잡지에서 논쟁을 했는데, 그분은 아시아에서 민주주의는 어렵다고 하고, 나는 아시아에서는 민주주의가 된다, 아시아에서 민주주의적 요소가 있다, 중국, 우리나라의 예를 들면서 설명했습니다. 결국 지금은 아시아 과반수 이상의 나라가 민주주의를 하고 있고 나머지도 결국은 시간문제입니다. 중국에서조차 민주주의의 싹이 트고 있습니다.

민주주의는 보편적인 것이지 어느 특정한 나라의 것이 아닙니다. 한국적 민주주의라는 것은 나는 없다고 생각합니다. 물론 한국의 사정에 따라 대통령제로 가느냐 내각책임제를 하느냐는 등의 차이는 있지만 백성이 주인이 되어 나라의 운명을 결정하고, 백성이 나라의 운명을 책임질 지도자를 선출해서 위임하고 잘못하면 퇴출시킨다는 원칙은 세계 공통입니다. 그래서 우리가 우즈베키스탄 학생이 와서 우즈베키스탄도 한국과 똑같이 민주주의를 할 수 있고, 민주주의를 하는 데 여러분들이 노력해야 할 것입니다.

그러나 민주주의는 '공짜'가 없습니다. 미국의 3대 대통령 제퍼슨은 "민주주의는 인민의 피를 먹고 산다"고 했습니다. 그것이 바로 우리나라에서 증명됐습니다. 얼마나 많은 사람들이 죽었습니까? 광주에서, 전국 도처에서 그랬습니다. 나도 사형 선고받아 가지고 집행 직전에 살았습니다. 감옥살이도 6년 반하고, 망명 연금 생활도 10년 이상 했습니다. 일생에 다섯 번 죽을 고비를 넘겼는데 그중 네 번은 군사독재 시절에 일어났습니다. 이것은 자랑도 아닙니다. 얼마나 많은 분들이 광주에서 목숨을 바쳤습니까? 그렇기 때문에 한국의 민주주의는 뿌리가 튼튼합니다. 이제는 어떤 군부 사람도 한국에서 민주주의를 안 할 수 없습니다. 다시 군사쿠데타 하는 것은 꿈도 꿀 수 없습니다. 우리는 세 번 독재자를 극복했습니다. 이승만, 박정희, 전두환. 그리고 우리는 결국 민주주의를 반석 위에 올려놓았습니다. 여야 간에 정권 교체가 국민의정부에서 이루어졌습니다.

최근 일본을 보면 일본이 급격히 우경화하고 있습니다. 그것은 일본 사람들이 자기 손으로 민주주의를 이룩하지 못했기 때문입니다. 일본은 군국주의 하다가 2차대전 후 맥아더에 의해 민주주의가 시행됐기 때문에 민주주의를 한 것입니다. 그래서 일본은 민주주의 주체 세력이 없습니다. 그래서 과거 군국주의 세력이 다시 부활한 것입니다. 최근 일본에는 군국주의 세력이 판을 치고 있고, 민주주의를 해야 하고, 그런 방향으로 가면 안 된다고 말하는 사람들의 목소리는 들리지 않습니다. 국민의 70-80퍼센트에게 전쟁한 것을 교육시키지 않았습니다. 그렇기 때문에 50-60대 이하의 사람들은 과거를 전혀 모릅니다. 일본 사람들은 "우리가 대한반도를 점령해서 조선 사람들을 도와주었다. 중국에서 남경대학살 했다는 것은 모두 거짓말이다. 대동아전쟁해 가지고 아시아 사람들을 서구 식민지로부터 해방시켰다. 평화헌법도 다른 나라와 같이 전쟁할 수 있는 헌법으로 바꾸자. 일본이 억울한 분야는 철저히 교육을 시켜서 일본이 잘못한 것이 없다고 교육시키자"는 식으로 하고 있습니다. 일본은 지금보다 앞으로가 더 문제입니다. 앞으로 한국, 중국, 동남아시아 나라들과 갈등을 겪게 될 것입니다. 이런 것을 볼 때 민주주의는 '공짜'가 없다는 것을 일본의 경우에서 참으로 느끼게 됩니다.

제가 그래서 우즈베키스탄 학생이 그러한 질문을 한 심정을 이해하고 가슴 아프게 생각하는데 우즈베키스탄 사람들도 민주주의 하는 것은 우즈베키스탄 사람들이 해야 합니다. 할 수 있습니다. 다만 거기에는 민주주의를 위해서 희생을 할, 몸 바칠 각오를 해야 합니다. 그래서 국민의 권위를 인정해야 합니다. 우리도 4·19 때 처음 학생들이 일어났고 마지막에는 국민들이 합세했습니다. 1980년 광주와, 1987년 민주항쟁 때도 처음에는 학생, 정치인이 했지만 결국은 국민 전체가 참여했습니다. 그러니까 독재자들도 보는 눈이 달라져서 이 박사에게 "하야해라", 전두환 씨에게 "계엄 해제해라" 압력을 가해서 결국 민주주의를 이룩했습니다. 시작은 우리가 해야 하고 우리가 희생해야 결국 국민이 참여하고 세계가 도와줍니다. 우즈베키스탄이나 중앙아시아 모든 나라가 그래야 할 것입니다. 또 그것은 반드시 그렇게 하리라고 봅니다.

경제가 발전되면 중산층이 생기고, 중산층이 생기면 중산층은 자유민주주의와 참정권, 투표권을 요구합니다. 또 피선거권을 요구하게 됩니다. 안 하면 문제가 생깁니다. 영국은 산업혁명을 한 후에 중산층이 생겼습니다. 중산층들이 그런 요구를 하니까 영국 귀족들이 순순히 내주었습니다. 그래서 평화 혁명이 되었습니다. 프랑스는 귀족들이 말을 안 듣다가 대혁명이 일어나서 전부 몰살당했습니다. 이것은 어디서든지 진리입니다. 그래서 민주주의는 '공짜'가 없다는 것, 피와 땀과 눈물을 흘려야 한다는 것, 그래서 마지막에 국민이 동조하게 만들어야 한다는 것. 그러면 결국 민주주의는 성공한다는 것, 그렇게 해서 성공한 민주주의는 결코 흔들림 없이 뿌리를 박을 수 있다는 것. 그렇지 않고 외세나 우연에 의한 민주주의는 오래가지 못한다는 것을 말씀드리고 싶습니다. 나는 우즈베키스탄이나 카자흐스탄 등 중앙아시아의 여러 나라들이 풍부한 천연자원을 가지고 국민들이 행복하게 잘 살기 위해서는 민주주의를 해야 한다고 생각합니다. 그런 의미에서 우즈베키스탄 여학생이 아주 좋은 질문을 해 주었고, 앞으로 여러분의 나라에서 큰 성공이 있기를 바랍니다.

질문 저는 전남대 정치외교학과 문경태입니다. 대북 경제 정책에 대해 일부 여론에서는 한국이 북한에 대해 퍼주고 있다는 여론이 있습니다. 금강산 관광과 개성공단 사업이 상호 경제 협력인지 아니면 일방적 퍼주기인지에 대한 견해를 말씀해 주십시오.

김대중 우리가 상거래를 하더라도 물건을 주고 돈을 직접 받는 경우도 있고, 물건 주고 외상으로 줄 때도 있습니다. 필요에 따라서 그렇게 하는 것입니다. 현재 북한과 주고받기식으로 경제 협력을 하고 있지 않은 것은 사실입니다. 그러나 우리는 지금 북한에 엄청난 발을 내딛고 있는 것입니다. 첫째는 북한에서 사용하는 생필품의 80-90퍼센트가 중국에서 들어오고 있습니다. 중국 시장화되고 있습니다. 북한의 지하자원 개발에 중국이 들어와 있습니다. 이대로 가면 북한에 대해 미국이 봉쇄하고 우리가 진출을 못 하면 북한은 중국의 지배 속에 들어가게 됩니다. 지금 어떤 의미에서 미국의 북한 봉쇄 정책은 북한을 중국으로 밀어 버리는 것입니다. 그러면 중국의 힘이 북한으로 자꾸 들어오게 되고 결국 중국의 힘은 휴전선, 일본을 건너 태평양까지 가게 될 것입니다. 이런 점에 있어서 우리가 북한에 진출하는 것은 중국과 우리의 힘을 균형 잡는 노력의 하나로서 필요합니다.

둘째는 우리는 북한에 대해 엄청난 이권을 가지고 있습니다. 현대가 북한과 거래해서 북한의 철도와 전력, 항만, 금강산·백두산 관광 등 북한 경제의 핵심을 30-50년 사용토록 돼 있습니다. 당면한 핵 문제 등에 가려서 그렇지 사실 우리가 북한 경제를 전반적으로 장악하고 있는 계약을 맺고 있다고 할 수 있습니다.

북한에서 경제를 하면 남도 좋고 북도 좋은 윈윈의 경제를 해 나가야 할 것입니다. 그래서 남들이 손을 못 대도록 해야 합니다. 우리가 이렇게 거대한 경제적 이권을 갖고 있는데 왜 거기에서 손을 떼고 나와야 합니까? 그리고 경제가 들어가게 되면 민심의 변화를 가져오게 됩니다. 지금 북한에서는 한국 물건 하면 '좋은 것'으로 인식되고 있습니다. 우리 경제의 우수성을 북한 사람들에게 침투시키고 있습니다. 우리가 북한에게 쌀을 주고 비료를 주고 있는데 쌀 포대에는 '대한적십자사'라고 쓰여 있습니다. 비료에는 '남해화학'이라고 쓰여 있습니다. 이 포대가 1년에 수천만 개가 북한에 들어가고 있습니다. 이러한 포대는 질이 좋아서 북한 사람들이 쇼핑백으로도 만들고 깨진 창문에 붙이기도 합니다. 그것이 얼마나 큰 선전을 하고 있는 겁니까?

우리가 북한에 들어가면 북한의 저임금 노동자, 중고등학교까지 의무교육을 받은 노동자, 군대에서 6-7년 훈련을 받은 노동자 등을 베트남보다도, 중국보다도 싼 임금으로 고용할 수 있습니다. 언어와 문화가 같고, 남한과 거리도 가깝습니다. 이런 노다지 시장이 어디 있습니까? 물론 북한도 그만한 덕을 보고 있습니다. 남한 시장에서 노동자들은 월 임금이 700-800달러 하는데 거기서는 100달러 미만 가지고 고용하고 있습니다. 그래도 북한 노동자들이 살아나는 것은 전기, 식량, 집 등을 무료로 지급하는 사회주의경제 때문에 살아날 수 있습니다. 그래서 남북 경제 협력은 윈윈인 동시에 북한 사회를 변화시키고 있습니다.

지금 북한은 2002년 7월 1일 경제개선조치 이후 상업을 하는 것이 유행이 됐습니다. 최근에는 의사도 오전 진료 후 오후에는 장사합니다. 이것은 자본주의가 침투한 것입니다. 자본주의가 침투한다는 것은 사유재산이 늘어난다는 것입니다. 사유재산은 중산층의 증가를 가져오고 결국에 중산층은 정치적 자유를 요구하게 될 것입니다. 모르는 사이에 마치 물이 스며들 듯 (자본주의가) 스며들고 있습니다. 이것이 우리가 북한과 햇볕정책을 한 결과입니다.

또 하나 아주 중요한 문제는 경의선과 동해선이 완공됐지만 개통하지 못하고 있는 것입니다. 개통을 하게 되면 우리는 북한 전역을 종단할 수 있고, 압록강을 건널 수 있습니다. 그렇게 되면 부산이나, 광양, 목포를 출발하는 기차가 만주와 시베리아를 거쳐 유라시아로 진출하게 될 것입니다. 이렇게 되면 한국은 태평양과 대서양을 연결하는 물류 기지가 될 것입니다. 지금 중앙아시아 일대에 석유가 쏟아져 나오고, 가스, 지하자원이 매장되어 있습니다. 그런데 그곳을 우리가 들어가지 못하고 있습니다. 우리는 한반도라고 하지만 반도는 육지로도 진출하고 바다로도 진출할 수 있어야 반도입니다. 그러나 우리는 육지로 갈 수 없습니다. 이 문제를 빨리 해결해야 합니다. 나는 6·15남북정상회담을 마치고 서울공항에 도착하자마자 이런 얘기를 국민들에게 했습니다. 이것만 해내면 우리는 동방의 물류 거점이 되고 물류가 일어나면 생산업과 보험, 문화관광 산업 등이 일어납니다. 이것이 21세기 우리가 사는 길입니다. 북한과 관계 개선해서 철도가 북한을 거쳐 대륙으로 뻗어 나가고, '철의 실크로드'를 종횡무진으로 달려가 압록강의 기적을 만드는 것이 (우리의) 21세기 우리의 운명을 좌우하는 경제적 어젠다입니다.

　이런 의미에서 북한은 당면해서도 그렇고, 미래에서도 그렇고, 한반도 내에서 밖에서 경제적 입장에서 매우 중요합니다. 이런 점들을 여러분들이 앞으로 더욱 연구해서 내 말이 어느 정도 맞는지 검토해 보시기 바랍니다. 감사합니다.

대화 거부는 있을 수 없다

대담 조지 위프리츠 외

일시 2006년 10월 13일

위프리츠 저는 지금은 홍콩에 있지만 6년 동안 일본에 있었습니다. 이병종 국장과 함께 일했습니다. 그때 당시 남북정상회담 때도 취재했었습니다.

김대중 일본에 6년 동안이나 계셨으면 일본의 여러 가지 변화에 대해서 많이 알고 계시겠습니다.

위프리츠 네. 그렇습니다. 일본에는 경제적으로, 외교적으로 군사적으로 큰 변화가 있습니다.

김대중 네. 우리는 그런 변화에 대해 어느 정도는 걱정하고 있습니다.

위프리츠 일본의 군사력 강화에 대해 걱정하십니까?

김대중 일본이 총체적으로 우경화하고 군사 대국을 지향할 뿐 아니라 무엇보다 과거에 대해 다시 이를 정당화하고 반성하지 않는 것이 큰 문제입니다. 특히 그것이 일본의 젊은 사람들, 젊은 국회의원들의 우경화가 더 심한 것이 걱정입니다.

위프리츠 이병종 국장이 홍미로운 것을 인터넷에서 봤습니다. 북한의 핵실험 이후 한 웹사이트를 봤는데, 그 웹사이트의 응답자의 1/3 정도가 "북한에서 핵실험을 한 것은 자부심을 가질 일이다. 우리 한민족은 이를 이용해 일본을 공격해야 할 것이다."라고 답하고 있었습니다. 민족주의적인 성향은 일본뿐 아니라 이렇게 한국에서도 있는 것 같습니다.

김대중 물론 그런 상호작용을 하지요. 그러나 지금 그런 지적을 하신 웹사이트의 얘기는 일반적인 얘기는 아니라고 생각합니다.

우리 국민의 절대다수는 북한의 핵실험에 아주 충격을 받고 반대하고 있습니다. 우리는 한반도가 비핵화되어야 한다고 생각하고 있고, 북한의 핵실험은 1991년 남북 간에 맺은 비핵화공동선언에 정면으로 위배되는 것이기 때문에 이 점에 있어서는 어제도 여야 없이 국회에서도 만장일치로 비난 결의가 통과되었습니다.

위프리츠 대통령님께서 북한과의 화해 정책, 또한 일본과의 화해를 위해 노력하신 것을 알고 있습니다. 그러나 현재 북한의 군사적 도발 행위가 일어나고 있고 일본에서도 우경화되는 움직임을 보이고 있는데, 대통령님께서는 이런 문제에 있어 얼마나 우려를 하고 계십니까? 대통령님께서 지켜 오신 유산에 대해 얼마나 우려를 하고 계십니까?

대화는 악마하고라도 하는 것

김대중 북한이 핵실험을 한 후로 유엔에서도 제재 논의가 되고 있습니다. 북한에 대한 제재는 세 가지를 생각할 수 있습니다.

그러나 먼저 말할 것은 북한 핵은 절대 용납될 수 없고, 실험한 핵무기는 반드시 해체되어야 한다는 것입니다. 그런 전제로 얘기하겠습니다.

첫 번째 대책은 군사력을 써서 북한을 제재하는 것인데 지금 미국은 그렇게 할 여력도 없고 주변국인 한국, 중국, 러시아는 물론이고 일본도 군사력을 쓰는 것까지는 생각하지 않고 있는 것 같습니다. 또한 한국, 중국, 러시아는 군사력 사용에 반대하고 있습니다. 미국의 입장에서 보나 주변국의 태도로 보나 군사력을 사용하는 것은 어렵다고 생각합니다.

두 번째는 경제적 제재를 하는 것이고 현재 유엔도 그런 방향으로 논의를 하고 있는 것 같은데, 물론 북한은 고통을 받을 것입니다. 굉장히 큰 고통을 받겠지만 그것이 반드시 성공한다는 보장은 없다고 생각합니다. 북한은 그런 경제적 고통을 받는 데 단련이 돼 있고 경제 제재를 한다고 해도 미국이나 일본이 하는 것인데, 이미 할 만큼 했기 때문에 더 큰 제재를 하기도 어려운 입장에 있습니다. 북한이 무너지게 되면, 중국이 마음만 먹으면 중국의 경제력으로 봐서 북한을 도와주는 것은 일도 아닙니다. 그리고 하나 위험한 것은 경제 제재를 하게 되면 북한이 그들의 핵기술 시설 같을 것을 이란이나 베네수엘라 등의 나라에 팔 수가 있습니다. 이런 나라들은 석유가 생산되어 돈도 많기 때문에 거기서 경제적 혜택을 끌어올 수도 있는 것입니다. 그래서 경제 제재는 고통은 주지만 결정적인 효과는 주지 못할 것이라고 생각합니다.

세 번째는 대화를 하는 것입니다. 우리는 미국이 북한과 왜 대화를 안 하는지 이해할 수 없습니다. "북한이 악을 행하니까 대화 안 하고 있다"고 하는데, 대화가 무슨 친구 사귀는 겁니까? 대화는 악마하고라도 필요하면 하는 것입니다. 과거에 미국이 그렇게 해서 성공했습니다. 예를 들면, 닉슨은 중국을 '전쟁범죄자'라고 규정했지만 중국의 마오쩌둥을 찾아가서 대화해서 성공했습니다. 미국은 소련을 50년 동안 냉전으로 봉쇄해도 안 되니까 결국 레이건이 소련을 '악마의 제국'이라고 했지만 대화해서 헬싱키협정을 만들어 내서 결국 오늘 소련과 동유럽을 민주화시켰습니다. 아이젠하워는 전쟁하는 적이었던 북한과 대화해서 휴전협정을 이뤄 냈습니다. 그래서 지금 50년 이상 한반도에서 평화를 유지하고 있습니다. 대화는 필요하면 누구하고라도 하는 것입니다. "나쁘니까 대화 안 한다." 이것이 세계 평화를 책임지고 있는 미국이 할 수 있는 얘기인가, 우리는 그 점에 대해 의심을 하지 않을 수 없습니다.

위프리츠 대통령님 재임 중 그리고 그 이전부터 한반도는 독일의 '오스트폴리틱'(동방정책)을 모델로 해야 한다고 하셨습니다. 햇볕정책을 고안해 내셨습니다. 또한 클린턴 대통령과 함께 노력해 대화의 분위기를 조성했습니다. 클린턴 행정부 동안 한국, 미국과 북한은 북핵 위기를 거의 해결 직전의 단계까지 갔던 것을 알고 있습니다. 몇 달 뒤 새로 당선된 부시 대통령과 정상회담을 하셨고, 그 정상회담 중에 미국의 대북 정책이 바뀌었다고 해도 과언이 아닐 만큼 큰 변화가 있었다고 생각합니다. 이렇게 부시 대통령이 클린턴 행정부의 대북 정책을 변화시킨 것에 얼마나 큰 분노를 느끼셨습니까? 그리고 부시 대통령의 결정이 얼마나 큰 잘못이었다고 생각하십니까?

김대중 클린턴 대통령은 나의 햇볕정책을 전면적으로 지지했습니다. 공개적으로 선언했고, 또 저는 북한에 가서 김정일 위원장을 만날 때 사전, 사후에 충분히 클린턴과 협의했습니다. 그리고 아시다시피, 미국과 북한과 정상급 회담이 이뤄질 것에 합의할 만큼 진전이 있었던 것입니다. 한마디로 말해, 거의 다 됐던 것이 클린턴 행정부의 임기가 끝나는 바람에 해결이 안 된 것입니다. 클린턴 대통령이 몇 년 전에 저희 사무실에 왔는데 그때 "1년만 더 여유가 있었다면 북핵 문제는 해결될 수 있었을 텐데 아쉽다"고 했습니다. 저도 그렇게 생각합니다.

부시 대통령 당선 후 저는 2001년 미국에 갔습니다. 그때 파월 국무장관과 우리 정부와 합의해 공동 발표문을 냈는데, "미국은 클린턴 정권의 정책을 계승하고 내가 앞장서면 우리 정책을 지지하겠다"고 합의했습니다. 그러나 부시 대통령이 저와 공동 기자회견을 하는 자리에서 그런 합의는 제쳐 놓고 "북한은 백성을 먹여 살리지도 못하는데 무슨 핵무기 개발이냐"면서 공격했습니다. 그래서 완전히 합의된 것이 뒤집혀 버렸습니다.

그러자 그때부터 일이 틀어지기 시작했고, 소위 말하는 '에이비시'(ABC·
Anything But Clinton) 얘기가 나왔습니다. 그 결과는, 결국 부시 정책의 실패로 귀
결됐습니다. 북한은 핵확산금지조약(NPT)을 탈퇴했습니다. 국제원자력기구
(IAEA) 요원들을 추방시켰습니다. 그래서 이제 우리는 북한의 핵 활동에 대해
알 수 없게 되었습니다. 그리고 북한은 핵을 개발해 실험까지 하게 됐습니다.
만일 클린턴이 합의했던 것을 그대로 계승해서 했더라면 문제는 해결됐을 것
이라고 확신합니다. 그 점에서 대해서 매우 아쉽게 생각하고 있습니다.

위프리츠 대통령님께서는 이 문제에 대해 열정과 굳은 신념을 가지고 계
시는 것을 잘 알고 있습니다. 그때 당시 한·미정상회담을 하실 때에 열띤 논
쟁을 하셨습니까? 눈을 똑바로 쳐다보면서 이 문제에 대해 실수를 해서는 안
된다고 강하게 말씀하셨습니까? 그렇다면 부시 대통령은 어떻게 반응하셨습
니까?

김대중 물론 그렇게 했습니다. 2002년 2월 부시 대통령이 한국에 오기 한
달 전 이란, 이라크, 북한을 '악의 축'이라고 발표했습니다. 저는 부시 대통령
과 대화를 한 시간 반을 했습니다. 제가 얘기했습니다. "우리도 공산주의 반
대한다. 우리도 핵 반대한다. 우리도 북한 미사일 반대한다. 그러나 이 문제
는 아무리 싫더라도 대화를 해서 풀어야지, 그렇지 않고 무슨 방법으로 풀겠
는가. 무력 사용밖에 없는데 그것은 해서는 안 되는 것이고 또 성공의 보장도
없다." 그러면서 아까 말한 "레이건은 악마의 제국과도 대화했다."라고 말하
며 설득했습니다. 그리고 얘기했습니다. "미국이 2차 세계대전 이후에 공산
국가와 상대해서 대화해서 성공 못 한 예가 없다. 소련에서 성공하고, 중국에
서도 성공하고, 베트남에서는 전쟁하다가 졌지만 대화해서 지금 좋은 관계
를 유지하고 있다. 그러나 조그마한 섬 쿠바는 50년 동안 봉쇄해도 바꾸지 못
하지 않았는가. 대화했으면 진작 해결됐을 것이다. 북한과도 마찬가지다."

이렇게 해서 부시 대통령은 마침내 제 의견에 동의했습니다.

그래서 부시 대통령이 내 의견에 전적으로 동감해서 합의를 봤습니다. 부시 대통령은 기자회견을 하면서 "첫째, 북한을 무력 공격하지 않겠다. 둘째, 북한과 대화하겠다." 그러면서 "레이건은 소련을 '악마의 제국'이라고까지 했지만 대화했다"고 하는 내 말을 그대로 썼습니다. 그 말까지 했습니다. 그리고 "세 번째 북한에 식량을 주겠다"고 말했습니다. 여기서 본인 입으로 그렇게 말했습니다. 그리고 그 후 그것이 실천이 안 됐습니다. 이런 사태에 대해서 제가 얼마나 실망을 했고 그리고 우리 국민이 얼마나 실망을 했겠나 생각해 보면 알 겁니다.

위프리츠 그때 당시 부시 대통령이 대통령님께 거짓말을 하고 있었다고 생각하십니까? 아니면 그 이후에 정책적인 변화가 있었다고 생각하십니까? 제가 다르게 좀 말하자면, 부시 대통령이 대통령님이 듣고 싶어 하시는 방향으로 말했다고 생각하십니까?

김대중 아닙니다. 부시 대통령이 완전히 제 말에 공감했습니다. 그래서 처음에 부시 대통령과 저의 단독 정상회담을 45분, 그리고 그 이후에 장관 등과 함께 공동 회담을 45분 하기로 예정되어 있었는데, 공동 회담을 취소하고, 부시 대통령과 저는 한 시간 반 동안 단독 회담을 했습니다. 그래서 부시 대통령이 완전히 공감을 해서 기자회견에서 자신이 자진해서 그렇게 발표했습니다.

위프리츠 부시 대통령과의 일대일 회담에서 나눴던 내용, 그리고 그 이후 부시 대통령과 나눴던 대화와는 굉장히 상반되는 정책을 펼친 것 같은 괴리가 어디서 온다고 생각하십니까? 부시 대통령이 단순히 그 이후 생각이 바뀐 것이라고 생각하십니까, 아니면 행정부 내 정책을 결정하는 다른 사람들이 있다고 생각하십니까.

김대중 그것은 제가 얘기하는 것보다도 직접 부시 정부 측에 물어보는 것이 좋겠습니다.

위프리츠 북핵 문제와 관련해 과거와 관련된 질문인데 이것이 또 현재 상황과도 연관이 있다고 생각합니다. 1994년에 긴장감이 고조되는 북핵 위기가 있었는데요. 그때 당시 대통령님께서는 워싱턴에 내셔널프레스클럽에 오셔서 연설을 하셨는데, 그때 대통령님께서 미국의 특사를 북한으로 보내서 문제를 조정하는 것이 좋겠다고 제안하셨습니다. 그리고 그 특사로 지미 카터 전 대통령을 보내는 것이 좋겠다고 제안하셨습니다. 클린턴 행정부는 이를 귀담아듣고 그 이후 이런 계획이 실제로 옮겨졌고, 대통령님께서도 아시다시피 큰 성공이 있었습니다. 오늘날에도 이와 유사한 핵 위기가 있고 그때보다 더 긴장이 고조되고 악화된 상황에 있다고 말할 수 있습니다. 현재 미국에서는 제임스 베이커 같은 분을 특사로 보내는 것이 어떻겠냐는 제안들이 있는 것으로 알고 있습니다. 이것이 좋은 생각인지 여쭤보고 싶고, 또 유엔에서도 북한에 특사를 보내는 문제에 대해 논의가 있는 것으로 알고 있습니다. 만약 대통령님께 그런 제안이 온다면 대통령님께서는 이를 수락하실 의사가 있으십니까?

안전만 보장되면 비핵화에 나서겠다

김대중 저는 북한에 특사로 간다면 미국 정부가 가장 신임하는 미국의 지도자가 가는 것이 좋다고 생각하고 그런 의미에서 제임스 베이커 씨가 가는 것이 좋을 것이라고 생각합니다. 그러나 그것에 앞선 문제가 있습니다.

문제는 부시 대통령이 북한에 대해, "군사적 행동을 한다든가, 경제 제재를 해 가지고는 성공하기 어렵다. 또 최선의 방법이 아니다. 그러니 대화로 해결해야 하겠다." 이런 결심이 섰을 때 특사가 가도 효과가 있을 겁니다. 그래서 부시 대통령이 그런 결심을 하고 그리고 베이커 씨 같은 분을 보낸다면 효과가 있을 것입니다. 왜냐하면 북한은 미국과 관계 개선을 열망하고 있습니다. 지금도 핵실험을 해 놓고도 "대화해서 안전만 보장되면 무엇 때문에 우리가 핵이 필요하냐. 한반도 비핵화에 적극적으로 나서겠다." 이렇게 말하고 있지 않습니까. 지금 가능성이 있는 것입니다. 희망이 있는 것입니다. 문제는 부시 대통령이 "북한하고 대화하겠다. 그래서 줄 것 주고 받을 것 받는 그런 협상을 하겠다." 이런 결심만 서면, 저는 이 문제는 아주 쉽게 해결된다고 생각합니다.

위프리츠 그렇다면 대통령님께 공식적인 특사로 가실 의지가 없습니까?

김대중 지금 제가 나서는 것보다는 베이커 씨가 나서는 것이 훨씬 좋다고 생각합니다. 저는 별도로 개인 자격으로 가서 김정일 위원장과 여러 가지 한반도 문제에 대해 흉금을 털어놓고 얘기하는 것, 그래서 사이드에서 분위기를 도와줄 수는 있다고 하더라도 제가 이 문제에 공식적으로 특사로 나서는 것은 적합하지 않다고 생각합니다.

위프리츠 대통령님께서 혹시 핵실험 문제가 발생한 이후 베이커 씨와 대화를 나누신 적이 있습니까?

김대중 없습니다.

위프리츠 미 행정부 관리와 대화를 나누신 적이 있습니까?

김대중 핵실험 이후에는 없습니다. 이전에는 있습니다. 근자에는 부시 행정부 1기 앤드류 카드 비서실장, 국무부의 아미티지 부장관이 와서 장시간 얘기했습니다. 핵실험이 발생하기 직전이었습니다.

위프리츠 한반도에서 전쟁이 재발하는 것을 막기 위해 오늘, 그리고 내일, 그리고 몇 달 동안 어떤 조치들을 취해야 한다고 생각하십니까?

김대중 먼저 유엔에서 결의를 하되, 너무 강도 높은 결의는 안 하는 것이 좋다고 생각합니다. 어차피 제재 결의는 할 모양이니까. 그리고 결국 이 문제를 푸는 것은 미국과 북한이 풀어야 합니다. 6자회담 테두리 내에서 하건, 밖에서 하건 풀어야 합니다. 미국이 북한과 대화의 채비를 할 필요가 있다고 생각합니다. 그러지 않으면 해결책이 없습니다. 문제는 더 악화될 뿐이라고 생각합니다.

이 단계에서는 너무 출구가 없이 가혹한 제재는 하지 않고 어느 정도 체면이 서는 정도의 경제 제재를 하는 데 그쳐야 하고 한편으로는 미국이 북한과 대화할 채비를 해야 한다고 생각합니다. 그렇게 되면 미국이 대화만 하면 이 문제는 풀릴 것이라는 상당한 신념을 가지고 있습니다.

이병종 대통령님께서는 미국이 해야 할 역할에 대해서 말씀하셨는데, 한국이나 중국이 할 수 있는 일은 무엇이 있을까요?

김대중 중국과 우리는 북한하고 우리가 가지고 있는 통로를 통해서 평화적으로 북한이 한반도 비핵화 체제로 돌아가도록 설득하고 미국과 건설적인 대화를 하도록 유도하면서, 남북 관계에 서로 긴장을 조성시키는 일은 삼가는 것이 좋다고 생각합니다.

아주 간단히 얘기해서 북한은 미국과 대화를 열망하고 있고, 대화를 통해 북한의 안전이 보장되고 경제 제재가 해제되면, 핵이건 미사일이건 다 미국이 하자는 대로 하겠다는 그런 입장이라고 저는 확신하고 있습니다. 또한 그런 말도 하고 있습니다. 그렇기 때문에 미국은 왜 이를 잘 이용하지 않는지 이해할 수 없습니다. 문제가 미국과 북한 사이에 얽혀 있는데 대화를 안 한다는 것이 말이 됩니까? 대화하면 해결될 가능성이 충분히 있다고 생각합니다.

위프리츠 인터뷰에 응해 주셔서 감사드립니다.

---

* 이 글은 『뉴스위크』(Newsweek) 인터뷰로 2006년 10월 13일 동교동 사저에서 이루어졌다. 조지 위프리츠(George Wehrfritz) 홍콩 지국장, 이병종 서울 특파원이 인터뷰하였다.

한반도에서도 대화를 해야 한다

대담 로이터통신
일시 2006년 10월 14일

질문 대북 포용정책에 대한 근본적인 변화가 있어야 한다는 주장이 있다. 이에 대한 김 전 대통령님의 의견은?

김대중 포용정책의 변화를 요구하는 것은 포용정책 때문에 북한이 핵을 갖게 됐다는 그런 근거에서 말하는 것인데, 이것은 전혀 사실과 다르다. 북한은 한 번도 포용정책 대문에 핵을 가져야겠다고 주장을 한 일도 없고, 세계의 모든 여론도 핵을 갖게 된 것이 북한과 미국의 책임에 있다고 이야기하고 있지, 포용정책을 가지고 얘기한 바는 없다. 오히려 햇볕정책은 남북 간의 긴장을 완화시키고 북한이 핵 보유로 달려가는 것을 상당히 지연시킨 역할을 했다고 본다.

근본적인 변화가 있어야 한다고 하는데 여기에 대해서는 세 가지 선택을 할 수 있다. 하나는 군사적인 조치를 취하는 것이다. 그러나 군사적인 조치는 매우 위험한 결과를 가져올 것이고, 지금 미국의 현실이나 능력으로 봐서 육군을 포함한 총체적인 군사적 공격을 할 처지는 안 된다고 생각한다. 또한 우리는 군사적 대결은 한반도 7천만 민족을 공멸의 위기로 몰아넣기 때문에 어떠한 일이 있어도 반대한다.

두 번째는 경제 제재인데 경제 제재는 이미 상당 부분 했기 때문에 이제 새삼스럽게 하더라도 큰 효과가 있을 것 같지 않다. 또한 북한은 이러한 경제적 궁핍에는 매우 익숙해 있고 최소한 연명하여 살아갈 지원을 얻을 수 있다. 첫째는 중국인데 중국의 경제력으로 봐서 북한을 도와주는 것은 매우 쉬운 일이다. 그 외에 이란이나, 이라크, 쿠바 이런 나라들로부터 지원을 받을 수 있다. 그러므로 경제적 제재도 효과를 거두기 어렵다.

마지막으로 대화를 하는 것인데 문제 해결은 이 길밖에 없다. 북한은 지금 자기네 안전만 보장하면 한반도 비핵화에 동참하고 핵을 포기하겠다고 하고 있다. 그러므로 미국은 북한과 대화를 해야 할 것이다. 대화는 친구끼리만 하는 것이 아니다. 적이라도 필요하면 해야 한다. 닉슨 대통령은 '전쟁범죄자'로 규정되었던 중국을 찾아가서 마오쩌둥을 만났다. 레이건은 '악마의 제국'이라던 소련과 대화했다. 그리고 아이젠하워는 한국전쟁 때 전쟁 중에 북한과 대화해서 휴전협정을 맺었다. 이 결과는 모두 성공적이었다. 현재 한반도에서도 대화를 해야 한다. 대화를 하면 해결의 길이 나올 것으로 본다. 그 이유는 북한은 미국과 관계 개선을 하는 것이 지상의 목표이고, 관계 개선만 된다면 대량살상무기를 모두 포기할 용의를 가지고 있기 때문이다.

질문 남측에서 북측으로 제공되는 어떤 것이든지 북측에서 반드시 상응하는 조치가 있어야 한다는 원칙이 필요하다고 생각하는가?

김대중 크게 보면 상응하는 조치가 있어야 한다. 그러나 거래라는 것은 현금을 주고받는 거래도 있고, 외상으로 하는 거래도 있다. 남북 관계는 일부는 현금으로 받고 있고, 일부는 외상으로 하고 있는 격이다. 내가 강조하고 싶은 것은 남한은 현대를 통해서 지금 북한의 엄청난 이권을 확보하고 있다. 북한의 철도, 정보통신, 전력, 항만, 관광, 공단 건설 등을 30년 내지 50년 기간으로 그 이권을 확보하고 있다. 한마디로 말해서 북한 경제 운영을 전면적으로 확보하고 있다고 해도 과언이 아니다. 지금 우리가 얼마 정도 지원한 대북 지원과는 비교가 되지 않는 엄청난 이권인 것이다.

그리고 현실적으로도 많은 소득이 있다. 무엇보다 북한 민심이 크게 변화해서 남한에 대해서 부러워하고, 친근감을 느끼고, 감사하는 심정으로 변하고 있는데 이것은 우리가 그동안 쌀, 비료 등 여러 가지 지원을 해 준 결과이다. 금강산 관광도 130만 명 이상이 다녀왔는데 북한 사람들이 볼 때 "자신들은 끼니도 해결하지 못하는데 남한에서는 저렇게 관광까지 다닌다"고 생각한다. 남한이 실제 현실로서 얼마나 잘살고 있다는 것을 그들에게 보여 주고 그들의 마음에 큰 동요를 일으키고 있는 것이다. 개성공단은 이미 상당한 성과를 올리고 흑자를 내기 시작하고 있다. 개성공단을 완성하면 35만 명의 북한 노동자들을 고용하게 되는데 이것은 엄청난 규모의 경제 단지라고 봐야 한다.

무엇보다도 강조하고 싶은 것은 개성과 금강산 양쪽은 북한의 남한에 대한 전선의 최전방으로서 그 전방에 우리가 들어가서 북한의 영토를 사용하게 되었고, 북한은 개성과 금강산 주변에 있는 군부대들을 타지로 이동시키는 그런 상황까지 됐다. 한마디로 말해서 휴전선이 5-10킬로미터 북방으로 올라간 결과가 된 것이다. 북한은 남한과 화해 협력의 방향으로 나온 이래 전쟁의 가능성이 작다고 보고 2002년에는 '7·1경제관리개선조치'를 선포했다. 그 이후 북한에서는 전면적으로 시장경제의 물결이 확대되고 있다. 다시 말하면 공산주의에서 자본주의의 방향으로 상당히 바꾸고 있는 것이다. 이것도 남북 화해 협력 정책의 성과라고 봐야 한다.

질문 북핵 실험 발표 때문에 남북 관계가 어떻게 변하고 있으며 핵실험에 대해 한국은 어떻게 대응을 해야 하나요?

김대중 핵실험을 한 북한에 대한 대응은 국제연합(UN) 안전보장이사회의 결의에 따라서 적절히 대처해야 할 것이다. 그리고 6자회담 당국자들과도 충분히 의논해서 태도를 결정하는 것이 좋다고 생각한다. 무엇보다도 강조하고 싶은 것은 북한 핵은 절대로 용납할 수 없다. 그것은 이미 말한 대로 '한반도비핵화선언' 하고도 위배된다. 좁은 한반도에서 핵전쟁이 나면 7천만 민족은 공멸할 우려가 있다. 그러므로 북한은 반드시 핵을 포기해야 한다. 이 문제는 오직 북·미 대화로만 해결이 가능하다. 미국은 북한과 대화를 거부하다가 많은 것을 잃었다. 북한은 핵확산금지조약(NPT)을 탈퇴했고, 국제원자력기구(IAEA) 요원을 추방하고 마침내 핵실험까지 하게 됐다. 더 이상 실수를 되풀이하지 말고 대화에 나서야 한다. 그리고 줄 것은 주고, 받을 것은 받는 협상을 해야 한다. '줄 것'은 북한의 안전 보장과 경제 제재의 해제이고, '받을 것' 은 핵 등 북한의 대량살상무기의 철폐와 미사일 모라토리엄이다. 이 문제는 북한과 대화만 하겠다고 결심하면 해결이 가능하다고 본다. 미국은 더 이상 성과 없이 북한만 결과적으로 이롭게 하는 정책을 되풀이하지 말고 대화에 나서기를 바란다.

* 이 글은 '로이터통신' 서면 회견문이다. 동교동 사저에서 김대중 대통령이 구술하였다.

북한 핵과 햇볕정책

강연 서울대학교 통일연구소
일시 2006년 10월 19일

김대중 존경하는 이장무 총장, 박명규 통일연구소 소장, 그리고 교수, 학생 여러분! 내외 귀빈 여러분!

서울대 개교 60주년과 통일연구소 출범을 진심으로 축하합니다. 특히, 남북 관계가 전례 없이 심각한 위기 국면에 처해 있는 이때 통일연구소가 출범하게 된 것은 매우 뜻깊은 일이라고 생각합니다.

서울대학교는 이 나라 지성의 전당이자 학문의 중심입니다. 민족의 운명에 대해서 일차적인 책임을 감당해 주어야 할 장소입니다. 이장무 총장께서는 통일연구소의 개소식에서 다음과 같이 말씀하셨습니다. "서울대 내부에서 다른 분야에 비해 분단과 통일에 대한 관심이 미약하다는 자성의 목소리가 높았다. 다가오는 미래의 핵심 과제인 통일과 평화에 기여할 수 있는 인재를 양성해야 한다."

그렇습니다. 통일 없이는 민족의 미래가 없습니다. 21세기 무한 경쟁 속에서 활로를 열어 갈 수도 없습니다. 유라시아 대륙의 방대한 시장으로의 접근도 크게 제약을 받습니다. 무엇보다도 당면한 북한 핵 문제, 그리고 우리의 염원인 남북통일 문제에 대한 이론과 정책의 수립에 서울대의 참여가 절실히 필요합니다.

때마침 북한 핵 문제가 큰 과제로 대두되고 있습니다. 그리고 과연 우리는 통일할 수 있을 것인가에 대한 의문도 여기저기서 제기되고 있습니다. 이런 점에 대해서 오늘 우리가 머리를 맞대고 의견을 교환하는 것은 그 의미가 매우 크다고 생각합니다.

존경하는 여러분!

지난 10월 9일 북한은 우리 국민과 전 세계 사람들의 반대를 무릅쓰고 핵실험을 강행했습니다. 우리는 북한의 핵 보유를 단호히 반대합니다. 이것은 우리의 생사와 동북아의 안보가 걸려 있는 문제이기 때문입니다. 무엇보다도 북한 핵실험은 1991년 12월에 체결한 '한반도비핵화공동선언'에 정면으로 위배됩니다. 그러므로 우리는 우리의 법적인 권리로서 북한 핵의 폐기를 다시 한번 단호히 요구합니다. 지난 10월 15일 국제연합(UN) 안전보장이사회는 국제연합(UN) 헌장 7장 41조에 의거해서 북한에 대한 경제적 제재를 결의했습니다. 이제 우리는 북한 핵을 철폐시키는 목표를 달성하기 위해서 어떠한 수단을 취해야 하겠습니까? 세 가지를 생각해 볼 수 있습니다.

첫째, 군사적 수단에 대해서 검토해 봅시다. 결론적으로 말해서 군사적 수단은 결코 허용될 수 없다고 생각합니다. 핵무기까지 사용하게 될 가능성이 있는 군사적 제재 수단은 한반도를 초토화시키고 7천만 민족을 공멸하게 할 위험이 큽니다. 우리는 우리 민족의 생존을 위해서 군사적 수단에 의한 제재는 결코 지지할 수가 없습니다. 이번 국제연합(UN) 안보리의 결의가 7장 42조의 군사적 수단을 포함하지 않은 것을 다행으로 생각하면서, 앞으로도 그러한 일이 없도록 강력히 다짐하는 바입니다.

둘째, 경제적 제재 수단에 대해서 생각해 봅시다. 경제적 제재를 강행했을 때 북한은 상당한 고통을 받게 될 것입니다. 그러나 우리가 잘 알다시피 북한은 1990년대 중반 '고난의 행군'을 통해서 경제적 시련에는 익숙해져 있습니다. 중국은 북한 경제에 상당한 지원을 할 수 있습니다. 이란 등 몇몇 나라도 도움을 줄 수 있을 것입니다. 뿐만 아니라 미국이나 일본 등은 이미 상당 부분의 경제 제재를 하고 있기 때문에 또다시 제재할 수단이 많지 않을 것입니다. 따라서 경제적 제재는 고통은 주겠지만 북한을 완전히 굴복시키는 데는 한계가 있을 것입니다. 오히려 북한이 제2차 핵실험이나 휴전선에서의 도발 등 반격에 나올 가능성도 큽니다. 그럼, 효과 있는 무슨 대책이 있겠습니까?

셋째로 대화에 의한 해결을 모색하는 것입니다. 북한은 핵실험 이후에도 북·미 양자 간의 대화를 통해서 그들의 안전을 보장받고 경제 제재를 해제하면 한반도 비핵화에 적극적으로 응하겠다고 선언하고 있습니다. 우리는 북한에게 한번 기회를 주어야 합니다. 기회를 주어서 배신할 때는 더한층 철저한 제재를 할 수 있을 것입니다.

도대체 핵 문제의 양 당사자 간에 대화조차 하지 않겠다는 것은 납득할 수 없는 일입니다. 나는 2002년 2월에 방한한 부시 대통령에게 당시 한국의 대통령으로서 대화에 대해서 말한 바 있습니다. 대화는 친구를 사귀는 것이 아닙니다. 평화나 국가 이익을 위해서 필요하면 악마하고도 대화해야 합니다.

아이젠하워 대통령은 한국전쟁 당시 전쟁 중에도 북한과 대화해서 1953년 휴전협정을 체결했습니다. 그 협정은 지금도 유효하게 한반도 평화를 지키고 있습니다. 닉슨 대통령은 '전쟁범죄자'로 규정된 중국을 방문해서 마오쩌둥을 만났습니다. 그것이 계기가 되어 중국의 개혁 개방이 실현되고, 오늘날과 같은 안전하고 개방된 중국이 되었습니다. 레이건 대통령은 소련을 '악마의 제국'이라고 했지만 그 악마의 제국과 대화해서 소련과 동유럽의 민주화를 가져왔습니다. 클린턴 대통령은 전쟁까지 한 베트남과 국교를 맺음으로써 오늘날 양국은 매우 양호한 관계를 유지하고 있습니다.

이러한 4명의 대통령 중 클린턴 대통령을 제외하고는 모두 공화당 출신의 대통령들입니다. 왜 같은 공화당 출신인 부시 대통령만 북한과 대화를 못 한단 말입니까?

2차대전 이후의 역사는 증명합니다. 공산국가에 대해서 봉쇄와 제재로는 성공한 예가 없습니다. 오늘날 쿠바는 바로 미국 눈앞에 있는 조그마한 점에 불과하지만 50년 동안 제재해도 변화를 못 시키고 있습니다.

그러나 대화를 통하여 개혁 개방으로 유도해서 성공하지 못한 예가 없습니다. 북한도 마찬가지입니다. 공산주의는 억압에는 매우 내성이 강합니다. 그러나 개혁 개방에는 약합니다. 공산주의를 변화시키고자 한다면 개혁 개방을 유도하고 대화를 하는 것 외에는 길이 없습니다.

존경하는 여러분!

다음은 햇볕정책에 대해서 몇 말씀 드리겠습니다.

최근 북한 핵실험 이후 햇볕정책에 그 원인이 있는 것같이 주장하는 사람들이 있습니다. 참으로 이치에 맞지 않는 주장이라 아니할 수 없습니다. 도대체 북한이 핵을 만들면서 남한에서 햇볕정책을 하니까 핵을 만들었다고 말한 일이 있습니까? 오히려 그들은 6·15정상회담 이후를 '6·15시대'라고 부르며 햇볕정책을 높이 평가하고 있습니다.

그리고 그들이 핵무기를 만든 것은 "미국이 대화에 응하지 않고 못살게 하니까 핵무기를 만들게 됐다"고 되풀이 얘기하고 있습니다. 그리고 "양자 대화를 통해서 북한의 생존을 보장해 주면 핵무기를 포기하겠다"고 선언하고 있습니다. 북한의 핵무기 제조를 햇볕정책 탓으로 하는 것은 이치에도 현실에도 맞지 않는 소리라고 하지 않을 수 없습니다.

오히려 햇볕정책을 통해서 남북이 화해 협력의 길을 열게 됨으로써 남북 간의 긴장이 크게 완화된 것을 우리는 잘 알고 있습니다. 6·15정상회담 이전 같았으면 이렇게 북한 핵실험이 있으면 남한 내에는 일대 공포 분위기가 일어나고 피난 소동이 일어났을 것입니다. 그러나 우리 사회는 지금 지극히 평온합니다. 햇볕정책을 통한 긴장 완화의 덕입니다.

햇볕정책은 많은 성과를 올렸습니다. 남북정상회담 이전 50년 동안에 200명밖에 만나지 못한 이산가족이 이젠 1만 3천 명이 만나기에 이르렀습니다. 이 얼마나 큰 인권과 인도주의의 승리입니까? 남북정상회담 이후 남북 간에 23만 명이 넘는 사람들이 왕래하였습니다. 금강산을 찾은 사람들은 130만 명이 넘습니다. 이러한 사람들은 남북 양측에 큰 영향을 주고 있습니다. 우리의 식량과 비료를 지원받고 북한 사람들은 남한에 대해서 과거의 오해와 증오의 태도에서 감사와 부러움으로 태도를 변하고 있습니다.

개성공단, 금강산 관광을 위시하여 우리는 북한에 거대한 경제적 이권을 확보하고 있습니다. 철도, 통신, 도로, 전기, 항만, 관광 등 굵직굵직한 경제적 권리를 30년 내지 50년의 기한으로 확보하고 있습니다. 표현을 바꾸면 북한 경제 전체를 우리가 장악하고 있다고 해도 과언이 아닙니다. 물론 그러한 경제적 진출은 남북이 다 같이 이익을 보는 윈윈의 협력 관계를 말하는 것입니다. 뿐만 아니라 개성공단과 금강산 관광은 우리가 북측으로 각기 5킬로미터, 10킬로미터까지 진출한 것입니다. 다시 말하면 휴전선이 그만큼 북쪽으로 올라간 것을 의미합니다. 이것이 우리 안보에 지대한 도움을 주고 있습니다.

햇볕정책의 대미를 장식할 것은 우리가 남북 철도를 개통시키면 이 기차는 유라시아 대륙을 관통해서 서구의 파리, 런던까지 가게 된다는 사실입니다. 우리는 반도국가라고 하지만 남한은 육로로 나가지 못함으로써 반도의 기능을 못 하고 있습니다. 중앙아시아 지역은 지금 석유, 가스 등 지하자원이 풍부하여 엄청난 이권이 널려 있습니다. 우리는 기차로만 이 지역에 갈 수 있습니다. 나는 대통령으로 재임 중 이러한 철도의 연결에 대해서 북한, 러시아, 중국 등과도 합의한 바 있습니다. 이제 남북 간의 철도만 연결되면 우리는 모스크바, 파리, 런던까지 갈 수 있는 것입니다.

존경하는 여러분!

나는 햇볕정책을 실천할 때 미국과 긴밀히 협력했습니다. 나는 재임 중 클린턴 대통령에게 설명했습니다. "햇볕정책은 한반도 문제를 평화적으로 해결하자는 것이다. 평화 공존, 평화 교류, 평화 통일의 3원칙 아래 제1단계 남북 연합, 제2단계 남북연방, 제3단계 완전 통일의 단계를 추진할 것이다. 우리는 베트남과 같은 무력 통일도 바라지 않고 독일과 같은 흡수 통일도 바라지 않는다. 평화적으로 같이 살면서 북한의 경제 회복을 지원하고 남북 7천만 민족 간의 화해 협력을 이룩해서 평화적으로 통일하는 것이 우리의 목적이다."

이에 대해서 클린턴 대통령은 전적으로 지지하고, 공개적으로 여러 번 "김대중 대통령의 햇볕정책을 지지한다. 미국은 이를 뒤에서 밀어줄 것이다."라고 선언했습니다. 그리고 북한과의 접촉을 시작했습니다. 클린턴 대통령은 근자에 나를 만나서 "내 임기가 1년만 더 있었어도 당신과 같이 한반도 문제는 완전히 해결하는 것인데 매우 아쉽다"고 말한 적이 있습니다. 나는 북한에 갈 때도 미국은 물론, 일본이나 기타 주요 우방국에 나의 여행에 대해서 중요한 내용을 다 알려 주고 그들의 협력을 받은 바가 있습니다.

한편 부시 대통령의 시대에 들어와서 사태는 일변했습니다. 공화당 정부는 민주당 정부의 대북한 정책을 전면적으로 부인하고 나섰습니다. 그러나 2002년 2월 부시 대통령과 내가 서울에서 장시간 회담한 결과 우리는 중요한 합의에 도달했었습니다.

그 결과 부시 대통령은 공동 기자회견을 통해서 세 가지를 선언했습니다. "북한에 대해서 공격하지 않겠다. 북한과 대화하겠다. 레이건 대통령은 소련을 '악마의 제국'이라고 했지만 대화했다. 나도 '악의 축'인 북한과 대화하겠다. 그리고 북한에 대해서 식량을 주겠다." 그러나 이 중요한 합의는 실천되지 않고 말았습니다. 나와 우리 국민의 실망이 얼마나 컸는가 하는 것은 말로 다 표현할 수가 없었습니다.

존경하는 여러분!

북한 핵실험은 햇볕정책의 책임이 아니라, 북한과 미국의 공동 책임입니다. 북한은 벼랑 끝 전술을 구사하면서 번번이 6자회담의 참가를 거부함으로써 일을 어렵게 만들었습니다. 그리고 북한의 태도는 한국, 미국, 일본, 중국 등 여러 나라에서 일을 원만히 해결하려는 사람들에게 좌절감을 주고, 북한의 강경 정책을 구실로 사태를 악용하려는 사람들에게 힘을 보태 주었습니다.

한편 미국은 핵 문제의 당사자가 미국과 북한인데도 불구하고 그 당사자 간의 대화를 거부함으로써 해결의 실마리를 찾기 어렵게 만들었습니다. 그리고 미국의 목표가 핵 문제의 해결뿐만 아니라 북한의 체제를 바꾸는 데 있다고 주장하는 미국 정부의 지도자조차 나와서 북한의 경각심을 극도로 자극하고 핵의 제조까지 강행하는 빌미를 주었습니다.

북한 핵 문제 해결책은 보기에 따라서 매우 간단합니다. 북한은 핵을 완전히 포기하고 한반도 비핵화 체제에 동참해야 합니다. 미국은 북한에 대해서 그 안전을 보장하고 경제적 제재를 해제하고 국교를 열어야 합니다. 이것은 북한과 미국이 정말로 해결할 의지만 있다면, 그리고 무릎 맞대고 같이 대좌한다면 능히 해결할 수 있는 문제라고 생각합니다.

존경하는 여러분!

다음은 통일의 문제에 대해서 몇 마디 하겠습니다. 우리는 1,300년 동안 통일한 단일민족으로, 단일문화를 가진 세계에서 보기 드문 민족입니다. 우리의 분단은 우리가 원해서 한 것이 아니라 2차대전의 전후 처리에 있어서 미·소 양국이 자기들 멋대로 삼팔선으로 갈라놓은 결과인 것입니다. 따라서 우리는 통일국가의 역사로 보나, 분단의 원인으로 보나 다시 재통일을 못 할 이유가 없습니다.

그리고 그 재통일은 반드시 평화적으로 해야 합니다. 남도 좋고 북도 좋은 공동 승리의 통일이 되어야 합니다. 여러분 젊은이들이 다시는 총을 들고 조국 방위라는 이름 아래 동족상잔의 전쟁에 나서지 않는 그러한 통일을 해야 합니다. 북한이 '낮은 단계의 연방제'라는 이름으로 종래에 주장하던 연방제를 완전히 포기한 이상 일종의 독립국가연합과 같은 제1단계의 '남북연합'은 언제든지 할 수 있습니다. '남북연합' 체제는 1민족 2독립정부 제도입니다. 남북은 남북정상회담, 남북장관급회담, 남북국회회담 등을 가질 수 있으며, 모든 안건을 만장일치로 처리함으로써 남북 어느 쪽도 불안을 가질 필요가 없게 될 것입니다. 그렇게 '남북연합'을 10년이고 20년 한 후에 남북연방제나 완전 통일로 들어갈 수 있습니다.

존경하는 여러분!

통일에의 희망을 간직합시다.

조상들이 피와 땀과 눈물로 통일시킨 이 민족을 다시 하나로 연결시킵시다. 남도 이기고 북도 이기는 공동 승리의 통일을 추진합시다. 21세기는 지식 기반 경제의 시대입니다. 지적 전통과 교육이 널리 보급된 한민족은 때를 만난 것입니다. 평화적 공존과 평화적 통일만 한다면 우리는 세계 속에서 우뚝 솟은 큰 봉우리가 될 것입니다. '철의 실크로드'가 부산항에서 파리, 런던까지 연결되도록 합시다. '압록강의 기적'이 이 땅에 이루어지도록 합시다. 서울대학교의 교수와 학생 여러분은 민족 통일의 선봉이 되고 민족 번영의 중추가 되기를 바랍니다.

사랑하는 학생 여러분!

다음에는 학생 여러분에게 인생을 사는 데 참고가 될 몇 마디 말씀을 드리겠습니다.

첫째, '행동하는 양심'이 되십시오. 우리의 마음속에는 남을 나와 똑같이 사랑하는 천사가 있고, 나만 생각하며 남을 해코지하고자 하는 악마가 공존하고 있습니다. 그러나 우리 노력 여하에 따라서는 천사가 이기기도 하고 악마가 이기기도 합니다. 천사가 이기게 하기 위해서는 내 이웃을 사랑해야 합니다. 부모, 형제, 아내, 자식, 친구, 사회, 국민들을 사랑하는 것이 이웃을 사랑하는 것입니다. 그러한 이웃 사랑에 치중하는 사람은 높은 자리에 올랐든 오르지 못했든, 부자가 되었든 못 되었든, 오래 살았든 못 살았든, 인생의 삶에 성공한 사람이 될 것입니다.

둘째, '서생적 문제의식'과 '상인적 현실감각'을 간직하십시오. '무엇이 옳으냐, 무엇을 해야 하느냐' 하는 원리 원칙에 대한 문제의식을 갖고 판단하되, 이를 실천하는 데 있어서는 마치 장사하는 사람이 돈벌이하는 데 지혜를 발휘하듯이 능숙한 실천을 해 나가야 합니다. 이 두 가지를 겸비하는 것이야말로 인생의 사업을 성공적으로 이끌어 가는 길입니다.

셋째, 모든 일을 결정할 때는 세 번 생각하십시오. 예를 들어 여러분이 학교를 졸업하고 어떤 직장에 취직할 때 먼저 어느 직장이 좋은지 선택을 합니다. 그다음에는 거기에 문제점이 없는가, 내게 정말로 적합한가 하는 것을 살펴봐야 합니다. 그리고 마지막으로는 작은 문제점이 있다 하더라도 그 직장을 택하겠다고 하든가, 문제점이 너무 크니까 포기하겠다든가, 결론을 내리게 됩니다. 이렇게 논리학의 변증법의 정반합과 같이 세 번 생각하게 되면 대부분의 일에 있어서는 실수 없이 성공적으로 처리해 나갈 수 있다고 생각합니다.

넷째, 외교하는 국민이 되십시오. 한국은 그 지정학적 위치로 인해서 외교가 생명입니다. 그러나 우리 국민은 외교에 관심이 너무 적습니다. 성질이 급해서 외교를 그르칠 수도 있습니다. 외교가 우리의 운명을 좌우한다는 것을 깊이 깨닫고 우리 주위에 있는 외국인부터 사귀기 시작하십시오. 가능한 한 세계 여러 나라를 자주 다니십시오. 한국과의 관계를 돈독히 하고자 하는 벗들이 많이 생기도록 4천7백만 전 국민이 외교하는 국민이 되어야 합니다. 19세기와 20세기는 민족주의 시대였지만, 21세기는 세계주의 시대입니다. 우리 모두가 세계인이 되어야 합니다.

미·일·중·러 4대국 외교는 우리 운명의 열쇠를 쥐고 있습니다. 지금 당장 그러한 영향 속에 우리는 살고 있습니다. 확고한 자주독립 의식을 견지하면서 정교한 강대국 외교를 실천하는 외교의 천재가 되는 국민이 되십시오.

다시 한번 오늘의 모임을 만들어 주신 서울대학교에 감사하며 한국 일류의 서울대가 세계 일류의 서울대로 도약할 것을 빌어 마지않습니다.

감사합니다.

질의응답

질문 대통령님께서 강연에서 햇볕정책의 정당성에 대해서 말씀해 주셨는데, 제 생각에는 햇볕정책이 북한의 경제·사회적 변화를 유도했을지는 몰라도 군사·정치적 변화를 이끌어 내는 데는 한계가 있었다고 생각합니다. 물론 김 대통령께서는 햇볕정책을 통해 남북 간의 정치·군사적 변화까지도 유도하고 통일의 기반을 제시하려고 하신 것으로 생각합니다. 하지만 실제로는 햇볕정책이 북한 체제의 변화와 특히 군사 분야에서의 변화를 가져왔다고 결론 내기는 어렵다고 생각합니다. 지난 6·15남북정상회담에서도 군사 문제와 평화 문제는 합의를 내리지 못하셨다고 알고 있습니다. 이번 북한 핵실험 역시 햇볕정책의 효용성에 대한 도전이라고 생각합니다. 햇볕정책이 어떠한 연결고리를 통해서 북한의 체제 변화나 정치·군사적 변화를 이루고 통일로 이루어질 수 있는지 궁금합니다. 그리고 그 과정에서 우리 정부가 북한에 대해서 어떠한 태도를 지녀야 하는지 궁금합니다.

김대중 첫 질문부터 아주 공격적으로 한 것 같습니다. 한마디로 말해서 햇볕정책은 남북 관계에는 성공했고, 완전히 성공하지 못한 것은 북·미 관계가 나빠서 성공하지 못한 것입니다. 여기 6·15남북공동선언문이 있습니다만, 우리는 북한과 모든 문제를 자주적으로 우리의 운명을 결정하기로 했습니다. 또한 남북 간의 통일에 있어서도 제1단계 남쪽의 '남북연합'과 북쪽의 '낮은 단계의 연방제'가 같다는 것이 합의가 되었습니다. 북한은 여러분이 아시다시피 처음에 연방제를 주장했습니다. 50년 동안 주장을 했어요. 연방제라는 것은 말하자면 미국과 같이 중앙정부가 군사적 외교적 기타 내정 문제의 상당 권한을 갖는 것을 말합니다. 2000년 남북정상회담 때 나는 김정일 위원장에게 얘기했습니다. "지금 현재 상황에서 어떻게 남북의 군사를 하나로 하며, 외교를 하나로 할 수 있느냐. 국방을 같이 하게 되면 자연히 세금이나, 기타 여러 가지 관계 법령 등이 내정 문제로 가는데 그러면은 지금 현 단계에서는 불가능하지 않으냐. 불가능한 얘기를 자꾸 하니까 발전이 없는 것이다." 나의 이 말에 북한은 결국 우리의 남북연합제와 거의 내용이 완전히 같다고 해도 과언이 아닌 것으로 태도로 바꾼 것입니다. 이름만 '낮은 단계'라는 말을 붙인 것입니다. 이것은 여기 연설문에서 제가 설명했지만 1민족 2독립정부의 체제를 말합니다. 2독립국가라고 말하지 않는 것은 우리는 통일을 해야 하기 때문에 상대방을 국가로 인정하기는 어려운 것입니다. 그러나 국가와 마찬가지로 권능은 다 인정하는 것이 양측의 현재의 생각인 것입니다.

햇볕정책은 여러분이 아시다시피 북핵 문제는 크게 진전은 안 되고 있지만 북한 민심은 많이 바뀌었습니다. 북한 주민의 과거 남한에 대한 증오심·적개심의 태도가 전부 부러움과 감사의 마음으로 바뀌었습니다. 1년에 북한에 지원한 비료, 식량의 포대만 해도 수천만 개에 달합니다. 그 포대의 질이 좋으니까 북한 주민들은 그것을 쇼핑백으로도 쓰고, 유리창이 깨지면 거기에 바르기도 합니다. 그것이 북에 주는 영향이 얼마나 크겠습니까?

군사적으로도 큰 진전이 없지만 남북국방장관회담도 내 재임 중에 이루어졌습니다. 그리고 남북이 서로 휴전선에서 비난하던 확성기도 철거했습니다. 남북군사실무회담도 하고 있습니다. 이렇게 우리는 이미 정치·군사적으로, 경제적 문제는 말할 것도 없이, 다 같이 발전시켜서 여러분들이 안심하게 살 수 있는 시대를 만들고자 노력하고 있습니다. 그렇기 때문에 6·15정상회담 이후에는 과거에는 베트남전에서 미군이 지고 나와도 일대 소동이 일어나고, 휴전선에서 북한 군인들이 총 몇 방 쏘아도 난리가 났습니다만, 북한이 핵실험을 했는데도 우리나라가 아주 안전하지 않습니까? 그것이 한국 사람들이 안보 불감증에 걸려서 그런 것이 아닙니다. 한국 사람들은 자기 몸의 피부로 남북 간의 긴장을 느낍니다. 그런데 북한을 많이 가서 보니까 우리가 북한에 대해서 정치적으로도 자신 있고, 군사적으로도 훨씬 앞선다는 것을 알고 있습니다. 핵 빼고 말입니다. 경제적으로는 말할 필요도 없습니다. 따지고 보면 우리가 방심해서는 안 되지만 북한을 두려워할 이유가 없는 것입니다. 이러한 것을 우리 국민들이 알고 있는 것입니다. 일일이 이론으로 정연하게 설명할 수 없지만 육감으로 알고 있는 것입니다. 그렇기 때문에 여러분도 마음 놓고 있는 것입니다. 옛날과 같았으면 만일 전쟁이 난다면 여러분도 "내가 전쟁 가야 하는데 어쩌나." 하고 불안해할 텐데 그런 사람 없잖아요? 그런 것이 모두 미안한 말이지만 햇볕정책 덕분입니다. 그래서 "햇볕정책 덕이다."라는 부분에는 젊은 여러분들이 마땅히 박수를 쳐야 한다고 생각합니다.

다만 우리가 영향을 제대로 주지 못한 것은 북한의 핵 문제입니다. 북한 핵 문제는 남북의 문제가 아니라 근본적으로 미국과 북한의 문제입니다. 북·미

간 대화를 안 하니까 발전이 없는 것입니다. 대화를 해서 미국이 북한의 안전만 보장해 준다면 북한은 핵을 포기하고, "미국이 직접 감시해도 좋다"고까지 나오니까 한번 해 봐야 합니다. 그래서 안 하면 그때 제재를 해야지, 해 보지도 않고 먼저 제재한다고 하니까 일이 안 되는 것 아닙니까? 그게 어째서 햇볕정책의 책임입니까. 그런 의미에서 우리는 분리해서 햇볕정책은 남북 관계를 발전시켰고 더 크게 발전시킬 것입니다. 그러나 북핵 문제는 북·미 간에 대화하고 우리는 옆에서 협력하고, 중국, 일본, 러시아도 협력해서 해결해야 합니다. 그런 점에 있어서 억울한 햇볕정책을 너무 질책하지 않기를 바랍니다.

질문 대통령님께서 북한 핵실험 파문에 대해서 북·미 간의 공동 책임을 말씀하시고 해법으로서 북·미 간에 조금씩 양보하면 간단히 해결할 수 있다고 말씀하셨지마는 문제는 북·미 어느 쪽도 먼저 양보를 하려고 하지 않는 데 문제가 있다고 생각합니다. 이런 상황에서 한국이 어떻게 외교를 펴야 하는지 말씀해 주십시오.

김대중 미국과 북한이 어떻게 책임을 지느냐, 또 어떻게 해야 할 것이냐. 이 문제의 해결을 위해서는 미국과 북한이 서로 주고받아야 합니다. 미국은 미국 것을 카드로 내놓고 북한은 북한의 카드를 내놓아야 합니다. 북한은 핵을 완전히 포기해야 합니다. 그리고 철저한 검증을 받아야 합니다. 그리고 한반도 비핵화에 적극 동참해야 합니다. 북한은 우리와 법적으로 합의를 본 일을 깼으니까 책임져야 합니다. 그리고 미국은 북한에 대해서 안전을 보장하고 경제적 제재를 해제하고 국교를 열어 주어야 합니다. 유엔에 북한이 가입할 때 미국이 지지했습니다. 유엔 가입 국가는 국교를 열 이유가 있는 것입니다. 미국은 공산주의 북한이라서 안 된다고 말하지만 왜 소련, 중국과는 국교를 열고, 베트남과는 전쟁까지 한 나라지만 국교를 했습니까? 그래서 이 점에 있어서도 미국이 현재의 태도를 더욱 발전시켜야 한다고 생각합니다. 이것은 북·미 양측이 서로 불신하니까 동시에 주고받아야 합니다.

이 문제는 해결하려고 마음만 먹으면 해결할 수 있습니다. 나는 북한에서 김정일 위원장을 만났지만 그 사람의 최대 염원은 미국과 관계 개선하는 것입니다. 그것만이 자기들이 살길이라는 것을 알고 있어요. 북한이 지금 핵을 가지고 있어 봤자 미국 앞에서는 완전히 장난감에 불과합니다. 그렇지 않습니까? 그리고 이 좁은 한반도에서 북한이 핵공격 하고, 미국이 핵공격 하면, 한반도 어디가 남아나겠습니까? 그때 우리 모두는 살아 있다는 보장이 없습니다. 그래서 우리는 절대로 핵의 사용을 반대해야 합니다. 그리고 우리는 절대로 전쟁을 반대해야 합니다. 왜 우리가 강제로 분단되어서 강대국들의 대리전으로 큰 전쟁을 치렀으면 됐지 또 전쟁을 해야 합니까? 그런 점에 있어서 나는 나이 먹은 사람으로서 전쟁에 나갈 가능성이 없습니다. 전쟁이라는 것은 물론 불가피하지만 젊은 사람들이 나갑니다.

찰리 채플린이라는 희극배우가 있었는데 그 사람이 히틀러를 반대하고 전쟁을 반대한 사람입니다. 그 사람이 희극배우답게 말했어요. "전쟁은 전부 40대 이상의 사람만 가라. 나이 먹은 사람들이 자기들은 전쟁에 안 가니까 쉽게 결정해서 젊은 사람들을 죽게 만든다. 그러니까 나이 먹는 사람들이 전쟁에 나가서 죽든 살든지 해야 한다."

나는 자주 "만일 전쟁이 난다면 젊은이들이 총 들고 나가야 하는데, 그런 일이 없어야 하는데……." 이런 생각을 갖습니다. 우리같이 나이 먹는 사람들은 또 국정에 참여했던 사람들은 어떻게 하든지 전쟁을 하지 않고 남북 간의 문제를 대화로 풀어서 평화적으로 통일이 되도록 노력하는 것이 우리들이 여러분들에게 죽기 전에 할 사명이 아닌가 하는 생각을 항상 갖고 있습니다. 여러분들은 여러분들이 살기 위해서라도 전쟁을 반대하고 햇볕정책을 지지하고 남북 간의 평화를 주장해야 합니다. 공부도 열심히 해야 하지만 평화를 위해서 남북 간의 화해를 위해서 열심히 노력하기를 바랍니다.

질문 저는 평소에 햇볕정책이 남북 간의 화해 협력과 북한 주민들의 생활 개선에 기여한 바가 매우 크며 반드시 추진되었어야 하는 정책이라고 생각합니다. 다만 현재의 북한 핵실험과 같은 북한의 도발적 행위에 대해서 남한의 강경한 입장, 메시지를 전달하기에는 햇볕정책이 한계가 있지 않나 생각합니다. 대통령님께서 처음에 햇볕정책을 구상하실 때 이러한 한계점을 극복할 방안을 구상하신 것이 있다면 어떤 것이 있는지 여쭙고 싶습니다. 또한 현재 미국의 남한 정부에 대한 대량살상무기 확산방지구상(PSI) 참여 요청과 금강산 관광 지속에 대한 비판도 있는데 남한 정부가 이러한 비판에 대해서 어떤 대책을 세워야 하는지 말씀해 주십시오.

김대중 요새 개성공단, 금강산 관광 문제가 크게 대두되고 있고, 폐기해야 한다느니 계속해야 한다느니 말들이 있습니다. 또 북한에 대해서 퍼주기만 한다는 비판도 있습니다. 그런데 우리가 알아야 할 것은 서독이 동독에 대해서 얼마를 주었냐면 매년 32억 달러를 주었습니다. 우리는 매년 1억 달러를 주고 있습니다. 지금까지 계산을 보면, 정부에서 7천만 달러, 민간에서 3천만 달러 그렇게 1억 달러를 주었습니다. 서독과 비교해서 1/32을 주고 있습니다. 그러면 서독이 그렇게 동독을 지원했으니까 공산당이 더욱 힘을 얻어서 동독이 서독을 이겼습니까? 반대입니다. 여러분이 아시다시피 동독이 서독에게 망했습니다. 공산주의는 개혁 개방하고 외부의 민주적 바람, 자본주의적 바람을 받아들이면 결국 굴복하게 되어 있습니다. 서독이 그 증거입니다. 그런데 우리가 지금 얼마나 주었다고 시비하는 겁니까?

그동안 우리를 원수로 생각하며 미워하고 "미 제국주의의 앞잡이로 모두 죽여야 한다"고 생각하던 북한 사람들이 우리가 지원한 비료, 식량을 받고 생각이 바뀌어서 "남한 사람들은 참 잘사는구나! 부럽다. 남한에 감사하다."

이런 생각으로 지금 바뀌었습니다. 지금 북한 사회는 의사가 오전에 진찰하면 오후에는 장사합니다. 학교 선생들도 먹을 것이 없어서 과외를 가르치는 잘사는 학생의 집에 가서 얻어먹습니다. 눈칫밥을 먹어요. 그렇게 생활들이 어렵습니다. 이런 상황에서 북한 사람들이 우리가 지원한 식량이나 비료를 받았을 때 얼마나 고맙게 생각하겠습니까? 우리는 지금 북한을 정신부터 바꿔 놓고 있는 것입니다. 북한은 2002년 7월 1일 경제관리개선조치 이후로 인구의 거의 70-80퍼센트가 장사를 합니다. 이제는 자기가 벌어서 자기가 먹고 살아야 합니다. 북한 정부가 먹여 살릴 힘이 없습니다. 이렇게 장사하니까 자연히 자본주의로 흘러 들어갑니다. 지금 김정일 위원장은 북한 체제가 변할까 봐 겁을 내서 일방적으로는 개방을 하면서 일방적으로는 봉쇄하는 이런 일을 하고 있습니다. 이런 점에 있어서 개성은 우리가 돈을 버는 곳이고, 금강산은 휴전선이 10킬로미터 북상하는 효과가 있고, 거기 있던 군대가 다른 곳으로 모두 이동했습니다. 북한 사람들이 금강산에 관광 온 남한 사람들을 얼마나 부러워하고 있는가, 여러분은 짐작이 갈 것입니다.

이런 점에 있어서 우리는 우리가 하고 있는 일을 큰 시야로 봐야 합니다. 그리고 인간적으로 생각해 봐도 같은 민족, 같은 문화의 단일민족으로서 그런 사람들이 지금 밥을 제대로 못 먹고, 어린이들이 키가 줄고, 영양실조에 걸려 있고, 병이 나도 고치지 못하는 등 어렵게 살고 있는데 우리는 음식 쓰레기가 산더미처럼 나옵니다. 그런데 북한을 좀 도와주는 것이 왜 그렇게 배가 아픕니까? 과거 소련과 국교한다고 해서 몇십억 달러를 주지 않았습니까? 북한에도 사람이 사는 사회입니다. 우리가 자기들을 도와주고 동정하고 선의로 대하면 그들도 우리에 대한 마음이 달라지고 또 이미 달라지고 있습니다. 이런 점에 있어서 개성은 전략적으로도 중요하고 경제적으로도 중요합니다. 개성에서 현재 약 8천 명의 북한 노동자들이 일하고 있는데 1천만 평

모두 조성하고 나면 최소한도 35만 명의 사람들이 거기서 일하게 됩니다. 개성은 우리의 북방에 대한 전진기지입니다. 또 북한 입장에서 볼 때 개성은 서울에 대한 전진기지인데 그것을 내준 것입니다. 우리가 안보 면에서도 아주 큰 것을 얻고 있는 것입니다. 동해안의 장전항에 있던 해군기지가 다른 곳으로 이전한 것도 우리에게 아주 큰 이익입니다.

북한은 입으로 큰소리하지만 전쟁을 바라지 않습니다. 할 능력이 없습니다. 북한의 무기는 30년 40년 노후화된 무기입니다. 기름이 없어서 전차도, 비행기도 훈련을 못 합니다. 군인들도 먹을 것이 없어서 식량을 훔치고 민가에 가서 강제로 식량을 뺏고 있는 실정입니다. 다시 말합니다. 공산주의는 억압하고 압박하면 더욱 강해집니다. 왜냐하면 그들은 이러한 것을 이용해서 선전합니다. "우리가 못살고 배가 고프다. 왜냐하면 미 제국주의가 우리를 못살게 만든다. 과거에는 남한 놈들이 미 제국주의의 앞잡이가 되어 우리를 못살게 굴었다. 봐라, 남쪽이 저렇게 잘사는 것은 미 제국주의가 막지 않기 때문에 잘사는 것이다. 우리도 막지만 않으면 잘살 텐데 못사니 미 제국주의를 타도하지 않을 수 없다." 이렇게 국민을 선동하는 것입니다. 다른 이야기를 전혀 들을 수 없고, 외국 사람과의 접촉도 없는 상태에서 똑같은 소리를 아침부터 저녁까지 50년, 60년 듣고 있는 것입니다. 그러니 그 사람들의 정신이 어떻게 되겠습니까?

대량살상무기 확산방지구상(PSI)에 대해서는 이번 국제연합(UN) 결의에는 없는 것으로 알고 있습니다. 그 문제에 대해서는 오늘 미국 국무장관이 와서 정부와도 상의하고 있는 것 같으니 적절한 선에서 정부가 처리할 것으로 믿습니다. 그 결과를 보십시다.

질문 지금 북한 핵 문제가 문제시되는 상황에서 과연 꼭 통일을 목적으로 하는 정책이 실효성이 있는지 궁금합니다. 통일이 아니라 자연스럽게 교류가 이루어지고 아까 말씀하신 연방이나, 연합제 수준에서 뭉치는 것이 통일을 목적으로 하는 것보다 더 현실성이 있다고 생각하는데 어떻게 생각하시는지요?

김대중 우리말에 점입가경漸入佳境이라는 말에 있는데, 이것은 점입난문漸入難問이라고 생각합니다. 자꾸 어려운 문제가 나옵니다. 통일을 하지 않고 그냥 1민족 2국가체제로 사이좋게 살면 어떠냐 그런 질문인데 그것은 첫째 북한이 듣지 않습니다. 북한은 통일 가지고 백성을 이끌고 가는 나라입니다. 그런데 그 사람들이 그것을 듣겠습니까? 민족의 반역자라고 할 것입니다. 그리고 현실적으로 그렇지만 우리가 생각해 볼 때 1,300년 동안 조상들이 끌고 온 통일국가가 죄 없이 분단되었는데 60년 분단 가지고 우리가 통일 노력을 포기하고 그만둔다고 할 때 우리 조상의 영靈이 우리를 용서하겠습니까?

통일이 되어야 할 이유는 소극적인 입장보다도 긍정적으로 볼 때 너무도 큽니다. 우리가 편안하고 평화롭게 살기 위해서는 통일을 해야 합니다. 통일을 안 하면 언제 또 6·25와 같은 전쟁이 일어날지 모릅니다. 언제 여러분들이 총대를 메고 일선에 나가야 할지 모릅니다. 그런 세상을 우리가 계속 살자는 것입니까? 북한은 아까 말과 같이 1민족 2국가에 절대 동의하지 않습니다. 그리고 우리 남한의 국민들도 통일을 포기한다는 것에 절대다수가 반대할 것입니다. 그래서 그런 것은 우리가 생각하기 어렵다고 생각합니다.

과거와 달리 북한 사람들의 마음이 많이 달라져서 우리에게 접근하고 있습니다. 표면적으로 나타내지는 않지만 북한은 과거에 비하면 우리 쪽으로 상당히 기울어 온 것입니다. 그리고 우리의 이익을 위해서도 군사적 문제도 있지만 경제적으로도 엄청난 이익이 나옵니다. 우리는 지금 북한에 엄청난 이권을 가지고 있습니다. 이것은 아주 중요합니다. 북한의 철도·전력·항만·관광·도로·통신 등 7가지를 우리가 확보하고 있습니다. 경제적 권리를 30년, 50년 기한으로 확보하고 있습니다. 북한 경제를 완전히 장악하고 있는 것과 마찬가지입니다. 우리가 이렇게 안 하면, 중국이 들어옵니다. 지금도 북한의 소비품은

80-90퍼센트가 중국 것입니다. 그렇게 되면 북한은 중국의 식민지가 될 수 있습니다. 우리는 지금 그런 것을 막기 위해서도 북한으로 진출해야 합니다. 그래서 중국과 균형을 맞추면서 북한과 대화를 해야 합니다. 내가 김정일 위원장을 만나서 들은 것은, 여기서 말한 것을 그대로 옮길 수는 없지만, 절대로 중국에 기우는 것을 바라지 않습니다. 김정일 위원장이 가장 바라는 것은 우리와 화해 협력하는 것이고 미국과 관계 개선하는 것입니다. 그러므로 우리는 이 문제를 신중하게 생각해서 조금 고통스럽고, 짜증 나고, 잘될 것 같지 않고, 여러 가지 문제점이 있는 것은 사실이지만 그래도 민족의 통일을 포기할 수는 없는 것입니다. 그런 의미에서 여러분들은 이 문제를 지켜 주시기 바랍니다.

그리고 북한과의 관계 개선에서 우리가 앞으로 북한으로 진출하면 북한의 저렴한 노동력, 문화가 같고, 언어가 같고 혈통이 같이 사람들을 활용해서 북한도 좋고 우리도 좋은 경제 발전을 시킬 수 있습니다. 그리고 중요한 것은 우리가 북한과 손잡고 중앙아시아, 유라시아 대륙으로 진출해야 한다는 것입니다. 유라시아 대륙은 철도로밖에 나가지 못합니다. 우리가 반도국가지만 육지로 나가지 못하니까 반도가 아닙니다. 그것은 북한과 연결이 안 되었기 때문입니다. 지금 유라시아는 석유, 가스 등 온갖 광물이 나오고 있는데, 그곳을 미국이 진출하고 있고, 소련, 유럽 국가 등이 진출하고 있습니다. 일본도 지금 유라시아 대륙으로 진출하려고 난리입니다. 우리도 지금 그곳으로 진출해야 합니다. 그래야 앞으로 21세기에 세계 5, 6위의 경제력을 갖는 국가가 될 수 있습니다. 잘하면 그렇게 될 겁니다. 유라시아 대륙을 거쳐 파리, 런던까지 가는 '철의 실크로드'가 되면 한국은 동쪽 태평양의 물류 거점이 됩니다. 물류가 일어나면, 생산과 수송, 관광, 공업 등 모든 것이 일어납니다. 우리나라가 단군 이래 최대 강국이 될 수 있는 것입니다. 그러므로 우리는 지금 힘들어도 그 길을 가야 합니다. 우리 조상들을 생각해야 합니다. 요새 텔레비전을 보면 주몽이 나오고, 연개소문이 나오고 하는데 그것을 보면 당시 조상들이 거대한 중국의 한나라, 당나라와 싸워서 우리 민족을 지켜낸 것을 알 수 있습니다. 우리는 군사적으로는 그렇게 할 수 없고, 해서도 안 되겠지만 반드시 북한을 관통해서 대륙으로 진출해서 동북아시아, 중앙아시아, 동유럽, 서유럽으로 나가서 세계 5대 경제 대국으로 발전할 수 있도록 해야 합니다.

한국은 할 수 있습니다. 왜냐하면 지금은 산업사회 시대가 아닙니다. 산업사회는 자본, 자원, 토지, 노동력이 많아야 하지만, 그러나 21세기 지식기반 시대에는 여러분과 같은 우수한 인재가 한국 제일이 아니라 세계 제일이 된다면 우리는 그렇게 될 수 있는 것입니다. 여러분들은 그것을 해낼 것입니다. 정보화를 해낸 것을 보십시오. 내가 대통령이 되어서 외환 위기를 맞아 급박한 시대에도 불구하고 정보화를 시작했는데, 우리 국민들이 그렇게 정보화를 잘 받아들여서 미국, 일본, 유럽보다도 더 정보화를 발전시키는 나라를 만들어 냈습니다. 여러분은 할 수 있습니다. 그렇기 때문에 여러분께서는 우선 1민족 2독립정부 체제로 가다가 장차 1민족 1국가체제로 통합시켜서 조상들의 통일의 은혜에 보답할 뿐 아니라, 우리 민족의 미래를 세계 속에서 우뚝 세우는 일을 해 나가는 방향으로 노력해야 한다고 생각합니다.

질문 대통령님 연설 중 행동하는 양심 부분에서 사람의 마음속에 천사와 악마가 공존하고 있다는 말씀에 충분히 공감하는데요. 천사가 이기려면 이웃 사랑을 해야 한다는 말씀이 너무 종교적이 아닌가 생각됩니다. 대통령님 삶 속에서 종교가 차지하는 비중이 얼마나 되는지 궁금하고, 개인적으로 악마에게 지신 경험이 있으시다면 가장 큰 악마는 무엇이었는지 말씀해 주십시오.

김대중 나는 가톨릭 신자입니다. 그리고 아내는 감리교 개신교 신자입니다. 그러나 우리는 종교적 견해 때문에 다툰 적은 없습니다. 나는 기독교를 믿으면서도 항상 하느님이 정말로 계시는가 때때로 의심했습니다. 아마 믿는 사람

중에 그런 사람 많을 겁니다. 그런데 내가 하느님과 결정적으로 만날 때가 있었습니다. 1973년 일본에서 납치되어 중앙정보부 공작선에 실려 한국으로 오는데 그때 전신을 결박당했습니다. 입에 재갈을 물리고, 눈에 스카치테이프를 붙이고 그리고 판자 위에 나를 묶고, 오른쪽 팔과 왼쪽 다리에 무거운 물체를 매달고 그런 식으로 묶여 있었습니다. 그즈음 나는 매일 아침, 저녁으로 기도하고 기도문을 쓰고 그랬는데, 그때는 하느님 생각 안 했어요. 그때는 정신이 어떻게 되었나 봐요. 나는 속으로 "이제 바다에 던져질 것인데, 물속에 들어가서 한 30분 정도 허덕이면 죽을 것이다. 이것이 차라리 잘됐다. 앞으로 고생도 안 하고……. 그때 일본에서 망명하고 있었거든요." 그런 생각을 했어요. 또 "상어한테 물려도 좋은데 아래 토막은 물려도 좋으니까 위 토막은 살았으면 좋겠다." 이런 생각도 하면서 결박을 풀어 보려고 힘을 주어 보는데 아무 가능성이 없는 일이었어요. 그렇게 딴생각을 하고 있는데 갑자기 예수님이 옆에 서시더라고요. 그래서 내가 예수님 옷소매를 붙잡고 "주님! 저를 살려 주십시오. 제가 아직도 우리 국민을 위해 할 일이 많습니다." 하고 예수님에게 호소하는 것도 정치적으로 했어요.(웃음) 그런데 그때 '펑!' 소리가 나면서 눈에 빛이 지나가는 것 같았어요. 그때 옆에 있던 중앙정보부 요원이(그때는 중앙정보부인지도 몰랐어요.) "비행기다!" 하면서 뛰어나가더라고요. 한 30분 있은 후에 배는 막 달려가고, 젊은 사람 하나가 뛰어들어 오더니 경상도 사투리로 "김대중 선생님 아니십니까?" 하고 묻기에 '맞다' 고 고개를 끄덕끄덕하니까 그 사람이 귀에다 대고 "이제 산 것 같습니다." 그러더니 와서 주스도 주고, 담배도 물려 주고 하더라고요. 그때는 담배를 피웠어요. 담배는 1983년부터 끊었어요. 여러분 중에서도 피는 분 있으면 제발 끊으세요.(웃음) 배가 한 30분 속력을 내서 달리다가 나중에 속력을 늦추더라고요. 나중에 보니까 그것이 살아난 기회였어요. 어떻게 살게 되었냐면 나를 한국의 중앙정보부(KCIA)가 납치하니까 그것을 미국중앙정보국(CIA)이 캐치했어요. 그래서 일본에 알려 주었어요. 미국에서 키신저 장관이 한국에 (김대중을) 죽이면 안 된다고 얘기하고 그래서 한국에 있는 미국대사가 정부 국무총리인가 대통령인가를 찾아가서 나를 죽이면 중대한 문제가 된다고 하니까 그래서 도중에 죽이는 것이 중지되어 살아났대요. 그래서 그때 나는 하느님을 실감했어요. 그 후에 그때 내가 만난 것이 정말로 하느님인가 아닌가 궁금해서 어디 권위 있는 분에게 증명을 받고 싶어서 김수환 추기경에게 물어봤어요. 그랬더니 김수환 추기경께서 "당신이 그때 기도를 하고 있었다면 환각이라고 할 수 있지만 기도하지 않고 딴생각을 하고 있는 상태에서 하느님이 나타난 것은 하느님일 가능성이 상당히 크다. 그것이 하느님이다, 아니다 하는 것은 당신의 믿음에 있지 내가 증명할 수는 없다"고 하더라고요. 그래도 나는 속으로 좀 불만이었어요. 이왕이면 권위 있는 추기경이 "그건 틀림없이 하느님이다." 이렇게 얘기했으면 좋았을 텐데 그걸 안 해 주더라고요.(웃음) 여하튼 저는 지금 하느님을 굳게 믿고 있습니다. 내가 살아온 모든 것을 보면 행동으로는 안 하지만 마음속으로 악한 생각을 많이 했어요. 또 남한테 참 못할 일을 한 것도 있는 것 같아요. 여러 가지 남에게 말하기 부끄러운 일도 있는 것 같고. 나는 사람들은 다 그렇다고 생각해요. 그래서 그런 점에 있어서 하느님 앞에 고백하고 용서를 구함으로써 우리는 마음의 안정을 얻을 수 있고, 우리가 죽더라도 하느님이 계시다는 것을 믿으면 훨씬 더 편안하게 마음을 안정시키면서 이 세상을 뜰 수도 있다고 생각해요. 나는 여기에 종교를 선전하러 온 것은 아니지만 거기에 대해서 질문을 하니까 확실히 하느님이 계시다는 것을 믿고 있습니다. 그리고 악에 져 본 일이 있느냐는 질문은 미안하지만 그것은 내 사생활 문제이기 때문에 꼭 알고 싶으면 조용히 둘이 만나서 얘기해 주겠어요.(웃음) 감사합니다.

지도자는 민족 초월한 협력의 장 만들어야

대담 홍정욱
일시 2006년 11월 12일

    김대중 전 대통령은 지난 12일 오후 서울 동교동 사저에서 『헤럴드경제』, 『코리아헤럴드』 발행인인 홍정욱 사장과 대담을 가졌다. 지난달 9일 발생한 북한의 핵실험 이후 김 전 대통령이 국내 언론사와 인터뷰를 가진 것은 이번이 처음이다. 이 자리에서 김 전 대통령은 북한 핵 문제와 한·미 및 북·미 관계, 자유무역협정(FTA), 아시아의 리더십 등에 대한 자신의 소신을 시종 차분하고 단호한 표정으로 밝혔다.

    이번 대담은 김 전 대통령이 오는 18일 아시아소사이어티 주최로 열리는 '아시아21 영리더스포럼'에 초청 연설자로 선정됨에 따라 포럼 주관자인 홍 사장이 사전에 만나 주요 현안에 대해 질문하는 형식으로 진행됐다. 대담은 사저 1층 응접실에서 진행됐으며 김 전 대통령은 짙은 남색 양복에 분홍빛 빗살무늬 넥타이 차림이었다. 대담에 들어가기 전 건강을 묻는 인사로 가벼운 대화가 시작되면서 홍 사장이 "여성의 사회 진출이 활발하다"고 말하자 "요즘 잘 보면 남성이 여성보다 못한 것 같다"며 유머러스하게 화답하고 "기업들이 여성의 사회 진출에 따른 문제점 해결에 앞장서야 한다"는 조언도 아끼지 않았다. 특히 대담 도중 미국의 대북 정책, 햇볕정책의 공과 등 평소 관심 분야에 대해 말할 때는 전성기 못지않은 카랑카랑한 어조로 일관된 논리를 펼쳤다.

홍정욱 최근 미국 중간선거가 민주당의 압승으로 끝났습니다. 전문가들은 이라크전쟁을 비롯한 부시 행정부의 대외 정책 실패에 대한 심판이라는 분석을 내놓고 있습니다. 미국의 선거 결과를 어떻게 보시는지요?

김대중 부시 정권에 대한 심판, 특히 외교 정책에 대한 심판이었다는 점에 대해 동의합니다. 이번 선거를 보면 부시 정부가 이라크전쟁 등에서 국민에게 진실을 말하지 않았습니다. 대량살상무기가 있다고 들어가 국민들의 불신과 비판을 자초했습니다. 한반도(북한) 문제에 대해서도 대화를 하지 않겠다고 해 대화를 주장한 민주당에 졌습니다. 한반도 정책에도 앞으로 영향이 있을 것입니다.

특히 대화를 하지 않겠다고 하는 것은 상식에 맞지 않습니다. 미국 역대 대통령 중 아이젠하워도 한국전쟁 때 공산당과 대화했고, 닉슨도 중국의 마오쩌둥과 대화를 했습니다. 레이건도 '악마의 정부'라는 독설을 퍼부었지만 구소련과 대화를 했습니다. 그리고 그 대화는 공산권의 개방을 유도해 내는 결과를 가져왔습니다. 반면 미국과 인접한 쿠바에 대해서는 봉쇄만 있고 대화는 없어 그들을 바꿔 놓지 못했습니다. 한반도에서도 미국과 북한이 대화를 한다면 성공할 수 있을 것으로 봅니다.

홍정욱 민주당이 승리하고 6자회담이 재개된다는 소식도 있습니다. 대부분 미국이 방코델타아시아(BDA) 은행의 동결 자금 중 합법적 자금을 풀어 줄 것인지, 또 북한은 핵 폐기 요구에 응할 것인지 등이 최대 관심으로 떠오르고 있습니다. 성공적인 대화를 위해 양 당사자(미국과 북한)가 어떤 자세로 나서야 합니까?

김대중 방코델타아시아(BDA) 문제는 간단합니다. 미국이 북한 위폐를 가지고 여러 불법 행위를 했다는 증거 있으면 내놓고 북한은 책임지면 됩니다. 반면 증거 없이 의심만 가지고 제재하고 있다면 풀어 줘야 합니다. 그렇게 하면 되는 문제인데, 1년을 넘게 끌고 있습니다.

아울러 북한과 미국의 핵 문제는 사실 해답이 나와 있습니다. 북한은 핵 포기하고 철저한 검증을 받아야 합니다. 또 미국은 북한의 안전을 보장하고 경제 제재를 해제해야 합니다. 그러나 서로 불신하니까 주고받는 걸 동시에 하면 됩니다. 그리고 6자회담에서 지원하고 서로 권유하면 해결이 가능합니다.

홍정욱 최근 조지 소로스 회장이 한국을 방문, "햇볕정책에 대해 지지해 왔지만 지금은 당근을 빼앗고 채찍질을 가해야 한다"고 말했습니다. 국내외에 걸쳐 북한 핵실험 이후 대북 포용정책에 대한 갖가지 논란이 일고 있습니다. 포용정책이 계속돼야 하는지, 만일 수정이 필요하다면 어떤 부분인지 말씀해 주십시오.

김대중 도대체 문제가 서로 있는데 대화하지 않겠다는 것은 어디에도 없는 상식입니다. 앞서 말했지만 공산국가를 억압하고 봉쇄해 성공한 적이 없고 교류 협력하고 개방을 유도해서 실패한 사례도 없습니다. 사실 햇볕정책으로 남쪽 사람들의 긴장이 얼마나 완화됐습니까. 옛날 같으면 핵실험을 했다면 보따리 싸고 도망가려 했을 것입니다. 이제 그런 사람은 하나도 없습니다.

북한 사람들도 얼마나 변했습니까? 이전에는 남쪽을 원수로 생각하고 자기네들 처들어온다고 의심만 하던 사람들이 동족애로 쌀 주고 비료 주니까 고맙다고 합니다. 우리도 잘살면 좋겠다는 생각도 합니다. 이게 얼마나 큰 성공입니까? 만일 우리가 여기서 밀려나오면 북한도 할 수 없이 중국에 더욱 의존해야 하고, 중국에 예속됩니다. 결국 중국의 힘이 휴전선까지 오게 되는데,

그게 우리가 바라는 것은 아니지 않습니까? 그러나 우리가 좀 더 노력하면 중국과의 균형도 맞출 수 있습니다. 그러니 햇볕정책은 바른 정책이고, 지금까지 제한적이지만 성공한 정책입니다. 오히려 더 확대해야 합니다. 결국 역사가 증명할 것입니다.

홍정욱 햇볕정책의 결과로 긴장이 완화됐다는 해석도 있지만, 일부에서는 국민들이 안보 불감증에 걸린 게 아니냐는 지적도 나오고 있습니다. 어떻게 생각하시는지요?

김대중 그렇게 말하는 것은 표현이 어떤지 모르겠지만 우리 국민을 바보로 보는 것이나 마찬가지입니다. 우리 국민은 공산주의에 대해서는 정치, 경제, 군사, 무기, 사회체제 등 모든 방면에서 자신감을 가지고 있습니다. 그런 국민을 두고 안보 불감증 운운하는 것은 우리 국민을 몰라도 어지간히 모르고 하는 얘기로 치부할 수밖에 없습니다.

홍정욱 아시아의 젊은 리더들이 김 전 대통령의 의견을 듣고 싶어 하는 것은 동아시아의 이런 갈등을 해소해 달라는 당부도 들어 있는 듯합니다. 대화의 줄기를 조금 바꿔 보겠습니다. 지금 한·미 간 자유무역협정(FTA)을 위한 협상이 진행되고 있습니다. 그러나 이와 관련한 국론 분열이 심각한 수준입니다. 정부는 필요성을 강조하지만 많은 사람들은 경제 예속 가능성을 이유로 반대하고 있습니다. 정부는 어떤 자세가 필요할까요?

김대중 자유무역협정(FTA)은 잘하면 득이 되지만 자칫 손해가 되는 양면성을 가지고 있습니다. 내가 (대통령) 재직 시 칠레와 자유무역협정(FTA)을 체결했습니다. 반대가 굉장했지요. 걱정하는 문제는 해결하겠다고 국민들을 열심히 설득했습니다. 그 결과 지금은 칠레를 기반으로 관세장벽 방해 없이 남미 일대로의 진출이 늘어나고 걱정했던 일은 일어나지 않고 있습니다. 미국과의 경우도 마찬가지입니다. 우리나라는 조선이 부동의 세계 1위, 자동차도 세계 5위입니다. 미국 시장으로 쫓아가야 합니다. 반도체도 그렇습니다. 미국이 문을 안 열어 주려고 하는 섬유도 있습니다. 그런데 왜 우리가 당한다, 식민지가 된다는 말이 나오나요?

물론 좋은 점만 있는 것은 아니지요. 농업이 개혁이 안 돼 지금 농촌이 어려운 측면이 있습니다. 그렇다고 세계화 시대에 언제까지 닫아 놓고 살 수는 없습니다. 경쟁력 가질 수 있도록 보완 대책을 세워야 합니다. 그리고 경쟁해야 합니다. 우리의 대외 교역 의존도는 70퍼센트가 넘습니다. 뒷골목 슈퍼 아주머니도 외국 대형 마트와 경쟁하는데, 어떻게 경쟁 안 하고 살 수 있습니까? 다만 경쟁력을 갖출 때까지 보완 대책은 있어야 하겠지요.

홍정욱 지적하신 대로 긍정적인 모델이 있는데도 불구하고 반대가 극심한 것은 결국 정부의 홍보가 부족했다는 이야기 아닌가요. 한·미 간 자유무역협정(FTA) 추진은 우리로서는 매우 중요한 현안인데, 이와 관련해 정부에 제안하고 싶은 부분이 있다면 말씀해 주십시오.

김대중 홍보가 부족하다는 이야기는 정부 인사들에게도 기회가 닿을 때마다 했습니다. 물론 정부는 국민들이 이해하도록 충분히 설명해야 합니다. 그런데 문제는 반대하는 사람들의 행동입니다. 대화가 없어요. 정부가 공청회를 하면 아예 단상을 점거해 다 뒤집어 버립니다. 정부의 이야기가 맞으면 맞다, 틀리면 틀리다, 동의하지 않는다고 말해야 하는데……. 나라를 팔아먹으려 한다는 식의 관점도 문제입니다.

홍정욱 차세대 지도자론과 관련한 이야기를 해 보겠습니다. 과거 아시아 지도자들은 식민주의 탈피와 국가 체계 수립, 산업화와 경제 발전, 독재 청산 및 민주주의 확립 등이 당면 과제였습니다. 하지만 지금 지도자들은 자유무역, 빈곤 퇴치, 환경 보존, 정보 공유, 질병 치유 등 초국가적인 이슈에 중점을 두고 있습니다. 이 같은 범국가적 난제들을 풀어 나가기 위한 지도자의 자질은 무엇이라고 생각하십니까?

김대중 곧 아시아의 시대가 온다는 게 평소 제 생각입니다. 아시아는 세계 인구의 60퍼센트를 차지하고 엄청난 자원을 가지고 있습니다. 무엇보다 지적으로 개발된 우수한 노동력을 확보하고 있습니다. 21세기 지식경제 시대에 이처럼 지적으로 우수한 자원이 많다는 게 큰 힘입니다. 이런 점에서 아시아의 미래는 밝습니다. 실제 과거 아시아는 중국과 인도를 중심으로 세계를 지배했습니다. 산업혁명 이후 세계 지배 주도권이 서구로 넘어갔고 아시아는 안일한 태도를 보여 뒤처진 것입니다.

하지만 이제 (지배 주도권이) 다시 아시아로 오고 있습니다. 그동안 잠재해 있던 저력이 다시 살아나고 있습니다. 한국의 경제가 11위이고 일본은 2, 3위를 다툽니다. 태국, 인도네시아, 말레이시아가 나름대로 잘하고 있는 것이 그 근거가 되고 있습니다. 더 길게 보면 주도의 흐름은 어느 시점 이후에는 아프리카로 갈 것입니다. 그렇게 보면 21세기는 아시아 시대라고 할 수 있죠.

그러나 여기서 생각해 봐야 할 것이 있습니다. 이제는 과거 산업사회같이 민족주의 시대가 아닙니다. 지식정보화 시대, 세계화 시대입니다. 우리가 민족을 초월하고 국경을 넘어서 서로 협력하고 돕는 노력이 필요하고 지도자들은 그 장이 만들어질 수 있도록 해야 합니다. 특히 역내 국가 간 서로 머리를 맞대고 평화와 번영, 빈부 격차 해소 등에 노력해야 합니다.

홍정욱 결국 앞서가는 범국가적 엘리트를 많이 배출해야 한다는 말씀으로 이해됩니다. 하지만 사회 일각의 반엘리트 정서도 심각한 것이 현실입니다. 그렇다면 글로벌 엘리트를 키워 내기 위해 우리 사회와 국가가 해야 할 일은 무엇이라고 보십니까?

김대중 당연히 정부는 적극 지원해야 합니다. 하지만 그 진행은 민간 차원에서 젊은이들이 개혁적인 사고로 주도적으로 해 나가야 합니다. 개혁을 할 때 반대하는 사람은 어느 시대 어느 나라에나 다 있습니다. 우리가 슬기롭게 잘 다스려 나가야 합니다.

홍정욱 지난 1998년 김 전 대통령께서는 아시아 공동체를 제안했고 '아시아비전포럼'을 만들었습니다. 동아시아가 공동체 성격으로 하나로 묶여 더 진보하기 위한 긍정적 그림을 그린 셈인데, 걸림돌은 무엇이라고 생각하십니까?

김대중 각 지도자의 열의가 부족한 탓입니다. 자신들의 이해 때문이죠. 이를 극복하려면 정치적 이해관계가 적은 젊은이들이 나서야 합니다. 아울러 지금은 시작 단계입니다. 너무 서두르면 안 됩니다. 유럽도 공동체를 만들기 전 석탄, 철강 통합운동에 몇십 년이 걸렸습니다. 꾸준하게 진행돼야 하고, 젊은이들이 촉진제가 돼야 합니다.

홍정욱 전직 대통령으로서 국내 정치에도 관심이 많으실 겁니다. 지금 국민들의 관심은 내년 대통령 선거로 모아지고 있습니다. 이른바 대선 주자군은 각각 통합, 경제, 안보 등을 강조하며 본격적 행보에 나서고 있습니다. 차기 대통령이 지녀야 할 덕목은 무엇이라고 보십니까?

김대중 미리 전제하지만 그 점에 대해 하고 싶은 이야기가 많습니다. 하지만 할 수 없습니다. 객관적으로 이야기를 해도 언론들이나 정치권에서 누구를 염두에 두고 한 말이라고 단정합니다. 그래서 언급을 하지 않겠습니다. 최근 노무현 대통령이 연세대김대중도서관 전시실 방문을 계기로 함께 식사를 했습니다. 실제 의식적으로 둘 다 정치 얘기 한마디도 안 했습니다. 그런데 뒷날 언론은 갖가지 추측을 사실처럼 보도하기도 했습니다. 더욱이 전직 대통령이 정치 개입 안 한다고 해 놓고선 개입한 것은 잘못이라는 보도도 있었습니다.

홍정욱 현 정부의 임기가 이제 1년밖에 남지 않았습니다. 남은 임기 동안 성공적인 마무리를 위해 어떤 방향으로 가야 하는지 말씀해 주십시오.

김대중 일전 노 대통령과의 오찬 때 집 문제를 얘기했습니다. 주택 문제에 대해 전문가는 아니지만 내 소박한 의견을 전했습니다. 주택 문제는 강남 집이 얼마 오르느냐가 중요한 게 아닙니다. 집 없는 서민들이 중요합니다. 정부는 먼저 임대 주택 등 서민 주택은 수량이 부족하지 않도록 공급해야 합니다. 여러 정책을 통해 서민들 부담을 적게 해 입주할 수 있도록 해야 합니다. 일반 주택은 원칙적으로 수요 공급 원칙에 따라 시장에 맡기는 것이 좋습니다. 물론 이를 악용해서 폭리 하는 사람은 세금으로 잡으면 됩니다. 그러면 잘못했다는 사람 아무도 없을 겁니다. 그렇게 노 대통령에게 얘기했습니다. 이로써 답을 대신하겠습니다.

홍정욱 장시간 좋은 말씀 감사합니다. 더욱 건강하십시오.

김대중 이렇게 찾아 주셔서 고맙습니다.

민족의 운명과 우리 교육

강연 공주대학교
일시 2006년 11월 15일

김대중 존경하는 김재현 총장과 교수 여러분, 그리고 사랑하는 학생 여러분!

오늘 중부권의 명문 대학이자, 대표적인 중등교원 양성기관의 역사를 가진 여기 국립공주대학교에 와서 연설하게 된 것을 매우 기쁘게 생각합니다. 그리고 저에게 이런 영광스러운 자리를 만들어 주실 뿐만 아니라, 명예 교육학 박사학위까지 수여해 주신 여러분께 심심한 감사를 드리는 바입니다.

존경하는 여러분!

인류는 그 탄생 이래 수십만 년 동안 채집과 수렵 생활을 하며 지구상을 떠돌아다녔습니다. 그러다가 지금으로부터 약 1만 년 전부터 농업 경제가 시작되었습니다. 나일강, 티그리스강-유프라테스강, 인더스강, 황하 등의 유역에서 농업 경제가 시작되면서 인류는 비로소 정착 생활을 하게 되었습니다. 그리고 18세기 중엽부터 산업사회가 시작되었습니다. 산업사회는 자본, 토지, 원자재, 노동력 등 눈에 보이는 물질이 경제 발전의 요소가 되는 시대였습니다. 그러나 이제 21세기에 지식경제 시대가 시작되었습니다. 지식경제 시대의 특징은 다음과 같습니다. 우리 민족의 운명도 여기에 잘 적응하느냐 여하에 달려 있습니다.

첫째, 눈에 보이는 물질보다는 눈에 보이지 않는 인간의 창의력이나 활력 등이 경제 발전의 요소로서 중요시되는 시대입니다. 구체적으로 말하면 빌 게이츠 같은 사람이나, '한류'와 같은 새로운 문화콘텐츠가 일어나야 한다는 것입니다. 그리고 이제는 산업 자본주의가 아닌 지식 자본주의 시대가 되어 갈 것이며, 육체 노동자보다는 지식 노동자가 경제의 주도적 역할을 할 것입니다.

둘째, 다양한 첨단기술이 경제를 주도하는 시대가 될 것입니다. 정보기술(IT), 나노산업(NT), 생명공학(BT), 문화산업(CT), 환경산업(ET), 우주산업(ST) 등 첨단기술이 경제의 중심이 될 것입니다. 그리고 이러한 첨단기술은 전통산업인 조선, 철강, 섬유산업 등에 접목되어 이들 전통산업을 첨단화시키고 있습니다. 보다 좋은 물건을 보다 빠르게, 그리고 보다 싸게 만드는 것입니다.

셋째, 지식정보화 시대는 국경을 넘어 지역주의 시대를 가져올 것입니다. 아시아는 처음으로 하나의 단위가 되어 유럽연합(EU), 북미자유무역협정(NAFTA)과 같이 세계 속에서 한 축을 이루게 될 것입니다. 21세기는 아시아의 세기라고도 합니다. 특히 아시아 국가인 중국, 한국, 일본 등에는 유구한 지적 전통이 있고, 광범위한 교육 기반이 있습니다.

넷째, 지역주의와 더불어 세계화 시대가 병행 발전하고 있습니다. 21세기는 정보화 시대와 더불어 세계를 하나의 실시간 단위의 공동체로 묶어 놓았습니다. 이제 세계 경제는 세계 자본주의 틀 속에서 무한 경쟁과 협력의 시대를 열어 나갈 것입니다.

다섯째, 한국은 지식정보화 시대, 세계화 시대의 한가운데 서 있습니다. 세계의 좋고 나쁜 모든 영향으로부터 벗어날 수가 없습니다. 문제는 우리가 얼마나 건전한 수용력을 가지고 세계를 받아들이느냐입니다. 또한 얼마나 강한 진출의 힘을 가지고 세계로 나아가느냐 하는 것입니다. 한국은 지금 조선, 철강, 자동차, 섬유, 반도체, 한류 등으로 세계시장을 석권하고 있습니다. 가장 우수한 제품과 문화콘텐츠를 세계에 공급하는 동시에, 가장 우수한 제품과 문화콘텐츠를 세계로부터 받아들이고 있습니다. 세계화 시대에 우리 민족이 성공하는 길은 얼마만큼 이러한 경쟁과 협력에 잘 적응하느냐에 있습니다. 우리 민족은 오랜 지적 전통과 높은 교육 수준, 그리고 국민적인 활력으로 보아서 21세기 세계화 시대에 성공적인 민족으로 나아갈 것은 틀림없다고 생각합니다.

우리 민족의 운명은 이상 말한 다섯 가지를 얼마만큼 잘 대응해 나가느냐에 달려 있습니다. 또한 다음에 말할 교육의 발전을 얼마만큼 성공적으로 이룩하느냐에 있습니다. 교육은 지식경제의 원천입니다. 좀 더 구체적으로 이야기해 보겠습니다.

첫째, 이제부터 교육은 민족교육으로부터 세계화 교육으로 발전해야 하며, 단일문화 교육으로부터 다문화 교육으로 나아가야 합니다. 이제 우리는 다양한 사람과 문화와 제품을 주고받으며 살게 되는 시대가 오고 있다는 점을 교육해야 할 것입니다.

둘째, 평생교육을 해야 합니다. 21세기 지식정보화 시대의 특징은 급격한 변화의 시대라는 것입니다. 어제 유용했던 지식이 오늘은 의미 없는 것이 될 수 있습니다. 따라서 우리가 시대에 뒤처지고 낙오자가 되지 않기 위해서는 평생을 두고 교육에 주력해야 합니다. 학교교육, 사회교육 등 다양한 분야에서 평생교육의 장이 마련되어야 하겠습니다.

셋째, 고등 사고의 수준 높은 대중교육이 이루어져야 합니다. 창의력과 비판적 사고를 길러서 시대에 앞서가는 인재를 만들어야 합니다.

넷째, 자기 주도적 학습 능력을 길러야 합니다. 자율적, 자생적으로 배워

가는 동기를 부여하고 자기 발전을 이룩해야 합니다. 세계는 매일같이 변화합니다. 우리도 매일같이 공부해야 합니다. 자기 자신의 계발에 쉬지 않고 노력해야 할 것입니다.

다섯째, 통일 교육을 적극적으로 실시해야 합니다. 우리 민족은 1,300년간 통일의 역사를 가진 단일민족입니다. 오늘의 민족의 분단은 타의에 의해서 이루어졌습니다. 마땅히 하나가 될 권리가 있고, 또 되어야만 우리 민족의 평화와 번영의 미래가 열릴 것입니다. 그러나 통일은 말과 같이 쉽지가 않습니다. 미·일·중·러 등 4대국에 둘러싸여 있는 우리는 역사상 계속해서 그들의 영향을 받았습니다. 주로 부정적인 영향이었습니다. 이러한 지정학적 환경을 생각하면서 우리는 북한 공산주의와의 통일이 쉽지 않다는 것을 인식해야 합니다. 또한 쉽지 않지만 통일을 포기해서는 안 된다는 것도 인식해야 합니다.

그러면 어떻게 해야겠습니까? 우선 평화 공존, 평화 교류, 평화 통일의 3대 원칙 속에 남북이 평화적으로 협력하는 시대를 열어 가야 합니다. 남북의 평화적 협력은 전쟁의 가능성을 제거하고 한반도를 하나의 경제권으로 묶게 될 것입니다. 그리고 유라시아 대륙으로 뻗어 나간 철도와 도로는 우리 민족에게 거대한 번영을 가져올 '철의 실크로드'를 이룩하게 될 것입니다. '압록강의 기적'의 시대가 이룩될 것입니다.

우리는 젊은 세대에게 평화 공존하고 평화 교류하다가, 장차 평화 통일하는 그 길만이 한반도의 안정을 가져오고 남북의 공동 번영을 가져오는 길이라는 것을 정열적으로 교육해야 합니다. 그리하여 조상들이 이룩한 통일된 나라를 다시 회복해야 합니다. 통일은 10년이고 20년이고 우리가 서로 안심할 수 있을 때 남북한이 공동 승리하는 통일을 이룩해야 합니다.

존경하는 여러분!

우리가 조상이 물려준 이 땅에서 평화적으로 살다가 통일을 이룩하는 길은 이미 말한 대로 남북 간의 화해 협력에 있습니다. 우리는 지금 북한의 핵실험을 보고 있습니다. 북한이 핵을 보유하는 것을 절대로 용납할 수 없습니다. 이는 한반도와 세계 평화를 크게 저해하게 됩니다. 무엇보다도 1991년 남북 간에 체결된 '한반도비핵화공동선언'에 정면으로 위배됩니다. 우리는 이것을 용납할 수가 없습니다.

한편 오늘의 사태는 미국이 북한과의 직접 대화를 거부하고 북한 체제를 뒤엎으려 한다는 의심을 갖게 만든 데도 원인이 있습니다. 북한 핵 문제는 하루빨리 해결되어야 합니다. 북한은 핵을 완전히 포기하고 철저한 검증을 받아야 합니다. 미국은 북한의 안전을 보장하고 경제 제재를 해제해야 합니다. 서로 불신이 크니까 동시 또는 병행해서 주고받는 거래를 해야 합니다. 아주 간단한 이치이고, 실천 가능한 일을 지금까지 끌어온 것입니다.

이번 미국 중간선거의 영향으로 대북 관계 악화에 앞장선 초강경 세력이 퇴조한 것 같습니다. 이제 북·미 간 직접 대화의 길도 열릴 희망이 보입니다. 미국 국회의 다수 의석을 차지한 민주당은 직접 대화를 주장하고 있기 때문입니다.

핵 문제의 권위자인 한스 블릭스 전 국제원자력기구(IAEA) 사무총장은 최근 다음과 같이 말했습니다. "북한의 핵을 포기시키기 위해서는 북·미 양국이 직접 대화해야 한다.", "북·미 양측은 주고받는 협상을 해야 한다.", "북한 핵 문제는 북·미 양자 간에 해결하고 6자회담이 이를 지지해야 한다.", "대량살상무기 확산방지구상(PSI)은 위험하고 효과도 없다.", "북한 핵실험은 햇볕정책 때문이 아니다.", "개성공단과 금강산 관광사업은 유지되어야 한다.", "북한의 경제 제재 해제를 보장해 주면 핵 폐기를 이끌어 낼 수 있다"고 말했습니다.

이 점은 제가 오랫동안 주장해 온 것과 일치하는 것입니다. 북핵 문제 해결 없이는 한반도 평화도 없습니다. 북한 핵 문제가 해결되어야만 남북 간의 협력과 발전도 크게 진전될 것입니다. 햇볕정책은 남북 간의 긴장 완화, 많은 교류 협력 등으로 상당한 성과를 올렸습니다. 그러나 북·미 대결이 햇볕정책의 완전한 성공을 저해시켜 온 것이 사실입니다. 우리는 새로 구성된 미 국회가 합리적이고 유연한 자세로 북한 핵 문제를 성공적으로 해결할 것을 바라마지않습니다.

사랑하는 젊은이 여러분!

저는 오늘 이 자리를 빌려 여러분이 인생을 성공적으로 살아가는 데 도움이 될 수 있는 이야기 몇 가지를 저의 경험에 비추어 말씀드리고자 합니다.

먼저 행동하는 양심이 되십시오. 사람의 마음속에는 악마와 천사가 같이 있습니다. 우리의 노력에 따라 악마가 이기기도 하고 천사가 이기기도 합니다. 천사가 이기는 길은 무엇입니까? 이웃 사랑입니다. 부모, 형제, 친구들, 사회 사람들, 민족, 세계인 모두가 이웃입니다. 이러한 이웃 사랑을 행동으로 실천하는 사람은 인생에서 높은 자리에 올랐든 오르지 못했든, 돈을 많이 벌었든 못 벌었든, 오래 살았든 젊어서 죽었든, 그 사람은 인생의 삶에 있어서 성공한 사람입니다.

다음에는 서생적 문제의식과 상인적 현실감각을 가지십시오. 자기가 당면한 문제에 대해 마치 선비가 따지듯이 본질과 원칙을 확실히 파악하십시오. 그리고 장사하는 사람이 지혜롭게 일을 처리하듯이 문제를 실사구시의 현실감각을 가지고 성공적으로 풀어 나가야 합니다.

그다음에는 세 번 생각하십시오. 예를 들어 여러분이 어떤 회사에 취직하고자 한다면 그 회사에 왜 취직을 하느냐, 문제점은 없느냐, 마지막으로 문제점이 있더라도 취직을 해야 하느냐, 문제점이 있으니까 그만둬야 하느냐 하는 결단을 내려야 합니다. 이렇게 세 번 생각하고 모든 문제를 풀어 나가면 인생의 삶을 살아 나가는 데 있어서 그러지 않는 사람보다 훨씬 성공적으로 살아갈 수 있을 것입니다.

마지막으로 외교하는 국민이 되어야 합니다. 21세기는 세계화 시대입니다. 세계와 더불어 사귀고 경쟁하며 살아 나가야 합니다. 한반도는 세계에서 유일하게 미·일·중·러 4대 강국에 둘러싸여 있습니다. 외교는 우리 민족이나 개개인에게 사활이 걸려 있는 중요한 문제입니다. 그러나 우리 국민은 외교에 대해서 관심이 적습니다. 고쳐야 합니다. 그래서 세계 사람들이 한국 사람들을 좋아하고, 한국을 좋아하고, 한국 문화를 좋아하게 만들어야 합니다. 그러면 그들은 한국 상품을 좋아하게 되고, 한국에 와서 투자하고 싶어 하게 되고, 한국을 관광하려고 할 것입니다.

사랑하는 여러분!

이제 마무리를 지으면서 다시 한번 국립공주대학교를 위해서 강조하고자 합니다.

국립공주대학교는 세계 농민운동사상 으뜸가는 동학혁명의 최대 전투가 있었던 곳에 위치하고 있습니다. 수만 명이 귀중한 목숨을 바쳤습니다. 동학혁명의 정신을 수호하고 발현하는 중심체가 됩시다.

국립공주대학교는 중부권 명문 대학교에서 전국적이고 세계적인 대학으로 발전해 나가도록 합시다.

국립공주대학교는 남북 간에 교육 교류의 선구자가 되고 중심체가 되도록 합시다.

여러분의 건승을 빕니다.

감사합니다.

질의응답

질문(대기과학과 백승영) 가까이서 뵙게 돼서 떨린다. 햇볕정책 일관되게 추진해 왔는데 앞으로 열리는 6자회담에서 우리나라의 역할과 입지를 증대시킬 수 있는 방안을 얘기해 달라.

김대중 첫 번 질문부터 어려운 질문이 나왔다. 햇볕정책에 대해 핵실험이 나오니 실패했다고 한다. 핵실험이 햇볕정책 때문이 아니다. 긴장 완화에 기여했다. 미국도 햇볕정책 때문이라고 말한 적이 없다. 남들은 다 안 하는데 우리만 하고 햇볕정책이 만만한지 그런다.

미국 중간선거를 보면 부시와 같은 강경 일변도 정책이 지지를 받지 못했다. 직접 대화하라는 민주당이 이겼다. 그것이 햇볕정책이 주장하던 것이다. 여러분께 명예를 걸고 얘기하는데 세계에서 모든 상식 있는 사람들은 북한 문제 푸는 데는 햇볕정책 외에 대안이 없다고 얘기한다.

확실히 얘기하고 싶다. 6자회담이 열리는데 노무현 대통령이 왔을 때도 얘기했는데 6자회담에서 따져야 한다. 북한이 멋대로 하지 못하도록 해야 한다. 물론 북한 핵은 일정한 조건을 주고받으면 폐기되고 한반도는 비핵화돼야 한다. 적극적으로 북한을 포용하라고 얘기해야 한다.

아이젠하워는 공산당하고 대화해서 휴전협정 맺지 않았나, 닉슨은 중국을 유엔 가입시켰다. 우리가 안심하고 중국 여행하고 투자까지 하는 곳을 만들지 않았나, 베트남에서는 전쟁에서 지고 외교하고 교류해서 좋은 관계 맺지 않았나, 하지만 가까이에 있는 쿠바 하나는 봉쇄해서 50년 이상을 변화 못 시키지 않나, 개혁 개방 유도했을 때 다 성공했고 봉쇄했을 때 실패했다. 이런 점을 미국에게 얘기해야 한다.

질문(관광통역과 홍순욱) 남북 분단이 50년 이상 지속되고 있다. 통일을 바라보는 젊은이들의 바람직한 자세는?

김대중 통일 문제를 포기하면 제일 위험한 게 젊은 사람이다. 통일을 포기하면 극단적으로 전쟁의 위험성이 커진다. 전쟁이 나면 누가 나가는가? 젊은 사람이 나간다. 나이 많은 사람들은 폭격에 희생되겠지만 젊은 사람들이 희생된다. 나이 많은 사람들이 전쟁을 하려고 한다. 후방에 있으니까. 채플린이 그랬다. 전쟁을 하려면 40살 이상 나가라. 자기들이 안 나가니까 전쟁하자고 한다.(박수)

화해 협력해 나가다가 통일을 해야 한다. 원원의 통일이 돼야 한다. 기본 원칙은 확실하다. 민주주의다. 이것은 절대 포기할 수 없다. 통일을 위해서 힘 있는 나라를 만들어 가야 한다. 우리 주변에 워낙 큰 나라들이 있다. 중국, 러시아, 일본, 미국 이런 나라들이 주변에 있다. 이 나라에 대해서 절대적인 이해관계를 가지고 있다. 그리고 통일을 도와줄 힘도 있지만 망칠 힘도 있다. 외교를 잘하는 게 우리의 사활이 걸려 있다.

힘을 가져야 한다. 우리끼리 죽이고 살리는 전쟁을 하고 있지 않나, 단일민족 단일국가가 돼서 주변 국가에서 줄 것은 주고 받을 것을 받아야 한다.

통일을 해야만 그나마 만만히 보지 않고 이리저리 영향받지 않는다. 또 하나 중요한 것은 한반도 한반도 하는데 남쪽은 반도가 아니다. 대륙이 없는데 무슨 반도인가? 유라시아에 끼어야 하는데 북한 때문에 못 간다. 철의 실크로드를 연결해야 한다.

모든 것이 북·미 관계가 안 되니까 그것도 잘 안 된다. 북한하고 반드시 통일해서 유라시아로 뻗어 가서 세계적인 선진 국가가 되기 위해서도 통일을 해야 한다. 북한과 평화를 유지하면서 통일을 이뤄 나가야 한다.

질문 북한을 포함해 인권 탄압과 인권 유린 등이 벌어지는 나라가 많다. 인권 향상을 위한 방안은 어떤 게 있나?

김대중 인권 문제 얘기했는데 인권은 지상 가치다. 어떤 일이 있어도 지키고 살려야 한다. 인권에는 두 가지가 있다. 하나는 정치적 인권이고 다른 하나는 먹고사는 인권이다.

정치적 인권은 근대 민주주의 등장 이후로 역사가 짧다. 후자는 2백만 년 전부터 시작됐다. 그것이 해결이 안 되고 있다. 서방은 정치적 인권을 주장했고 공산권은 사회적 인권을 주장했다. 정치적 인권을 활용하지 않으면 경제 발전을 이루지 못한다. 사회적 인권도 확보하지 못한다.

공산주의가 그대로 있으면 정치적 인권은 해결되지 않는다. 결국 개혁 개방을 하면 인권이 완전히 회복됐다. 중국이나 베트남은 많이 신장됐다. 그러나 우리 시각으로 보면 아직도 부족하다.

북한은 먹고사는 사회적 인권도 안 돼 있고 정치적 인권도 안 돼 있다. 북한을 위해 할 수 있는 것은 무엇인가? 쌀 대주고 비료 대주고 해서 사회적 인권을 확보해 주는 것이다. 북한 사람들이 변화하고 있다. 남한이 우리를 죽이려고 한다고 오해하고 미제 앞잡이라고 했는데 쌀 주고 비료 주니까 고맙다고 한다. 북한 사람들이 자기 각성을 하고 있다. 비료 주고 쌀 주고 약품 주고 해서 사회적 인권은 상당히 도와주고 있다.

북한과의 관계에서 잘한 게 크게 두 가지가 있다. 하나는 이산가족 상봉이다. 반세기 이상 떨어져 언제 돌아가실지 모르는데 가족 상봉하자고 아무리 해도 안 됐다. 대통령 되기 전에 2백 명밖에 안 되는데 이후로 1만 3천 명이 만났다. 이게 얼마나 큰 인권인가? 북한에서 탈출해 나온 사람 8천 명인데 정착시키고 있는데 큰 인권이다.

근본적으로 바꾸는 것은 개혁 개방으로 이끄는 것이다. 사회적 인권에 대해서는 기여를 하고 있다. 정치적 인권은 체제 자체가 변화를 해야 한다.

질문(지리학과 **최보규**) 젊은이들에게 이렇게 살아라, 아니면 지표가 될 말을 해 준다면?

김대중 여기서 보니까 김대중 선생 존경한다고 살살 올려놓고 지금 학생도 겸손하게 말을 시작했지만 어려운 질문을 했다. 인생이란 것은 아까 우리

맘속에는 천사도 있고 악마도 있다고 했는데, 언제나 양면이 있다. 현실에 너무 집착하면 무의미하게 살 수 있고 너무 무시하면 실패할 수 있다. 인생에 대해서는 이상과 현실을 가져야 한다. 현실에 맞는 이상, 현실을 이끌어 가는 이상이 필요하다.

월급 많이 받고 잘사는 게 성공은 아니다. 직장은 가져야 한다. 좋은 직장 가져야 한다. 그러나 인생에 대한 목표와 희망, 비전을 가지고 살아야 한다. 조합시키면 된다. 하나에만 집중하면 실패한다. 인생에 성공한 사람은 자기가 죽을 때 내가 살아온 인생에 대해 후회가 없다. 자랑스럽다는 생각을 가질 수 있는 사람은 성공한 사람이고 내가 뭘 보고 살았나 하는 사람은 성공하지 못한 사람이다.

다시 말하지만 이상과 현실을 잘 조화해서 나가는 인생을 살아가길 바란다. 이상을 가지고 공부하는 선비적인 정신, 현실적으로 월급 받아 사는 인생, 둘이 조화하는 인생을 살아가는 게 중요하다고 생각한다.

과연 이 나라에 희망이 있느냐 하는데 그것은 잘못이라고 생각한다. 세계 유엔 회원국이 192개국인데 선진국 20개 정도 빼놓고는 2차대전 이후 독립한 나라들은 한국을 모범으로 생각한다. 독재를 세 번 무너뜨렸다. 민주주의를 반석같이 세워 놨다.

욕심을 부리면 한이 없다. 과거에 비하면 괜찮은 거다. 21세기는 한국의 시대다. 디지털 시대의 역량을 발휘하고 있다. 우리도 노력하면 미래가 우리에게 온다. 지적 능력을 갖고 있다. 나는 그 세상을 못 보겠지만 여러분은 그 세상 속에 살면서 주인공이 될 수 있다. 자신을 가지고 희망을 가지고 미래를 개척해 달라.

질문 한·미자유무역협정(FTA)과 교육개방 문제에 대해 어떻게 생각하나?

김대중 교육에 대해서 미국이 개방을 요구하고 있지 않다. 현 단계에서는 큰 걱정을 할 필요가 없다. 원칙적인 얘기를 하면 교육도 개방을 해야 한다. 그 전에 대응 능력을 길러 놓고 보완 조치를 하면서 개방해야 한다. 세계적으로도 경쟁을 해야 한다. 대학교수들도 인정받지 못하면 국내에서 교수 하기 어렵다.

민주주의 사회, 시장경제 사회에서는 경쟁이 없으면 좌절되고 실패로 끝난다. 경쟁을 두려워해서는 안 된다. 못 이기는 사람은 실패하고 이기는 사람은 살아남는다. 장차 세계는 하나가 되고 정보는 실시간으로 알 수 있다. 통신에 올랐다. 순식간에 전 세계가 볼 수 있다. 학생들이나 대학교수들 지적 능력과 전통으로 봐서 이겨낼 자신이 있다고 본다. 지금 당장 개방을 요구하는 것 아니다. 교육은 경쟁하고 협력하는 데서 발전할 수 있다.

질문(대기과학과 김용석) 정치에 입문하게 된 동기와 좋았을 때, 가장 힘들었을 때는?

김대중 이번만 잘 넘기면 끝나는 것 같다. 어렸을 때부터 정치에 관심이 많았다. 전남 신안군 하의도에서 살았는데 아버님이 구장을 했다. 구장집에는 신문이 무료로 배달이 됐다. 신문 1면을 먼저 봤다. 정치적으로 관심이 많았다.

젊어서 사업을 했고 성공을 했다. 부산정치파동 때 정치를 시작했다. 이승만 대통령이 인기가 나쁘고 국회의원 3분 2가 이승만 대통령을 반대했다. 내각책임제 하기로 해서 개헌안을 제출했다. 이승만 대통령이 국회의원들을 잡아넣었다. 강제로 헌법을 직선제로 해서 계엄령 아래서 선거를 했다. 젊은 이들이 민주주의를 위해 싸우는데 후방에서는 독재를 했다. 그래서 정치를 바꿔 보자고 했다.

1954년 출마해서 여러 번 떨어지기도 했다. 대통령도 세 번 떨어지고 네 번째 됐다. 프랑스 대통령이 세 번 떨어지고 네 번째 됐다. 그런 생각도 했고 정치가 문제 많고 해서 끝까지 초심을 버리지 않고 끝까지 해야겠다고 생각해서 당선까지 됐다.

정치하면서 한 번은 공산당한테 세 번은 독재정권한테 죽을 고비를 넘겼다. 어제 숙소를 유성에다 준다고 했는데 싫다고 했다. 잠은 딴 데서 자고 하는 것은 공주 시민에 대한 예의가 아니라고 생각했다 감옥에서도 잔 사람인데 기숙사에서 왜 못 자나.

슬프고 가슴 찢어진 것은 전처가 죽었을 때다. 가난했다. 가진 재산을 선거하면서 다 탕진하고 조식이 어려울 정도로 가난했다. 그걸 해결하기 위해 노심초사하다 죽었다.

많은 분들이 와 줘서 고맙다. 좋은 자리 마련해 주신 학교 측 총장님께 진심으로 감사한다. 훌륭한 사회 본 학생 어디 갔나? 여학생 위해 박수 쳐 달라.

미국은 북한 제재를 해제해야

대담 스티븐 엥글

일시 2006년 11월 21일

앵커 김대중 전 대통령을 스티븐 엥글 기자가 연세대 김대중도서관에서 만났습니다. 북핵 문제와 관련해 김 전 대통령은, 부시 행정부에 의해 비판받고 있는 햇볕정책이 아직도 최선의 길이라고 말했습니다.

김대중 햇볕정책은 북한 핵실험과 직접적인 연관이 없습니다. 북한은 미국이 자기들을 괴롭히기 때문에, 그리고 정권 교체를 바라기 때문에 생존을 위해서는 어쩔 수 없이 핵실험을 했다고 말하고 있습니다. 미국도 북한이 핵실험을 한 이유가 햇볕정책 때문이라고 말한 적도 없습니다. 햇볕정책에 대한 비판은 국내에서 정치적인 의도로 사용되고 있는 것입니다.

햇볕정책은 오히려 한반도 긴장 완화를 가져왔습니다. 또한 개성공단, 금강산 관광사업은 한국의 영향력이 휴전선을 넘어 5킬로미터, 10킬로미터 위로 올라간 것을 의미합니다. 이는 한반도 안보에 큰 도움이 되고 있습니다. 그렇기 때문에 남북 관계에 있어서는 햇볕정책은 상당한 성과를 올렸습니다. 그러나 현재 북·미 관계가 정체되어 있기 때문에 더 이상 진전이 없는 것입니다.

엥글 포용정책의 3원칙 중에는 북한의 무력 도발 행위는 용납될 수 없다는 것이 있습니다. 대통령님께서는 북한의 핵실험을 무력 도발 행위로 보십니까?

김대중 북한이 핵무기를 가지거나 핵실험을 하는 것은 그 어떤 경우에도 용납될 수 없습니다. 이는 한반도 평화, 세계 평화를 저해하는 것입니다. 또한 이는 1991년 남북한 간에 맺은 한반도비핵화선언에 위배되는 것입니다. 그렇기 때문에 북한이 핵무기를 보유하는 것은 절대로 받아들일 수 없습니다.

엥글 미국의 중간선거가 끝나고 또 지금까지도 김정일 국방위원장이 협상 테이블로 나오지 않은 것을 보고 이제 미국은 태도를 완화해야 한다고 생각하십니까?

김대중 첫째는, 북한과 미국 간의 대화가 있어야 합니다. 미국은 악한 자와는 대화를 하지 않겠다고 하고 있습니다. 그러나 과거에도, 아이젠하워 대통령이 공산정권과 대화해 휴전협정을 가져왔고, 이로 인해 53년 동안 한반도에는 평화가 유지됐습니다. 또한 레이건 대통령도 소련을 악마의 제국이라고 했지만 대화를 추구했고 헬싱키협정을 성사시켜 소련은 개혁과 개방의 방향으로 나아갔습니다. 닉슨은 중국을 방문해 마오쩌둥을 만나, 이제는 중국도 크게 변화해 우리가 자유롭게 방문하고 투자할 수 있게 되었습니다. 미국은 베트남과는 전쟁까지 했습니다. 그렇지만 교역과 외교를 통해 좋은 관계를 유지하고 있습니다. 쿠바는 미국 주변의 아주 작은 섬인데, 50년 동안 봉쇄해도 변화시키지 못했습니다. 그렇기 때문에 북한과의 문제를 해결하기 위해서도 대화를 추구해야 합니다.

두 번째로, 방코델타아시아(BDA) 자금 동결 문제와 관련해서는, 미국이 불법 자금과 위조지폐에 관한 확실한 증거가 있으면 증거를 내놓고 그에 따라 북한을 처벌해야 할 것입니다. 그러나 그렇지 않다면 제재를 해제해야 합니다. 적대적 관계에 있어서는 주고받는 협상이 필요합니다.

엥글 제가 한 가지 덧붙여서 질문을 드리고 싶은 것은, 언제 "우리가 참을 만큼 참았다"고 할 수 있겠습니까?

북한에 기회를 주어야

김대중 북한은 현재 안전 보장과 경제 제재 해제를 받을 수 있으면 핵을 포기하겠다고 하고 있습니다. 미국이 직접 검증해도 좋다고 말하고 있습니다. 그렇기 때문에 미국은 북한에게 기회를 줘야 한다고 생각합니다. 그래도 약속을 안 지키면 그때 전 세계가 북한에 대해 제재를 가할 수 있습니다.

엥글 부시 대통령과 후진타오 주석이 아시아태평양경제협력체(APEC)에서 회담을 가졌습니다. 정상회담에서는 북한 문제에 대한 논의가 있었는데, 회의에서 미국은 한반도 종전을 가져올 수 있도록 하는 제안을 언급했습니다. 김정일 국방위원장은 이에 귀를 기울이고 또 이를 환영할 것이라고 생각하십니까?

김대중 저는 북한이 미국의 그런 제안을 진지하게 생각할 것으로 봅니다. 그러나 아직 구체적인 사항들이 제시되지 않았기 때문에 이런 제안을 받아들일지 그렇지 않을지는 정확하게 말할 수 없습니다.

엥글 대통령님 생전에 한반도 평화를 보실 것이라고 생각하십니까? 또한 통일의 전망은 어떻게 보십니까? 통일의 대가는 무엇일까요?

김대중 북·미 관계가 정상화되면, 중국과 베트남처럼, 한반도에 평화가 급속하게 진전될 것으로 봅니다. 우리는 통일을 3원칙을 바탕으로 추진해야 합니다. 바로 평화 공존, 평화 교류·협력, 그리고 평화 통일입니다. 평화 통일의 경우 약 10년, 20년이 걸릴 것입니다. 그렇기 때문에 제 생전에는 보기 어려울 것입니다.

* 이 글은 미국 스티브 엥글(Stephen Engle) 기자와의 인터뷰로 2006년 11월 21일에 녹화하여 미국 '블룸버그' (Bloomberg)에 11월 23일 방송되었다.

워싱턴과 평양의 대화가 필요하다

대담 미셸 테만
일시 2006년 11월 21일

북한이 6자회담 복귀를 결정한 오늘날, 1998년부터 2003년까지 한국의 대통령을 지냈으며 북한과 거리를 좁히는 '햇볕정책'의 노력으로 2000년 노벨평화상을 수상한 김대중 전 대통령은 『리베라시옹』(Libération)지와의 인터뷰에서 미국과 북한이 과거 '클린턴 시대처럼' 직접 양자 대화를 재개할 것을 당부했다.

테만 북한의 10월 9일 핵실험에 대해 어떻게 생각하십니까?

김대중 한반도의 긴장이 한 단계 고조됐습니다. 어둠의 그림자가 위협하고 있습니다. 하지만 남한과 북한이 1991년 12월 공동으로 한반도의 비핵화를 약속했다는 것을 잊어서는 안 됩니다. 10월 9일의 핵실험은 분명 이 비핵화공동선언을 위배하는 것입니다. 1991년 약속의 정신을 회복하고 평화를 가져오기 위해서는 북한이 우선 핵 프로그램을 포기해야 합니다.

테만 핵실험 후 한국은 망설이고 있습니다. 북한을 혹독하게 처벌해야 한다고 생각하십니까?

김대중 여기에는 두 가지 가능한 방안이 있습니다. 군사적 조치와 경제적 제재입니다. 만약 군사적 방법이 사용된다면 막대한 피해와 희생을 초래할 것입니다. 7천만 명의 한민족이 사는 한반도는 잿더미로 변할 것입니다. 우리는 군사 조치에 강력히 반대합니다. 미국과 일본은 이미 북한에 대해 경제적인 제재들을 가했고 북한은 이런 종류의 제재에 익숙합니다. 만약 경제적 상황이 이러한 제재들 때문에 위험으로 치닫게 된다면 중국이 그들에게 손을 내밀 것입니다. 그러므로 북한 정권의 붕괴를 기다려서는 안 됩니다. 이 위기의 해결 방법은 북한과 미국 간의 대화를 통해서만 찾을 수 있습니다.

테만 대통령님은 핵실험의 책임은 부시 대통령에게 있다고 하셨습니다. 왜입니까?

김대중 핵실험의 일차적 책임은 물론 북한에게 있습니다. 그들은 실험에 관해 가장 비난받아야 할 사람들이며 모든 책임을 가지고 있습니다. 하지만 미국에도 또한 책임이 있습니다. 북한이 핵 프로그램을 폐기하기 위해서는 미국이 북한에 대해 안전 보장을 제공하고 제재를 해제해 줘야 합니다. 그리고 이에 대한 주고받는 협상이 필요합니다. 미국은 이런 협상을 끝까지 하지 않았다는 책임이 있습니다. 북한은 안전 보장을 받으면 핵을 포기하겠다고 여러 번 언급한 바 있습니다. 미국은 그러한 협의를 끝까지 하지 않았다는 데 책임이 있습니다. 북한은 만약 그들의 안보가 보장된다면 핵 프로그램을 포기하겠다고 여러 번 언급한 바 있습니다. '6자회담'의 (북한, 남한, 미국, 중국, 러시아 그리고 일본) 중에서 미국과 북한이 가장 중요한 당사국입니다. 이 두 나라 간의 대화 없이는 현 위기 상황을 해결할 수 없습니다. 그러나 시간은 흘러가고 있고, 북한은 핵확산금지조약(NPT)에서 탈퇴했습니다. 그들은 또한 국제원자력기구(IAEA) 요원들을 추방했고 이제 오늘날 핵실험의 위협까지 이른 것입니다.

테만 그렇다면 미국이 김정일 위원장이 대담에 복귀하는 데 조건을 단 것이 잘못했다는 것입니까?

김대중 미국은 악마와는 대화하지 않겠다고 말했습니다. 하지만 대화에는 강요가 따르지 않습니다. 만약 그것이 국가적 이익과 결부된다면 악마와의 대화도 가능합니다. 우리는 이미 미국 대통령들이 그렇게 하는 것을 봤습니다. 아이젠하워 대통령은 한국전에서 북한과 대화를 시도했고 1953년 휴전 협정을 이루어 냈습니다. 그 협정으로 현재까지 한반도에서 평화가 유지되고 있는 것입니다. 또한 레이건 대통령은 소련을 "악마의 제국"이라고 불렀지만 대화를 택했습니다. 심지어 닉슨 대통령은 중국으로 가서 마오쩌둥과 직접 대담을 가졌습니다. 그는 마오쩌둥에게 개혁과 개방을 촉구했습니다. 미국은 베트남전을 일으키고 패하기까지 했었지만 오늘날 외교와 교역을 통해 대화했고 이제 좋은 관계를 유지하고 있습니다. 반대로, 미국은 쿠바에 대해 50년 동안 봉쇄 정책을 폈지만 아무 변화를 보지 못했습니다. 이는 양국 간 대화가 없었기 때문입니다. 역사는 우리에게 미국 대통령들이 적들과 대화를 했다는 것을 보여 줍니다. 이를 시도할 때마다 변화가 있었습니다. 대화를 거절할 때에는 관계는 실패로 끝나 버리게 되는 것입니다. 부시 대통령은 역사의 가르침을 수용해야 할 것입니다.

테만 빌 클린턴과 함께 평양과의 대화를 당부하셨습니다. 2000년에는 미국과 북한이 협정에 가까워 졌었습니다. 하지만 부시 정권이 들어서면서는…….

김대중 클린턴 정부와는 대북 정책에서 같은 방향을 취했었습니다. 클린턴은 저의 개방 정책을 지지했습니다. 저의 평양 방문(2000년 6월) 이후 미국과 북한과의 관계는 어느 때보다도 가까워졌습니다. 북한의 고위 간부는 미국을 방문했고 올브라이트 장관은 초대를 받고 북한을 방문해 김정일 국방위원장을 만났습니다. 관건은 빌 클린턴 대통령이 직접 북한을 방문하는가였는데 이 계획은 그의 정권이 끝나면서 어긋났습니다. 클린턴 집권하에서는 큰 진전이 있었습니다. 그러나 부시 행정부가 들어서면서 상황은 급진적으로 바뀌었고 저는 매우 불안했습니다. 미국은 즉각 북한과의 대화를 거절했습니다. 2002년 1월 부시 대통령은 북한을 '악의 축'이라고 표현했습니다. 한 달 후, 정상회담을 위해 서울을 방문했을 때 저는 그에게 대화를 재개할 것을 조언했습니다. 그는 저의 제안을 받아들이고 세 가지를 약속했습니다. 첫째, 미국은 북한을 공격하지 않을 것이다. 둘째, 미국은 북한과 대화를 할 것이다. 셋째, 미국은 식량 보급을 지원할 것이다. 그러나 이러한 약속들은 이행되지 않았습니다. 그는 나를 실망시켰습니다.

* 이 글은 프랑스 일간 『리베라시옹』(Libération) 미셸 테만(Michel Temman) 특파원과의 인터뷰이다.

부시의 에이비시(ABC) 정책이 대북 정책 실패 초래

대담 아오키 오사무
일시 2006년 12월 9일

아오키 10월 9일 북한 핵실험을 전후해서 북·미 직접 대화, 주고받는 협상, 동시 실천, 이 세 가지를 거듭 주장해 왔는데, 최근 북·미 대화가 시작되고 부시 대통령도 한·미정상회담에서 핵 폐기를 전제로 한국전쟁 종전 선언 의향까지 있다고 내비쳤다. 북핵 문제 해결을 위한 6자회담과 북·미 관계를 어떻게 전망하시는지.

김대중 미국 중간선거 계기로 북한 핵 문제가 해결 방향을 찾아가지 않겠는가 그렇게 본다. 북이고 미국이고 이 문제는 대화를 통해 해결할 수밖에 없고, 그 외에 가령 미국이 무력을 행사하는 것은 불가능하고 경제 봉쇄도 한계가 있다. 해결책은 북·미가 직접 대화하고 이를 6자회담이 뒷받침하고, 주고받고 동시에 말 대 말, 행동 대 행동으로 해 나가야 한다. 그것 외에는 해결책이 없는 걸 가지고 이렇게 (시간을) 끌고 있는 것이다. 그러나 미국 중간선거를 계기로 제대로 방향을 잡아 가지 않겠나 기대한다.

아오키 한반도 비핵화를 위한 한국의 역할은 어디에 있다고 보시는지.

김대중 한반도 비핵화는 한반도비핵화공동선언에서 남북이 합의한 것이다. 북한 핵실험은 그 공동선언을 위반한 것이다. 절대 용납이 안 된다. 결국 북은 핵을 포기하고 철저하게 검증받는 그런 길로 나가야 한다. 그러면 미국은 좀 줄 것은 주고 그래야 한다. 한국은 한반도비핵화공동선언의 당사자로서 북에 대해 선언 위반의 책임을 추궁하고, 한반도 비핵화로 적극적으로 나가도록 항의하고 설득도 해야 한다. 또 미국에 대해서는 북한과의 대화를 안하고 압박을 가해 성과 없이 북한이 오히려 핵확산금지조약(NPT)을 탈퇴하고 국제원자력기구(IAEA) 감시 요원들을 추방하고 핵실험까지 하도록 사태를 악화시켰다는 점을 설득해 이제 해결의 길을 찾아 대화를 해 나가도록 해야 한다. 바로 그런 데에 한국의 역할이 있지 않겠는가.

아오키 한국이 북에 대해 항의도 하고 설득도 하지만 '햇볕정책'에 대한 비판과 의문의 목소리도 있다. 앞으로도 '햇볕정책'을 계속하는 게 좋다는 생각인가.

김대중 햇볕정책으로 한반도 긴장이 얼마나 완화되었나? 많은 성과가 있었다. 이산가족 상봉만 해도 남북정상회담 이전까지 50년 동안 200명이 만났는데 그 후에는 1만 3,000명이 만났다. 이산가족 문제가 얼마나 큰 인권 문제이고 인도적으로도 중요한가. 그리고 개성공단, 금강산 관광사업은 단순히 경제 교류뿐만 아니고 휴전선을 개성 쪽으로 5킬로미터, 동해안으로 10킬로미터를 북상시킨 것이나 마찬가지다. 개성의 1개 사단이 이동했고, 동해안의 장전항 군항이 이전해 갔다. 그러니 안보를 더 튼튼히 한 것이다.

그뿐이 아니다. 북한이 과거에 우리(남한)에 대해 나쁘게만 생각했다. 미 제국주의의 앞잡이다, 우리(북한)를 죽이려고 한다, 몇 사람만 잘살고 다 거지다, 이렇게 믿고 있었는데 남쪽의 비료와 쌀이 들어가면서 남한이 잘산다, 우리가 속았다, 남한이 우리를 도와주고 있다, 우리도 저렇게 잘살았으면 좋겠다, 이렇게 북한 민심이 바뀌고 있다.

금강산 관광을 130만 명이 다녀왔는데 북한 사람이 볼 때, "우리는 밥도 못 먹는데 남쪽 사람들은 저렇게 관광을 다닌다"면서 얼마나 부러워하겠나? 그래서 과거에 냉담하게, 표독하게 대하던 사람들이 지금은 남한 사람들을 이웃사촌처럼 대한다. 그만큼 마음을 바꿔 놓았다. 얼마나 큰 성과인가. 남한에서도 공산주의는 반대지만 동족 간에는 사랑하고 아끼고 지내야 한다는 생각들이 확실해졌다.

이처럼 햇볕정책은 많은 것을 했다. 햇볕정책이 완전한 성공을 못 한 것은 북·미 관계가 안 좋아져 장애가 와서 못 한 것이다. 그러나 앞으로도 햇볕정책 이외는 딴 길이 없다. 세계 각국의 전문가들도 다 그렇게 말한다. 이번에 마치 햇볕정책 때문에 북이 핵실험을 했다고 하는데 언제 북한이 햇볕정책 때문에 핵실험한다고 했나. 북한은 미국이 자기들을 못살게 하니까 (자위권 차원에서) 핵실험한다고 했다. 미국도 북한 핵실험을 비난했지만 햇볕정책 때문이라고 하지 않았다. 햇볕정책은 부당한 비판을 받았지만 크게 개의할 필요는 없다고 본다.

북한은 중국 때문에도 핵 갖기 어렵게 되어 있다

아오키 북한에 일차적 책임이 있고, 그다음에 북과의 대화를 거부한 미국에도 책임이 있다는 김 전 대통령의 주장이 언론에서는 '미국 책임론'을 제기한 것으로 정리되었다. 그러나 지난 7일 그레그 전 주한 미국대사는 "평양의 핵 개발 추진의 원동력은 한국이 아니라 미국에 대한 북한의 의심, 두려움과 공포"라고 강조했다. '미국 책임론'의 근거를 좀 더 명확하게 구체적으로 밝혀 달라.

김대중 클린턴 대통령 때는 나하고 같이 협력해서 북한 문제가 거의 해결되어 갔다. 그러다가 정권이 교체되었다. 그 이후로 부시 정권이 대북 정책을 계승하지 않고 이른바 '에이비시(ABC · Anything But Clinton) 정책'이라고 해서 클린턴 시절의 정책은 다 반대하지 않았느냐? 그 결과가 큰 실패로 나타났다. 결국 북한의 핵확산금지조약(NPT) 탈퇴와 국제원자력기구(IAEA) 요원 추방 그리고 핵실험이 현실로 나타나게 되었다. 이런 것이 외교적 과오와 정치적 판단 착오가 아니고 뭐겠나?

내가 대통령 재임 중에 2002년 2월 부시 대통령이 서울에 와서 "북을 공격 안 하고 대화하겠으며 식량을 주겠다"고 나와 세 가지 합의를 했다. 기자들 앞에서 발표도 했다. 그런데 실천이 안 되었다. 그런데 그것(강경책)이 북의 핵을 막았나? 막지 못했다. 북한은 "미국이 우리와 대화도 안 하고 우리를 멸망시키려고 하니 핵을 만들지 않을 수 없다"고 말하고 있다. 협상은 서로 만나서 얘기하고, 줄 것은 주고 받을 것은 받고 하는 것인데 서로 불신이 있으니 그 실천을 동시에 해야 하고 그게 협상의 원칙이다. 그걸 안 해서 북이 마침내 핵까지 갖게 되었다. 그걸 (미국 대북 정책의) 성공이라고 할 수는 없지 않나?

아오키 부시 행정부의 외교적 판단 착오가 북핵 억제 실패의 큰 원인이 되었다는 말씀인데…….

김대중 부시 대통령이 지금 현재 잘못했다고 얘기하는 것이 아니라 내가 대통령 재임 때부터 얘기한 것을 저쪽에서 실천을 안 해서 이렇게 되었다는 것이다.

아오키 지난 2002년 10월에 미국이 '고농축우라늄'(HEU) 문제를 제기했는데 그 이후에 지금까지 아무런 증거를 제시하지 못했다. 고농축우라늄(HEU) 문제가 결국 북한이 핵실험까지 이르게 한 중요한 전기가 되었다고 보는데.

김대중 (HEU 문제를 계기로) 결국 북한이 "우리가 (HEU를) 가지고 있지 않은데도 몰아세우는 것 보니까 미국이 우리와 타협할 생각이 없다. 우리의 핵 문제가 아니라 정권 자체를 넘어뜨리려고 하는 것이다." 이렇게 해석을 했고 또 미국 '네오콘'이 그런 얘기를 많이 하지 않았나? 말하자면 북한이 너 죽고 나 죽자 하는 막다른 골목에 있으니 핵이라는 '카드'를 가지고 나가게 된 것 아닌가?

아오키 북한의 핵은 어디까지 카드라고 생각하는 것인지, 북한이 핵 자체를 가지고 싶다기보다는 미국과 협상하기 위한 카드다?

김대중 현 단계에서는 (협상) 카드라고 본다. 왜냐하면 북한이 핵을 가져 봤자 큰 목적을 달성할 수 없다. 우선 북한 핵은 중국에게 악몽이다. 대만이나 일본이 핵을 가지는 길을 열어 주는 것이다. 일본과 대만이 핵을 갖는 것은 중국으로서는 악몽이다. 그러니 절대로 북한 핵을 용납할 수 없는 것이다. 그 때문에 중국이 북에 대해 아주 엄중하게 통보를 하고 있는 걸로 알고 있다. 그리고 현재 북한이 고립되고 여러 가지 경제 제재받는데 앞으로 핵 포기를 안 하면 그 제재는 훨씬 더 강화될 것이다.

결국 북한은 중국 때문에도 핵을 갖기 어렵게 되어 있고, 핵을 가져도 일본과 대만이 핵을 갖는 사태가 오면 북핵은 위력이 크게 감소되어 쓸모가 없다. 그렇기 때문에 북한 핵은 현 단계에서는 '협상용'이다. 미국이 북의 안전을 보장하고 경제 제재 해제하고 국제사회에 나오게 하면 북한은 핵을 포기할 것이다. 또 북한 사람들이 중요하게 얘기하는 것이 "한반도 비핵화는 돌아가신 김일성 주석의 유훈"이라는 것이다. 북에서 김일성의 얘기는 '신성불가침'이다. 그래서 현 단계는 핵을 통해 협상을 성공시키려는 목적이 아닌가 싶다.

아오키 지난 6월로 예정된 재방북이 무산되었는데 다시 여건이 조성이 되면 방북할 의향이 있는가?

김대중 아직 여건이 성숙되지 않아 지금 뭐라고 말하기는 그렇다.

베트남식 무력 통일도 독일식 흡수 통일도 안 된다

아오키 생전에 한반도 평화 통일을 보실 것이라 생각하시는지? 또한 어떤 통일이 되어야 한다고 전망하는지?

김대중 우리가 해방 이후 분단되었을 때 60년 넘게 분단될지 누가 알았나. 통일은 한쪽만 하려고 한다고 되지 않고 상대가 있다. 우리를 둘러싼 미·일·중·러 4대국 영향도 크다. 중요한 것은 남북이 통일의 방향으로 정책의 기본을 세워 한발 한발 나가는 것이다. '햇볕정책'은 통일을 빨리하자는 것이 아니라 착실하게 하자는 것이다. 우선 평화적으로 같이 살자, 그리고 교류 협력하자는 것이다. 북한 경제가 어려우니 경제를 회복시키고 서로 교류를 많이 하고 만나면 상호 이해가 늘어나고 상대방에 대한 부정적인 인식도 바뀌는 것이다.

그다음에 서로 안심하고 살 수 있다고 생각할 때 통일을 하는 것이다. 평화 공존, 평화 협력, 평화 통일 3원칙 밑에서, 그리고 제1단계 남북연합, 이건 지난 6·15정상회담 때 남북연합과 '낮은 단계의 연방제'는 합의가 되었다. 그다음은 미국식의 연방제이고 그다음은 완전 통일이다. 결국 언제 통일이 되느냐가 중요한 게 아니라 그런 방향으로 나가고 있느냐가 중요하다. 그러면 언젠가 통일이 되는 것이다.

절대 통일을 서둘러서는 안 된다. 우리는 베트남식 무력 통일도 안 되고 독일식 흡수 통일도 안 된다. 독일식으로 하면 북한 경제 살리고 북한을 먹여 살릴 능력이 안 된다. 엄청난 부담이고 국민의 큰 반발이 일어난다. 우리는 서로 전쟁까지 했기 때문에 아직도 증오심이 많다. 북한 또한 공산주의로 남한을 적화하겠다는 기본 정책을 바꾸지 않았다. 하나가 되기는 아직 여건이 성숙되지 않았다. 평화 공존, 평화 협력, 평화 통일의 3원칙과 남북연합, 연방, 완전 통일의 3단계로 차분히 가면 완전한 통일이 안 되어도 서로 안심하고 왕래하고 같이 사업하고 북한에 가서 사는 '사실상의 통일' 단계가 오는 것이다.

아오키 참여정부하에서 주한 미군 문제와 관련해 여러 가지 변화가 있었고 앞으로도 협상이 있을 것인데 주한 미군 재배치 문제에 대해 어떻게 생각하시는지 궁금하다.

김대중 주한 미군 재배치와 감축은 미국 자체의 세계 전략에 의해서 하는 것이지 한·미 관계가 안 좋아서 그렇다는 것은 사실이 아니다. 그런 차원에서 해결할 문제가 아니다. 한국과 미국은 기본적으로 관계가 나쁠 것이 없다. 이라크에도 미국, 영국 다음으로 한국이 군대를 많이 보냈다. 미군의 전략에 따라 2사단을 후방으로 옮기는 것도 동의해 줬다. 용산 기지의 평택 이전도 농민들 반대를 경찰이 제재하면서까지 미군 기지가 들어가도록 해 주고 있다. 군사 분야에서는 큰 문제없이 협력하고 있다.

한·미방위조약은 미국의 이익도 되고 우리의 이익도 된다. 국가 간의 이익은 서로의 이익이 되어야 한다. 미국이 한반도에, 또 아시아 대륙에 군대를 가지고 있는 것은 동아시아 전체에 대한 미국의 영향력 유지에 얼마나 중요한지를 알 수 있다. 그러기 때문에 한반도에 미국이 있는 것은 우리를 위해서만 있는 게 아니고 미국을 위해서 있는 것이다. 앞으로도 한·미방위조약의 협력 관계는 유지되어 갈 것이고 그것이 한·미 양측의 공동의 이익이 될 것이다.

미국 예일대학의 폴 케네디 교수가 "한국은 미국·일본·중국·러시아라는 네 마리 코끼리 다리 사이에 끼어 있으니 그 사이를 잘 헤쳐 나가야 한다"고 얘기했는데 참 옳은 말이다. 나는 1971년 대선에 출마해서 '4대국 한반도 평화 보장론'을 말했는데 지금의 6자회담은 거기에 남북을 합친 것이다. 6자회담은 상설화되어야 하고 한·미·일 3국의 공조 협력 관계도 앞으로 공고히 유지해 나가야 한다.

노 대통령, 민생·남북 관계 개선에 좀 더 열심히 해 주길

아오키 노무현 대통령 임기가 앞으로 1년 남았는데 노무현 정부에 대한 솔직한 평가를 듣고 싶다.

김대중 나는 국내 정치는 되도록 말을 안 하는 입장인데, 노 대통령이 어려운 여건 속에서도 남북 관계를 깨지 않고 유지해 나가는 노력을 한 것과 미국에 대해서도 협력할 것은 하면서 주장할 것은 주장한 것은 높이 평가한다. 그점은 국제적으로도 높이 평가하는 사람들이 있다. 그런데 나는 노 대통령이 좀 더 민생 문제와 남북 관계 개선에 열심히 해 주길 바란다.

아오키 지난번 『경향신문』 60주년 기념 회견에서 열린우리당과 관련 "산토끼 잡으려다가 집토끼 놓쳤다"고 말했는데, 통합신당파와 사수파가 대립하는 지금도 그 말씀은 유효한가? 또 열린우리당이 국민의 지지를 받으려면 어떻게 해야 하는가?

김대중 아까도 말했지만 국내 정치 문제는 얘기를 안 하기로 했으니 더 이상은 말하지 않겠다. 다만, 그때 그렇게 말한 것은 사실이고 또 수정할 필요는 없으니 그렇게 이해해 달라.

아오키 노 대통령이 지난번에 김 전 대통령 사저를 방문한 뒤에 이런저런 얘기가 많이 나왔다. 청와대에서 자세한 배경 설명을 했지만 "호남 표와 햇볕정책을 맞바꾼 것"이라는 정치공학적 해석까지 나왔는데…….

김대중 뭐 하고 뭘 바꿨다는 것인가.

아오키 두 분이 호남 표의 지원과 햇볕정책에 대한 지원을 서로 주고받은 것 아니냐는 것이다.

김대중 허, 허…….

아오키 2시간 동안 오찬을 했는데 실제로 북핵 문제와 부동산 문제 그리고 반기문 유엔 사무총장과의 인연 외에는 다른 대화 주제가 없었는가?

김대중 뭐 집안 얘기도 하고 여러 가지 했지만 정치 문제는 일절 안 했다. 또 그분이 정치 얘기를 안 하니 나도 안 했다.

아오키 김대중도서관 1층 전시관을 둘러보니 1998년 대통령에 취임하면서 15가지 대통령 수칙을 적은 국정 노트를 봤다. 영광스러운 때도 있었지만 어려울 때도 있었을 것이다. 특히 박정희 시절에 어려움이 많았지만 집권 후반기에도 어려움이 적지 않았을 텐데 어떤 자세와 신념으로 극복했는지 궁금하다.

김대중 나는 어려움에 처할 때 그걸 피하지 않고 사실대로 받아들인다. 그런 가운데 세어 보면 여러 가지 좋은 점도 있다. 국정이 어렵더라도 외환 위기를 극복했다든가, 남북 관계의 큰 물꼬도 텄다든가, 정보화를 실현했다든가, 우리 국가가 그만큼 세계적으로 위상이 높아졌다든가 하는 것이 그렇고, 개인적으로 또 여러 어려움이 있지만 생각해 보면 우선 신안군 하의도라는 섬에서 태어난 사람이 서울에 와서 대통령까지 된 게 큰 것 아닌가.(웃음) 또 세계에 수많은 대통령이 있지만 재직 중에 노벨평화상을 탄 사람이 누가 있나. 이처럼 세어 보면 많다. 양면을 본다. 나쁠 때는 좋은 면을 보고, 좋을 때는 나쁜 면을 경계하고, 심지어 아내하고 사이가 좋다든가, 건강이 좋다든가, 좋은 친구들이 있다든가 등 세어 보면 많다. 양면을 보니까 좋을 때 경계가 되고 나쁠 때는 위안이 된다.

아오키 김 전 대통령은 민주화의 상징적 인물인데 참여정부의 인기가 떨어지면서 김 전 대통령과 함께 민주화운동 했던 사람들이 '도매금'으로 같이 떨어지는 현상이 있다. 그래서 민주화운동 했던 분들이 마음의 상심을 많이 받고 있다. 그런 분들에게 어떤 자세로 임했으면 좋을지를 말씀해 달라.

김대중 내가 한 일에 대해 옳은 일을 했다, 역사적으로 의미 있는 일을 했다, 이렇게 생각하면 한때 평이 좋거나 나쁘다든가 하는 것은 인간사에서 흔히 있는 일이다. 그 대신 우리가 엄청난 독재를 상대로 수많은 희생을 치르면서 역사를 바꾼 큰일을 해낸 것은 누구도 부인할 수 없지 않나? 그런 의미에서 역사 속에선 반드시 승리자가 된다.

내가 사형 선고를 받았을 때도, 신군부 사람들이 와서 타협하면 살려 준다고 했다. 그러나 내가 당신들에게 협력하지 않으면 일시적으로 죽지만 사람은 어차피 죽는데 나는 영원히 산다, 나는 영원히 사는 길을 택하겠다고 했다. 길게 보면 사람이 죽을 때 내 인생을 값있게 살았다, 이럴 수 있는 사람이 제일 성공한 사람이다. 민주화에 헌신했던 것을 후회할 사람이 누가 있나? 일시적으로 여론이 좋고 나쁘고는 상관할 것 없다.

이번에 핵 문제가 터졌을 때 모두 폭풍에 휩쓸리듯이 하는데, 내가 정면으로 받아서 나간 것도 내가 소신을 가지고 한 일이다. 옳은 일이기 때문에 이런 때 국민에게 바른 방향을 얘기해 줘야 한다. 그게 내 의무다. 이 때문에 내가 타격을 받거나 희생을 받을지 모르지만 내가 볼 때 북·미 직접 대화와 주고받는 협상, 그리고 동시 실천의 세 가지 외에는 길이 없다, 전쟁은 못 하는 것이고 해서도 안 되는 것이다. 이렇게 하니까 내 마음의 정리가 확 되더라. 그렇게 사는 것 아니겠냐?

아베 정권서 한·일 관계 잘될 거라는 확신 지금 가지고 있지 못해

아오키 조만간 '김대중 납치' 사건에 대해 국정원이 조사 결과를 발표할 것으로 예상되는데 그때 박정희 정권 시절 정보기관의 관여가 공식적으로 확인되면 한·일 관계에도 영향이 있을 것 같다. 한·일 양국은 그 문제를 어떻게 해결해야 한다고 보나.

김대중 양국 정부가 정도를 걸어야 한다. 다 알고 있는 일을 지금 감추고 있지 않나? 사실은 사실대로 인정하고 잘못은 잘못대로 책임을 져야 한다. 일본 정부가 한국의 중앙정보부 요원이 한 것이라는 증거를 쥐고도 한국 정부에 적극적으로 타협한 것은 부끄러운 일이다. 또 한국 정부가 그 문제에 대해 책임을 지지 않은 것도 말할 수 없이 잘못된 일이다. 이번 기회에 양국 정부가 공동으로 잘못한 것은 잘못대로, 사실은 사실대로 용기로써 결단해야 한다.

아오키 김대중 전 대통령께서 1998년 10월 오부치 게이조(小淵惠三) 일본 총리와 한·일공동성명(21세기 새로운 한·일 파트너십 공동선언)을 발표하면서 한·일 관계가 많이 좋아졌고 돌이켜 보면 '사상 최고의 한·일 관계'였다. 그런데 고이즈미 준이치로(小泉純一郎) 총리 때에 와서 한·일 관계가 악화되었다. 지금 민간 교류는 활발하지만 정부 관계는 좋지 않은 상태다. 이렇게 된 문제점과 책임은 어디에 있다고 보는지, 그리고 아베 신조(安倍晉三) 총리에 대해 어떤 기대를 하는가?

김대중 오부치 총리와는 아주 합의가 잘되었다. 그렇게 해서 일본이 과거사에 대해 정식으로 사죄하고 우리는 일본이 민주화와 평화로 가는 것을 평가하고 앞으로 미래지향적으로 나가자 이렇게 했다. 실제 집권 5년 동안 한·일 관계는 매우 좋았다. 그때도 야스쿠니신사 문제가 있었다. 상하이 아시아태평양경제협력체(APEC) 정상회담에서 고이즈미 총리와 7가지 항목에 합의했는데 그중에 야스쿠니 문제는 고이즈미 총리가 "새로운 추모 시설을 만드는 것을 고려하겠다"고 자진해서 제안했다. 그런데 실천이 안 되었다. 그 뒤에 고이즈미 총리가 야스쿠니를 참배했다.

전쟁에 나갔다가 희생한 사람에 대해 추모하고 참배하는 것은 당연하다. 우리가 문제 삼는 것은 전범이 합사되어 있기 때문이다. 과거 침략 전쟁에 대한 반성이 있다면 도저히 할 수 없는 일이다. 그것은 그 사람(전범)들 때문에 아까운 생명을 바쳐 전사한 다른 합사된 희생자들에 대한 모욕이다. 그것은 우리 한국과 중국, 동남아 사람들에게 도저히 용납이 안 되는 근본적인 문제다. 그런 점에서 한·일 관계의 악화가 시작되었다.

일본에 대한 우리의 걱정은 과거에 대한 반성이 매우 부족하다는 것이다. 일본은 해가 갈수록 과거를 정당화, 미화하려고 한다. 일본이나 독일이나 다

제2차대전 '침략국'이다. 일본은 독일과 비교하면 싫어하지만, 독일은 반성하고 사과하고 보상하고 국민에게 철저히 과거를 교육시키는데 일본은 거리가 너무 멀다. 독일은 철저한 반성을 했기 때문에 침략을 당한 주변국들로부터 신뢰와 지지를 받게 되었다. 또 철저한 과거 청산의 결과로 독일은 통일을 이루고 현재 유럽연합(EU)의 중심 국가가 되었다. 일본이 '보통 국가'가 되려면, 우선 침략을 한 다른 보통 국가들이 하듯 과거 청산을 해야 한다. 그런데 일본이 군사력 강화와 자기 정당화를 하면서 보통 국가를 얘기하면 침략당한 사람들이 얼마나 걱정하겠나?

한국과 일본, 중국은 반드시 함께 손잡아야 한다. 그래야 동북아와 동아시아 전체 그리고 세계가 안정된다. 이건 절대적 조건이다. 그런데 세 나라가 모래알처럼 각자 흩어져 있는 상태여서 걱정스럽다. 일본은 독일 얘기하면 화내지 말고 "왜 우리에게 그렇게 말하는가"를 반성할 필요가 있다. 그런 점에서 일본이 크게 생각을 바꿔야 한다. 그런데 불행하게도 일본이 아베 정권에서 그럴 가능성은 적지 않은가 싶어 상당히 걱정스럽다.

아오키 아베 총리 취임 이후에도 앞으로 한·일 관계가 어려울 것이라는 얘기인가?

김대중 그렇게 안 되길 바라지만 잘될 것이라는 확신을 지금 가지고 있지 못하다.

일본인 납치 문제를 정치 문제로 발전시키지 않아야

아오키 한반도 비핵화, 동아시아 지역의 안정을 위해 일본의 역할이 크지만 납치 문제 등으로 북한에 대한 일본 여론은 나쁜 상황이다. 앞으로 일본의 역할을 어떻게 보나?

김대중 납치 문제는 두말할 것 없이 북한의 잘못이다. 그런 인권 유린이 어디 있나? 북한의 사과는 당연하고 상당수 사람을 돌려준 것도 당연한데 아직 일본으로서는 미진한 것 아닌가 싶다. 이 문제는 피해자가 납득할 때까지 해결해야 한다. 북한이 어차피 납치한 것 인정하고 사죄했으면 더 이상 감출 것도 없지 않나? 그런데 북한이 왜 그러지 않는지 모르겠다.

나는 사실 지난 6월에 북한에 가면 그 얘기를 하려고 했다. 그 문제는 일본의 속이 확 풀릴 때까지 다 해 줘라, (일본 측과) 같이 찾아다니면서 여기저기 무덤을 파서라도 빨리 문제를 해결해라, 일본의 유족들이 계속 문제 삼고 있는데 언제까지 처음 고이즈미와의 약속하고 다르다고만 주장할 것이냐, 그것은 인권 문제이기 때문에 인권 침해를 당한 사람들이 납득할 때까지 해 주어야 한다, 이렇게 얘기하려고 했다.

다만 일본에서 납치 문제를 정치적으로 이용하는 것은 별도 문제다. 그렇게 해서는 안 된다. 결국 일본은 북한과 국교를 정상화해야 한다. 과거 일본이 침략했던 상대와 국교 수립을 못 하고 있는 것은 일본으로서도 자랑스러운 게 아니다. 그러기 때문에 납치 문제는 납치 문제에 그쳐야지 납치 문제를 정치적 문제로 발전시키는 것은 일본이 할 일이 아니다.

아오키 북·일정상회담도 추진해야 된다고 보는가?

김대중 그런데 지금 일본에서 그런 얘기가 안 통하지 않나? 우선 납치 문제를 빨리 마무리하면서 그 문제(정상회담)로 나가야 한다. 그런데 납치 문제가 미진한 상태여서 일본 정부 방침도 (정상회담 추진을) 안 하고 있고 일본 국내 여론에서도 (정상회담은) 쉬운 일이 아니다. 우선 빨리 북한이 납치 문제를 풀어야 한다. 그리고 국교 정상화로 나가야 한다.

아오키 마지막으로 『오마이뉴스재팬』의 3천 명 시민 회원과 일본 국민에게 메시지를 달라.

김대중 일본이 전후에 경제적으로 크게 일어나고 많은 성취를 했는데 중요한 것 하나가 부족한 게 있다. 일본이 민주주의를 싸워서 쟁취한 게 아니라는 것이다. 고문당하고 목숨 바치고 희생해서 된 게 아니라는 것이다. 한국은 얼마나 많은 사람이 죽었나? 나도 사형 선고를 받아서 죽을 사람이 기적으로 살아난 것 아닌가? 일본은 그런 일이 없다. 그렇기 때문에 일본 민주주의는 주체 세력이 없다.

그러니까 조금 수틀리면 북한과 국교하겠다는 사람의 집에 폭탄 던지고, 중국과 관계 개선하자는 사람 집에 불을 지르고 하는데도 그런 것에 맞서는 세력이 약하다. 내가 일본 친구에게 말한 적이 있지만 민주주의는 공짜가 없다. 토머스 제퍼슨이 "민주주의라는 나무는 인민의 피를 먹고 자란다"고 말했다. 그게 그냥 해 본 소리가 아니다.

일본의 민주주의라는 것이 전쟁에 지고 나니까 맥아더 원수가 와서 "이제부터 민주주의 하라"고 하니까 하다시피 한 것 아닌가? 일본의 민주주의는 근간이, 뿌리가 약하다. 일본의 뜻있는 사람들이 그것을 굉장히 심각하게 생각해야 한다. 그래서 이제 지금 지키는 데라도 목숨을 바칠 필요가 있으면 바쳐야 한다. 그것을 제대로 못 하면 일본은 앞으로 한쪽으로 끌려가고 국제사회에서 친구를 많이 잃을 것이다. 일본이 민주주의 뿌리가 확고하지 않고 주체 세력이 약한 것, 그걸 어떻게 보완하느냐에 일본의 뜻있는 사람이 자기희생을 각오하고 노력해야 한다.

---

* 이 글은 일본 『오마이뉴스재팬』 창간 기념 특별 회견이다. 당시 『오마이뉴스재팬』 편집위원인 아오키 오사무(靑木理)가 2006년 12월 9일에 인터뷰하여 2006년 12월 11일 『오마이뉴스』에 보도되었다.

남북정상회담 노 대통령도, 다음 대통령도 해야

대담 『연합뉴스』

일시 2006년 12월 26일

　　김대중 전 대통령은 26일 병술년 한 해를 마감하며 6자회담 및 북핵 문제 해결 전망에 대해 "명년에는 해결될 것"이라는 희망 섞인 관측을 내놓았다. 김 전 대통령은 이날 『연합뉴스』와 동교동 사저에서 진행한 1시간 10분간의 인터뷰에서 '희망'이라는 단어를 여러 차례 사용하며 외교 문제, 경제 문제 등에서 국민들이 자신감을 가질 것을 당부했다. 그는 "나는 암담한 시절에도 희망을 포기한 적이 없다"며 "스스로 과소평가하지 말고 자신감을 갖는 국민이 돼야 한다"고 역설했다. 다만 그는 정계 개편의 격랑에 휩싸인 정치권을 향해선 "지도자들은 국민을 하늘같이 생각하고 자신이 손해를 보더라도 국민이 바라는 바를 해야 한다"고 쓴소리를 던졌다. 다음은 김 전 대통령과의 문답 내용.

　질문 김 전 대통령은 북핵 해법으로 북·미 직접 대화, 주고받는 협상을 강조했다. 하지만 이번 6자회담은 가시적 성과가 없었다는 평가가 있다. 향후 6자회담을 어떻게 전망하는가?

김대중 변화는 미·북이 직접 대화를 했다는 것이다. 미국과 북한, 6자회담 대표들이 얘기를 많이 해 상대방이 무엇을 생각하고 있다는 것을 알게 됐다. 그런 것은 소득이다. 손에 쥔 성과는 없지만 갈라서지 않고 대화했고, 속단하기는 빠르지만 명년부터는 변화가 오고, 그렇게 될 수밖에 없지 않겠는가. 신중한 기대를 가지고 있다.

질문 방코델타아시아(BDA) 실무자 그룹회의 등 북핵 문제 해결을 위해 미국과 북한은 어떠한 자세를 취해야 하는가?

김대중 방코델타아시아(BDA) 문제와 관련된 증거가 있으면 미국이 내놓은 뒤 북한이 책임져야 할 것이고, 그렇게 명확지 않으면 미국이 좀 더 변화된 태도를 보여야 한다. 북한은 증거를 대면 책임지겠다고 했다. 미국이 고발한 것이니까 고발한 측에서 증거를 대야지 고발당한 측에서 "잘못했소."라는 고백을 기대하기 어렵다.

질문 노무현 대통령과 정부는 북핵 문제에 어떻게 대처해야 한다고 보는가?

김대중 대북 포용정책을 누가 얘기했는가보다는 옳은 방법, 가능한 방법이냐가 중요하다. 포용정책 비판자들이 대안을 내놓는 것을 보지 못했다. 전쟁하려고 하면 북한과 원수지고 관계를 끊어 버리고 개성공단 철수, 금강산 관광을 중단하면 그만이다. 하지만 대화 협력 외에는 길이 없다.

질문 포용정책 지속 여부가 차기 대선의 주요 이슈가 될 것 같다. 대북 포용정책의 변화 가능성을 어떻게 보는가?

김대중 누가 정권을 잡든지 바꿀 수 없다고 본다. 바꿔서 무슨 도움이 되는가. 개성공단서 철수하고 금강산 관광사업을 중단하면 무슨 이익이 되는가? 긴장만 고조되고, 휴전선에서 총소리 한 방만 나도 도망가는 시대가 다시 올지 모른다. 북한과 접촉하고 포용해서 손해 볼 게 뭐 있는가? 또 북한을 도와야 북한이 극단적으로 나오지 않는다.

질문 최근 정치권에서 남북정상회담의 필요성이 제기되고 있다. 정상회담이 필요하다고 보는지, 또 성사 가능성은 있다고 보는가?

김대중 나는 남북정상회담을 하는 게 좋다고 정부 사람들한테 얘기하고 있다. 6자회담이 일진일퇴하는 상황에서 우리가 역할을 하려면 정상회담을 해야 한다. 또 남북 정상이 만나 협력 증진을 얘기해야 하고, 북핵 실험은 한반도비핵화선언 위배이기 때문에 그 문제도 따져야 한다.

이 때문에 노 대통령도 정상회담을 해야 하고 그다음 대통령도 해야 한다고 생각한다. 노 대통령도 가서 만나면 좋은 얘기가 있을 것이고, 맨손으로 헤어지지는 않을 것이다. 그다음에 어느 정부가 들어서든지 길을 열고 왕래하면 된다. 국가원수가 민족의 운명과 장래, 국민의 행복을 좌우하는 문제에 대해 정상회담이라는 기회를 이용하지 않으면 무엇을 하겠는가?

질문 지난 6월 김 전 대통령의 방북 계획이 북한의 미사일 발사라는 돌발 상황으로 무산됐다. 상황이 호전돼 여건만 조성된다면 방북할 의향이 있는가?

김대중 나는 북쪽과 남쪽 정부가 다 같이 평양을 방문하기를 바라면 가겠다. 그러나 양쪽에서 접촉을 바라지 않는다면 내가 전직 대통령이라는 입장이 있기 때문에 함부로 움직일 수가 없는 상황이다.

질문 미국은 행정부의 파워가 강하기 때문에 민주당이 중간선거에 승리해도 대북 정책은 변하지 않을 것이라는 지적도 적지 않다. 미국의 대북 정책이 어떻게 변화할 것으로 전망하는가?

김대중 민주당의 승리가 북·미 직접 대화와 미국의 유연한 태도에 영향을 준 것으로 보인다. 미·북은 이제 겪을 만큼 겪었고, 올 때까지 왔다고 생각한다. 명년은 뭔가 변화가 오지 않겠는가? "대화하다 말다" 하면서 (협상을) 끊는 일도 없을 것이다.

미국 부시 대통령은 이라크, 아프가니스탄 등 대외 정책 면에서 잘 안 됐다. 한국에서라도 성공해야 하지 않겠는가? 그래야 부시 대통령의 업적도 될 수 있다. 북한은 핵실험 성공으로 어떤 면에서 상한가이지만 동북아 국가의 핵 보유가 시작되면 북한의 핵은 값이 떨어지고 시간을 끌면 끌수록 약효가 떨어지게 된다.

질문 일본 내에서 대북 정책에 대해 강경한 우파가 득세하고 있다. 일본은 6자회담에서 어떠한 역할을 해야 하며, 우리의 대일 외교 자세는 어떠해야 하는가?

김대중 일본이 지금 급속도로 우경화되고 있다. 엊그제 일본 국회는 교육기본법을 통과시켜 애국주의를 고취하고 있으며, 헌법 개정 얘기도 나오고 있다. 문제는 일본의 젊은 세대들이 더 우경화한다는 것이다. 하지만 그럴수록 한·미·일 공조를 튼튼히 하고 한·일 양국이 협력을 위해 가능한 노력을 해야 한다.

질문 내년이 국제통화기금(IMF) 외환 위기 10주년이 되는 해이다. 우리 경제는 수출 3천억 달러 달성과 높은 외화 보유고 등으로 안정 기조를 보이고 있지만, 한·미자유무역협정(FTA), 부동산 문제, 비정규직 문제 등 산적한 현안이 많다. 국제통화기금(IMF) 외환 위기 10주년을 맞아 우리 경제를 전망해 달라.

김대중 우리가 국제통화기금(IMF) 외환 위기를 겪으며 30개 재벌 중 16개 재벌이 문 닫고 쓰러졌지만 지금 금융기관이 건전해져 세계적으로 모범이 되고 있고, 부실기업이 다시 살아나 세계적 우수기업으로 등장했다.

현재 중소기업이 안된다든가, 서민 경제가 나쁘다는 문제점도 있다. 하지만 남북 평화를 유지하고 교류 협력을 진전시켜 북쪽으로 뻗어 나가면 21세기에 좋은 성과를 올릴 것이다. 북한에 대해 경계해야 하지만 두려워하는 시대는 지났다. 북한 문제만 해결되면 개인적으로 한국은 세계 5, 6위 경제 대국의 성과를 가질 것으로 본다.

한국 사람은 불필요하게 자기 자신을 비하하고 쓸데없이 과소평가한다. 자기 나라 사람을 평가하지 않고 우리의 장점을 평가하지 않는 것을 고쳐야 한다. 과대망상도 안 되지만 자신을 가져야 할 것은 가져야 한다. 그런 면에서 명년을 자신을 갖는 해로 생각해야 한다.

질문 대선을 1년 앞둔 시점에서 참여정부와 열린우리당은 낮은 지지율로 이대로 안 된다는 의식이 팽배하다. 또 우리당은 진로 문제로 내부 갈등이 고조되고 있다. 여권의 정치 상황에 대해서 생각하는 바가 있다면 말해 달라.

김대중 그 문제에 대해서 의식적으로 관여를 안 하려고 한다. 내가 말하는 것이 도움이 안 된다. 나는 정치를 끝낸 사람이고, 그것이 내가 정치를 도와주는 길이다. 자기들 일은 자기가 해야 한다.

질문 현재 여야 대선 주자들에게 당부하고 싶은 말은? 또 내년 대선의 시대정신에 대해 국가 원로로서 한 말씀 해 달라.

김대중 내년 대선에서 누가 되든지, 페어플레이를 하고 정책 대결을 했으면 좋겠다. 과거에 나를 포함해 선배들도 정책 대결이 제대로 안 됐다. 예를 들어서 인신공격이라든가 여러 가지 것들이 있었다. 그러니 정치 발전이 어렵고, 국민도 좋지 않은 인상을 갖고 있다. 그래서 이번에는 보수, 개혁, 중도(세력이) 내놓고 정책 대결해야 한다. 내가 대통령 당선될 때 처음으로 여야 정권 교체가 있었다. 내년 대선에서는 처음으로 정책 대결에 따라 국민이 판단했으면 좋겠다. 그러면 정치가 발전할 것이고 국민 화합, 상호 존중의 분위기도 일어날 것이라는 생각이 든다.

질문 정치권에 당부하고 싶은 말은.

김대중 아까도 말했지만 우리나라는 희망이 있다. 암담한 시절에 저는 고문을 받고, 사형도 선고받았다. 하지만 희망을 포기한 적이 없다.

최근 전교조 간부가 바뀐 것을 보면 국민의 힘이 크다는 것을 알 수 있다. 민노총이 파업하려다 실패하는 것도 국민의 힘이 크기 때문이다. 국민의 힘을 믿고 살아야 한다. 국민에게 폐가 안 되도록 정치인, 언론, 지도자가 잘해야 한다. 국민은 개개인으로 보면 잘난 사람, 못난 사람도 있지만 민심이라는 힘으로 뭉치면 그것은 최고다. 민심대로 따라가면 국민이 주인이기 때문에 옳은 것이다. 지도자들은 국민을 하늘같이 생각하고 국민이 무엇을 바라는가를 생각하고 자신이 손해를 보더라도 해야 한다.

평화 통일과 세계 평화에 도움이 되고자

대담 조순용

일시 2007년 1월 2일

조순용 2007년 새해를 맞아, 김대중 전 대통령 모시고 말씀 들어봅니다. 김대중 전 대통령님 안녕하십니까?

김대중 네. 안녕하십니까?

조순용 국민들에게 새해 덕담 한 말씀 부탁드립니다.

김대중 우리는 6·25전쟁 속에서 일어나서 세계 11번째 경제 대국을 만들었고, 그동안의 네 번의 독재를 극복하고 민주주의를 확고하게 정착시켰습니다. 또 외환 위기도 극복했고 정보화에 있어서도 세계 선두입니다. 남북 관계도 화해 협력의 계기를 만들어서 우리 국민이 과거 어느 때보다 더 안심하고 사는 그런 시대가 되었습니다. 또 경제가 가장 중요한 단계에 있는 그런 상황인 것 같습니다. 그런 의미에서 국민이 금년에 훌륭하게 차기 대통령을 뽑고 우리나라 경제도 돼지해가 상징하듯이 잘되고 특히, 서민 경제가 잘되어서 우리 국민 모두의 얼굴에 웃음꽃이 피는 그런 경제가 되기를 바랍니다.

남북정상회담으로 남북 협력 관계 진전시켜야

조순용 네, 온 국민의 얼굴에 웃음꽃이 피는 그런 한 해를 기원하시는 말씀 감사합니다. 먼저 올 한 해 남북 관계, 대외 정책에 대해서 여쭤보겠습니다. 지난해 북핵 실험 이후, 남북 관계, 한반도 정세에 대해 걱정하는 분들이 많습니다. 특히 올 한 해 북한이 어떻게 나올 것인가 이런 질문들을 하고 있는데 올 한반도 정세에 대해서 전망을 해 주십시오.

김대중 네, 작년에 북한의 핵실험이 큰 충격을 주었고 남북 관계도 파탄 상태로 들어갈 우려가 있었는데 지금 결국은 다시 대화의 국면으로 접어들었습니다. 핵 문제는 대화로써 해결하는 것 말고는 다른 방법이 없습니다. 그리고 저는 미국과 북한이 대화를 해야 한다고 해 왔습니다. 그리고 줄 건 주고, 받을 건 받는 협상. 상호 불신이 있기 때문에 동시에 이행하는 그런 과정에서 남북은 남북대로 서로 연맹해서 북한이 우리와 협력해서 한반도 평화를 굳건히 지키고 장차 민족의 평화적 통일을 위해서 하나하나 협력해 나가는 그런 것을 주장해 왔습니다. 우리 국민 모두의 생각도 같을 거라고 봅니다. 그런 의미에서 금년은 남북 관계가 한층 더 발전되기를 바랍니다. 나는 정부 사람들한테도 얘기했습니다. "남북정상회담을 노무현 대통령이 퇴임하기 전에 김정일 위원장과 하는 것이 좋겠다. 그래서 남북의 협력 관계를 한층 더 진전시켜 놓고 퇴임하는 것이 좋을 것이다. 그것이 금년도 한반도 평화와 안정을 위해서 좋을 것이다." 그리고 무엇보다도 북한과 미국이 서로 직접 대화를 해서 이미 시작했습니다만 줄 건 주고, 받을 건 받고 서로 불신이 있으니까 동시에 이행하고 하면 가능한 것입니다. 북한은 핵을 확실하게 폐기하고 철저하게 검증을 받고 미국은 북한에 대해서 안전을 보장하고 경제 제재를 해제해 줘야 합니다. 방코델타아시아(BDA) 돈 문제도 증거가 있으면 북한으로 하여금 책임지게 하고 증거가 없으면 해결해 줘야 합니다. 이건 어려운 문제가 아닌데 어렵게 하고 있습니다. 그래서 금년에는 그런 문제들이 풀려 가야 하지 않나 생각합니다. 금년은 어려운 가운데서도 결국 북한이나 미국이나 대화에 의해서 풀어 나가는 그런 방향으로 나가지 않을 수 없지 않으냐 그렇게 생각합니다.

조순용 대통령께서 앞서서 노무현 대통령이 임기 내에 남북정상회담을 하는 것이 바람직하다고 말씀하셨는데 현 정부 입장에서는 조금 소극적이지 않나 하는 면이 있습니다. 더구나 정치적인 소용돌이에 휘말려서 제대로 진척이 될까 하는 의아심이 드는데 방안이 있을까요?

김대중 제가 보기에는 정부가 그렇게 소극적인 것은 아닌 것 같습니다. 북쪽에서 응하면 될 것으로 봅니다. 그리고 노무현 대통령이 김정일 위원장이 서울 방문하는 조건을 풀어 주어서 어디서든 만나겠다고 했기 때문에 상당히 가능성이 더 커진 것 아닌가 생각합니다. 문제는 북한의 태도에 있고 또 북한은 약속한 것이기 때문에 늦었지만 지금이라도 당연히 정상회담을 해야 합니다.

햇볕정책 외에 대안 없다

조순용 국민들이 갖고 있는 북한에 대한 의식이라든지 이런 것은 대통령의 국민의정부부터 시작했던 대북 포용정책, 햇볕정책이 굉장한 영향을 주었다고 볼 수 있는데, 지난번 북한 핵실험 때도 금강산에서 관광은 계속되었거든요. 그럼에도 불구하고 일각에서는 햇볕정책이 잘못되었다고 비난하는 목소리도 있습니다. 이 햇볕정책의 의미에 대해서 다시 한번 설명 부탁드립니다.

김대중 햇볕정책이 잘못되었다고 비난하는 분들은 있지만 어떻게 하겠다고 대안을 내는 분들은 없습니다. 국내뿐 아니라 세계적으로도 햇볕정책의 대안은 전쟁이 아니면 대안이 없다는 것이 일치된 의견입니다. 그리고 이번에 핵 문제로 햇볕정책을 비난했는데 그것은 정말 당치 않습니다. 햇볕정책이 남북 관계의 긴장을 조금이라도 완화시켰으면 시켰지 어떻게 그 햇볕정책 때문에 핵 문제가 일어났겠습니까? 북한이 핵을 실험하면서 "햇볕정책을 하니까, 핵을 만들었다"고 이런 소리 안 하지 않았습니까? "미국이 우리를 못 살게 구니까 할 수 없이 이거 만들었다." 이렇게 얘기했는데 왜 우리가 그래야 됩니까? 또 미국도 북한의 핵에 대해서 비난했지만 우리 남한에 대해서 "당신들 햇볕정책 하니까 이렇게 된 거다."라고는 안 하지 않았어요? 그것은 완전히 우리 국내에서 정치적 목적으로 지어낸 말이지 사실을 직시한 것은 아닙니다.

조순용 그런 햇볕정책을 비난하는 사람들을 설득하고 이해를 높이는 것도 하나의 문제겠지만 그 사람들이 주장하는 것은 북한이 전혀 변하지 않고 있다, 핵을 만들지 않았느냐, 북한의 핵실험 자체가 잘못된 것은 분명하다, 이 부분을 설득하는 것도 중요한 것 같습니다. 혹시 대통령께서 다시 북한을 특사 자격으로 방문하실 계획이 있으신지요?

김대중 네. 지금 상황이 달라졌고 북쪽과 우리 정부 양쪽에서 내가 평양 가는 것을 바라고 합의가 있으면 가서 우리 민족을 위해서, 남북 간의 합의를 위해서, 한반도의 평화를 위해서도 6자회담 관련 이야기를 하고, 의견을 표현하고 싶다는 생각은 가지고 있습니다.

미국의 입장 변화와 앞으로의 대북 정책

조순용 네, 남과 북이 정부 차원에서 합의가 된다면 가실 용의가 있다고 이해를 하겠습니다. 대통령께서는 앞서 북핵 실험 사태가 발생했을 때 즉각 북한이 핵실험을 한 것은 잘못된 것이다, 그러나 미국도 변해야 한다, 북한과 대화를 하라 이렇게 촉구하셨습니다. 꼼작하지 않던 부시 행정부도 중간선거에서 공화당이 완패를 당하자 대북 정책 기조를 바꾼 것 같습니다. 결국 대통령께서 다른 대안이 없지 않으냐 하는 주장이 옳다는 것이 증명된 것 아니겠습니까?

대화하고, 줄 건 주고 받을 건 받아라

김대중 네, 저는 재임 시절에도 부시 대통령에게 여러 번 얘기했습니다. 북한과 대화하라고. "당신이 악을 행한 자와는 대화를 할 수 없다고 했는데 그것은 역사와 다르지 않으냐. 한국전쟁 중에 공산당과 대화를 했고 그 결과로 오늘날 50년 평화가 유지되고 있다. 닉슨은 중국과 대화했다. 그래서 결국은 공산국가가 모두 민주화되었다. 레이건 대통령은 소련을 악마라고 했다. 닉슨은 중국에 가서 마오쩌둥을 만나서 대화했다. 그래서 중국을 개혁 개방으로 유도했다. 그러니까 잘되고 있지 않으냐. 왜 북한하고만 안 하려고 하느냐." 그래서 대화하라고 설득해서 부시 대통령과 2002년 2월달에 장시간 이야기했어요. 그때 부시 대통령은 세 가지를 이야기했어요. 당시에는 북한을 '악의 축'이라고 지정한 때인데 정상회담 후 여기서 "북한을 공격하지 않겠다, 북한과 대화하겠다. 그리고 북한에 식량을 주겠다"고 약속했어요. 기자들 앞에서 공개적으로 얘기했는데 그것이 제대로 지켜지지 않았어요. 그런데 부시 정권 들어와서 북한과 대화를 거부한 결과가 어떻게 되었습니까? 북한은 그동안 핵확산금지조약(NPT) 탈퇴했고 국제원자력기구(IAEA) 요원을 추방시켰어요. 그래서 북한의 핵을 일일이 감시하던 것이 아무것도 못 하게 돼 버리고, 그 사이에 북한이 핵무기를 만들었어요. 사태를 악화만 시켰어요. 결국 부시 정권의 북한에 대한 정책은 많은 마이너스를 가져왔다고 봐야 돼요. 그래서 이제라도 그것을 고쳐서 대화해서 줄 건 주고, 받을 건 받고 그래서 같이 책임 있게 이행하고 거기에 대해서 6자회담이 감시하고 그러면 이제 이 문제는 해결되는 거예요. 그리고 이제 미국도 북한을 군사적으로 공격할 힘이 없지 않습니까? 해서는 안 되고. 우리가 그렇게 만들어야 됩니다. 그리고 경제 제재한다고 했지만, 미국과 일본이 이미 제재하고 있지만 북한은 그대로 유지되고 있어요. 중국이 지원하는 이상 북한은 유지됩니다. 지금 중국을 봤을 때 북한 하나 먹여 살리는 것은 일도 아닙니다. 그런데 중국은 미국도 북한한테 양보할 거 양보해야 하는데 왜 그러냐 하는 생각을 가지고 있기 때문에 더 이상 북한에게 가혹하게 못 합니다. 물론 중국도 북한이 핵무기 가지는 것은 절대 반대입니다. 그렇게 되면 일본이 갖게 되고, 대만이 갖게 되니까 그것은 중국으로서는 악몽이에요. 그러나 지금 북한만 나쁘다고 할 수는 없어요. 그래서 미국이 북한에 대한 태도를 유연하게 취해야 돼요. 대화하고 줄 건 주고, 받을 건 받고 북한을 국제사회로 나오도록 해야 돼요. 그렇게 되면 북한이 핵무기를 포기 안 할 수 없어요. 안 하면 중국이 그대로 안 있어요. 그리고 6자회담도 본격적으로 하고. 그리고 만일 북한이 끝까지 핵 포기를 안 하면 한국에서도 핵을 갖자고 할 거예요. 일본에서는 벌써 갖자는 말이 나오고 있고 대만도…… 그리고 북한이 핵을 혼자 가졌을 때 가치가 있지 다 같이 가지면 가치가 없어요. 북한은 그러므로 여기서 태도를 바꿔야 돼요. 그리고 북한이 끝까지 중국을 거역할 수 없고 또 국제적인 경제 공세가 앞으로 더 본격화되면 체제를 유지할 수 없기 때문에 태도를 바꿔야 해요. 그리고 미국도 전쟁으로 안 되는 이상은 경제 제재는 한계가 있으니까 결국 주고받는 협상을 하고 2007년은 우여곡절이 있겠지만 양쪽 다 태도를 바꿀 수밖에 없지 않은가 그렇게 전망하고 있습니다.

조순용 네, 아주 좋은 전망인 것 같습니다. 그렇다면 6자회담도 그런 말씀

속에서 요약하면 우여곡절을 겪겠지만 방코델타아시아(BDA)로 이번 회담이 아쉬웠는데 이런 문제도 조만간에 해결될 수밖에 없겠군요?

김대중 이번 회담에서도 대외적 발표보다는 내용적으로 첫째 만났어요. 과거에 못 만났는데 만나서 대화를 했고, 그리고 서로 많은 얘기를 하고 상대방을 많이 알게 되고 검토 중이에요. 그래서 이번 회담은 결렬이라고 할 수 없습니다. 그래서 예비회담 같은 성격을 갖는데 본격적으로 대화를 하는 데 밀고 당기는 것이 몇 번 되겠지만 부시 정권으로서도 이제 임기가 얼마 안 남았는데 중동에서 다 실패하고 있는데, 아프가니스탄에서도 지금 위험해요. 그런데 한국에서까지 실패하면 설 자리가 어디 있겠어요? 그래서 다음 선거나 부시의 체면을 위해서도 북한 문제만이라도 해결해야 하는 그런 상황입니다.

선거는 선거고 남북 관계는 남북 관계다

조순용 북한 정책에서 중국이 중요한 역할을 해야 할 것 같습니다. 일본과 비교했을 때 한반도 평화를 위해 북한을 변화케 하는 역할에서 중국이 큰 역할을 해야 되겠죠?

김대중 그건 당연하죠. 중국은 북한과 동맹국이라고 볼 수 있고 또 북한의 경제를 지탱해 주고 있다는 데서 그렇게 볼 수 있고, 일본은 아직 상당히 극단적으로 거부감을 계속하며 공세를 가지고 제재를 하고 있기 때문에 북한은 일본에 대해서 아주 증오심을 표시하고 있습니다. 그러나 북한도 속으로 간절히 바라는 것은 국교를 정상화해서 일본으로부터 한 100억 달러 정도로 예상하는 과거 식민지 통치 배상금을 받고 싶어 하는 것이 간절한 생각입니다.

조순용 대통령님 말씀을 들어 보면 올 한 해가 한반도 정세에 긍정적인 발전을 이루는 해 같습니다. 우리 정부에서도 이런 점을 충분히 알고 추진을 해야 될 텐데 자꾸 걱정되는 것은 올해 대통령 선거 때문에 이 문제를 정략적으로 해석해서 훼손시키지 않을까 하는 그런 우려가 있습니다. 정부가 좀 더 적극적으로 나서야 되는 것 아닙니까?

김대중 남북 문제만은 여당이고 야당이고 일치하는 것이 전쟁은 안 되는 것 아닙니까? 평화를 위해서 협력해야 한다는 것도 일치하니까 큰 테두리 안에서는 이야기가 될 것이라고 생각하고 있습니다. 그리고 국민도 남북 관계에 있어서 서로 화해 협력하고 잘 지내는 것을 바라지 전쟁을 바라는 국민은 거의 없습니다. 그러니까 이런 점에서 국민적 합의가 있는 것입니다. 다만 북한이 하는 일이 마땅치 않고 이해할 수 없는 일이 있기 때문에 짜증스러운 반응이 나오는 것도 사실입니다만 그렇다면 어떻게 할 것이냐? 대화로 풀어 나가는 것밖에는 방법이 없는 것입니다. 그렇기 때문에 정부는 그러한 여야 관계나 국민적 여론을 생각해서 제대로 해야 합니다. 선거는 선거고 남북 관계는 남북 관계입니다. 남북은 계속 협력해 나가야 되는데 정부가 선거 때문에 정략적으로 하지는 않으리라 보고 있습니다.

부품소재 기업과 중소기업을 적극 육성해야

조순용 이번에는 경제에 대한 전망을 듣도록 하겠습니다. 지난해 우리나라가 수출 3천억 달러를 달성했습니다. 그렇지만 일반 서민들의 목소리를 들어 보면 국제통화기금(IMF) 외환 위기 때보다 나쁘다고 보는 분들도 있는데 왜 이렇게 됐다고 보시는지요?

김대중 나는 우리 경제가 문제점도 있지만 또 긍정적으로 평가할 점도 많다고 생각합니다. 지금 말씀하신 대로 3천억 달러라는 거액을 수출하고 있고 세계에서 11번째 경제 대국이고 조선, 반도체, 철강, 석유화학, 섬유산업

이런 것이 세계 선두 주자 대열에 서 있거든요. 그래서 세계 국제연합(UN) 가입 국가가 197개가 있는데 그중에 영국, 프랑스 같은 20개 선진국 빼놓고 나머지는 다 우리나라를 모범으로 생각합니다. 민주주의 하지요, 경제 제대로 해서 세계 10위권에 들어가죠. 정보화에서는 세계 최선두를 가고 있는데 우리는 우리 스스로를 너무 과소평가합니다. 그러나 그것은 아닙니다. 경제 문제에 있어서 검토해 보면 대기업은 제대로 해 나갑니다. 대기업과 금융기관은 세계적인 경쟁력까지 됩니다. 그런 것은 제힘으로 해 나가도록 제한을 풀어 주면서 자유롭게 해 나가도록 하는 것이 도와주는 겁니다. 문제는 중소기업이나 특히 부품소재 기업입니다. 부품소재라는 것은 대기업이 선정한 제품을 뒷받침해야 되는데 지금 이것이 안 되니까 외국에서 사오고 있습니다. 부품소재 기업이 발전되어야 우리의 경제 성장 동력이 강화됩니다. 그래서 중소기업, 이런 것을 우리가 적극적으로 육성을 해 나가야됩니다. 그래서 정부가 대기업은 제힘으로 하게 놔두고 중소기업이나 부품소재니 자영업이니 이런 데 많이 지원을 해야 합니다. 문화관광이라든가…… 그리고 서민들, 제힘으로 못 살아가는 사람에게는 기초생활 보장으로 도와주고 그리고 우리가 의식주 중에서 의, 입는 것과 식, 먹는 것은 대부분 해결되었고 과거보다 낫습니다. 문제는 주입니다. 여기에서 우리 경제의 성패가 결정됩니다. 지난번에도 노무현 대통령이 집에 오셨을 때도 이야기를 했는데 나는 전문가가 아니라서 자신 있게 이렇게 해라, 저렇게 해라 할 수는 없지만 내 생각은 이렇습니다 하고 말했습니다. "정부가 제일 주력해야 할 것은 서민 주택이다. 서민 주택을 충분히 만들고, 그리고 그 입주 조건이 서민들이 감당할 수 있는 입주 조건으로 해야 한다. 집만 지어 놓고 비싸서 못 들어가거나 하면 안 된다. 그렇게 해서 서민 주택이 해결되면 사회가 일거에 안정이 된다. 그리고 일반 주택 특히 강남 주택 같은 것은 수용 인구 원칙, 시장경제 원리에 의하되 거기에서 폭리를 취하거나 투기를 하는 데는 가차 없어야 된다. 그렇게 하면 이 문제는 국민이 찬성하고 박수 보내면서 따라오지 않겠느냐 생각한다"고 얘기했고, 대통령도 이에 동감한 얘기를 한 적이 있습니다. 지금 경제를 크게 보면 세계 속에서 한국 경제는 괜찮습니다. 대기업도 잘하고 있어요. 그런데 중심 동력이 되어야 할 중소 기업이 어려우니까 경제가 잘 안 되는 것입니다. 열심히 일하고 도와주는 사회적 측면에서는 서민들에게 잘해야 됩니다. 서민 주택 숫자와 입주 조건이 서민이 감당할 수 있게 해 줘야 하고 일반 주택은 수요 공급 원칙에 따르고 폭리 한 것은 세금으로 거둬들이고 이러면 어떻겠느냐 하는 생각을 가지고 있습니다.

조순용 문제는 작년에 정부가 부동산 정책을 내놓을 때마다 가격이 폭등한 그런 한 해였던 것 같습니다. 문제는 정부 정책에 대해 신뢰가 없다는 지적이 있거든요. 결론은 아무리 좋은 정책이라도 국민이 신뢰하지 않으면 성과가 없다는 것 아니겠습니까? 그런 측면에서 본다면 신뢰를 어떻게 회복해야 하는지요?

김대중 정책을 국민이 알아듣게 손에 쥐여 주듯이 설명하고 세우면 일단 세우는 대로 가야 돼요. 그래서 자꾸 되풀이해야 돼요. 국민이 잊어버리지 않게 되풀이해 주고 정부가 이쪽으로 간다고 하면 국민도 같이 갈 수 있도록 말하자면 국민과 같이 가는 정책을 집행하게 되면 국민이 안심하고 따라가는 것이죠.

조순용 일관성, 원칙을 가지고 반복적으로 설득해야 하는 노력이 좀…….

김대중 좋은 정책의 잦은 변경보다는 나쁜 정책의 일관성이 오히려 낫다는 말이 있어요. 그래서 일단 한 번 정하면 그대로 가야 합니다.

중요한 것은 자신감, 희망을 갖는 것

조순용 현재 우리 경제가 안고 있는 가장 큰 문제가 성장 동력이 약화되었다, 양극화로 나누어져 있다고 지적하는 전문가가 많습니다. 올해 이런 문제를 어떻게 해결할 수 있다고 보시는지요?

김대중 우리 경제 여건이 전부 다 나쁜 것이 아닙니다. 첫째 경제에 중요한 물가가 안정되어 있지 않습니까? 금리도 안정되어 있고 경제 성장률도 5퍼센트 가까이 될 것이고, 크게 나쁜 것은 아닙니다. 그런데 문제는 아까도 나왔지만 중산층, 중소기업 이런 것이 튼튼하지 못하니까 기반이 확고하지 못하는 데서 문제가 있습니다. 그래서 앞으로도 우리 경제에서 집중할 것은 대기업은 자기 힘에 맡기고 중소기업 육성, 특히 부품소재 기업 육성에 힘써야 하고 사회적 불안 요인인 사회 빈곤층이나 주택 문제는 사회정책으로 해결해야 한다고 생각합니다.

조순용 대통령께서 국민의정부 때부터 추진해 왔던 아이티(IT) 강국의 준비는 잘 되어 있는데 결국 정부가 힘을 덜 실은 것은 아닌가, 어떻게 하면 힘을 더 실어 줄 수 있다고 보시는지요?

김대중 그런 방향에서 우리가 생각할 때 무엇보다도 정보화 기술이나 첨단기술을 발전시켜서 이것을 기업들에게 제공하고 접목시켜서 우리가 세계 경쟁에서 이겨내는 그런 경제적인 실력, 능력을 갖춰야 한다고 생각합니다. 지금도 아이티(IT) 강국으로서 자랑스럽게 생각하는 것은 정보화와 접목시켜서 전통산업, 예를 들면 조선, 철강 등이 대기업으로 성장하지 않았어요? 그래서 첨단기술과 접목하게 되면 더 좋은 물건을 더 빨리 더 싸게 만들기 때문에 조선 같은 것도 세계 1위가 되었고 자동차나 반도체도 마찬가지입니다.

조순용 일부에서 우리의 제도나 시스템이 글로벌 시대에 적합하지 않고 후진적이다, 그래서 아무리 아이티(IT) 강국이라고 해도 지속적인 발전 가능을 유지하기 어렵다고 우울한 전망을 하는 영국의 분석도 있는데 어떻게 보시는지요?

김대중 외국에서 말한 것은 다 맞는 것이 아닙니다. 한국이 6·25전쟁 후 폐허에서 경제 건설한다고 했을 때 오늘의 한국이 있을 거라고 말한 사람이 누가 있습니까? 없습니다. 그래서 나는 한국 국민은 정부가 길만 잘 열어 주면, 모든 난관을 헤치면서 여기까지 왔듯이 앞으로도 때로는 좌절하고 후퇴하겠지만 결국은 전진할 것으로 봅니다. 왜냐하면 우리 국민이 21세기 지식기반 경제 시대에 가장 알맞은 국민이기 때문입니다. 우리가 세계적으로 보더라도 지식 전통이 강한 나라입니다. 우리는 중국으로부터 유교 및 고급문화를 받아들여서 그것을 전부 우리 문화로 재창조했습니다. 우리는 과거科擧제도가 있었습니다. 때문에 고위 관직을 부자 세습이 아니라 아무리 영의정 아들이라도 과거에 합격하지 못하면 관직에 올라갈 수 없었습니다. 그런 것이 있었기 때문에 과거에 합격하기 위해서 교육이 발전했습니다. 그래서 오늘날 여기까지 교육이 큰 힘을 발휘했습니다. 그리고 우리 국민이 자기 힘으로 민주화를 해냈습니다. "민주주의는 인민의 피를 먹고 자란다"고 했는데 그것이 사실입니다. 우리가 얼마나 피를 흘리고 감옥 가고 고통받았습니까? 그리고 마지막 독재자를 무너뜨리는 최후 고비에서는 모든 국민이 다 일어섰습니다. 그렇게 해서 만든 민주주의입니다. 민주주의가 뒷받침하고 있기 때문에 경제도 자연히 그런 국민적인 힘에 의해서 뒷받침되고 국민적 감시를 받습니다. 그래서 투명해집니다. 우리 경제도 과거에 비해서 훨씬 투명해졌습니다. 그렇기 때문에 세계와 경쟁하는 데 있어서도 우리는 그렇게 만만하지는 않을 것입니다. 과거에 우리가 조선에서 세계 1등을 하고 정보화에서 세계 1등을 하리라고 생각했습니까?

그래서 나는 우리 국민을 믿습니다. 일방적인 희망으로 믿는 것이 아니라 지금까지 해 온 것을 보고 믿습니다. 그래서 우리가 세계에 들어가서 어느 정도 우리 역할을 할 수 있다고 보는데 아까 말한 대로 대기업, 중소기업들이 해 나가고 남북 관계만 해결되면 우리는 머지않아 세계 경제 6위, 7위가 될 것이라고 생각합니다.

조순용 그렇죠. 돌이켜 보면 50년 동안 식민지 국가에서 남북 간에 동족상잔의 전쟁을 치르고 갖가지 소용돌이 속에서 세계 경제 11위 나라가 된 것을 보면 참 대단한 민족임이 틀림없는 것 같습니다.

김대중 또 분단되어 있지 않습니까? 70만 군대를 위해 막대한 국방비를 쓰고 있으면서도 해낸 거예요. 그래서 우리 국민한테 말하고 싶은 것은 너무 자기를 비하하지 말라, 우리가 이만큼 해내지 않았는가? 중요한 것은 자신감입니다. 희망과 자신이에요. 그것도 덮어놓고 하는 것이 아니라 노력하면서 하고 있는 실적을 보고 그것은 아주 중요한 것입니다.

한·미자유무역협정(FTA), 잘하면 약이 되고 못하면 독이 된다

조순용 결국 우리 같은 작은 나라가 일본과 중국 이런 강대국 속에서 오늘날 이렇게까지 자리를 잡고 있는 것도 자부심을 가질 만한 것 아닌가 생각합니다. 우리가 한·미자유무역협정을 추진하고 있는데 이 문제가 아직 해결되지 않고 있습니다. 이 문제에 대해서 상반된 견해가 많은데 미국과의 관계를 봤을 때 어떻게 해석하고 추진해야 된다고 생각하시는지요?

김대중 미국과의 자유무역협정(FTA)은 기본적으로는 해야 하는데 잘하면 약이 되고 못하면 독이 됩니다. 그것이 답입니다. 그런데 자유무역협정(FTA)을 미국과 안 하면 어떻게 되느냐부터 얘기하면 미국은 세계 최대의 시장입니다. 우리는 국내총생산(GDP)의 70퍼센트가 무역에 의존합니다. 그런데 그 세계 최대 시장에 다른 나라는 미국과 협정을 맺는데 우리만 안 하면 우리 경제가 어떻게 되겠습니까? 그리고 세계가 민족 경제 시대가 아니고 세계 경제 시대인데 앞으로도 동남아시아 나라와도 자유무역협정(FTA) 한다고 하는데 다 하고 미국만 안 하면 어떻게 되겠습니까? 그래서 결국 우리는 수출에 의해서 유지하는 나라이기 때문에 큰 시장으로 덤벼들어야 합니다. 그런데 무턱대고 덤벼들면 안 되고 내줄 건 내주고 받을 건 받아야 되는데 내준 분야에서 타격이 오는 것은 보완을 세워야 합니다. 그래서 미국과 자유무역협정(FTA)을 이번에 안 하면 앞으로 우리가 미국 시장에서 굉장히 불리한 입장이 되는데 그렇게 되면 우리 경제가 타격을 받을 것이라고 생각합니다. 그리고 앞으로 중국이나 일본 같은 다른 나라가 자유무역협정(FTA)을 하고 우리만 외톨이가 되면 어떻게 합니까? 우리가 칠레와 자유무역협정(FTA) 할 때 내가 대통령 하면서 추진했는데 그때도 반대가 많았는데 내가 "걱정 마라. 대책을 다 세워 놓고 한다"고 설득했습니다. 그때 칠레와 자유무역협정(FTA) 이후 우리가 중남미로 자꾸 진출하고 있지 않습니까? 그리고 농업문제 이런 것도 아무 문제가 없거든요. 그러니까 처음부터 두려워하고 걱정하지 말고 우리가 그것을 극복할 능력이 있다는 것입니다. 극복 못 하는 것은 보완해야 한다는 것입니다. 그래서 이 문제는 서로 손해 보지 않는 조건으로 협상이 된다면 해야 한다고 생각합니다.

조순용 충분히 극복할 수 있는 잠재력도 있고 보완책도 있을 것 같은데 반대의 목소리가 너무 높아서 정부도 주춤하는 경향도 있는 것 같고요. 그래서 이 문제를 현명하게 풀 수 있는 묘책은 별로 없는 것 같아 보입니다.

김대중 정부가 문제의 필요성 그리고 앞날에 대한 자신감을 갖고 자꾸 국민을 설득해야 합니다. 그래서 국민이 이해를 하도록 하는 것 외에 다른 길은 없습니다. 그리고 국민도 반대하는데 안 하면 어떻게 되느냐 하는 것도 생각해야 합니다. 이제는 우리가 원하건 원치 않건 경제는 세계화되고 있습니다. 세계시장에 뛰어들어 가야 합니다. 특히 우리 같은 경제구조는 그렇습니다. 그런데 우리가 세계시장으로 뛰어드는 데 합당한 전략과 정책을 가지고 가지 않으면 뒤처지게 되어 있습니다. 그래서 이 문제는 우리가 큰 결심을 갖고 충분한 준비를 가지고 대응해야 합니다. 그렇게 하면 우리가 세계 무대에서 큰 성공을 거둘 수 있지 않나 생각합니다. 우리 국민과 기업이 있기 때문입니다. 지금까지 그만큼 해 오지 않았습니까?

모든 문제는 국민의 수준 이상 할 수 없다

조순용 보다 다급한 현실 문제로 화제를 바꾸겠습니다. 올 12월 대통령 선거가 예정되어 있습니다. 어떤 지도자를 어떻게 뽑아야 할 것인지 걱정도 하고 기대도 하고 있는 것 같은데, 어떤 지도자가 선출되어야 한다고 보시는지요?

김대중 나는 금년 선거에 있어서는 후보자들이 페어플레이를 하고 그러기 위해서는 정책 중심으로 경쟁해 줬으면 좋겠다고 생각합니다. 이건 매번 선거 때마다 한 얘기인데 나를 포함해서 그동안의 선거는 페어플레이 속에서 정책 대결이 되지 못했습니다. 그래서 그런 점에 있어서 금년에는 우리 정치도 한 발 발전해야 되고 새로운 단계로 들어가야 되지 않나 하고 생각합니다. 말은 쉽지만 실제로 해 보면 그렇게 되지 않는다고 하는데 이것도 불가능한 일은 아닙니다. 가령 지금부터 1년 동안 선거운동을 하는데 후보자들이 국민에게 자기 정책을 설득해서 또 그 정책을 실천하는 방안을 설명해서 지지를 받으려고 하지 않고 상대방을 비방하거나 하면 국민의 여론조사 때 그런 사람에게 표를 안 주면 됩니다. 정책 대결한 사람은 지지율이 올라가고 그렇지 않은 사람은 지지율이 떨어지면 자연히 그렇게 할 수밖에 없지 않습니까? 이렇게 선거 풍토를 바꾸는 것도 국민의 손에 달렸습니다. 국민의 실력과 능력과 영향력이 그만큼 성장했습니다. 그래서 정치인들도 더 이상 비방이나 여러 가지 욕설이나 즉흥적인 약속은 국민들에게 안 먹힌다는 것을 알 때가 되었습니다. 그래서 이번 대통령 선거는 우리나라 역사에서 하나의 새로운 계기를 만드는 그런 페어플레이를 할 수 있는 계기가 되어야 하지 않나, 국민도 그렇게 할 수 있는 준비가 되어 있지 않은가, 과거처럼 지역이나 동문에 연연하지 않고 나라를 생각하는 정책 중심으로 후보자를 판단하고 여론조사 때 지지해서 우리 선거 풍토를 높일 수 있을 노력을 국민이 해내지 않겠나 하고 생각됩니다.

조순용 네, 여러 가지 조건을 보면 가능성이 충분히 있다고 얘기합니다. 하지만 중요한 것은 국민의 의식이 높아진 만큼 정치인들의 의식도 바뀌고 있느냐에 대해서 의심하는데요?

김대중 안 바뀌면 그런 사람들은 자꾸 처지는 거죠. 그리고 또 시민단체들도 있지 않습니까? 시민단체들이 또 여러 가지 비평도 할 것이고 그러니까 우리 국민들을 보면 자기 힘으로 민주주의를 이뤘고 여야 정권 교체를 해내지 않았습니까? 그러니까 세계에서 손색없는 민주국가를 만들었거든요. 그러니까 선거도 과거에 비해서 훨씬 투명해지고 문제점도 적어졌거든요. 그러니까 한발 한발 더 나가겠죠. 그래서 여하튼 모든 문제는 국민의 수준 이상은 할 수 없습니다. 그렇기 때문에 국민의 수준이 그만큼 가면 그만큼 해야 됩니다. 가령 노동조합에서도 국민이 반대하면 할 수 없습니다. 정당도 국민의 눈치를 보고 정책을 세우지 않습니까? 그래서 후보자들은 더구나 표를 얻어야 될 사람이기 때문에 국민의 눈치를 안 볼 수 없습니다. 국민만 확실하게 그런 결심을 가지면 됩니다. 여론조사도 예비투표이거든요. 거기서 자꾸 하나하나 탈락시켜 가면 가장 건전한 선거운동 하고 가장 바른 정책 제시한 사람만

이 남을 것 아닙니까?

조순용 대통령께서는 정치에 관여하지 않겠다는 말씀을 거듭하고 계십니다. 그러나 이 말씀을 그대로 받아들이지 않는 사람도 있는데 어떻게 생각하시는지요?

김대중 나는 이번 대통령 선거도 개입 안 한다고 하고 안 했습니다. 물론 내 이름을 활용한 분들도 있고 하는 것은 사실이지만 나 자신은 개입 안 했어요. 그런데 더구나 지금은 대통령 그만두고 정계에서 은퇴한 상태에서 내가 나서는 것은 도움이 되지 않습니다. 현역에 계시는 분들이 자기 역량껏 해 나가야지 일단 물러선 사람이 거기에 개입하는 것은 별로 도움이 된다고 생각하지 않습니다. 내가 지금 나이도 많고 건강도 안 좋은 점이 있는 사람이 국내 정치까지 개입할 짬이 없습니다. 내가 하고 싶은 것은 한반도 평화, 민족의 화해 협력 이런 것을 더 해서 다시는 이 땅에서 전쟁이 안 일어나고 남북이 결국에는 평화적으로 통일하는 데 조금이라도 도움을 주면 좋겠다, 그리고 내가 노벨평화상을 받은 사람으로서 세계 평화 이런 문제에 대해서 능력껏 노력하겠다 그래서 이 두 가지에 집중해서 노력하는 것도 사실입니다. 그래서 나는 앞으로 그렇게 하는 것이 국민에게 도움이 되고 내 자신도 바르게 처신하는 것이라 생각하기 때문에 금년 선거에서도 나는 개입하지 않을 것은 분명한 사실입니다.

조순용 끝으로 불교방송 청취자들에게 새해 인사 말씀 한마디 부탁드립니다.

김대중 우리나라 불교가 국가의 발전, 그리고 나라를 지키는 데도 백성들의 마음을 안정시키고 그리고 착하고 성실하게 살도록 하는 데 인도하고 또 부처님의 영광을 높이는 데 많은 역할을 해 온 것을 잘 알고 있습니다. 금년에도 불교계가 국민 사이에서 존경받고 사랑받는 그런 불교계로 발전되고 부처님의 자비가 온 누리에 널리 퍼지도록 불교계 여러분께서 많은 도움 주시기 바랍니다.

* 이 글은 불교방송(BBS) 「조순용의 아침저널」 신년 특집 회견이다.

북핵 해법에 전환점이 되는 해 낙관

대담 오귀환
일시 2007년 1월 4일

오귀환 연말연시 되니까 대선에 출마하려고 하는 많은 분들이 찾아오는데, 어떤 얘기들을 주로 하셨습니까?

김대중 한나라당에서 오신 분들도 주로 남북 관계라든가 6자회담 그런 얘기를 많이 했는데 아주 좋은 대화가 됐어요. 그분들이 평소에 못 듣던 얘기를 듣고, 또 거기에 대해서 자기들 의견도 얘기했는데 상당히 좋은 대화가 됐어요.

오귀환 이명박 전 서울시장에게 특별히 말씀하신 것이나, 이 전 시장이 특별히 한 얘기가 있습니까?

김대중 내가 하는 말에 대해서 처음 듣는 얘기로서 많이 생각을 한 것 같고…….

오귀환 아, 그렇습니까. 어떤 부분을 새롭게 느꼈을까요, 그 분이.

김대중 그건 얘기할 건 없고요, 난 이명박 씨와 원희룡 씨 만난 것을 유익했다고 생각하고, 손학규 씨도 유익했다고 생각했어요. 열린우리당이나 민주당은 다 잘 아는 거니까. 사람이라는 게 만난다는 게 참 중요한 것 같아요.

얘기를 직접 듣고, 특히 한나라당은 나에 대해 아무래도 거부적인 생각도 있고, 얘기 듣는 것도 좋은 얘기 아니고 그런데, 직접 와서 듣고 아 그렇구나 하는 생각들을 갖는 것 같아요.

오귀환 그동안 한나라당의 공식적인 입장이랄까, 그런 걸 보면 앞으로 그 문제(포용정책)를 어떻게 풀어 갈 것인지 궁금했던 측면이 많았는데, 만나 뵙고 많이 배웠다니까…….

김대중 나는 배웠다고는 얘기 안 했고(웃음), 여하간 만나서 잘 됐다는 생각, 좋은 대화했다는 생각이에요. 진짜 분위기가 그랬어요.

오귀환 와이티엔(YTN) 보니까 대선 주자를 만나시면서, 대선에서는 정책을 한두 개만 계속 반복해서 얘기해야지 효과가 있다고 말씀하셨는데, 그건 경험에서 나온 것인지요?

김대중 그래요. 정치인들이 국민한테 어떤 얘기를 설득시키려면 아주 단순하고 손에 쥐어 주듯이 구체적으로 얘기하는 형태, 그것을 되풀이해야 돼요. 그래야 국민 뇌리에 박히지. 한 번 하고 다른 얘기하고, 또 다른 얘기하고 그러면 국민 머리에 안 남아요.

오귀환 현재로선 이명박 시장이 경부 운하 얘기를 계속하니까, 가장 많이 (사람들 머릿속에) 각인돼 있는 것 같은데요.

국민들 머릿속에 남는 것은 두서너 가지

김대중 사람들이 이명박 하면 청계천 생각들을 많이 하잖아요. 자기들로서는 내가 시장일 때, 내가 대통령일 때 이것도 하고 이것도 하고 많이 했다고 생각하지만, 국민들 머릿속에 남는 것은 많아야 두서너 가지거든요. 그것을 알고 대해야 해요. 내가 항상 얘기하는데, 레이건하고 먼데일하고 대통령 선거하는데, 먼데일은 아주 우수한 사람이었어요. 매일같이 새로운 정책 내고, 기자들은 아주 좋아서 톱으로 올리고 중간 톱으로 올리고 이렇게 했는데 레이건은 세금 감면이니 뭐니 똑같은 소리 자꾸 되풀이하니까 나중에 기자들이 화가 나서 "이것밖에 없냐." 이런 소리까지 했다는 거거든요. 그런데 선거에서 레이건이 압승했어요. 나중에 유권자들을 조사해 보니까 먼데일 얘기는 많이 들었는데 아무것도 남는 게 없다 이거예요. 그런데 레이건은 투표소 들어가니까 남는 게 있어서 레이건을 찍었다, 그런 유명한 얘기가 있어요. 그래서 후보한테 내가 얘기해 줬어요. 나도 준비된 대통령이라든가 남북 문제라든가, 그런 것은 몇십 년이고, 특히 남북 문제는 1971년부터 계속 얘기했거든요. 국민들이 대통령 할 때 제일 머리에 남았던 게 준비된 대통령이란 말이었을 거예요. 그때 마침 외환 위기가 났으니까 그게 맞아 들어간 거거든요.

오귀환 올해 북·미 관계와 6자회담의 전망과 관련해 "변화를 예견하면서 신중한 기대"를 한다고 말씀하시고 북·미 관계가 긴 터널을 빠져나오고 있다는 말씀도 한 것으로 알고 있습니다. 북한의 부시 행정부에 대한 불신, 부시 행정부의 대북 정책이 과연 변했는가라는 의문 등을 들어 비관적 견해도 많은데 상대적으로 낙관적으로 보시는 듯합니다. 왜 그렇게 보시는지 듣고 싶습니다. 또 북한은 부시 행정부와의 협상을 통해 관계 정상화와 북핵 문제를 해결할 의지가 있다고 보십니까, 아니면 부시 이후를 겨냥하고 있는지, 그런 문제를 어떻게 보시는지요?

김대중 내가 낙관한다는 것보다는, 올해는 북한 핵 문제가 가부간에 하나의 전환점이 될 것이다, 그런데 잘못될 가능성도 있지만 또 풀려 갈 가능성도 있다, 그렇게 보는 것입니다. 양면이 있는데 풀려 갈 가능성이 작년보다는 높다는 생각입니다. 이유는 서로 그런 필요성이 있고, 또 그렇게 안 하면 손해를 보는 이유가 있는 것입니다. 미국 같은 경우를 보면 민주당이 선거에 이겼고, 민주당은 클린턴 때 하던, 대화하고 줄 건 주고 받을 건 받고 그런 길을 주장하는 거거든요. 그런데 아시다시피 국회가 미국에서는 굉장히 힘이 있지 않습니까? 또 부시 자신도 북한에 대해 안 그러면 어떻게 할 것이냐, 북한에 대해 전쟁할 것이냐, 지금 중동에서도 저 모양인데 전쟁할 처지가 못 되지 않습니까? 또 경제 제재한다는데 중국이 경제 제재를 안 하는 이상은, 이미 미국과 일본은 경제 제재를 하고 있거든요. 중국이 나서야 북한이 움직여 줘요. 그러니까 그 문제에 있어서도 미국이 결정적인 힘을 갖고 있지 않다, 또 2년 후 미국 대통령 선거인데 공화당으로서도 부시로서도 북한 문제라도 해결이 돼야지, 이라크도 저 모양이고, 아프가니스탄도 위험한 상황이거든요. 북한 문제가 어쩌면 잘될 수 있다는 전망이 있고 그러니까, 미국으로선 필요성과 현실적인 그 이외에는 길이 없다, 그래서 금년까지도 아무것도 없이 넘어가면 자꾸 북한 사태가 악화되거든요. 부시 정권 돼서 제네바협정 파기해 버렸죠, 핵확산금지조약(NPT)을 북한이 탈퇴했죠, 국제원자력기구(IAEA) 요원들 추방해 버렸죠, 모라토리엄(미사일 시험 발사 유예) 깨고 미사일 쐈죠, 핵실험하고……, 이렇게 미국으로 봐선 나쁜 것만 나왔단 말이에요, 얻은 것은 없고. 그러니까 또 이대로 가면 북한이 더 그런 길로 나오지 않겠느냐 하는 가능성도 있는 것이고. 그래서 미국은 현재의 자기의 한계로 보나 필요성으로 보나, 미국 국회의 변화로 보나 해결할 수 있으면 대화로 해결하겠다 그렇게 나온 것이고 그래서 이번에 그동안 악을 향한 자와는 대화를 안 한다고 하다가 이번에 대화했잖아요. 그리고 심지어 방코델타아시아 그 문제로 미국 대표가 북한대사관도 가고, 내가 알기로는 이번에 6자회담에서도 미국이 상당히 구체적으로 핵을 포기한다면 뭔가를 해 줄 수 있다고 (북한에) 얘기한 것으로 알고 있습니다. 그래서 미국이 이젠 보따리를 풀기 시작했거든요. 공개적으로 부시가 노무현 대통령에게 평화 서명을 하겠다든가, 종전 선언을 하겠다든가, 김정일 위원장과 같이 만나겠다 했잖아요. 그래서 그렇게 전체적으로 보면 미국 입장에서 볼 때도 금년은 풀리는 방향으로 가지 않겠냐, 그 이외에는 딴 길이 없지 않겠냐 이런 생각입니다.

북한 입장에서도 지금이 상한가입니다. 핵을 쏴서 자기네 힘을 보였고, 주변에 많은 위력을 발휘했다고도 볼 수 있고, 그래서 여기서 해결을 해야지 이걸 안 하고 말하자면 신나서 계속 밀고 가면, 그런 짓을 하면 그때 가면 문제가 생기는 거예요. 중국도 북한이 끝내 해결을 안 하면 북한에 대해 강력한 태도, 예를 들면 지원을 중단한다든가 이런 쪽으로 나오든지, 아니면 북한이 핵을 가지려면 가져라, 이렇게 나오든지, 둘 중에 하나를 해야 할 처지에 있어요. 그런데 내가 보기엔 중국이 북한 핵을 용납할 가능성은 없다고 봅니다. 왜냐하면 북한 핵을 용납하면 당장 일본이 핵 가진다는 소리 나올 것이고, 대만도 그럴 가능성 있고, 한국도 그런 소리 나올 겁니다. 동북아 전체가 핵 지뢰밭이 되는 것이고, 중국으로서는 일본이 핵 갖고 대만이 핵 갖는 것은 악몽과 같은 일이거든요. 그래서 북한(의 핵 보유)을 용납 안 한다고 봅니다. 그리고 북한이 영 (말을) 안 듣고 제2차 핵실험도 하고 그렇게 나가면, 지금은 북한에 대한 원조를 어느 정도 그대로 유지하면서 설득을 하지만 그때 가면 강한 태도로 나오지 않겠느냐. 그렇게 되면 북한도 견디기 어렵다는 생각이고. 만약 북이 해결을 안 하고 지금처럼 계속 버티면 유엔서도 제2차 결의도 할 수 있을 것이고, 미국도 훨씬 더 강경한 태도로 나오고, 세계도 더 동조할 가능성이 있고, 그러면 북한이 이겨내기 어렵다, 북한이 지금도 힘들게 견뎌 내고 있는데, 핵이 국민들 밥 먹여 줍니까, 핵이 옷을 입혀 줍니까. 그런 점에서는 북한도 어려운 처지에 부딪힌다, 이렇게 보고 있고. 또 예상해서 한국이나 일본이나 대만이 다 핵 가진다면 북한이 혼자 가질 때 큰소리하지, 다 가지면 큰소리할 거리도 못 되는 것 아니냐, 그리고 북한에 핵이 몇 개 있다고 해 봤자 미국 핵 앞에 가면 어린애 장난감도 안 되는 것이고. 그러니까 북한으로서는 지금 해결을 할 수 있는 좋은 찬스가 아니냐는 생각이고. 내가 만났던 김정일 위원장, 또 북한을 들여다보고 있으면 북한은 지금도 미국과 관계가 개선돼서 미국이 자기네를 승인해 주고, 외교 관계를 맺고, 안전을 보장해 주고, 그리고 북한도 핵을 해결을 해서 국제통화기금이나 아시아개발은행에서 돈도 빌리고, 일본과 국교 정상화를 해서 약 100억 달러로 예상되는 과거 식민지 시절 통치에 대한 배상금도 받고, 이렇게 하는 것을 북한이 지금 열망하고 있다고 봐야죠. 그래서 그런 점에 있어서 올해에는 나쁘게 되면 아주 나쁘게 되겠죠, 더 이상 자꾸 질질 끌지는 못할 것이고. 하지만 극적인 전환을 가져올 수 있는 가능성도 있다고 생각합니다.

오귀환 좀 전에 말씀하신 것처럼, 미국의 부시 대통령이 김정일 국방위원장과 만나서 핵 폐기와 연결해 한반도 종전 선언까지 할 수 있다는 정도로까지 양보할 수 있을까요?

김대중 당연히 그렇죠. 그리고 미국이 지금 우리나라에서 상당히 군대를 빼내고 있지 않습니까? 그렇다면 북한과도 긴장을 완화시키는 것이 안심하고 (미군을) 빼내는 길이 되는 거니까 북한과 평화협정을 맺는다든가 이렇게 하는 것이 절대 필요한 것이고, 또 우리도 그런 방향으로 유도를 해야죠.

오귀환 그런 식으로 나아갈 것이라고 기대는 하고 있는데, 이번 6자회담 5차 2단계에선 몇 가지 교착상태에 빠진 게 있었습니다. 교착상태를 풀기 위해서는 양쪽이 각각 어떤 입장 변화랄까, 양보 조처를 취해야 하는 것인지 말씀해 주시죠.

김대중 간단해요. 북한은 핵을 포기하고 철저한 검증을 받아야 돼요. 그리고 미국은 북한을 안전 보장하고 경제적 제재를 해제해 줘야 해요. 방코델타아시아 포함해서. 그것을 서로 합의 안 하니까 계속 문제가 되고 있는 거예요. 이제 미국만 그런 방향으로 결심하면 북한이 핵 포기하겠다고, 한반도 비핵화를 김일성 유훈이라고까지 말하고 있으니까 한다고 봐야 하고, 만일 그렇게 미국이 해 줬는데도 북한이 핵 포기 안 하면 그때는 중국도 가만히 안 있을 거고, 우리도 가만있지 않을 것이고, 세계가 가만히 안 있을 거예요. 북한 못 견뎌요. 그러니까 이 문제는 한 번 마음만 먹으면 되는 문제예요. 이 문제가 1994년부터 얘기해 온 거예요. 말하자면 주고받고 일괄 타결해야 된다. 부시 대통령이 여기 왔을 때 얘기인데, "당신이 악을 향한 자와는 대화하지 않는다고 하는데, 아이젠하워는 전쟁 중에 북한과 대화했지 않았냐, 그래서 휴전협정을 해서 지금 50년 동안 평화를 유지하고 있지 않느냐, 레이건은 소련 보고 악마의 제국이라고까지 했는데, 소련과 대화해서 소련과 서방세계가 유럽안보협력조약을 만들어서 그 결과로 소련이 개혁 개방했는데 그 여파로 동유럽이 민주화됐고, 닉슨은 중국 마오쩌둥을 만나서 개혁 개방을 유도했고, 심지어 지금은 베트남하고 전쟁했는데 전쟁한 원수와 국교 맺고 잘 지내고 있지 않냐, 그러면 왜 북한하고만 못 한다고 하느냐." 그래서 나하고 얘기가 돼서, 그게 2002년 2월인데, 부시 대통령이 청와대에서 기자들 앞에서 세 가지를 얘기했어요. 북한을 공격 안 하겠다, 그때는 북한에 대한 공격 얘기가 있던 때예요. 그리고 북한과 대화하겠다, 북한에 식량 주겠다. 그런데 그게 지켜지지 않았어요. 그래서 내가 볼 때, 부시 대통령이 6년 동안 하면서 북한으로서는 손해만 봤지, 얻어 낸 건 없어요. 그런 문제 때문에 우리도 남북 관계가 자꾸 가다가 막히고 가다가 막히고 그래요.

오귀환 북한 핵 문제와 남북정상회담이 반드시 연결된 것이 아닐 수도 있고 서로 순서가 바뀔 수도 있는데, 두 가지 주제는 어떤 식으로 풀어 가는 게 좋을까요?

김대중 남북정상회담을 하게 되면 핵 문제 얘기 안 하고, 6자회담 문제 얘기 안 하고 뭘 얘기하겠습니까? 그게 제일 중요한 의제지. 그걸 가지고 우리는 북한에 대해 핵 포기를 요구하면서 그렇게 되면 미국이 이렇게 할 것이다 얘기도 해 주고, 또 북한은 자기네가 미국에 대해 믿을 수가 없으니까 뭘 가지고 우리보고 믿고 포기하라고 하느냐 이런 얘기도 나올 것이고, 그런 가운데서 우리가 역할을 할 수 있는 것 아닌가 해요.

오귀환 노무현 대통령 임기가 1년밖에 안 남았는데도 올해 여건이 되면 정상회담이 가능할 수 있을까요?

재임하는 대통령마다 정상회담을

김대중 그렇죠. 나는 오래전부터 정상회담 하라고 권유했는데, (노무현) 대통령도 물러나기 전에 정상회담을 해야 돼요. 나로부터 시작해서 재임하는 대통령마다 정상회담을 하면 다음 대통령도 하게 돼요. 그런데 여기서 걸러 버리면 맥이 끊어질 가능성도 있죠. 북한으로서도 서울 답방하기로 약속했는데, 서울로는 못 오는 한이 있더라도 정상회담을 해야 약속을 지키는 것이고, 또 그렇게 하는 것이 북한이 남한으로부터 지원받고 하는 데도 도움이 될 거라고 생각해요.

오귀환 정상회담은 상황적으로 우리 민족의 운명과 관련해 굉장히 중요한 시기에 해야 할, 굉장히 중요한 주제임에도 불구하고 대선 때문에 자칫 야당이나 보수 세력 쪽에서는 정치적으로 이용한다는 식의 반대 여론을 조성할 수도 있거든요. 그런 반대 여론을 뚫고 노 대통령이 올해 정상회담을 관철할 만한 의지가 있는지, 상황이 그렇게 흘러갈 수 있을까요?

김대중 그건 노 대통령에게 물어보시죠.(웃음) 북한이 하겠다고 한다면 노 대통령도 응할 것으로 봅니다.

오귀환 지난해 4월 북한 방문을 하시려다 잘 안 됐지 않습니까? 올해 여러 여건이 갖춰진다면 방북하실 의향은 있으신지요.

김대중 나는 원칙적으로 남북 양쪽 정부가 내가 평양에 가는 것을 바라면 가겠다는 생각인데, 지금은 상황이 노 대통령 임기도 얼마 안 남아서 내가 가는 문제보다는 노 대통령과 김정일 위원장이 직접 정상끼리 대화하는 문제가 더 당면한 문제로 등장한 것이 아닌가 생각됩니다.

오귀환 북한으로서도 노무현 대통령과 정상회담을 하고자 하는 진지한 의사가 있다고 보십니까?

김대중 북한으로서는 서울 답방을 해야 할 책임도 있고, 노무현 대통령과 대미 관계에 대한 협의도 할 수 있는 것이고, 경제적 지원도 요청할 수 있는 것이고, 남북 관계에서 긴장 완화를 위한 여러 조처도 할 수 있는 것이고, 그러니까 북한으로서도 나쁠 것이 없죠.

오귀환 한나라당에서 대선 후보로 거론되는 사람들과 대화를 해 보셨는데, 햇볕정책, 대북 포용정책에 대한 평가가 국내에서도 엇갈리고 있고, 국외에서도 엇갈리고 있는데…….

김대중 국외에서는 엇갈리지 않아요.(웃음)

오귀환 햇볕정책이나 포용정책이 정치적 여건에 따라서는 계속 (논란이) 불거질 가능성이 있거든요. 한나라당 대선 후보들이 대북 포용정책에 대해서 어떤 반응을 보일까 궁금한 대목들이 많이 있었습니다. 한나라당 대선 후보들이 경청하는 자세를 보여 줬다고 하는데, 누가 집권하든 대북 포용정책이랄까 햇볕정책이 필요한 정책이라는 이유를 설명해 주시겠습니까?

김대중 나는 이번에 만난 한나라당 대선 후보들이 내 말을 긍정적으로 들었다 안 들었다기보다는 한나라당에 대해서도 걱정 안 해요. 한나라당이 집권하면 북한과 대화 안 하고 어떻게 하겠습니까? 전쟁하겠습니까? 긴장이 고조돼서 국민들이 총 한 번만 쏴도 보따리 싸서 도망갈 준비하고, 외국서 온 투자자들이 자꾸 빠져나가려는 상황, 그런 일을 한나라당이 하겠습니까? 나는 한나라당이 집권하더라도 어느 정도 북한에 대한 인도적 지원은 안 할 수가 없을 것이고, 개성공단이라든가 이런 것 철수시킬 수도 없을 것이고, 남북 간에 사람이 왕래를 할 수밖에 없을 것이라고 봅니다. 만일 사태가 악화돼 북한과 딱 단절시키면 국민들이 그것을 지지하겠습니까? 지금 이렇게 핵실험한 상태에서도 여론조사 하면 북한과 포용정책은 계속돼야 한다는 국민들이 상당수가 있는데 그렇게 하겠습니까? 정권 잡을 때 한 얘기와, 잡고 나서 현실적인 필요성이 부딪힐 때와는 다른 것입니다. 난 그래서 그 문제에 대해서는 걱정 안 해요. 솔직하게 얘기하면 햇볕정책 이외에는 딴 길이 없지 않습니까? 딴 대안이 없어요. 게다가 미국이 북한과 대화를 시작하고 있고, 줄 건 주고 이렇게 하려고 합니다. 올해에 미국과 북한 관계나 6자회담이 파탄 나 버리면 상황은 악화될 것입니다. 그러나 저는 그렇게 되지는 않을 것이라 보고 있고요. 미국이 북한과 대화 시작하고 해결하는 방향으로 한발 한발 가는데 우리만 햇볕정책 포기하는 그런 상황을 어느 정권이 하겠습니까? 나는 그런 일이 없을 거라고 봐요.

오귀환 6자회담이나 그 안에 포함된 북·미 대화에서 전체적인 기류는 낙관적으로 흘러갈 가능성이 있다고 보시는데, 최악의 경우 나쁘게 되는 것은 어떤 경우에 그런 일이 벌어질 수 있을까요?

김대중 미국에서 나쁘게 하는 일은 없을 것으로 봅니다. 왜냐하면 미국은 중동 문제에 묶여 있고, 또 부시 정권 내에서 한국 정책을 강경 쪽으로 몰아붙였던 네오콘들이 상당히 퇴조해 있고, 민주당이 나서 클린턴 정책을 주장하고 나서고 있기 때문입니다. 북한이 군부 중에 강경파가 득세해서 제2차 핵실험하고 이런 사태가 온다면 상당히 악화될 것으로 봅니다. 그러나 북한이 중국 지원도 거부하면서 세계적으로 한층 더 고립하는 상황으로 (2차 핵실험을) 하기가 쉽지 않을 것이라고 봅니다. 그래서 금년엔 나빠질 수도 있지만 오히려 풀리고, 그렇게 풀리는 방향으로 미국이나 북한도 안 갈 수가 없다, 내가 다 알겠습니까마는 그런 생각을 갖습니다.

오귀환 상황이 풀리는 쪽으로 갈 때, 남북이 힘을 합쳐 이 문제를 풀어 나가기 위해 민족 내부의 단결을 선행하는 데 6자회담 틀을 활용해야 한다는 생각도 듭니다. 그런 점에서 남과 북이 주도적으로 해야 될 일들이 어떤 것이 있을지 말씀해 주시겠습니까?

김대중 예. 6자회담에서 푸는 것과 남북 간에 푸는 것을 병행해야 하는데, 남북정상회담이 그런 계기가 될 것이라고 생각합니다. 나도 (북한에) 올라갈 때는 아무것도 합의 없이 갔어요. 가서 딱 앉아서 얘기하니까, 우리가 7천만 민족 앞에서 이렇게 수십 년 만에 만났는데, 여기서 아무것도 해결하지 않고 맨손으로 갈 수는 없지 않으냐 하는 분위기가 되더라고요. 그래서 김정일 위원장이 상당히 양보를 했습니다. 연방제도 양보를 했고, 서로 모든 것을 평화적으로 한다는 것도 합의가 잘됐고, 특히 서울 방문 같은 경우는 굉장히 어려운 고비를 넘기면서도 기어이 설득이 됐어요. 발표문도 김용순하고 임동원 이름으로 한다는 것을, 무슨 소리냐고 우리 둘이 만났는데, 그렇게 하면 세계가 웃을 것이라고 해서 그렇게 둘이 한 것으로 다 얘기가 되더라고요. 그래서 사실 처음에 올라갈 때는 그저 간 것만도 의미가 있다, 이산가족 상봉만 얻어내면 괜찮을 것 같다, 정 안 되면 그렇게 하자고 했는데, 그런데 그보다 훨씬 더 잘됐어요. 이번에도 만나면 그렇게 돼요. 그리고 지금 남과 북이 싸워서 남이나 북이나 득 될 게 아무것도 없잖아요. 서로 한발 한발, 가령 앞으로 군사회담을 상설화한다든가 여러 가지 안보에 대한 합의도 하고, 미국 포함해서 평화협정을 앞으로 맺는다고 하든가, 그런 것을 합의한다면 한반도 전체에서 분위기가 확 달라질 것 아니에요.

오귀환 전시작전통제권 문제와 관련해, 북한 핵실험 이후에도 한·미 간에 어느 정도 가닥을 잡아 합의를 했는데 이 문제는 어떻게 풀어 나가야 할 것으로 보시는지요?

김대중 나는 군사전문가가 아니라 자신 있게 말할 수는 없으나 작전권 환수 문제는 사실은 우리보다 미국이 더 그렇게 세계 전략을 바꾸면서 바라고 있는 것 아닙니까? 그렇기 때문에 미국이 그 문제에 대해서는 요지부동이거든요. 여기서 작전권 환수하지 말라고 반대하는 분들이 있는데, 사실은 그 분들은 미국 가서 얘기해야 돼요, 여기가 아니라.(웃음) 또 미국이 여러 가지 어려운 여건 속에서 세계적인 전략을 변화시키고 솔직히 얘기하면 해공군 위주로 하고 육군은 빼는 것 아닙니까. 미국이 그렇게 안 할 수 없는 처지에 있다고도 보여지거든요. 그래서 우리가 미국한테 자꾸 (작전권 돌려주지 말라고) 주장해 봤자 안 통하는 얘기거든요. 그 대신 우리는 어떻게 미국이 한·미방위조약을 철저히 지키면서 만일 북한이 도발한다면 틀림없이 (남한을) 지원하느냐, 북한이 지금 핵을 가졌다고 하는데 그러면 미국의 핵우산이 우리에게 확고한 것이냐, 이런 등등을 철저히 하면서 작전권 환수 문제도 2009년이 아니라 2012년까지, 지키려는 사람이 2012년까지 줘야 우리가 안심하고 해결해 낼 수 있다고 하니까, 미국이 그것을 들어줘야 한다고 내가 자꾸 얘기합니다. 그런 식으로 처리하는 것이 지금 현 단계에서 우리가 그 문제를 처리하는 길이 아닌가 생각됩니다. 또 어떻게 보면 우리가 작전권을 갖게 되면 미국이 한반도 안보 문제에서는 한 발 빼는 결과가 되거든요. 그렇게 되면 북한과 긴장완화도 될 수 있고요. 그래서 모든 것이 다 나쁜 게 아니거든요. 어떻게 우리가 활용하느냐가 중요한 것이고, 그렇기 때문에 미국의 태도가 저렇게 확고한 이상은 우리가 받아들일 수밖에 없는데, 받아들이면서 거기에 대한 사후 조처를, 보완 조처를 철저히 잘하고 북한을 설득하는 것으로 활용하고 이런 것도 생각해 볼 수 있지 않나 합니다.

오귀환 북한 핵 문제 해결에서 중국이라는 존재가 새롭게 부각되고 있습니다. 강대국에 둘러싸여 있고 분단된 상황에서 우리 민족은 어떻게 슬기롭게 북한 핵 문제나 강대국들과의 관계 정립 문제를 풀어 나가야 하는지 말씀해 주시겠습니까?

민족 문제는 우리가 해결한다

김대중 6·15정상회담에서 합의한 그 원칙에 입각해서 우리 민족 문제는 우리가 해결한다, 통일은 단계적으로 서서히 해서 어느 쪽도 불리함 없이, 어느 쪽도 부담 없이 한다, 그리고 통일은 10년 20년 뒤에 된다 하더라도, 우선 지금 당장은 평화적으로 같이 살면서 평화적으로 교류 협력하자, 중국만 경제적으로 북한에 진출하고 있는데, 우리도 북한에 진출해서 북한과 손잡고 북한의 건설을 도와주고, 우리도 거기서 사업을 하고, 개성에서 하듯이 그런 것을 자꾸 북한에서 확대해 나가는 윈윈 협력을 해 나가고, 그리고 어떤 일이 있어도 무력으로 문제를 해결해선 안 된다, 거기에 대해서는 아주 분명하게 약속을 하고 다짐을 하고 보완을 해야 합니다. 남북이 교류를 해 나가면서 말이죠, 6·15남북정상회담 이후에 북한 사람이 얼마나 달라졌습니까? 우리도 얼마나 달라졌습니까? 북한이 과거에 우리를 원수처럼 생각하고 미 제국주의 앞잡이가 돼서 민족 반역자처럼 생각하고 했잖아요? 6·15정상회담 이후 남북 왕래하고 비료 주고 식량 주고 의약품 주고 하니까, 지금 북한 사람들이 가 보시면 알지만 이웃사촌 대하듯이 대하지 않습니까? 그리고 우리에 대해 감사하다, 남한 참 잘사는구나 부럽다, 우리도 저렇게 잘살 수 있었으면 좋겠다, 이렇게 바뀌었거든요. 말하자면 햇볕정책이 정말 햇볕의 역할을 하고 있는 것입니다. 우리는 자꾸 부정적으로만 보는데, 긍정적인 면이 구체적으로 있는 것 아닙니까? 개성이나 금강산만 보더라도 거기서 경제적 이득이라든가, 우리가 북한으로 개성 쪽으로 5킬로미터나 올라가 있지 않습니까? 거기 있던 북한군 사단이 딴 데로 옮겨 가지 않았습니까? 개성은 서울 공격의 최전방입니다. 그런데 그 전방에 우리가 들어간 거예요. 동해항 쪽에서는 장전항에 있던 해군이 딴 데로 옮겨 가지 않았습니까? 10킬로미터나 올라간 겁니다. 전쟁하지 않고도 어떤 의미에서도 5킬로미터, 10킬로미터 북방으로 한계선이 올라간 것이나 마찬가지입니다. 그만큼 안보에 도움이 되면 됐지 손해 보는 것은 없습니다. 나는 남북 관계에 있어서는 우리도 좋고 북도 좋은 일을 해야 되고, 우리에게도 손해되고 북한에도 손해되는 일은 안 해야 되고, 그런 생각 갖고 서로 대화해 나가고, 또 조금 맺힐 때도 성급하게 하지 말고, 지난번 (북한) 핵실험 이후 일거에 폭풍 같은 반발이 일어났는데 털고선 지금 다시 대화하지 않습니까? 정상회담 소리까지 나오고. 부시 대통령이 김정일 위원장 만나서 종전 선언한다는 소리 나오고, 그렇게 할 수밖에 없는 거예요. 그렇게 안 하고 미국이 북한을 군사적으로 점령할 길도 없고, 중국 손목 붙잡고 경제 지원 못 하게 할 수도 없고, 결국 부정적으로 나아갈 가능성도 있지만 금년에는 해결의 길로 나아갈 가능성도 있다, 그렇게 생각하는 겁니다. 그냥 희망적으로 그렇게 한 것이 아니라, 구체적으로 따져 보면 그렇습니다.

오귀환 오래전부터 민족, 통일 문제 고민해 오셨고, 대통령으로서 큰 업적도 세우셨습니다. 궁극적으로 우리 민족이 어떤 식으로 갔으면 좋겠는지, 꿈에 대해 말씀해 주십시오.

김대중 첫째, 우리 민족이 통일이 가능하냐 통일이 필요하냐, 이런 문제인데, 세계에서 단일민족으로서 통일국가를 1,300년이나 유지한 나라는 거의 없습니다. 우리가 분단된 것도 우리가 하고 싶어서가 아니라 2차대전 끝나고 소련과 미국이 멋대로 갈라놓은 겁니다. 우리의 분단엔 이유도 없고, 역사적 배경도 없습니다. 다시 하나 되는 것이 당연하다, 우리 민족을 남이 맘대로 했는데, 우리의 자존심상, 이해관계상 원상 회복 안 하고 뭐 하겠습니까?

통일은 남북이 다 같이 필요하고 도움 되는 윈윈 통일이 돼야지, 한쪽만 하려고 하면 안 됩니다. 베트남같이 무력 통일도 안 되고, 독일같이 흡수 통일도 안 됩니다. 흡수 통일하자면 북한 경제를 다 책임져야 하고 먹여 살려야 하는데 우리가 그런 능력도 없습니다. 우리가 먹여 살린다고 하더라도 60년 동안 이질적으로 발전해 왔고 적개심이 남아 있고, 여러 가지 정신적 갈등이 있습니다. 독일 보세요. 지금까지도 정신적 갈등이 해소 안 되고, 앞으로도 적어도 2-3백 년 걸린다고 합니다. 동서독은 대놓고 미워하고 욕하고 하는 상태에 있습니다. 서두를 필요는 없어요. 먼저 평화적으로 공존하고 평화적으로 교류 협력해서 지금같이 하면, 도와주면 고맙다고 합니다. 그런데 하나가 되면 네가 먹여 살려라, 왜 너만 잘살려고 하냐, 우리는 고생했는데, 너희는 그동안 잘살아 놓고 왜 우리한테 안 하냐, 고맙기는커녕 잘 안 해 준다고 시비하게 됩니다. 자꾸 책임지라고, 우리가 정권 잡았으니까. 통일은 적어도 10년, 20년 뒤를 내다보고 서로 독립적인 입장에서 있으면서 교류 협력하고 해 나가서, 북한의 경제를 자기 힘으로 재건하도록 우리가 돕고 투자하고 외자 끌어들이고 해 줘야 합니다. 그래서 북이 자기 힘으로 먹고살고 할 만할 때 됐을 때, 그때 통일을 하면 우리가 큰 부담도 없어지니까 남쪽 국민들도 불만 없고 북쪽 사람들도 열등감 없고, 그러면서 같이 힘 합치면 됩니다.

우리가 개성공단 입주하고 있는데, 중국이나 베트남보다 개성공단이 훨씬 좋은 조건 아닙니까? 서울서 아침에 출근해 저녁에 퇴근할 수 있고, 말이 통하고, 문화가 같아요. 북한 사람들이 군대에 다녀와서 우수한 인재들이고, 임금도 중국보다 싸고, 하나도 손해 볼 것이 없어요. 상황만 좋아지면 공단들이 해주로, 원산으로 올라가게 됩니다. 그렇게 하면 남쪽에서 경쟁이 안 되는 중소기업들이 그쪽으로 올라가면 다 해결이 돼요. 그렇게 되면 북도 좋고 우리도 좋아요.

그다음에 중요한 것은 한반도 종단철도를 거쳐서 유라시아 대륙으로 뻗어나가는 거예요. 그래서 동북아, 중앙아, 유럽, 파리, 런던까지 기차가 가는 겁니다. 부산을 출발한 기차가 파리, 런던까지 가는 거죠. 중앙아시아 석유 가스가 나와서 노다지판인데 우리가 못 가고 있어요. 가게 되는 거죠. 그렇게 되면 엄청난 발전을 가져옵니다. 물류가 일어나면 산업 시설이 생겨나고, 그러면 금융 보험이 일어나고 그에 대해서 왕래가 되면서 관광이 일어나고 그러면서 문화 교류가 됩니다. 한국은 그렇게만 되면 내가 볼 때 세계에서 5-6위까지 진출할 수 있어요.

오귀환 우리 민족 전체의 저력과 역량을 그렇게 크게 평가하십니까?

김대중 중국이란 나라가 엄청남 흡인력을 가진 나랍니다. 중국에 쳐들어갔던 흉노니 거란이니 다 중국화됐어요. 심지어 만주족이 중국 가서 청나라 세워서 270년 동안 통치했는데, 지금 만주족이 없어요. 다 중국에 동화됐어요. 그런데 우리는 중국으로부터 1천 년 이상 유교, 불교 등 고급문화의 영향을 받고, 모든 영향을 받았어요. 심지어 조공 바치고 그랬는데, 동화되지 않았어요. 우리밖에 없습니다. 중국서 가져온 불교, 유교를 우리 것으로 재창조했고, 그런 힘이 한류에도 영향 주고 있습니다.

우리 국민들이 자기 힘으로 생명 바치면서 민주화했는데, 중국은 아직 민주화 못 하고 있어요. 중국에 대해 우리가 얼마나 우월적인 현상입니까? 한국 민족은 절대로 우리 스스로 비하해선 안 되고 자랑스럽게 생각해야 해요. 물론 오만해선 안 되지만. 세계에서 유엔 회원국 200여 개국 가운데 그중에서 영국, 프랑스, 독일 등 20개국 빼면 다 한국을 모범으로 생각해요, 한국을 부러워해요. 2차 세계대전 이후 독립한 나라들 가운데 민주주의 하고 경제도 11위 대국이고 한류가 세계로 뻗어 나가고, 정보화에서 세계 선두에 나가고, 조선, 철강, 석유화학, 이런 분야서 세계 선두 대열에 선 그런 나라가 어딨나요?

우리 국민들은 다 좋은데 자기를 비하하거나 자신 못 가지는 그런 점이 있어요. 그런 점은 자만해선 안 되지만 정당한 자신은 가져야 합니다. 남북만 합치면, 1+1이 아니라 1+1이 5도 되고 6도 돼요. 첫째, 군사비 많이 안 쓰게 되죠. 우리가 인력이 모자라서 외국에서 많이 데려오는데, 인력이 넘쳐 납니다. 유라시아 대륙을 관통해 진출할 길이 열립니다. 그런 의미에서 통일은 단순히 우리의 소원이라는 감상적, 민족적 정서만이 아니라 생존과 발전에 절대로 불가결한 것입니다. 그것은 세계에서 정말로 큰 도약을 하게 만드는 길이 될 거예요.

오귀환 북한이 문호를 개방하고 마음도 열어야 하는데, 남쪽은 남쪽대로 할 일이 있고요. 북한 핵 문제도 해결돼야 하고 북·미 관계도 개선돼야 하는데, 그런 몇 가지 조건이 갖춰졌을 때 북한은 우리 민족의 미래를 위해서 바람직한 방향으로 모든 걸 열고 그런 쪽으로 발전할 수 있을까요?

김대중 좋은 질문을 해 줬습니다. 내가 지난 2000년에 김정일 위원장을 만났을 때 첫 번에 이런 말 했어요. 사람이란 누구나 영원히 사는 사람도 없고, 높은 자리에 있더라도 영원히 그 자리에 있는 사람도 없다, 당신과 나는 남과 북의 높은 자리, 책임자로 있는데, 우리가 맘 한 번 잘못 먹으면 민족이 공멸하게 된다, 그러나 우리가 다르게 생각하고 협력하고 이렇게 해서 양쪽 국민을 단결시켜서 민족이 서로 힘을 합치면 우리는 큰 발전을 하고 우리 국민들은 물론, 후손들에게 감사받을 것이라고 했어요. 어느 쪽을 택해야 할 것이냐, 그런데 그렇게 말만 하지 말고 구체적으로 얘기해야 한다, 당신들이 남쪽을 공산화시킨다고 생각하면 아무것도 안 된다, 남쪽 사람들은 아무리 평화를 주장해도 공산주의를 받아들이는 것은 아니다, 만약 억지로 하려고 하면 무력 충돌밖에 없다, 그리고 당신들은 독일식으로 흡수 통일하려 한다고 생각할지 모르지만 우리는 안 한다, 우리는 안 하는 게 아니라 못 한다, 그럴 능력이 없다, 독일 예를 봐도 이질적인 사회에서 수십 년 살다가 갑자기 통일하면 절대로 안정의 길이 안 된다, 뭐가 급하냐, 서로 평화적으로 살고, 평화적으로 교류 협력하면서 오순도순 살자, 다 같이 윈윈하고 다 같이 이익이 되는 것으로 하고 한쪽만 이익 되는 것은 안 하고 그렇게 하다가 완전 통일은 10년 가면 어떻고 20년 가면 어떠냐, 통일 때도 승자도 패자도 없는 공동 승리의 통일을 해야 한다, 한쪽이 통일을 해서 한쪽을 숙청하는 일은 안 된다, 그렇게 하면 조상들 앞에서 이 민족이 다시 하나로 뭉치는 일을 못 할 게 없지 않으냐, 내가 볼 때 그 말에, 우리 민족의 미래라든가 통일에 대한 생각에 김정일 위원장이 굉장히 인상을 받은 것 같아요. 굉장히 얘기가 잘됐어요. 이제 한쪽만 잘되라고 하고 한쪽은 손해 보게 하려고 하면 그걸(통일을) 누가 하겠어요? 손해 볼 일 누가 하려고 하겠어요? 두 개의 파이가 있는데, 혼자 하면 내가 다 먹는 줄 알지만 하나도 못 먹는 결과가 됩니다. 같이 협력하면 파이 2개가 아니라 5개 되고 10개가 돼요. 중앙아시아로 뻗어 나가는데 북한 사람들이 같이 덤벼서 같이 하고 공장 짓고 개성에서 하듯 하면 다 좋지 않나, 이건 못하는 게 아니에요. 우린 같은 민족이고 같은 문화 있으므로 아주 쉬워요. 이렇게 단일민족으로서 이런 능력을 가진 (민족이) 별로 많지 않아요.

오귀환 올해엔 대선이 있기 때문에 굉장히 중요한 해인데, 노무현 대통령이 어려움을 많이 겪고 있습니다. 전임 대통령으로서 노 대통령에게 충고라거나 권유할 말씀 있습니까?

김대중 내가 할 말이 있으면 조용히 해야죠. 공개적으로 하면 선의가 안 됩니다. 그런데 노 대통령의 국내 정치에 대해선 얘기하고 싶지 않고, 다만 노 대통령이 미국에 대해서 협력할 것은 협력하거든요. 이라크 파병, 2사단 후방 이동, 미군사령부 이동 등 협력해요. 협력하면서도 할 말은 하거든요. 남북 문제에 있어서도 그래도 포용정책의 기본은 유지하면서 하고 있어요. 그점은 상당히 잘하고 있다고 생각해요. 나만이 아니라 미국의 전문가들도 그점에서는 노 대통령을 높이 평가하고 있어요. 그런 점에선 난 평가를 하고 싶어요. 국내 문제에 대해선 내가 평가하는 게 적절치 않습니다.

오귀환 5년제 단임 대통령은 임기 마지막 해 대선도 있고 레임덕도 와서 국정 운영이 굉장히 어려운데, 대통령께선 임기 마지막 해인 2002년에 어떤 생각을 갖고 어디에 강조점을 두고 국정 운영을 하셨습니까?

김대중 난 레임덕이 안 돼야겠다고 생각했어요. 그래서 레임덕이 안 되게 하려고 두 가지를 정했어요. 하나는 각 부처마다 두 개 내지 세 개의 마지막으로 꼭 마무리해야 할 일을 골랐어요. 한 70-80개가 됐습니다. 한 1년 가까이 거기에 집중했습니다. 그래서 거의 70-80퍼센트는 목적대로 이룩했어요. (임기) 마지막 날까지 마무리하다시피 했어요.

둘째는 내가 정치에서 손을 뗐어요. 참고로 들으세요. 우리나라 대통령은 임기 말이 돼 가면 레임덕이 안 될 수 없게 돼 있어요, 정치적으로는. 국회의원이나 정치인들이 대통령을 바라보는 이유는 두 가지입니다. 하나는 표 얻어 주는 것이고 또 하나는 돈 만들어 주는 것이에요. 그런데 우리나라 대통령은 선거운동을 못 합니다. 그 전엔 야당 때는 (내가) 가서 연설만 하면 막 표가 쏟아져서 안 될 사람들도 되고 했거든요. 그런데 대통령은 법에 (지원 유세를) 못 하게 돼 있어요. 표를 못 얻어 줍니다. 국회의원들은 정치자금 모금하는 데, 대통령은 정치자금 모금도 못 하고 정치자금 모금하는 데 가서 지원도 못 해요. 정치인들이나 국회의원들 입장에서 보면 대통령은 아무런 도움이 안 되죠. 그러니까 대통령한테 고개 숙일 필요가 없다, 그러니까 마지막엔 자기 인기를 올리려고 생각하면 대통령을 막 찍어 내리는 소리도 하고 함부로 하고 그럽니다. 그래서 난 그런 분위기가 조금 나오기 시작하길래 내가 정치에서 완전히 손 떼고 아까와 같이 정해 놓은 마지막 마무리 작업을 집행해서 마지막 날까지 했습니다. 난 그것이 지금 생각하면 옳은 판단이었다 그렇게 생각해요.

오귀환 정치를 오래 해 오셨는데, 우리나라는 전통적으로 양당제로 이어져 왔습니다. 지금은 여러 가지 상황 때문에 양당 중심의 정치 구도 틀이 (한쪽으로) 기울어진 상황이라 불균형이 심한 것 같습니다.

국민과 지도자가 훌륭해야

김대중 국민이 또 바로잡을 거요. 우리는 우리 국민을 믿어야 돼요. 우리 국민이 독재자를 세 번, 네 번 몰아냈어요. 이승만, 박정희 전두환, 노태우 몰아냈습니다. 우리 국민들이 그렇게 해서 수많은 사람들이 죽고 감옥 가고 고문당하고 그렇게 하면서도 기어이 민주주의를 정착시켰어요. 우리 국민들이 배고픔 속에서 일어나서 경제를 발전시키고, 물론 경제 발전의 내용은 문제가 있습니다만, 외환 위기도 금방 극복하면서 세계가 놀랐습니다. 우리 국민들이 21세기 지식정보화 시대에서 어느새 정보화에 뛰어들어 최선두를 유지하고 있어요. 한류를 만들어 낸 국민이에요. 이런 국민이기 때문에 나는 해낸다고 봅니다. 정치가 잘되고 나라가 잘되려면 국민이 훌륭해야 하고 지도자가 훌륭해야 하는데, 이제 지도자만 잘 내놓으면 난 이 국민은 잘해 나갈 수 있다고 봐요.

오귀환 최근 여론조사 해 보니까 국민들에게 다섯 가지 불안이 있습니다. 집, 일자리, 교육, 노후, 평화인데, 여론조사를 해 보면 국민의 80퍼센트 이상이 이걸 걱정합니다. 이런 불안에 대해 지금의 정치권은 해결 방법을 잘 보여주지 못하고 있습니다. 막연한 꿈을 갖고 특정 후보에 대한 지지로 나타나기도 하지만 근본적인 것이라고 보여지지 않습니다. 국민들이 5대 불안을 안고 사는데 이 문제를 어떻게 해야 할지 말씀해 주시죠.

김대중 세계화 시대엔 필연적으로 어느 정도 빈부 격차가 생겨날 수밖에 없어요. 이를테면 뒷골목 구멍가게 아주머니가 외국에서 들어온 쇼핑몰과 경쟁해야 합니다. 서로 같이 휴지, 비누, 양말 이런 걸 팝니다. 그러니 재래시장 하던 분들이 쓰러질 수밖에 없어요, 자영업도 그렇고, 세계 경쟁의 조류이므로 어찌할 수가 없어요. 세계화 시대는 필연적으로 빈부 양극화가 있게 마련이에요.

문제는 어떻게 헤쳐 나가면서 하느냐인데, 대기업은 정부가 규제와 간섭을 폐지하고 원칙적으로 말하면 자유롭게 놔둬야 해요. 세계시장에 나가 이겨서 돈 벌어라, 그러면 애국자다, 이렇게 해서 몰아내고 정부가 경제적으로는 중소기업에 집중해야 해요. 중소기업도 부품소재 산업이에요. 우리나라 대기업들이 60-70퍼센트 이상은 외국서 들어온 부품으로 (물건을) 만드는데, 그걸(부품 생산을) 국내서 해야 합니다. 부품을 육성해야 해요. 부품소재 산업을 세계적으로 수출할 수 있도록, 시장이 넓어야 수지가 맞거든요, 세제와 금융을 지원해야 합니다. 그러면 중소기업이 사람을 많이 채용하게 돼요. 대기업은 자꾸 인력을 감소시킵니다. 중소기업이 그렇게 하도록 해야 해요. 그렇게 되면 직장이 많이 생기니까 서민들이 살기 좋고 경기가 좋아집니다.

서민들에 대해선 기초생활보장법이 상당히 효과 내고 있어요. 그런 것을 더욱 강화하고, 서민들 문제는 두 가지에 집중해야 해요. 우선 서민들 자식들 교육에 집중해야 해요. 서민 자식들도 제대로 교육받아서 계층 상승 기회를 줘야 해요, 난 못살아도 내 자식은 잘살고 성공할 수 있다는 희망을 줘야, 희망이 제일 중요합니다. 둘째는 집 문제예요. 의식주 중에 의와 식은 해결됐고, 문제는 집이에요. 집에 대해서도 정부가 다 하려고 하면 비효율적이고 되지도 않아요. 주에 있어서는 서민들 주에 전력을 다해야 해요. 임대 주택이라든가 할부 주택이라든가, 세제 금융 택지도 정부가 제공하고, 민간 택지를 정부가 사 가지고 제공하면 돼요. 돈은 연금, 기금에서 가져올 수도 있고, 정 안되면 국채 발행할 수도 있어요. 이자만 입주한 서민들에게 부담시키면 국가도 큰 문제없어요. 서민들 집의 물량을 충분히 지어야 합니다. 두 번째는 입주 조건을 서민들이 감당할 수 있어야 해요. 서민 주택이 (충분히 공급)되면 민심이 안정이 됩니다. 제일 약자가 국가 혜택을 받아서 그 사회가 안정이 되면 어떻게 되나, 나머지 주택은 원칙적으로 수요 공급의 원칙에 맡겨야 해요. 다만, 폭리 하거나 투기하면 세금으로 거둬들이면 됩니다. 저번에 (노무현) 대통령 오셨을 때도 (내가) 주택 문제 전문가가 아니므로 자신 있게 말할 수 없지만, 이런 생각이 듭니다, 했어요. 주택 전문가들에게 말해 봐도 그렇다는 사람도 있어요. 이렇게 서민 교육, 주택 문제 해결해 주면 안정이 됩니다. 대기업은 자율적으로 해 주고 중소기업은 경쟁의 허리로서 중심으로서 적극 육성하고 지원하고, 서민 분야는 교육과 주택 문제 해결해 주면 나머지는 잘돼가는 것 아닙니까?

오귀환 한나라당에서 오히려 반값 아파트 의제를 치고 나오는 등 정책 부분에서 여야 구분 없이 많이 섞이는 것 같습니다. 그런데 평화 문제에선 양쪽이 확연히 갈라지는 것 같습니다. 그런 점에서 평화 문제를 어떤 후보가 잘 관리하고 잘 헤쳐 나가느냐, 평화 문제가 이번 대선에서 가장 큰 이슈가 될 것 같은데, 어떻게 생각하십니까?

김대중 평화 문제가 가장 중요한 문제가 아니면 어떤 게 되겠습니까? 북한이 이제 핵까지 가지고 있는데, 전쟁하면, 오늘도 통신에 보니 전쟁 나면 당장 수도권에서 100만 명 죽는다고 합니다. 1994-95년 그때 미국이 북한하고 전쟁하려다가 유엔군 사령부에서 추산해 보니까 150만 죽는다고 하니 전쟁 못 했다는 것 아닙니까? 평화 문제 이상으로 중요한 게 뭐가 있겠어요? 평화만 유지되면, 평화 속에서 잘 살다가 통일하면 세계에서 남부러울 게 없는 나라로 발전할 수 있는데, 무슨 망조가 들어서 우리끼리 전쟁하고 죽이고 그렇게 해서 남도 북도 다 망하는 일을 합니까? 평화 문제는, 정책은 구체적으로 당에 따라 다르지만, 전쟁은 절대 안 된다, 반드시 평화적으로 남북이 화해 협력하면서 통일해야 한다, 이것만은 여야가 있어선 안 돼요. 그에 대해선 언론도 분명히 국민들을 설득해야 합니다.

오귀환 중국의 민주화가 미·중 대결 구도, 자본주의와 공산주의의 대결 구도를 어떻게 바꿀까요? 앞으로 중국은 미국과의 관계를 매끄럽고 지혜롭게 풀어 갈 수 있을까요?

평화에 협력하는 중국

김대중 어려운 질문입니다. 그에 앞서, 결국 북한 핵 문제를 해결하는 데엔 중국이 키를 쥐고 있다, 중국이 북에 대해 어떤 일이 있어도 핵을 포기시키겠다, 북한 체제가 잘못되는 한이 있더라도 핵은 안 된다는 생각을 갖느냐, 아니면 북한 체제가 흔들리면 안 된다, 그러니 핵에 대해선 마땅치 않지만 묵인할 수밖에 없지 않으냐, 이런 태도를 갖느냐에 따라 북한 태도가 크게 좌우될 것입니다. 중국이 딱 결심하면 북한도 무시할 수가 없어요. 내가 아는 한 중국이 북한 핵을 용납하지 않을 것이고 할 수가 없는 처지라는 생각이 들어요.

중국 얘기가 나왔는데, 지난번에 헤리티지재단의 에드윈 퓰너 회장이 오셨길래 내가 얘기했어요. 내가 당신한테 중국 얘기 한마디 할 테니 들어 보겠느냐고 했어요. "당신네 나라 강경파들이 중국을 잠재적인 적으로 생각하고, 북한을 이용해서 중국에 대비하는 미사일방어체제(MD)를 위시해서 군비(증강)를 하고 일본 군비를 증강시키고, 이런 것을 하지 않느냐는 판단도 있다, 나는 당신들이 중국을 군사적으로 제압하려고 하면 그렇지 않아도 강한 군부가 중국에 득세할 것이라고 했어요. 군부 발언권이 강해지고 군비 확충할 것이다, 그래서 상당히 어려운 국면이 전개될 것으로 본다, 그렇게 되면 일본까지 끌어들이면서 여러 가지 문제가 있는 그런 길이 하나가 있다고 했어요. (또 다른 길은) 당신들이 중국 정부가 지향하는 대로 평화 속에서 경제 건설하고 백성들 먹여 살리려는 것, 어떻게 해서든 잘살려는 쪽으로 가는 것을 도와주고 협력하게 되면 어떻게 되느냐, 군비 증강하고 강화하자는 세력은 (중국에서) 약해질 것이다, 중국이 경제가 발전되면 중산층이 늘어난다, 중산층이 지금도 1억 된다고 하는데 2억, 3억으로 늘어날 것이다." 했어요.

과거 산업혁명 때 영국이 산업혁명을 해서 중산층이 늘어나니까 투표권 달라, 우리도 정치 참여하자고 하니까 영국 귀족들이 좋다고 들어줬어요. 그래서 영국 민주주의는 평화적으로 이뤄졌어요. 그런데 프랑스 귀족들은 안 들어줬고 그러니까 프랑스 중산층, 부르주아지들이 다 들고일어나서 대혁명해서 귀족들 다 죽여 버렸어요. 중국은 그런 역사적 교훈을 압니다. 중국이 영국식을 택하려고 해요. 그 증거로는 중국 장쩌민 주석이 세 개의 대표론을 제시해서 중국 공산당의 당원 자격을 과거 노동자·농민에서 기업인과 지식인을 참가시키는 쪽으로 확대했어요. 기업인과 지식인은 중산층입니다. 지방 향단위에서는 선거도 하고 있고, 지방에선 정부 비판도 하고, 매일 수백 군데서 시위도 하고 그래요. "이런 걸로 봐서 조금씩 개혁을 하고 있는 것 같다, 중국이 민주화된 중국, 평화에 협력하는 중국이 된다면 미국이 나쁠 게 뭐가 있느냐, 그렇게 생각해 볼 필요가 있지 않으냐, 외곬으로만 생각해서 중국이 커나가는 것 무섭다, 큰일이다라고만 볼 게 아니다, 중국도 빈부 문제, 국민들의 자유에 대한 욕구도 있고 해서 맘대로 못 한다, 그러려면 민주화해야 한다, 민주국가 되면 (미국의) 적이 될 게 없지 않나." 그런 얘기를 (풀너 이사장에게) 했어요. 그랬더니 굉장히 새로운, 탁월한 생각이라고 하더군요. 중국 미래에 대해서, 미국이나 일본이 몰아붙이면 군부가 득세해서 긴장 국면으로 갈 것이고, 그렇지 않고 같이 공존해 가면서 평화 국면으로 가면 중국이 영국식으로 갈 가능성도 있지 않나, 현 중국 정부는 그런 생각을 가진 것 같아요.

오귀환 올해 대선에선 (여야 간에) 지지율 격차가 워낙 심해서 일방적으로 진행될 것 같다는 전망이 많습니다.

김대중 금년 상반기까지는 가 봐야 (후보 지지율의) 앞날이 전망되지 않겠어요? 그런데 선거를 해 보면, 높은 자리(지지율)건 낮은 자리(지지율)건 계속 높고 계속 낮게 가는 건 그렇게 쉬운 일이 아닙니다. 상반기까지 가 보면 여권도 선거를 제대로 할 태세가 될지 안 될지가 판명이 날 겁니다. 그렇게 되면 양당 대결이 제대로 되지 않을까 그런 생각이 듭니다.

오귀환 올해 대선도 결국 양당 대결 구도로 갈 가능성이 높다고 보십니까?

김대중 우리 국민들은 양당(제) 외에는 안 해요. 국민 성향이 그래요. 지금 이것(정치 현실)도 국민이 양당을 이렇게 갈라놓은 게 아니지 않습니까? 국민은 양당(제)을 (선택)했는데 정치인들이 멋대로 갈라놓은 것이죠. 영국이나 미국이나 한국은 완전히 양당(제)입니다. 다른 유럽 나라들은 다당제도 많죠.

오귀환 전에 연설에서 '서생적 문제의식', '상인적 현실감각'을 강조하셨는데, 젊은 독자들과 미래 세대에게 그런 관점에서 한 말씀 해 주십시오.

김대중 개인도 그렇고 정당, 단체도 그렇고 원리 원칙이 확고해야 해요. 그 다음엔 원리 원칙을 현실에 실천하고 적용하는 방법도 좋아야 합니다. 원리 원칙이 확고한 것이 '서생적 문제의식'이고 그것을 현실에 어떻게 적용할 것이냐, 무엇을 해야 되고 무엇을 해선 안 되냐를 정하는 것이 '상인적 현실감각'이에요. 장사꾼이 어떻게 하면 돈을 벌고 어떻게 하면 밑지느냐를 생각하는 것과 마찬가지요. 그 두 가지를 항상 병행해서 생각하면 정당이나 개인이나 성공하는 길을 가지 않나 생각합니다.

오귀환 두 가지 요소를 모두 갖춘 분들이 (정치권에선) 잘 안 보니까, 어찌 보면 정부통령제를 해서 두 가지 요소를 결합시키는 식의 정치가 필요하다는 생각도 듭니다.

김대중 안 보일 리가 없죠. 나오겠죠.

오귀환 오랜 시간 인터뷰에 감사드립니다.

김대중 오늘 보따리 다 털어놓았어요.(웃음)

---

* 이 글은 『한겨레』 새해맞이 인터뷰 전문이다. 2007년 1월 4일 당시 『한겨레』 오귀환 편집국장이 인터뷰하였다.

북핵, 전환점의 해에 들어선다

대담 『도쿄신문』
일시 2007년 1월 11일

한국의 김대중 전 대통령은 본지(『도쿄신문』)와의 단독 회견에 응해, 북한의 핵 문제가 해결을 향해 "금년, 전환점을 맞이한다."라고 밝혔다. 김대중 전 대통령은 북한이 현재 미국에서 제시한 핵 포기의 '보상안'을 자국에 가지고 돌아가 "검토 중"이라고 지적. 향후, 북·미가 핵 문제 해결에 움직이기 시작할 가능성이 높다는 견해를 나타냈다. 북한에 의한 일본인 납치 문제에서는 자신의 북한 방문이 실현되면 북한에 추가 조사를 요청할 생각을 표명했다.

회견은 11일, 서울 시내에서 행해졌다. 김대중 전 대통령은 작년 12월의 6자회담에서 제시된 보상안에 대해, 내용의 언급은 피했지만, "상당히 구체적인 안"이라고 설명. 북한이 핵 포기에 응하는 것과 교환의 지원 조치 등을 둘러싸고 진지하게 검토하고 있다라는 인식을 나타냈다.

게다가 중간선거 후의 미국도 북한과 마찬가지로 "대화에 의한 해결의 필요성을 느끼고 있다."라는 견해에서 보상안을 통해 대화의 실마리를 남겨 놓은 지난 6자회담은 결코 "실패는 아니었다."라고 강조. 북·미 대화를 축으로 한 핵 문제의 향후의 전개에 기대감을 보였다.

김대중 전 대통령 자신은 작년 6월 직전까지 계획하고 있던 북한 방문을 북한의 미사일 실험 준비 등의 영향으로 중지했다. 앞으로의 북한 방문에 대해서는 "남북의 양 정부가 바란다면 갈 것"이라고 하고 그 기회에 납치 문제 해결을 위해 "일본에 합동 조사를 요청할 것을 북한 측에 제안할 것"이라고 말했다.

또 "남북의 융화 관계가 6자회담 촉진에도 버팀목이 된다"는 관점에서 한국 정부에 자신이 실현시킨 2000년 이래, 7년 만의 남북정상회담의 실시를 강하게 촉구하고 있는 것을 밝혔다. 다음은 일문일답이다.

대화에 의한 해결 이외에 방법이 없다

질문 북한 핵 문제의 해결을 향한 금년의 전망은?

김대중 금년은 하나의 전환점을 맞이한다고 보고 있다. 미국이나 북한도 해결의 필요성에 느끼고 있어 해결하지 않으면 마이너스가 크기 때문이다.

질문 미국은 북한과의 대화 자세를 보이기 시작했는데…….

김대중 미국은 지금 변화를 강요받고 있다. 중간선거로 민주당이 과반수를 장악해 공화당 부시 정부라고 해도 대화에 의한 해결 이외에 방법이 없다. 중동에서 발목을 잡히고 (한반도에서) 전쟁을 할 수는 없다. 미국이 태도를 바꾸면, 북한이 바꾸지 않는 이유는 없다. 앞으로 북한에 결정적인 영향을 미치는 것은 중국. 북한이 핵을 포기하지 않는다고 하면 대만, 일본 등의 핵 확산을 염려하는 중국은 상당히 강경한 태도를 취할 것이다.

질문 북한은 향후, 어떻게 나올 것인가?

김대중 북한은 "체제의 안전을 보증하고, 경제 제재를 해제하면 핵을 포기한다."라는 입장이다. 지난 6자회담에서 미국은 상당히 구체적인 보상안을 제시했다. 북한은 그것을 일종의 숙제로서 가지고 돌아가, 검토 중이라고 들었다. 때문에, 협의는 실패는 아니었다. 회담을 성공으로 이끄는 열쇠는 미국의 북한에 대한 금융 제재 문제다.」

남북정상회담은 6자회담의 버팀목도 된다

질문 북한에의 포용정책을 다시 검토할 필요는?

김대중 없다고 생각한다. 어느 나라도 전쟁은 바라지 않았다. 유연하게 대화로 문제를 해결할 수밖에 길은 없다. 한국인에 극도로 적대적이었던 북한 사람들의 마음은 식량 원조를 통해서 크게 바뀌었을 것이다. 남북 경제 협력 사업의 개성공단과 금강산 관광의 개시 후, 각각 근처에 있던 북한의 군대가 다른 장소에 옮겼다. 휴전선이 5-10킬로미터 북으로 이동한 것과 같다. 안전 보장의 면에서도 안정을 가져오고 있다

질문 남북 대화의 재개를 위해 취해야 할 조치는?

김대중 한국 정부에 대해 북한에 대통령 특사를 보내 빨리 남북정상회담을 실시하도록 권하고 있다. 군사·경제 문제를 서로 이야기하면 6자회담의 버팀목도 된다. 정상회담이 연내에 열릴 가능성은 있다고 생각한다.

질문 자신의 북한 방문 계획은?

김대중 남북의 정부가 바란다면 가지만 노무현 대통령이 임기 중에 회담하지 않으면 남북정상회담의 맥이 끊어져 버린다. 금년은 노 대통령이 김정일 국방위원장을 만나야 한다.

존경받는 나라가 '아름다운 나라'

질문 현재 한·일 관계를 어떻게 보는가?

김대중 몹시 유감스럽고, 걱정하고 있다. 일본이 우익화하고, 과거의 역사를 정면에서 인정하려고 하지 않는 인상을 받는다. 과거의 잘못을 반성하고

국민에게 교육하는 것을 게을리하면 미래가 걱정이다.

질문 아베 총리는 "아름다운 나라, 일본"을 내걸었다…….

김대중 "아름다운 나라"는 존경받는 나라. 과거의 업적을 자랑하는 일도 중요하지만, 과거의 잘못을 솔직하게 인정하고 그 희생이 된 사람들에게 사죄한다. 그 사람들에게 "일본은 바뀌었다. 이제 걱정 없다"는 마음이 생기지 않으면, 아름다운 나라라고 말하기 어려운 것은 아닌가.

질문 한편, 일본은 납치 문제를 떠안고 있다…….

김대중 (2002년에) 김 국방위원장이 고이즈미 전 총리에게 사죄하고, (납치 피해자 중) 상당한 사람들을 일본에 귀국시킨 점은 평가해야 한다. 그러나 일본에서는 남은 사람들에 대한 의문을 가지고 있다.

질문 북한을 방문하면 일본인 납치 문제도 거론할 것인가?

김대중 (북한은) 왜, 일본의 피해자 측이 납득할 때까지 협력해 조사, 설명을 하지 않는 것인가? 이대로는 일본인의 감정은 더 악화된다. (중지된 작년 6월의 북한 방문 시에) 북한에 충고할 생각이었다. 북한 방문의 기회가 있으면, 북한이 나서서 문제 해결을 위한 합동 조사를 일본 측에 요청할 것을 제안할 생각이다.

북한과의 관계 개선, 민주주의 발전과 경제 이끌 지도자 필요

대담 손석희

일시 2007년 2월 3일

핵 문제 잘 풀지 않으면 북한에 역풍이 불 것

손석희 김대중 전 대통령님 반갑습니다. 이렇게 2년 만에 저희 프로그램에서 뵙는 것 같은데요.

김대중 반갑습니다.

손석희 예, 굉장히 시간이 빨리 지나간 것 같습니다. 저는 한 1년 된 걸로 기억하는데 벌써 따져 보니까 2년이 됐더군요. 딱 이맘때 인터뷰했던 걸로 기억하는데요.

김대중 나도 그런데요.

손석희 그때 뵐 때나 지금 뵐 때나 늘 정정하신 것 같습니다. 뵙기에 참 좋습니다.

김대중 괜찮은 편입니다.

손석희 예. 당장 닥친 현안부터 질문을 드렸으면 좋겠습니다. 2월 8일에 6자회담이 다시 재개가 되는데 어느 때보다도 분위기가 좋은 것 같습니다. 무엇보다도 양쪽이 입장 변화가 좀 있었기 때문에 가능한 것 같은데요. 입장 변화가 있다면 입장 변화의 배경은 어떤 것이라고 분석하고 계시는지요?

김대중 이번 입장 변화는 미국 측이 크죠. 미국이 이번 중간선거에서 민주당이 승리함으로써 부시 대통령이 정책 현안을 약간 변경을 안 할 수가 없게 됐고, 또 부시도 이제 임기 말인데 뭔가 업적을 올려야 하는데 중동서 많은 실패를 하고…… 한반도 문제는 해결을 기해야 하지 않는가, 그런 생각을 가진 것 같습니다. 그리고 북한으로서도 핵실험을 해서 지금 좋은 의미에서나 나쁜 의미에서나 세계의 관심을 집중하고 있는 때인데, 어떤 의미에서는 북한으로서는 지금이 상한가예요. 이때 여기에서 북한이 핵 문제를 잘 풀지 않으면 이제는 북한은 엄청난 역풍들이 불어오게 될 거예요. 큰 역풍은 중국서 올 것이고 또 일본이나 대만이 핵무기 갖는다고 나서면 북한 핵도 별 중요한 것이 안 돼 버리고, 북한에 대한 강력한 국제연합(UN)이라든가 지금까지와 비교가 안 될 제재가 나서고 하면 북한이 현재 자기 능력으로 봐서 견뎌 내기가 어렵거든요. 누차 얘기를 해 왔습니다만 북한 핵 문제는 미국과 북한이 대화를 해야 돼요. 미국은 과거에 전쟁 때 아이젠하워는 대화했잖아요. 레이건은 소련을 '악마의 제국'이라고 해 놓고 대화했거든요. 닉슨은 중국 가서 마오쩌둥하고도 대화했거든요. 또 지금 베트남하고도 전쟁했는데 대화해서 국교 다 하고 있잖아요? 그런데 왜 북한만 못 하냐, 부시한테도 굉장히 여러 번 얘기했고 또 그렇게 하기로 승낙했는데 그 약속이 안 지켜졌는데, 그런 등등으로 볼 때 이번에 대화한 것은 당연한 일이고 또 필요한 일이고 옳은 거다, 그렇게 생각하고 있습니다. 이번에는 뭔가 성과가 있을 것입니다.

손석희 6자회담이 잘 진행이 돼서 실질적으로 진전이 있다면 지난번에 부시 미 대통령도 얘기했습니다만 남북 정상들과 함께 한국전쟁을 종전 선언하고 평화협정에 서명할 수 있을 것이다, 이런 얘기까지 미국 쪽에서 나왔는데 실제로 거기까지 갈 수 있다고 봐도 되는 겁니까?

김대중 북한 핵 문제는 해결될 문제를 안 하고 있는 거예요. 하려고 마음먹으면 이건 쉬운 거예요. 북한은 핵을 완전히 포기하고 철저히 검증을 받아야 돼요. 그래서 북한이 핵이 없어지면 북한에 대한 문제 해결되는 것 아닙니까? 미국은 그 대신 북한에 대해서 안전을 보장해 주고 경제 제재를 해제해 주고 국교를 정상화시켜 줘야 돼요. 다른 공산국가 다 해 주는 일이에요. 이 문제는 하려고만 마음먹으면 가능한 일이라고 생각됩니다.

북한과 관계 개선은 21세기 한국에 꼭 필요한 것

손석희 그런데 지금은 어찌 됐든 분위기가 많이 좋아졌다고 합니다만 얼마 전까지만 해도, 특히 북한이 핵실험을 한 직후에는 굉장히 분위기가 험악했습니다, 아시는 것처럼. 그래서 임기 내내 추진해 오셨던 햇볕정책, 그 이후에 참여정부가 계승하긴 했습니다만 근본적으로 포용정책에 대한 비판도 굉장히 고조됐었고요.

김대중 햇볕정책 안 하면 북한하고 대결해야 되지 않아요? 화해 안 하면 대결 아니에요. 대결하면 우리가 전쟁할 겁니까? 전쟁하면 어떻게 되겠습니까? 민족이 공멸하게 돼요. 그런데 화해 협력을 해서 나가면 우리가 북한에 지금 경제적으로만 이야기하자면 저렴한 노동력을 이용하면 엄청난 이득을 보게 돼요. 지금 우리 기업들이 중국에서 자꾸 밀려나오지 않아요? 중국 노동력도 부족하고 노임도 비싸요. 안 돼요. 북한은 말도 통하고 문화도 같고 거리도 가깝고 개성공단으로 출퇴근하고 있잖아요? 그러니까 북한도 좋지만 우리도 엄청난 이득을 보게 되는 거예요. 그럼 또 우리가 그렇게 안 하면 중국이 들어가서 다 하게 돼요. 그러면 우리가 중국에 북한 뺏기면 어떻게 되겠습니까? 중국의 힘이 휴전선까지 오게 돼요. 그러니까 여러 가지 의미에서도 그렇고 또 우리가 더 크게 보면 북한을 통해서 유라시아 대륙으로 길이 뚫려야 철도가 가고 자동차가 가고 그래야 우리는 유라시아 대륙의 광대한, 말하자면 노다지 시장이 거기 있는데 거기 들어가서 할 수 있고, 그리고 기차가 부산에서 출발하면 파리, 런던까지 그대로 가게 된단 말이에요. 그렇게 되면 우리가 태평양 쪽 동북아 물류 기지가 되는 거예요. 물류가 일어나면 산업이 일어나고 금융, 보험이 일어나고 문화관광이 일어나고 이러는 거란 말이에요. 그렇기 때문에 우리가 지금 발전해 나가는 데 있어서 북한하고 관계 개선은 응급적인, 당면한 우리 경제적 문제, 경제난 해결이라든가 이런 데도 그렇고 물론 서로 평화적으로 살아 나가는 데 안전에도 그렇지만 21세기 한국을 생각할 때 필요한 거죠. 요새 자크 아탈리라고 프랑스 문화비평가와 골드만삭스 같은 데서도 얘기하고 있는데 자크 아탈리는 "앞으로 20년 이내에 한국이 아시아에서 주도적인 경제 국가가 된다." 그런 얘기를 하고 있고 골드만삭스는 "50년 뒤면 한국이 미국과 더불어 세계에 가장 경제적 강국이 된다." 이런 말 하고 있어요. 그런 것도 한반도 평화가 있고 남북 간에 갈등이 없어야 이런 일이 되고 또 대륙으로 뻗어 나가야 되지, 그냥 안전만 있다고 되는 거 아니거든요.

손석희 당장 햇볕정책에 비판적인 쪽에서는 개성 사업이라든가 이런 것 등등을 통해서 실질적으로 현금이 많이 북한 쪽에 들어가게 되고 그 현금이 과연 제대로 쓰였느냐에 대한 의구심들을 많이 제기합니다. 극단적으로 그것이 핵 개발하는 데 그 현금이 쓰였을 가능성도 있는 게 아니냐, 결과적으로 보자면 햇볕정책이라는 것이 북한이 더욱더 핵 개발 쪽으로 가는 데 도움을 줬을 뿐이지 특별히 다른 것은 우리가 얻은 것이 없지 않으냐, 이런 비판도 있어 왔는데요.

김대중 북한의 핵 문제는 1994년부터 문제가 됐는데 그때는 남북정상회담 6년 전인데 그때는 어떻게 해서 무슨 돈 가지고 북한이 했겠어요. 그렇게 썼을 수도 있고 안 썼을 수도 있다, 이렇게 생각할 수 있겠지만 그러나 그런 것을 생각하면 과거 미국이 어떻게 소련하고 국교를 맺었어요? 미국에서 준 돈이 자꾸 소련 군비 증강에 들어갈 텐데. 이런 문제는 그렇게만 볼 것이 아니라 남북 관계에서 우리가 얼마만큼 긴장을 완화시켰냐, 과거에 판문점에서 총소리만 나도 모두 보따리 싸서 도망갈 준비하던 나라가 이제 핵실험 해도 끄떡도 안 하고 있지 않습니까? 그것이 남북정상회담 해 가지고 남북 화해 협력으로 가는 길이거든요. 엊그저께 우리나라 신문에 보면 북한에서 한류가 일어나고 있지 않습니까? 그것이 다 무슨 힘입니까? 우리가 북한에 투자하고 식량 주고 비료 주고 그럼 식량과 비료 포대에는 남쪽서 제조했다는 상호가 들어있고 이렇게 했거든요. 그거 다 북한 사람들 안다 이거예요. 그래 가지고 "남한 잘산다. 남한이 우리를 미워하는 줄 알았더니 우리를 동정해 주니 고맙다. 우리도 남한같이 살고 싶다." 이런 식으로 민심이 바뀌지는 거예요. 그러니까 과거에 북한 가서 만날 때는 북한 사람들이 아주 원수 대하듯 하던 사람들이 요새 가면 이웃사촌같이 하지 않습니까? 이렇게 북한을 바꿔 놓은 거예요. 그래서 우리가 그런 의미에서 잠재적으로는 안보가 훨씬 더 안전해진 겁니다. 남북 관계는 우리는 어차피 같이 살 수밖에 없는, 한반도에서 살 수밖에 없지만 말하자면 원수지고 언제 서로 죽일지 모르는 그런 긴장 속에서 사느냐, 통일은 장차 하더라도 우선 서로 안심하고 화해 협력하고 서로 도와주고 공동으로 투자해서 이익 보고 이렇게 사느냐, 둘 중 하나예요. 둘 중 하나인데 햇볕정책은 바로 후자, 그런 길을 가자는 것입니다. 인도적으로도 과거에 이산가족이 국민의정부 이전, 50년 동안에 불과 200명이 만났어요. 그런데 지금 1만 3천 명이 만났어요. 그리고 남북 왕래한 사람이 연간 10만 명이 다니고 이러거든요. 그래서 이젠 북한이 우리한테 아주 익숙한 나라가 되고 있거든요. 그래서 이런 진전을 우리가 긍정적으로 평가하자, 다만 우리가 어떤 일이 있어도 공산주의는 용납하진 않아요. 또 우리는 어떤 일이 있어도 안보를 소홀히 하지 않아요. 우리는 또 반드시 말하자면 우리 주변에 중국, 러시아, 일본 같은 강대국이 있어 가지고 조선왕조 말엽에도 그 세 나라가 다 우리나라 병탄하기 위해서 전쟁했어요. 그런 걸 생각하더라도 미국을 붙들고 있어야 돼요. 미국이 말하자면 안전자 역할을 해 줘야 돼요. 그런 기본 문제는 우리가 북한하고 아무리 대화에 소홀할 수 없는 거라고 생각해요.

6자회담을 위해서도 남북정상회담이 필요하다

손석희 그럼에도 불구하고 계속 어떤 의구심을 제기하느냐 하면 그렇게 해서 넘어간 물자들에 대한 적절한 이용 같은 것을 검증할 수 있느냐 하는 문제들이 계속 남거든요. 물론 다녀온 사람들이 확인해서 얘기한 바도 있고 전용이 안 되고 있다라고 주장하는 사람도 있고 또 전용의 가능성이 있다고 여전히 주장하는 사람들도 있는데 혹시 재임 시에 그런 햇볕정책을 수행하시면서 그런 물자들이 원래 적절하게 잘 쓰이고 있는가를 검증하고 있는지 보고를 받으신 바가 있으신지요?

김대중 기억은 없지만 그때 식량이라든가 비료가 제대로 가고 있다 하는 것은 나도 몇 번 물었고 나도 그런 것은 그렇게 되고 있다는 것을 보고를 받은 일이 있습니다. 그러나 제도적으로 가서 검증하고 이런 일은 없었어요. 그래서 비료야 물론 군대 같은 데 쓸 수가 없죠. 그렇지만 식량은 그러한 가능성도 있다고 생각해서 항상 주의를 했던 것이 사실입니다.

손석희 남북정상회담 얘기는 끊임없이 나왔는데 사실은 이 부분은 김대중 전 대통령께서 김정일 국방위원장을 만나신 이후에 답방에 대한 약속을 받으신 이후에 계속 그 문제를 주장해 오신 바 있습니다. 그런데 여지까지 안 이루어지고 있고 노무현 대통령이 지난번에 얘기하길 6자회담이 잘돼야 그

것도 가능한 게 아니냐, 그게 어느 정도 결실을 맺어야 남북정상회담도 가능
하다, 또 한편에서는 정부에서 또 정상회담을 추진하고 있다, 그래서 야당에
서 이게 또 정치적 목적이 있는 것이 아니냐, 이런 비판도 해 왔고요. 그러니
까 남북정상회담의 당위성, 그것은 이번 정부 내에서도 꼭 이루어져야 된다
라는 당위성을 가지고 계시는지요?

김대중 6자회담을 북한이 잘되게 하기 위해서도 정상회담이 필요해요. 또
군사적으로 평화적인 조건을 강화시키기 위해서 그런 목적을 위해서도 정상
회담이 더 필요해요. 그리고 우리가 북한에 대해서 경제적 지원을 하고 투자,
이런 문제에 대해서 협의도 할 수 있고 이것뿐 아니라 근본적으로 같은 민족
이 둘로 갈라져 있는데 전쟁까지 한 그런 상태였는데 앞으로 평화적으로 살
아가고 협력해 나가려면 정상이 적어도 자기 임기 중에 매년 최소한 한 번 만
나야 돼요. 그런데 안 만나고 넘어가면 맥이 끊어져 버려요. 그러니까 이번에
만나야 한다 이거예요. 그리고 또 6자회담을 위해서도 미국과 일본의 여러
가지 입장을 우리가 북한보다 안면이 있으니까 전달하면서 북한 얘기를 미
국에 전달하고 이런 역할도 할 수 있어요. 내가 알기에는 노무현 정권도 시작
됐을 때 남북 간에 정상회담이 일단 합의가 돼 가던 시기가 있었다고 난 알고
있어요.

손석희 정상회담이요?

김대중 예. 그리고 내 집권 때도 러시아 쪽에서 우리 정부에 대해서 남북정
상회담을 러시아 영토, 그때 이르쿠츠크 얘기가 나왔는데요.

손석희 이르쿠츠크요?

김대중 네. 거기서 하고 푸틴이 같이 앉아서 하면 어떠냐, 이걸 우리한테
타진해 왔어요. 그런데 내가 보고를 받고 거절했어요. 김정일 위원장이 남쪽
으로 와야 한다, 서울 못 오면 하다못해 말하자면……

손석희 제주도요?

김대중 제주도 아니면 휴전선 가까이라도 와서, 개성 가까이 와서라도 해야 한다, 그때 그렇게 말하고 거절해서 그 일이 진전 안 됐는데 나는 표면적으로 지도자들이 말한 것과는 별도로 남북정상회담은 가능성이 있다고 보고 있고 또 해야 한다고 보고 있어요.

손석희 참여정부 초기에 남북정상회담에 대한 일정 부분에 합의가 있었다라는 것은 저희가 어떻게 받아들여야 되는 건지요, 직접 그 내용을 잘 알고 계시는지요?

김대중 그랬던 걸로 난 듣고 있습니다.

손석희 그런데 그게 성사되지 않았던 이유는 뭐라고 말씀드릴 수 있을까요?

김대중 그건 내가 말하기 곤란합니다.

손석희 그 변수에 미국이 작용한 건 아닙니까?

김대중 잘 모르겠어요. 나는 그 이상은 깊이 못 들었어요. 못 들었는데 있었던 건 사실이에요.

손석희 그 부분에 대해서 더 깊이 말씀하시기가 어려운 측면이 있으신 것 같은데요. 알겠습니다. 이것과 관련해 가지고는 특히 남북정상회담이 잘 얘기가 나왔다가 안 풀려 갔을 때 김대중 전 대통령께서 특사로 방문을 해서 이 문제를 풀어 가는 게 어떠냐라는 얘기가 꽤 많이 나왔었습니다. 그런데 그때 입장을 정확하게 표명하신 걸로 알고 있습니다. 특사는 아니다, 이렇게 말씀하신 걸로 알고 있는데요. 그 이후에 사실 또 재방북이 추진됐다가 또 북한쪽에서 난색을 표한 바람에 성사되지 않은 적도 있고요. 특사 아니라 하더라도 재방북의 의지는 아직까지 가지고 계시는 겁니까?

김대중 그런데 그때 정부에서 특사로 가 달라는 얘기한 일이 없어요.

손석희 언론에는 그렇게 나왔던 것 같은데요.

김대중 언론이 모두 그렇게 문제를 쓰고 그랬는데 그래서 여하튼 미사일 발사도 있고 그래서 못 갔는데 지금은 내가 볼 때 내가 가는 문제보다는 대통령이 임기 끝나기 전에 어떻게든지 남북정상회담이 있는 것이 이다음 정권에 그것을 바통 터치하기 위해서도 좋지 않냐 그런 생각이고, 또 6자회담이 진행되는 때에 북한에 가서 설득할 것 설득하고 그래서 6자회담을 협력시키는 것이 한국의 존재 가치를, 존재감을 강화시킨 것도 되고 우리가 주도적인 역할을 할 수도 있지 않으냐 해서 지금 그렇게 할 뿐 아니라 무엇보다도 남북관계를 개선시키는 게 중요하다 생각하고 있어요. 그래서 나는 물론 북쪽이나 남쪽 양쪽 정부가 한번 다녀오길 바라고 하면 갈 용의는 있지만 지금 아직 그런 일도 없고 그래서 현재는 아무 계획이 없습니다.

손석희 정상회담 같은 경우에 아까 잠깐 말씀드렸습니다만 야당에서는 비판적으로 얘기를 하고 있습니다. 특히 한나라당에서는 정치적인 목적이 있는 게 아니냐, 당장 선거에 영향을 끼칠 수도 있으니까요. 거기에 대해서는 어떻게 생각하시는지요?

김대중 더 구체적으로 말하면 "야당에 불리할 수 있으니까 반대한다." 이런 얘기로 들리는데 이런 민족적인 문제를 그런 정치적 차원에서 본다면…… 난 그렇게 안 할 걸로 봐요. 그리고 국민 중에는 그래선 안 된다고 말하는 사람들이 나올 거예요. 실제로 내가 6·15남북정상회담을 성취시켰는데 그 발표하니까 그때도 여당에 유리할 거라고 해서 했다고 그러는데 나중에 보니까 선거에서 도움이 안 됐어요. 오히려 마이너스가 된 면이 있어요. 그런데 북한도 그때 정상회담을 하면 내가 곧 다가오는 국회의원 선거에서 도움을 볼 것 같으니 그런 식으로 생각들을 한다고 만나고 온 사람이 보고하고 이 얘기를 하더라고요. 그래서 북한이 우리한테 무리한 조건을 얘기했어요. "선거에 도움이 되지 않느냐." 하는 걸 비췄어요. 그래서 우리가 그쪽에 대해서 "우리는 이건 선거하고는 관계없다. 남쪽 사람들의 마음이 그런 식으로 표가 오지 않는다. 오히려 이건 우리가 주의하고 있다. 그러니까 당신네도 그렇게 생각하면 중단하고 나중에 얘기하자." 그러고 돌아갔어요. 그래서 선거전에 는 아예 없는 걸로 생각하고 있었는데 갑자기 "하겠다. 당신네 조건대로 만 나겠다." 이렇게 나왔어요. 그러니까 그때 모처럼 남북이 대화하는 문제인데 이걸 수십 년 만에…… 기회를 놓칠 수 없지 않으냐 하는 생각도 있어서 나도 주저주저하면서 사실 그때 한 거예요. 그런데 우리 국민이 북한하고 뭐 좀 했 다고 해서 표를 더 주고 덜 주고 하는 그런 국민이 아니에요. 그런 점에서 우 리 국민이 현명한 판단을 해요.

손석희 실제로 한번 증명된 적도 있었죠.

김대중 증명이 됐죠. 증명이 됐어요. 그러니까 국민이 그런 국민이 아니라 고 생각하고 야당에서도 굳이 반대할 필요는 없지 않으냐, 그런 생각입니다.

손석희 다른 얘기로 조금 넘어갔으면 좋겠습니다. 국내 정치 문제인데요. 말씀하시기 조금 꺼려지는 부분이 혹시 있을지는 모르겠습니다만 그래도 여 쭤보겠습니다.

김대중 말씀하기 꺼리는 문제 있으면 안 하겠습니다.

손석희 (웃음) 그래도 저는 또 여쭙겠습니다.

김대중 (웃음)

손석희 노무현 대통령이 4년 중임 개헌, 이걸 추진 중에 있습니다. 아마 설 이 지나면 발의가 이루어지지 않을까 예상이 나오고 있는데 그 부분에 대해 서 어떻게 생각하고 계시는지요?

김대중 1987년 후에 직선제 개헌이 있지 않았어요. 개헌을 우리 쪽에서 두 가지 주장을 가지고 여야 협상이 있었습니다. 그때 그것을 여당 쪽이 거절했어요. 하나는 4년 중임제, 그리고 다른 하나는 정부통령제, 그걸 주장했는데 여당이 반대하고 또 전두환 씨가 반대했어요. 아마 그때 정부통령제는 그렇게 하면 야당이 한 사람은 대통령에, 다른 한 사람은 부통령으로 지역별로 안배해서 나오면 불리하다, 그렇게 생각해서 반대한 것 같았어요. 여하튼 반대해서 못 됐는데 그때부터 얘기는 있었던 거고 그 후로도 역대 대통령 중에서 얘기한 분도 많았고 한데 필요하냐 안 하냐 문제는 국민까지도 이론은 없는 것 같아요. 꼭 그래야 된다는 것은 물론 그런 확설은 없지만 지금 문제는 야당에서는 반대하고 또 국민 여론에서는 어떻게 나올지 더 두고 봐야 알지만 그런 문제이기 때문에 나는 이 문제에 대해서는 중임제가 옳다는 그것이 아니라 국민 여론과 또 정부가 생각하는 그런 입장과 이런 것이 잘 절충이 돼야 한다고 생각합니다.

손석희 정치적 논란이 있는데요. 거기에 대해선 어떻게 생각하시는지요?

김대중 그 점에 대해선 대답하고 싶지 않습니다.

손석희 다만 그러한 제도 자체는 신중하게 생각해 볼 필요는 있다, 이런 말씀이시죠?

김대중 그렇습니다.

손석희 알겠습니다. 얼마 전에 그런 말씀하신 적이 있습니다. 우리 국민들은 성향상 양당 대결 구도를 선호한다, 2007년 금년 상반기가 지나면 양당 구도로 가지 않겠느냐, 그런 말씀하신 바가 있는데요. 그 말씀은 즉 열린우리당의 탈당 사태…… 그 상황 이후에도 결국은 양당 체제로 간다는 것은 지금 나간, 탈당한 의원들이나 앞으로 더 나갈 사람들이 다시 합쳐지리라고 예상하시는 말씀이신가요?

김대중 여하튼 지금은 너무 혼란스러우니까 단언적으로 말하긴 어려운데 우리가 역사적으로 볼 때 1950년 중반에 민주당이 결성되지 않았습니까? 자유당, 민주당······ 그 이래 지금까지 쭉 양당 제도가 유지돼 왔습니다, 50년 이상. 때로는 군소 정당이 생겼지만 그냥 다 거품같이 없어지고, 그래서 그건 우리 국민이 양당 제도를 선호한다는 아주 역사적인 증거입니다. 그렇기 때문에 앞으로도 그럴 것이다 하는 당위성은 상당히 많다고 보는 겁니다. 그리고 지금 모두 갈라지고 뭐 하지만 그 사람들이 무슨 큰 정책 차이로 갈라지고 있는 것도 아니거든요. 정치는 생물이기 때문에 한 번 갈라지면 감정이 뒤틀리면 따로따로 대통령 후보 내고 또 가다가 정몽준, 노무현 합치듯이 또 그런 일이 있을 수 있습니다. 끝까지 가 봐야 합니다. 지금으로서는 "양당 제도가 틀림없다." 이렇게 말하긴 어렵습니다. 어렵지만 가능성은 배제하지 않고요. 그리고 그런 문제에 대한 제1차적 전망은 말하자면 금년 중반기쯤 가면 말하자면 그때는 야당 후보도 나오고 또 하기 때문에 여당 측 사람들도 여기저기 흩어져 있더라도 하나로 합쳐서 강력한 야당 후보에 대항하냐 어쩌냐 하는 문제들이 필연적으로 대두되거든요. 그때 두고 봐야 되고 그래서 단일 정당으로 하나로 뭉치냐, 단일 후보를 연합해서 지지하는 그런 방향으로 말하자면 뭉치냐, 이건 두고 봐야 할 문제라고 생각합니다. 그럴 가능성은 있다고 생각합니다.

손석희 현 상황의 진단은 어떻게 하고 계시는지가 상당히 궁금한데요. 지금 열린우리당은 아시는 것처럼 질서 있게 신당으로 가자라는 쪽에 있는가 하면 아예 해체해서 따로 제3지대에서 모여야 한다, 통합신당파라고 얘기되고요. 또 하나는 이른바 친노다, 해 가지고 당 사수파, 크게 세 분류로 이렇게 나눠지는데 그러한 방향성, 그리고 향후 그것이 또 어떻게 될 것인가에 대한 부분에 대해서는 어떻게 생각하고 계시는지요?

김대중 지금 예측하는 것은 빠르고요. 아까 말씀과 같이 금년 상반기라는 시한을 두고 봐 가면 변화가 오지 않겠는가 그렇게 생각합니다. 지금 일종의 춘추전국시대니까······.

손석희 열린우리당의 이런 상황에 대해선 어떤 느낌을 가지십니까?

김대중 제일 중요한 것은 국민이 뭘 바라느냐는 것입니다. 여야 간에 여기 오신 분들한테 내가 얘기한 것이 바로 그건데 "국민이 지금 뭘 바라는가." 그것 생각하면 처신하기가 어렵지 않습니다. "무엇이 내 이익인가." 이것을 앞서 생각하니까 처신이 어렵지 그렇지 않으면 어렵지가 않습니다. 그렇게 해서 하는 게 좋다 했는데 내가 지금 하고 싶은 말도 열린우리당분들이 전부 국민이 뭘 바라고 있느냐, 그걸 생각해야 한다고 봅니다. 내가 현재 정부 밑에서 열린우리당이 성공 못 한 것도, 적어도 국민의 뜻은 하나로 뭉쳐서 그렇게 하라고 하고, 그 어려운 여건 속에서 밤잠을 안 자고 모두 전화하고 인터넷 하고 이렇게 해서 당선시켜 주니까 이렇게 갈라섰다, 이건 국민이 볼 때는 국민하고 약속도 틀리고 국민이 바라는 것하고 틀렸거든요. 그런 데서 이런 불행이 온 거라고 생각하기 때문에 이제라도 제대로 하고 싶거든 국민의 뜻이 무엇이냐, 그걸 알면 난 하나도 어렵지 않다고 생각합니다.

손석희 그런데 그 국민의 뜻을 읽기가 참 어려운 것 같습니다. 여론조사 결과도 조금씩 다 다르게 나오긴 하는데요.

김대중 한 두서너 달 두고 봅시다. 그러면 국민의 뜻이 집약되고 부각되니까……

손석희 지금의 여론조사 결과만 놓고 얘기하긴 좀 어렵다, 그런 말씀이시죠?

김대중 어렵죠. 지금도 국민은 혼란스럽고 판단 자료가 국민에게도 부족한 겁니다.

민주주의 발전시키고 경제 이끌 지도자가 필요하다

손석희 알겠습니다. 김대중 전 대통령께서 생각하시기에 차기 대통령이 가져야 될 비전이랄까, 어떤 철학을 가져야 될 것인가, 즉 어떤 인물이어야 된다고 생각을 하시는지요?

김대중 그거 아주 중요한 질문인데요. 우리 역사에서 어느 때라고 대통령이 중요하지 않은 때가 없지만 21세기를 맞이한 이 대통령, 이건 참 중요하다고 생각합니다.

정치적으로는 우리가 민주주의를 더욱 심화시키고 확고한 기반을 세우는 동시에 경제적으로는 공정하고 투명하고, 노사 관계를 원만히 운영할 수 있는 그런 체제, 그리고 첨단기술을 발전시키는 것, 이런 등등 이렇게 해서 말하자면 경제를 이끌어 나가야 돼요. 우리가 지금 첨단기술에 있어서 정보화에 있어서 세계 선두 강국에 있지 않습니까? 정보화 다음에도 말하자면 생명공학이라든가 나노산업이라든가 문화관광이라든가 우주항공이라든가 환경산업이라든가 이런 것에 우리가 진출해야 되고 또 정통산업도 전부 디지털화 해 가지고 이미 하고 있어요. 조선소가, 조선산업이 세계 제1위로 간 것도 정통산업에 첨단기술을 접목시켜 가지고 제일 좋은 배를 제일 싸게 만들고 제일 빨리 만들어서 세계 제1위가 된 거예요. 그래서 이런 분야에서 말하자면 큰 계획과 포부를 가진 그런 대통령, 그리고 앞으로 문화관광, 이런 분야가 큰 분야 아닙니까? 이런 데 있어서 우리가 활로를 열어 가고 세계적으로 한류를 보급시켜 가는 그런 나라가 된다는 것, 그리고 지금 우리가 제일 문제가 되는 것…… 경제적인 차별, 경제적인 차등, 못사는 사람과 잘사는 사람 사이 이런 것이 지금 문제거든요. 이건 이대로 가면 사회적 문제뿐 아니라 경제 자체도 발목 잡게 돼요. 경제가 돈이 공평하게 분배 안 되면 구매력이 적으니까 경제가 발달될 수가 없거든요. 그런 등등 이런 데 대한 포부를 가진 대통령이 돼야 하고 그리고 세계 속에서 21세기가 어떤 세기가 되어야 하나, 지금 환경 문제가 말하자면 지구의 존폐를 좌우하는 문제로 등장하고 있지 않습니까? 이런 데 대해서도 경제적 선진 국가가 되면 그것도 다 지도해야 돼요. 또 세계에서 가난한 사람들에 대해서 어떻게 하면 그 사람들을 굶주림으로부터 해방시켜 줘야 하냐, 세계에서 하루 1달러 가지고 생활하는 사람이 15억이니, 20억이니, 이런 말이 있거든요. 이런 문제에 대해서 어떻게 하느냐, 이런 포부를 갖고 있고 그다음에 남북 관계에 있어서 어떻게 하면 서로 화해 협력하고 평화 속에서 같이 살아 나가냐, 그러다가 서로 안심할 때 평화적으로 통일하느냐, 이런 데 대한 포부가 있는 그런 대통령, 그리고 우리 국내적으로도 교육이라든가, 교육은 앞으로 우리 사활을 좌우할 문제거든요. 그런 문제에 대한, 지금 교육에 대해 많은 노력들을 정부가 했지만 이만하면 됐다 하는 상태는 절대 아니거든요. 그런 비전을 갖는 대통령, 동시에 경력과 인격의 됨됨이가 대통령으로서 모든 국민이 존경하고 신뢰할 수 있는 그런 대통령, 이런 사람을 우리가 뽑아야 하지 않는가, 그런 생각을 합니다.

손석희 지금 굉장히 광범위하게 자격 조건을 말씀해 주셔 가지고요. 일단 듣는 저의 입장에서는 지금 대통령이 되겠다고 나온 분들 가운데 그런 분이 과연 있다고 생각하시는지가 궁금해지는데요.

김대중 국민이 그런 사람을 찾아야 그런 사람이 나와요. 그런 사람이 있어도 국민이 안 알아주면 그 사람이 부각될 수가 없잖아요? 그러니까 국민이 지역감정이라든가 학벌이라든가 이런 것에 매달려 갖고 투표하면 그런 사람이 나올 길이 없어요. 그런데 국민이 이번 선거에서 지역감정이니, 또 사상적으로도 음해하고 이렇게 하는 거 많이 해 왔잖아요. 이런 일 하는 사람에 대해서 여론조사 하면 전부 표를 주지 말아야 돼요. 주지 말고, 그리고 그럴 가능성이 있는 사람이 등장하면 거기에 국민이 지지를 못 해 주면 나오지 않아요. 그러니까 국민이 만들어 내야 돼요. 국민이 안 만들어 내면 언제까지나 지역 갖고 하게 돼요. 언제까지나 학벌이나 그런 악선전이나 이런 거 갖고 선거하게 돼요. 그러니까 문제는 국민이 성숙하지 않는데 위대한 대통령이 나올 수 없어요. 위대한 대통령이 우리 속에 지금 숨어 있어도 그걸 파낼 수가 없어요. 여론에서도 많이 국민을 설득해 가지고 국민이 그런 위대한 자질 있는 위대한 1등이 못 되면 2등이라도 뽑아낼 수 있는 그런 국민의 양심과 그런 결심을 갖는 그걸 국민이 노력해야 돼요.

손석희 사상 문제 말씀하신 것은 혹시 지금 야당인 한나라당 내에서 일어나고 있는 사상 논쟁을 염두에 두고 말씀하신 건가요?

김대중 과거에 내가 많이 당한 것 얘기한 거예요.

손석희 예, 연결 지어서 생각할 필요는 없다는 말씀이신가요?

김대중 난 그 문제까지는 얘기한 거 아니에요.(웃음)

과거사 사죄해야 국민적 화해가 가능하다

손석희 알겠습니다. 최근에 진실과화해를위한 과거사정리위원회, 많은 활동을 해 온 건 사실인데요. 최근 들어서 특히 논란이 되는 것 같습니다. 더더군다나 금년이 대선의 해라서 그런 것 같은데요. 예를 들면 긴급조치 위반 사건에 유죄 판결 내용, 거기에 따른 판사들의 실명이라든가 이런 얘기들, 그리고 이게 혹시 어떤 대선을 앞두고 정치적 목적이 있어서 그런 게 아니냐, 이런 지적이 많이 나오고 있거든요. 특히 야당 쪽에선 많이 나오고 있습니다. 거기에 대해선 어떻게 받아들이고 계시는지요?

김대중 정치적 차원이 아니라 인간의 양심이라는 입장에서 생각할 때 한번 얘기해 보면요. 우리가 친구를 상대로 하더라도 친구가 나한테 잘못했는데 미안하다는 말 한마디 안 하면 잘못한 그것보다도 그 태도가 더 서운하거든요. 내가 아시다시피 사형 선고를 받았고 1980년에…… 그렇게 해서 간신히 살아나지 않았습니까? 그런데 그것에 대해서 재심 요구를 대법원에 했는데 대법원에서 무죄 판결이 났습니다. 아시다시피…… 그런데 그런 무죄의 사건을 사형 선고까지 주면서 나는 그때 조금만 했으면 말하자면 이 세상에서 없어질 뻔했거든요. 그런 일을 한 검찰이나 재판부가 누구 한 사람 그런 재판에 대해서 미안하다, 이런 말 한 사람이 없어요. 최근에 인혁당 사건이 나왔는데 그것도 그렇습니다. 그래서 박해받고, 고통받고, 목숨 잃고, 병신되고, 이런 사람들이 그걸 회복할 수가 없어요. 그렇지만 그 사람들 아픈 가슴에, 마음에 "잘못했다. 그때 어떻게 그렇게 했지만 미안하다." 한마디 해서 위로하면 이것조차 없다고 하면 우리가 어떻게 인간사는 세상이라고 할 수 있겠어요. 그렇지 않아요? 그런데 과거에 그런 기관에서 하던 사람들이, 그것도 기관 자체가 국민 앞에서 난 사죄해야 한다고 생각해요. 그리고 새로 거듭나야 한다고 생각합니다. "발표했으니까 문제가 될 것이 없다"가 아니라 자기들이 스스로 해야 할 문제고 또 이렇게 발표했으면 그걸 감수하면서 사과해야 한다고 생각을 해요. 그리고 청산해 버려야 해요. 지금 누구 처벌하겠습니까? 누구에게 불이익을 주겠습니까? 그러나 그렇게 해서 청산하면 국민적 화해가 가능해요. 잘못했다고 하면, 우리가 친구들도 잘못했다고 미안하다고 하면 악수하고 손잡고 화해하지 않습니까? 나는 이 문제는 그렇게 풀어야 한다고 생각합니다.

손석희 그런데 특히 이런 활동은 정치적으로 늘 논란거리가 될 수도 있는 소지를 안고 있죠. 그래서 아까도 질문드렸습니다만 하필 왜 대선의 해이냐, 선거를 앞두고 이런 것이 나온 것, 물론 조사 기간이라든가 이런 걸 쭉 따져보면 어쩔 수 없이 이번에 나올 수밖에 없었다는 반론도 가능하겠지만 그런 정치적 논란이 되는 것에 대해서도 그럼 부정적으로 보시는 건가요? 현실적인 문제라서요.

김대중 그에 대해서는 일한 분들이 일한 과정에서 한 일이니까 내가 잘했다, 못했다 말할 순 없고요. 그리고 또 나는 국민이 지금 말씀과 같이 서로 화해하면 국민이 그런 것 가지고 정치로 이용하려고 할 때 이용 안 당할 거라고 생각합니다. 우리 국민이 그렇게 어리석은 국민이 아니거든요. 박근혜 대표가 한번 당 대표로 계실 때 사무실에 찾아왔어요. 그래 가지고 박근혜 대표가 내가 뜻밖에 생각지도 않았는데 나보고 과거에 부친께서 하신 일에 대해서 미안하게 생각한다고. 과거에 박정희 정권에서 내가 말하자면 여러 가지 박해받지 않았어요? 그에 대해서 미안하다는 이야기를 하더라고요. 그러니까 내 속에 있는 무슨 응어리가 풀린 것 같은 기분이더라고요. 그래서 내가 박근혜 대표 보고 그렇게 말했어요. 감사하다고 말했어요. 그리고 박근혜 대표에 대해서 굉장히 가까워진 생각이 들더라고요. 그러니까 인간이라는 것이 이런 거예요. 다 인간이 누구도 자기도 잘못할 수 있고 자기도 그 자리에 있으면 그럴 가능성 있는 인간이기 때문에 서로 마음을 털어놓고 흉금을 털어놓고 얘기하면 화해가 되는 거예요. 그러니까 나는 그 길 외에는 이 문제에 대해서 바른길은 없다고 생각합니다.

손석희 지금 김대중 전 대통령께서는 박근혜 전 대표와의 좋은 추억을 말씀해 주고 계시는데요. 실제로 인혁당 사건이나 이런 것이 무죄 선고가 나오고 최근에 이런 진실과화해를위한 과거사정리위원회 활동에 대해서 박근혜 전 대표가 오히려 정치적 공세일 수도 있다, 이런 비판적인 입장을 내비친 바가 있거든요. 그럼 거기에 대해서는 어떻게 생각하십니까?

김대중 거기에 대해서는 내가 말하지 않겠습니다.

손석희 예, 중요한 걸 여쭤보면 꼭 답변을 안 해 주셔서…….(웃음)

김대중 (웃음) 중요한 것 답변한 것도 많습니다.

손석희 알겠습니다. 노무현 대통령이 집권한 지 이제 4년이 지났고요. 이제 1년 정도 남았는데 전임 대통령으로서 노무현 대통령의 정부가 잘한 일,

혹은 아쉬웠던 일, 그리고 이제 1년 남았는데 앞으로 1년은 어떻게 했으면 좋겠다라든가 그런 생각이 있으신지요? 세 가지 질문을 다 드린 셈인데요. 한꺼번에.

김대중 나는 노무현 대통령의 업적에 대해선, 한 일에 대해선 지금은 내가 말하는 것이 적당하지 않다고 생각합니다.

손석희 그러면 이렇게 여쭙겠습니다. 노무현 대통령이 지난번에 기자회견 자리인가요. 거기서 그 얘기한 바가 있습니다. 김대중 전 대통령님 재임 당시에 경제 정책, 특히 아파트 분양가 상한제를 철폐한 것이라든가 이런 것은 좀 문제가 있었다, 그리고 신용카드도 결과적으로 남발이 됐기 때문에 그것이 나중에 결국은 경제에 큰 주름살을 가지고 오지 않았느냐, 이런 요지로 비판적 발언을 한 걸로 저희가 들었습니다. 거기에 대해서는 어떻게 생각하시는지요?

김대중 그 정권을 맡아서 5년이나 일하다 보면 잘못하거나 미숙한 일도 많죠. 다만 후임 정권은 전임 정권이 일 잘못해 놓은 것이라든가 실수한 것을 맡아 가지고 그것을 말하자면 잘 바르게 고쳐 가고 하는 것이 후임 정권의 임무입니다. 나도 전 정권이 외환 위기 만들어 놓은 것 맡아 가지고 했지 않습니까? 또 기타 경제에 있어서 투명하게 하는 것이라든가 이런 것 많이 있습니다. 그러니까 또 내가 잘못한 점 있으면 노 대통령이 맡아서 잘하면 그러면 정치가 발전되는 것 아닙니까?

손석희 알겠습니다. 좀 딱딱한 질문은 이걸로 끝내겠습니다. 라디오는 자주 혹시 가끔이라도 들으시는지 모르겠습니다.

김대중 네, 가끔 듣습니다.

손석희 저녁때 혹시 들으십니까?

김대중 저녁때가 아니라요. 오후에 목욕할 때 1시간 동안 듣습니다. (웃음)

손석희 저녁때 최양락 씨가 진행하는 「재미있는 라디오」라는 프로그램이 있는데요. 거기 보면 3김 퀴즈가 있습니다. 혹시 들어 보신 적 있으신지요?

김대중 난 3김 얘기 나오면 별로 듣고 싶지 않아요.

손석희 (웃음) 최양락 씨하고 배칠수 씨가 상당히 서운해하겠는데요?

김대중 (웃음) 3김은 이제 끝났는데 무슨 3김이에요.

손석희 3김 퀴즈에 보면 배칠수 씨가 김대중 전 대통령님을 아주 똑같이 흉내를 냅니다.

김대중 (웃음)

손석희 그런데 문제를 맨날 틀리시던데요. 답을 말씀하실 때…….

김대중 답을 틀리게 해요?

손석희 예, 답을 맞히는 쪽으로 교정하라고 그럴까요?

김대중 시청자가 좋아하는 대로 하라고 그러세요.

손석희 (웃음) 예, 알겠습니다.

김대중 시청자가 아니라 청취자가.

손석희 예, 오늘 인터뷰 이걸로 마무리하겠습니다. 말씀 잘 들었습니다.

김대중 수고했습니다.

손석희 예, 고맙습니다.

---

* 이 글은 문화방송(MBC) 라디오 「손석희의 시선집중」 인터뷰를 녹취한 것이다. 2007년 2월 3일 연세대김대중도서관에서 녹음하여 2007년 2월 5일 오전 7시에 방송되었다.

북한과 미국은 직접 대화로 주고받아야

대담 마코넨
일시 2007년 2월 8일

마코넨 조금 전에 대통령님의 도서관을 둘러봤습니다. 정말 좋은 전시물도 많고 큰 감명을 받았습니다. 본인의 이름을 본뜬 도서관을 가진 사람은 그리 많지 않을 것입니다.

김대중 감사합니다. 아시아에서는 최초의 대통령 도서관입니다. 정부의 지원도 조금 받아서 운영되고 있습니다.

마코넨 저희 카메라맨이 얼마 전에 개성을 다녀왔습니다. 저는 못 가 봤습니다. 앞으로 갈 기회가 있었으면 좋겠습니다.

김대중 가시면 아마 느낀 점이 많을 것입니다. 사실 저도 한 번도 못 가 봤기 때문에 이렇게 말하는 게 적절치 않을 수도 있지만, 가시면 많은 것을 느낄 수 있다는 것은 분명합니다.

마코넨 지난주에 저는 중국에서 북한 접경 지역을 다녀왔습니다. 그래서 그곳에서 북한 주민들에게 초콜릿을 나눠 주기도 하고 그랬습니다. 그런데 며칠 전 비무장지대(DMZ)를 갔는데 그곳에는 긴장이 팽배해 있는 것을 느꼈습니다.

김대중 과거에 비하면 2000년 남북정상회담 이후 긴장감이 크게 완화된 것입니다. 과거에 북한 주민들은 한국은 미국의 앞잡이고 북한을 침략하려 한다고 생각했습니다. 그러나 남북정상회담 이후 한국이 북한에 식량도 주고 비료도 주면서 북한의 생각이 달라지기 시작했습니다. 이제는 한국을 적으로 생각하기보다는 한국이 잘산다, 한국에 대해 부럽다는 감정을 갖게 됐습니다. 그리고 이런 생각이 북한 전역에 퍼졌습니다. 한류를 들어 보셨을 것입니다. 한국의 문화, 즉, 드라마, 음악 등이 중국, 일본 등에서 큰 인기를 끌고 있습니다. 이런 한류가 북한에서도 큰 인기입니다.

마코넨 북한에서도 한국의 드라마를 볼 수 있는지 몰랐습니다.

김대중 공개적으로 볼 수 있는 것은 아니고 암암리에 돌려 가면서 보는 것으로 알고 있습니다.

마코넨 저도 한류에 대해서 잘 압니다. 얼마 전에 이 주제에 대해 프로그램을 제작한 일이 있습니다. 지난 8월에는 드라마 「주몽」의 제작진들과 만나고 「주몽」의 스타들과 인터뷰를 하기도 했습니다. 그리고 제가 중국에서 북한과 접경 지역을 방문했을 때 북한 음식점에 갔습니다. 그때 식당 종업원이 한국 드라마를 보는 것을 봤습니다.

김대중 네. 현재 중국에서는 하루에 약 1억 명에 달하는 사람들이 한국 드라마를 시청한다고 합니다.

마코넨 지금 제작 중인 이 프로그램에 대해서 조금 말씀드리자면, 저희는 현재 북한의 상황에 대한 프로그램을 준비 중에 있습니다. 그래서 이 상황을 한국이 어떻게 보는지, 일본이 어떻게 보는지, 중국이 어떻게 보는지 알아보고자 합니다. 약 30분-1시간 분량의 다큐멘터리 형식으로 만들어집니다. 그리고 대통령님의 인터뷰는 이 프로그램의 중요한 부분을 차지하게 될 것입니다. 방송은 핀란드 제1번 채널을 통해 방송됩니다. 이 채널은 핀란드에서 가장 인기 있는 채널입니다.

김대중 그렇게 중요한 방송에 제가 나가게 돼 영광으로 생각합니다. 핀란드는 거리는 멀지만 한국 국민들에게 좋은 나라, 훌륭한 나라로 인식되고 있습니다. 또한 어려운 여건 속에서도 독립을 유지한 국민들의 용기에 존경심을 갖고 있습니다.

마코넨 대통령님께서는 북한에 대해 햇볕정책을 추진하셨습니다. 대통령님께서는 이를 통해 이루고자 하신 것이 무엇입니까?

적대 관계를 평화 공존의 관계로

김대중 햇볕정책은 결론적으로 말하면, 적대 관계를 평화 공존의 관계로 발전시키는 것입니다. 상호 교류, 협력을 추구하고 그를 바탕으로 평화 통일을 이루는 것이 목적입니다. 이런 목적 아래, 평화 공존, 평화적 교류 협력, 그리고 마지막으로 평화 통일을 이루는 것입니다. 냉전의 찬바람을 거두고 따뜻한 바람의 좋은 관계를 발전시키는 것입니다.

마코넨 그럼, 대통령님의 햇볕정책은 성과가 있었습니까?

김대중 네, 그렇습니다. 제일 중요한 변화는 2000년 남북정상회담 이후 긴장이 크게 완화됐다는 것입니다. 과거에는 판문점에서 병사 한 명이 총 한 방만 쏴도 서울에서는 모두 피난을 가기 위해 짐을 싸고 그랬습니다. 그러나 오늘날에는 북한이 핵실험을 해도 한국 국민들은 끄떡없습니다. 그리고 크게 동요되지 않습니다. 이것이 바로 긴장 완화의 증거입니다. 남북 관계에는 그동안 많은 발전이 있었습니다. 그리고 이를 바탕으로 남북 관계는 안정을 찾았습니다.

한반도에는 수백만 명의 이산가족들이 있습니다. 이들은 50년이 넘도록 가족의 소식이나 생사도 모르고 살았던 사람들입니다. 제가 2000년 남북정상회담을 가기 전에는 상봉한 이산가족 수가 200명에 불과했습니다. 그러나 남북정상회담 이후 약 13,000명에 달합니다. 그리고 계속 이들이 만날 수 있도록 이산가족 상봉 시설을 짓고 있습니다. 그리고 한국에서 130만 명의 관광객들이 북한의 금강산을 다녀왔습니다. 개성공단에서 일하는 북한 노동자 수는 1만 명에 달합니다. 그리고 이 숫자는 35만 명으로 늘릴 예정입니다. 남북한 간의 왕래도 크게 늘었습니다. 또한 한국은 매년 수십만 톤의 식량과 비료를 북한에 지원합니다. 의료와 약품도 북한에 매년 보내고 있습니다. 이런 원조로 인해 북한 주민들의 한국에 대한 적개심은 이웃사촌을 대하는 따뜻한 마음으로 바뀌었습니다. 이제 우리를 부러워하고 있고, 아까 말했듯이 한류가 비밀리에 북한 사회에서 유행하고 있습니다. 햇볕정책은 이런 큰 성과를 냈습니다. 그러나 북·미 관계가 악화돼, 걸림돌로 있습니다. 그렇지 않았다면 남북 관계는 더 많은 발전을 봤을 것입니다. 그러나 전 세계가 햇볕정책을 지지하고 있습니다. 그리고 유엔, 아셈회의에서도 햇볕정책을 지지했습니다.

마코넨 어떤 이들은 햇볕정책을 악용하고 있다고 북한을 비판합니다. 받을 것만 받고 줄 것은 안 준다고 비난합니다. 핵실험도 이에 좋은 예입니다. 대통령님은 어떻게 생각하십니까?

김대중 확실히 말하고 싶은 것은, 지금 북핵 문제는 북한과 미국 간의 문제라는 것입니다. 햇볕정책과는 아무런 상관이 없습니다. 북한은 미국이 안전 보장이나 체제 보장을 해 주지 않으면서 정권 붕괴만 추구했기 때문에 핵을 개발했다고 말하고 있습니다. 햇볕정책을 비판한 것은 아닙니다. 이 문제는 미국도 이렇게 잘 알고 있습니다. 북한의 미국에 대한 불만 때문에 북한이 핵을 개발했다는 것입니다. 햇볕정책은 남북 관계를 완화시켰으면 완화시켰지, 악화시킨 적은 없습니다. 북한 주민들의 마음을 바꿨다는 것입니다. 마음을 바꾸는 것 이상의 효과가 어디 있겠습니까? 개성과 금강산을 왕래하면서 우리는 공장을 짓고 관광시설을 운영하고 돈 벌고 교류하고 있습니다. 제일 큰 변화, 햇볕정책의 제일 큰 성과는 북한 주민들의 마음이 바뀌었다는 것입니다. 그래서 긴장 완화와 한반도 안정에 기여했다는 것입니다. 우리 입장에서 보면, 개성과 금강산은 마치 휴전선이 5킬로미터, 10킬로미터 북상한 것을 의미합니다. 핵 문제는 북·미 간의 문제입니다. 북한과 미국이 대화해야 합니다. 제가 알기로 최근 이에 대해 베를린에서 대화했습니다. 그리고 6자 회담에서도 대화하는 것입니다.

마코넨 어떤 이들은 개성공단에 들어가는 돈이 북한 정권으로 흘러들어 간다고 비판합니다. 북한 주민들에게 가는 것이 아니라 정권에 간다는 것입니다. 이에 대해 어떻게 생각하십니까?

김대중 우리가 개성공단에서 임금을 주면 일부는 노동자들에게 가고 일부는 정부에 간다는 것을 알고 있습니다. 이는 공산 체제하에서는 정부가 사회보장, 전력, 식량 배급 등을 책임지기 때문입니다. 공산국가의 경우 이는 피할 수 없는 것입니다. 하지만 우리는 과거 소련에 대해 미국이 경제 거래를 끊고 압력을 가했을 때는 성공하지 못했지만, 헬싱키협정을 맺고 유럽안보협력조약(CSCE)을 통해 소련을 더욱 개혁, 개방으로 유도하고 경제 교류와 협력을 했을 때 고르바초프 대통령이 정책 변화를 시도하고 그에 따라 점점 변화하지 않았습니까? 공산국가를 대할 때는 개혁, 개방으로 유도하는 것이 효과적입니다. 저는 이를 클린턴 대통령이나 부시 대통령에게도 말했습니다.

그리고 저는 미국 친구들에게도 얘기했습니다. 미국에서는 한국이 북한을 지원하는 것을 싫어하는 사람들도 있는데 이는 다시 생각해 봐야 한다는 것입니다. 북한이 경제적 도움이 필요한데 미국이 제재를 가하고 북한을 향해 열지 않으니까 북한이 중국에 갈수록 더 의존하게 되는 것입니다. 현재 북한은 중국으로부터 식량, 기름 등을 의존하고 있습니다. 현재 북한에서 생필품의 80-90퍼센트가 중국 것입니다. 중국이 북한으로 들어가서 항구를 짓고 광산을 개발하고 공장을 세우고 하면서 그 영향력을 넓혀 가고 있습니다. 그래서 중국의 경제적 영향력이 갈수록 북한에 들어가고 있는 것입니다. 이런 영향력이 휴전선까지 오게 되면 우리에게도 압박이 될 것입니다. 우리가 더 북한으로 들어가서 중국의 영향력을 견제해야 합니다. 그래서 우리의 영향력을 확대해야 합니다. 이것이 바로 북한을 중국에 넘겨주지 않는 방법입니다. 그렇기 때문에 근시안적으로 문제를 바라보기보다는 좀 더 멀리 내다봐야 합니다.

마코넨 오늘부터 6자회담이 재개됐습니다. 대통령님께서는 개인적으로 10년, 20년, 30년 후의 미래를 어떻게 보십니까? 무슨 일들이 일어날 것이라 생각하십니까?

정권 붕괴를 추구한 부시 정부

김대중 저는 재임 중 부시 대통령과 정성을 다해 설득했고 합의를 했습니다. 그래서 미국은 정상회담 후, "북한을 공격하지 않겠다. 북한과 직접 대화하겠다. 북한에 식량 원조를 하겠다"고 발표했습니다. 그래서 한국에 왔을 때 청와대에서 기자들 앞에서 발표했습니다. 그러나 그 후 미 정부 내 강경파가 반대해 이런 약속들이 실천되지 못했습니다.

미국이 합의와 다르게 북한에 대해 강경 입장을 취하자, 북한은 핵확산금지조약(NPT)을 탈퇴하고, 국제원자력기구(IAEA) 요원들을 추방했습니다. 그래서 이제 우리는 북한에서 핵 개발이 어떻게 진행되는지 전혀 알 수 없게 됐습니다. 또한, 북한은 제네바합의를 무효화하고 장거리미사일을 시험 발사를 했으며, 심지어 핵실험까지 했습니다. 미국이 강경 자세만 추구하고 정권 붕괴를 추구하다가 상황은 이렇게 되어 부시 정부는 대북 정책에서 실패한 것입니다.

마침내 북한이 핵실험을 하자, 국제사회는 충격을 받았습니다. 그리고 유엔 제재 결의가 채택되기도 했습니다. 우리나라에서도 나를 제외하고는 모두 북한에 대해 비판하고 큰 혼란에 빠졌습니다. 그때 당시 신문만 봐도 알 수 있습니다. 그러나 지금이야말로 우리가 새로 단호히 다질 때입니다. 미국이 또 경제 봉쇄를 한다고 하는데, 이미 미국과 일본은 북한에 대해 할 만큼 봉쇄를 했습니다. 문제는 중국인데, 중국은 미국이 북한에 대한 적극적, 개방적 태도를 취하지 않음에 따라 경제적 봉쇄에 적극적으로 참여하지 않고 있습니다.

북한과 미국은 직접 대화를 통해 서로 받을 것은 받고 줄 것은 줘야 합니다. 북한은 핵을 포기하고 검증을 받아야 합니다. 그리고 미국은 북한에 대해 안전 보장을 해 주고 경제 제재를 해제하고 국교 정상화를 해야 합니다. 이는 주고받는 협상을 통해서 해야 합니다. 그래서 기회를 준 후 북한이 이를 어기면, 그때는 중국까지 포함해서 5자가 협력하여 북한을 함께 제재해야 합니다. 최근 저는 이와 같은 의견을 시엔엔(CNN), 에이피(AP), 로이터(Reuters), 르몽드(Le Monde) 등 10개 외신과 인터뷰를 통해 했고, 그것이 또 신디케이트(syndicate)를 통해 수십 군데로 배급되어 보도가 됐고 국내 언론들에서도 다뤄졌습니다. 그리고 국내 대학들에서 강연도 했습니다. 다행히 지금은 북·미 대화가 재개되고 있고, 이것이 잘되길 바랍니다. 또 잘될 가능성이 더 크다고 봅니다. 미국에서는 최근 중간선거에서 민주당이 이겼고, 민주당은 클린턴 대통령의 대북 정책을 지지합니다. 그리고 부시 대통령도 한반도에서 전쟁을 할 상황이 안 됩니다. 부시 대통령은 임기 말을 맞는 상황에서 무언가 성과를 내야 하는 상황이고 중동에서는 실패했습니다. 그렇기 때문에 북한에서라도 성공해야 하는 상황입니다. 북한의 입장에서도 여기서 협의를 해야 합니다. 북한이 계속 핵을 보유하려고 하면 중국이 강하게 반발할 수도 있습니다. 북한이 핵을 보유하면 대만이나 일본도 핵을 보유하려고 할 수 있기 때문입니다. 주식에 비유하자면, 북한은 북한의 핵 보유가 지금이 가장 상한가입니다. 따라서 금년에는 긍정적인 결과에 희망을 걸 수 있다고 생각하고 반드시 그렇게 될 것이라고 생각합니다.

마코넨 시간 내주셔서 감사합니다.

김대중 이렇게 핀란드 국영방송과 인터뷰할 수 있어서 감사했습니다. 또한 매우 아름다운 여성과 인터뷰하게 돼서 영광이었습니다. 한국에서 좋은 시간 가지시고, 기회가 되면 다시 만납시다.

* 이 글은 핀란드 국영방송 와이엘이(YLE)와의 인터뷰다. 2007년 2월 8일 오후 4시 연세대 김대중 도서관 집무실에서 이루어졌다.

북한은 이 기회를 놓쳐서는 안 된다

대담 고토 겐지

일시 2007년 2월 15일

6자회담

고토 겐지 2·13 6자회담에서 합의문서가 채택되었습니다. 이 합의를 어떻게 평가하십니까?

김대중 저는 6자회담이 올해 한반도 혹은 동북아시아에 평화의 빛을 가져다줄 것이라고 생각합니다. 미국도 북한도 본격적으로 핵 문제를 해결하려고 하고 있습니다.

고토 겐지 적극적으로 평가하시는 겁니까?

김대중 네. 적극적으로 평가하고, 북·미 양측 모두 그렇게 하지 않을 수 없다고 생각합니다. 미국에서는 북한이 핵실험까지 강행한 현재 상황에서 양자택일, 즉 북한을 군사적으로 성벌할지 혹은 대화로 해결할지 둘 중 하나밖에 선택할 수 없습니다. 현재 미국은 중동에서 발목이 잡혀 있어서 북한을 군사적으로 징벌할 힘과 여유가 없습니다. 그러므로 대화하는 방법밖에 없습니다. 아무것도 하지 않고 북한에 끌려다닌 부시 정권 6년간 북한은 핵확산금지조약(NPT)을 탈퇴하고, 국제원자력기구(IAEA)의 감시원을 추방하고, 장거리탄도미사일을 발사하고, 핵실험을 하는 등 나쁜 일만 진전되었습니다. 이제 미국 중간선거에서 민주당이 이겼고, 민주당은 클린턴 대통령이 했던 것처럼 '주고받는(Give and Take) 협상'과 대화로 문제를 해결하려고 하고 있습니다. 그런 주장을 하는 민주당이 이겼다는 것은 부시 정부로서는 정책을 바꾸지 않을 수 없는 것입니다. 북한을 경제적으로 제재하려고 해도 미국과 일본이 이미 경제 제재를 하고 있고, 가장 중요한 중국이 경제 원조를 하고 있는 이상 그 효과에는 한계가 있습니다. 부시 대통령으로서는 지금 중동에서 실패하고 있기 때문에 무언가 성공하지 않으면 안 됩니다. 대통령 선거를 눈앞에 두고 있습니다. 이러한 것이 맞물려 미국은 지금까지와는 달리 직접 대화를 하고, '주고받는 협상'을 하고 거래를 하고 있는 식으로 변해 온 것이라고 생각합니다.

고토 겐지 북·미 관계가 크게 진전될 가능성은 있습니까?

김대중 있다고 생각합니다. 그 이외에는 방법이 없습니다.

고토 겐지 그렇다면 부시 대통령과 김정일 위원장의 회담 가능성도 있다고 보십니까?

김대중 물론 있다고 생각합니다. 그것은 부시 대통령으로서는 성공을 세계에 알리는 절호의 기회이기 때문에 할 거라고 생각합니다.

고토 겐지 북한이 이번 합의를 성실하게 이행할 것인지에 대한 의구심은 없습니까?

김대중 북한이 합의를 이행하지 않으면 어떻게 하겠습니까? 성실하게 이행하지 않으면 미국은 북한의 안전을 보장하지 않고, 국교도 정상화하지 않고, 경제 제재도 해제하지 않을 겁니다. 또 6자회담이나 유엔은 북한을 압박할 것입니다. 미국은 이번에 국교 정상화나, 일본과의 국교 정상화 혹은 경제지원 등 여러 가지 북한이 지금까지 희망해 왔던 모든 것을 제공할 용의가 있다는 것을 보여 주고 있는데 북한이 하지 않을 이유가 없습니다. 북한이 하지 않고 버틴다면 이번에는 중국이야말로 인내의 끝을 잘라 버리는 입장이 되어 북한의 경제 제재에 동참하기 시작하여 북한은 오래가지 못할 것입니다. 북한은 지금 바랐던 많은 것을 얻을 호기를 잡았는데 이것을 활용하지 않을 리가 없습니다. 활용하지 않는다면 북한은 나쁜 일만 생길 겁니다. 이번에 협력하지 않아서 중국과 한국이 경제 제재에 가담하고, 미국, 일본까지 가담한다면 어떻게 할 것입니까? 그렇게 되면 북한은 오래가지 못할 것입니다. 이것은 낙관적으로 보고 싶어서 낙관적으로 보고 있는 것이 아닙니다. 북한이 협력하지 않으면 어떻게 될 것인지 생각해 보면 북한에 좋은 일은 아무것도 없습니다. 미국의 입장도 그렇습니다. 북핵 문제는 1994년부터 시작해서 13년간 끌어왔던 문제로 결국 대화하고, '주고받는 협상'으로 거래를 하는 것 말고는 다른 길이 없다는 것이 판명되었을 뿐입니다. 저는 단언하지는 않지만, 좋은 방향으로 발전할 가능성이 크다고 생각합니다.

납치 문제

고토 겐지 일본은 납치 문제라는 큰 여론이 있습니다. 이번에 북한에 5만 톤의 중유 제공에 대해서 협력은 해도 지원은 하지 않는다는 태도를 정부에서 표명하고 있습니다. 일본의 외교적인 대응에 대해서 어떻게 생각하십니까?

김대중 이렇게 분위기가 좋은 방향으로 가면 납치 문제도 해결될 수 있다고 생각합니다. 북한은 이미 납치 문제에 대해서 일본에 사죄하고 있습니다. 그리고 상당수의 사람들을 일본에 보냈습니다. 이제 남은 문제는 남은 사람들에 대한 생사 확인, 또 남아 있는 사람들이 있다면 그에 대한 일본 측의 요구를 북한이 수용한다는 그러한 문제만이 남아 있습니다. 될 수 있다고 생각합니다. 저는 일본이 기본적으로 납치 문제에서 북한 측을 비판하고 요구하는 것은 당연하다고 생각합니다. 북한이 일본에 모처럼 사죄하고 협력하면서도 왜 남은 문제에 대해서 피해자가 희망하는 대로 적극적으로 협력하지 않는지 모르겠습니다. 그런데 일본도 북한에 대해 나쁜 일을 했지만 그것에 대해 사죄하고 일부 사람들이 돌아왔다는 점은 또 인정하면 좋겠습니다. 남아 있는 문제를 너무 몰아세우면 결국 반발만을 가져올 것입니다. 기본적으로 납치 문제는 완전히 납득할 때까지 해결해야 한다는 것은 당연한 일이라고 생각합니다.

고토 겐지 납치 문제에서 일본의 입장에 협력해 주실 생각이 있으십니까?

김대중 저는 그것을 언론을 통해 말하고 있습니다. 또 일본 언론에도 말하고 있습니다. 그것은 북을 위해서도 북은 피해자 측이 납득할 때까지 성의를 가지고 협력해야 한다는 것을 기회가 있으면 말할 예정입니다. 모처럼 납치 문제에서 적어도 50퍼센트 이상은 협력하고 있는데도 남은 문제 때문에 무위로 돌아가 버리는 것은 북한에도 좋은 일은 아니라고 생각합니다. 유감스럽게 생각합니다.

고토 겐지 앞으로 평양에 가실 의향이 있으십니까?

김대중 잘 모르겠습니다. 갈 기회가 있다면 갈 예정입니다만, 지금은 남북 간 당국자회담이라든지 정상회담이 하루빨리 열려야 한다고 생각하고 가능성이 있다고 생각합니다.

고토 겐지 김 전 대통령께서 가서서 정상회담이 열리는 것이 아니라, 먼저 남북 간 정상회담이 열려야 합니까?

김대중 남북정상회담은 제가 간다는 것과 직접 관계가 없는 것이라고 생각합니다. 그것은 정부가 하는 일입니다.

고토 겐지 지금 김정일 위원장을 만난다면 어떤 말을 하고 싶으신지요?

김대중 6자회담이 합의된 이 기회를 절대로 놓쳐서는 안 된다고 말하고 싶습니다. 그리고 무엇보다도 신뢰를 얻는 것이 지금부터는 중요하기 때문에 6자회담 참가국은 물론 세계에 대해 북한이 성의를 가지고 일을 진행한다는 신뢰를 얻는 것이 무엇보다도 중요하다고 말하고 싶습니다. 그리고 일본과의 관계에서도 납치 문제 같은 것은 일본이 납득할 때까지 협력해서 빨리 일본과 국교 정상화를 하라고 말하고 싶습니다. 일본의 경제 협력을 얻는 일이 북한의 발전을 위해서는 중요하기 때문에 작은 일에 연연하지 말고 대범한 입장에서 일본과 관계를 개선하도록 하라는 그러한 말을 하고 싶습니다.

남북정상회담

고토 겐지 남북장관급회담 개최가 결정되었습니다. 이제부터 스피드를 올려서 남북 관계가 진전될 것으로 보십니까?

김대중 2000년에 남북정상회담을 했는데 결국 지금까지 남북 관계에 표면적으로 큰 진전이 없었던 것은 북한과 미국의 관계가 가장 큰 문제였기 때문입니다. 그것이 지금 눈이 녹듯 한 시대가 온 것이기 때문에 남북 간도 급속한 발전이 이루어질 것이라고 생각합니다. 그동안 남북은 여러 형태로 교류를 해 왔기 때문에 서로 이해나 신뢰가 상당히 진전되어 있습니다. 앞으로 보다 더 기대할 수 있다고 생각합니다.

고토 겐지 어떤 점에서 남북이 실마리가 풀리기 시작했다고 생각하십니까?

김대중 가장 먼저 남이 북에 대해 그동안 중지했던 식량과 비료를 지원하고 북한은 이산가족 상봉 문제에 협력할 거라고 생각합니다. 그리고 지금은 2차 공사가 진전되고 있지 않은 개성공단이 급속히 발전되어 갈 것이고, 이제 조금 시간이 지나면 남북 간 관광, 특히 남에서 북으로 가는 관광이 마치 일본인이 하와이에 가는 것처럼 되는 그런 시대가 올 것이라고 생각합니다. 그리고 북한의 '해주'라든지 '원산' 같은 곳에도 공단이 들어서게 될 수 있습니다. 특히 철도는 아직 개통되어 있지 않지만 개성까지의 개통은 임박해 있습니다. 개성공단의 노동자들이 서울에서 버스로 통근하고 있는데 버스 100대가 매일 오고 갑니다. 그 버스의 좌석이 거의 다 가득 찹니다. 2차 공사를 끝내면 통근 버스가 이제 100대 정도 더 늘어날 것 같습니다. 그러니까 어쨌든 기차를 운행해야 할 필요가 생겼습니다. 철도가 개통되어 운행하는 것은 굉장히 의미가 깊습니다. 그렇게 하면 북한 전체를 종단하는 철도가 남쪽 가까이 다가와 있게 됩니다. 철도가 연결되면 북한을 통해 유라시아 대륙으로 발전해 갈 수 있습니다. 머지않아 그렇게 되어 갈 것이라고 생각합니다.

고토 겐지 연내에 남북정상회담 가능성은 있습니까?

김대중 70-80퍼센트 정도 있다고 생각합니다. 북한으로서는 남북공동선언문 안에 포함되어 있기 때문에 일종의 의무입니다. 그리고 이쪽에서 대통령도 6자회담의 결과가 좋으면 할 수 있다고 말하고 있습니다. 정부도 정상회담에는 상당히 적극적이기 때문에 실현될 가능성이 있다고 생각합니다.

고토 겐지 2000년 합의에서는 김정일 위원장이 서울에 오기로 되어 있습니다. 서울에 와야 한다고 생각하십니까?

김대중 노무현 대통령은 이미 장소에 구애받지 않는다고 말하고 있기 때문에 어디에서 하는가는 모르지만 가능성이 높다고 생각합니다.

김대중 납치사건

고토 겐지 1973년 납치 문제에 대한 진상규명위원회의 발표가 늦어지고 있는데, 최종적으로 어떻게 결론이 나야 한다고 생각합니까?

김대중 그것은 제가 요구하는 것이 아닙니다. 진상규명위의 사람들에게도 당신들이 진상을 규명하지 않고 적당하게 한다면 역사가 반드시 그것을 문제 삼을 것이라고 했습니다. 지금까지 몇 번이나 이 문제에 관해 발표가 있었습니까? 그러나 진실을 말하지 않았기 때문에 다시 하게 되었습니다. 제가 들은 바에 의하면 일본 정부와 외교 문제도 있어 발표가 늦어지고 있다는 이야기도 있지만 저는 그 분들에게 말했습니다. "당신들이 있는 그대로 진상을 발표할 수 없다면 발표하지 말라"고. 제가 먼저 진상 규명을 하라고 요구하지 않았습니다. 그러나 "진상을 적당하게 발표하는 것은 허락하지 않겠다, 참을 수 없다"고 했습니다. 그것은 역사와 국민에 대한 배신이라고 이야기했습니다.

이것은 어떤 의미에 있어서는 일본의 주권을 침해한 사건입니다. 왜 일본은 그런 것을 감추고 있습니까? 자신의 나라의 주권이 침해당했는데 감추는 나라가 어디에 있습니까? 인권의 문제를 일본이 어떻게 양보할 수 있는 것입니까? 나의 인권이라 해도, 나는 일본 국민은 아니지만, 누구의 인권이라도 민주국가라면 양보해서는 안 될 것입니다. 그리고 최근 금전 문제까지 다나카(田中) 총리의 측근이 폭로하고 있습니다. 왜 이런 일을 지금 일본이 확실히 밝히지 않는 것인지, 지금 정부가 이 사건에 관계가 없으면서 그런 식으로 하기 때문에 신뢰를 잃을까 걱정하고 있습니다. 그것이 미국이나 영국이었다면 그렇게 감추었겠습니까? 그렇게 하지 않을 것입니다. 따라서 일본이 세계의 지도 국가, 일류 국가가 되려고 한다면 인권 문제에 대해서도 그런 주권 문제에 대해서도 확실하게 누구라도 납득할 수 있도록 하면 일본이야말로 세계로부터 존경을 받게 된다고 저는 생각합니다. 납치 문제는 저는 살아났고, 안전하게 있기 때문에 이해利害는 없습니다. 하지만 그런 인권 문제를 한 개인의 인권 문제라고 해서 정부 권력 양측이 적당히 공모해서, 적당히 정치 결착을 했습니다. 그것을 언제까지 끌고 갈 것입니까? 지금 시간이 30년 이상 지나서 현재 한국 정부도, 일본 정부도 책임이 없는데, 진상까지 발표하지 않고 숨기려고 하는 그런 태도로 어떻게 민주국가라고 할 수 있습니까? 어떻게 세계의 지도 국가라고 할 수 있습니까? 그것은 한국도 일본도 같다고 생각합니다. 저는 복수의 심정이 타오르고 있는 것도 아니고, 일본을 욕보이고 싶어 하는 의도도 없습니다. 단지 한국과 일본이, 한국도 그 당시 권력이 잘못된 일을 했고, 일본도 그것을 적당하게 처리했으므로 그런 과거의 잘못된 일은 적극적으로 양국의 국민과 세계에 발표하고, 잘못한 것은 잘못했다고 사과하고, 그것으로 결착을 지으면 그만 아닙니까? 왜 그렇게 하지 않는 것입니까? 제가 일본에 대해 심한 말을 한 것입니까? 저는 일본의 참된 친구입니다. 과거의 정권이 모두 반일을 이야기할 때도 저는 그것은 안 된다고 당당하게 말한 사람 중의 하나였습니다. 일본의 진정한 친구라고 생각하고 있습니다. 제가 대통령 재임 때 일본의 친구로서 태도를 몸소 보여 주지 않았습니까? 그런 제가 일본의 현재에 대해 염려하고 있다면, 여러분들도 한번 생각해 볼 여지가 있다고 생각합니다.

햇볕정책

고토 겐지 북한이 핵실험을 실시했을 때 햇볕정책, 포용정책의 실패라는 비판이 있었습니다. 지금 현재 그 비판에 대해 어떻게 생각하시는지요?

김대중 지금 이처럼 좋아졌기 때문에 당시 실패했다고 말한 사람은 어떻게 말할지 모르겠지만, 햇볕정책과 핵 문제는 전혀 관계가 없습니다. 북한이 언제, 핵실험을 하면서 햇볕정책이 싫으니까 핵을 가지겠다고 말한 적이 있습니까? 그들은 미국이 자기들을 괴롭히기 때문에, 어떻게 해서라도 살아남을 길이 없기 때문에 최후의 수단으로서 했다고 그렇게 이야기하고 있습니다. 그러므로 북한의 핵 문제는 미국과의 관계에서 옳고 그름을 논할 문제이고, 햇볕정책은 그런 북한의 군사 대국이랄까, 모험주의적 태도를 조금이라도 약하게 만드는 데 공헌한 것이라고 생각합니다. 북한이 핵실험을 했을 때에 여기서도 일제히 역풍이 불었습니다. 그러나 저는 많은 대학에서의 연설과 언론 회견을 통해서 정면으로 반론했습니다. 시엔엔(CNN), 에이피(AP), 『엘에이(LA)타임스』, 『뉴욕타임스』, 로이터, 『르몽드』 등 세계의 많은 언론과 만나서도 이야기했습니다. 저는 이 나라에서 잘못한 생각에 단호히 제어했고 결국 지금 중국에서 6자회담이 성공하였습니다. 많은 사람들이 그때 당신이 용기를 가지고 해 주지 않았더라면 지금 엄청난 방향으로 역행하고 있었을 것이라고 얘기하고 있습니다. 지금 생각하면 섬뜩한 생각이 들 사람이 많이 있을 것입니다.

미국과 중국

고토 겐지 미국과 중국은 어떻게 보십니까?

김대중 미국은 경제보다도 군사력에 의존해 많은 돈을 비생산적인 군사력에 쏟아 넣고 있습니다. 미국은 재정과 무역이 매년 5,000억 달러 이상 적자일 것입니다. 일본이라든지 중국이라든지 한국이 미국의 국채를 사거나 예금한 것을 내놓으면 미국은 그 자리에서 터질 것입니다. 그런 약한 경제입니다. 물론 일본도 중국도 그렇게 할 수는 없습니다. 그렇게 해서 미국이 파산한다면 일본이나 중국의 경제에도 영향이 올 것이기 때문에 하지 않겠지만, 어쨌든 그런 상황입니다. 그래서 미국은 세계 제국이 되어 너무 빨리 힘이 쇠약해져 가고 있는 것은 아닌가 생각됩니다.

결국 중국과 인도의 시대가 올 것입니다. 그러나 중국의 시대가 온다고 해도 중국이 제대로 고개를 넘지 않으면 안 됩니다. 안심할 수 없습니다. 그것은 민주화입니다. 중국이 지금 경제가 발전하고 있고 중산계급이 급속하게 증가하고 있습니다. 지금 중국에서는 매일같이 수백 곳에서 데모가 일어나고 있습니다. 정치적이라기보다도 농민들이 대부분이지만 어쨌든 정치성을 띠고 있는 것은 사실입니다. 중국이 이에 어떻게 대응할지, 탄압해 나갈지, 또는 중산계급을 정치의 중심에 받아들일지, 그것이 중국의 운명을 좌우한다고 생각합니다.

영국은 산업혁명 가운데에서 중산계급이 일어났습니다. 중산계급이 민주주의를 요구하고, 투표권도 요구했습니다. 영국의 귀족은 그것을 중산계급에게 부여했습니다. 그래서 영국은 평화혁명이 가능했습니다. 반면에 프랑스는 중산계급이 그것을 요구했을 때에 거부했습니다. 그래서 프랑스 대혁명이 일어나 귀족이나 왕까지 전부 죽임을 당했습니다. 러시아도 어느 정도 비슷합니다. 그리고 중국도 그렇습니다. 중국은 지금 보면 잘해 나가지 않을까 하는 생각도 듭니다. 그것은 장쩌민 전 주석이 2, 3년 전에 중국 공산당의 당헌을 바꾸었습니다. 지금까지 공산당원에 노동자 하나였던 것을 바꾸어서 기업인과 지식인을 더해 세 개의 대표가 되었습니다. 지식인과 기업인은 중산계급입니다. 이렇듯 중국은 중산계급을 받아들여 체제를 정비했습니다. 그러나 템포가 중산계급의 요구에 부합하지 않으면 문제가 일어날 수 있습니다. 문제가 일어나면 탄압하고, 그래서 압박하면 폭발합니다. 그런 식으로 가게 될지, 그렇지 않으면 요구에 부합해 빠른 템포로 개혁을 해 나갈지, 거기에 중국의 운명이 달려 있다고 생각합니다.

얼마 전에 저는 미국 헤리티지재단 회장인 에드윈 풀너 씨를 만나 말했습니다. "당신들은 지금 일본과 함께 중국을 잠재적인 적으로 보고 여러 가지 대응을 취하고 있지만, 너무 본질적으로 압박한다면 중국 내의 군부가 들고 일어나 중국이 군사 대국화하는 방향으로 가게 되고, 그러면 민주화의 가능성이 없어진다. 그러나 그렇게 하지 않고 어느 정도 중국이 지금 후진타오 주석이 평화적으로 해 나가려 하는 것에 여유를 준다면 결국 중국이 평화국가, 민주국가로 바뀔 가능성이 있다. 그러므로 그것을 잘 판별해서 하라." 저는 이러한 내용을 일본에게도 말하고 싶습니다. 현명하게 대처해야 합니다. 중국의 군부는 지금 강합니다. 정치가들도 상당히 무시할 수 없습니다. 특히 군부는 일본에 대해 반감이 강합니다. 그런 점을 일본도 현명하게 대응해야 한다고 생각합니다.

* 이 글은 일본 '교도통신' 인터뷰로 당시 편집국장인 고토 겐지(後藤健二)가 인터뷰하였다.

북한을 껴안는 것이 미국의 이익

대담 게리 스파노비치
일시 2007년 2월 22일

김대중 한국에 오신 걸 환영합니다.

스파노비치 대통령께 질문드리겠습니다. 오늘날의 상황 즉, 북한의 핵 문제를 비롯한 미사일 발사 시험, 핵실험 등 이런 상황이 이루어지고 있는 한반도의 현 상황에 대해서 어떻게 통일이 가능한지 여쭤보고 싶습니다.

김대중 우리는 한반도에서 베트남 같은 전쟁에 의한 통일도 바라지 않고 독일 같은 흡수 통일도 바라지 않습니다. 우리는 남북이 평화적으로 공존하고 평화적으로 교류 협력하다가 양쪽이 하나가 되어도 좋다는 그러한 단계가 오면 그때 통일의 방향으로 나가야 한다는 것이 저의 생각이고 또 많은 국민들도 그렇게 생각하고 있습니다.

스파노비치 대통령께서 그렇게 명확하게 말씀해 주셔서 감사합니다. 왜냐하면 많은 사람들이 독일의 통일 과정을 모델로 생각하는 경우가 있기 때문입니다.

김대중 우리는 서독과 같은 강력한 경제력이 없기 때문에 지금 당장 북한을 맡아 감당할 여력이 없습니다. 또 하나 문제는 우리는 남북이 전쟁까지 했고 반세기 이상 대결해 왔기 때문에 서로 정신적 갈등이 큽니다. 그러므로 갑자기 통일을 하면 많은 문제가 생길 겁니다. 동서독과 같은 여건에서 이룬 통일도 지금 얼마나 갈등을 겪고 있는가를 보면 알 수 있습니다. 그래서 우리는 경제적 입장에서 보나 또 정신적 입장에서 보나 통일을 서둘러서는 안 됩니다. 그래서 통일의 과정을 단계적으로 추진해서 마지막에는 아주 성공적인 통일로 가야 한다고 생각합니다. 현 단계에서 우리가 바라는 것은 평화적으로 같이 살면서 교류 협력하는 것으로써 그것이 통일에 앞서 중요합니다.

스파노비치 최근 6자회담의 결과에 대해서 어떻게 평가하고 계십니까? 또 진정으로 이번 6자회담이 돌파구를 마련했다고 보시는지요? 그리고 북한이 현시점에서 핵을 포기할 의향이 있다고 보십니까?

안전 보장, 국교 정상화, 경제 제재 해제를

김대중 저는 이번 합의를 아주 중요하게 생각하고 있습니다. 미국의 입장에서나 북한의 입장에서나 이제는 합의에 따라서 모든 것을 처리해야 한다고 생각하고 있습니다. 저는 6자회담의 전도에 대해서는 조심스럽게 낙관하고 있습니다.

미국의 입장에서 보면 미국은 현재 중동에서 매우 어려운 상황에 처해 있습니다. 북한에 대해서 군사적 조치를 취할 여유가 없습니다. 결국은 대화로써 풀지 않을 수 없는 입장입니다. 이것은 미국 대통령도 계속 얘기하고 있는 사실입니다. 결국 부시 정권이 들어서서 북한과 직접 대화를 거부하고 주고받는 협상을 거부하다가 결과가 어떻게 되었습니까? 북한이 핵확산금지조약을 탈퇴하고, 국제원자력기구 요원을 추방하고, 미사일 모라토리엄을 폐기하고 그리고 핵실험까지 하는 등 사태가 악화된 것뿐입니다. 그렇다고 지금 미국이 군사력을 사용할 처지도 못 되고 결국 대화로 풀 수밖에 없는 단계로 온 것입니다. 이제까지 미국은 경제 제재로 북한을 굴복시키려고 했습니다. 그러나 미국이나 일본이 이미 북한에 대해 경제 제재를 하고 있고, 중국은 북한에 대해서 경제 지원을 하고 있는 상황에서 경제적 제재만으로는 북한을 굴복시키는 데 한계가 있습니다. 그런 데다가 지금 부시 대통령은 중동 지방에서 실패하고 임기는 얼마 남지 않은 상황이라 한반도에서라도 성공해야 할 필요성이 있습니다. 그러므로 북한에 대해서 줄 것은 주고, 받을 것은 받는 협상을 한다면 성공할 가능성이 있기 때문에 부시 대통령으로서는 자기의 필요성으로서도 이번 일을 성공시키려고 노력할 것으로 봅니다. 그리고 중요한 것은 지난번 중간선거에서 민주당이 이겼는데 민주당은 클린턴 대통령이 추진한 포용정책을 주장하고 있는 입장이기 때문에 부시 대통령도 정책의 전환을 안 할 수가 없는 처지라고 생각합니다.

한편 북한의 입장에서 보면 미국이 북한의 안전을 보장해 주고 경제 제재를 해제하고 국교를 정상화해 준다면―마치 중국이나 베트남에 대해서 하듯이―북한은 핵을 완전히 포기하고 한반도 비핵화에 협력하겠다는 것을 거듭 얘기하고 있습니다. 미국이 만일 북한에 대해서 지금 말한 안전을 보장하고 경제 제재를 해제하고 국교를 정상화한다면 중국도 북한이 마땅히 받아들여야 한다고 생각할 것입니다. 중국은 북한이 핵을 갖는 것을 절대로 반대하기 때문입니다. 중국 입장에서 대만이나 일본이 핵을 갖는다는 것은 하나의 악몽과도 같은 일이기 때문에 절대로 안 되는 것입니다. 그러기 때문에 미국이 북한이 원하는 것을 주고 북한에게 핵을 포기하라고 한다면 중국은 적극적으로 북한에 압력을 가할 것입니다. 만일 이런 상황에서도 북한이 말을 안 듣는다면 중국은 미국의 북한 제재에 적극적으로 동참하지 않을 수 없는 상황이 되기 때문에 북한도 마냥 버틸 수만은 없는 것입니다. 현재 미국은 북한이 요구하고 중국이 권고하는 지금 말씀한 서너 가지 조건을 충족시켜 준다고 하기 때문에 북한은 더 이상 거부할 명분도 없고 만일 그런 식으로 끝까지 간다면 북한은 중대한 위기에 처할 것입니다.

일부에서는 북한이 약속을 안 지키고 또 속이면 미국은 북한의 안전을 보장하지 않고, 경제 제재를 해제했다가 다시 또 제재로 돌아설 것이고 국교 정상화도 안 해 줄 것이기 때문에 이제는 하나 주고 하나 받는, 말 대 말, 행동 대 행동으로 가는 것이기 때문에 속일 수는 없다고 생각합니다. 그리고 북한으로서도 그렇게 속이고 중국으로부터도 버림받을 그럴 여유가 없습니다. 이번에 미국이 북한이 원하는 안전 보장, 국교 정상화, 경제 제재 해제를 주고 6자회담의 북한을 뺀 나머지 5개국이 공동으로 북한으로 하여금 약속을 이행하도록 압력을 가해서, 북한이 약속을 지키면 좋고 안 지키면 공동으로 북한을 제재하면 북한은 살아남을 수가 없습니다. 그래서 저는 이번 문제는 북한만 핵 가지고 큰소리하는 것이 아니라 이쪽도 5개국이 합쳐서 북한에 압박을 가할 수 있기 때문에 이번에는 성공할 수 있다고 생각한 것입니다.

과거에는 미국이 북한과 직접 대화도 안 하고 줄 것 주겠다는 약속도 안 하면서 북한에게만 먼저 핵을 포기하고 미사일 모라토리엄을 폐기하지 말라는 등 북한에게만 일방적으로 요구했기 때문에 문제가 잘 해결이 안 된 것입니다. 그러나 이번에는 미국도 그 점에 있어서 태도를 바꿔서 줄 것은 주고, 받을 것은 받겠다는 태도로 나왔기 때문에 서로 얘기가 되는 그런 상황이 됐고 북한도 미국이 그렇게 나온 이상은 거부할 이유가 없는 것입니다. 거부했다가는 북한은 중대한 위기에 처하게 됩니다. 중국을 포함한 5개국이 완전히 제재로 나서게 되면 북한이 무슨 수로 그것을 견뎌 내겠습니까? 우리는 북한에 대해서 앞으로 성실하게 나오도록 요구하지만 동시에 미국에 대해서도 미국 내의 강경파들이 모처럼 진행되고 있는 협상을 뒤집지 않도록 해야 한다고 생각하고 또 그것을 걱정하고 있습니다.

스파노비치 한·미 관계에 관한 질문을 드리겠습니다. 한·미동맹 관계가 장기적으로 봤을 때 전략적 이해관계에 바탕을 두고 있다고 생각하십니까? 현재 이런 이해관계가 어떤 상황에 와 있다고 생각하십니까?

김대중 우리나라의 입장에서 볼 때는 우리 주변에는 중국, 러시아, 일본 등 강대국이 있습니다. 그 나라들이 과거 19세기 말 20세기 초에 우리나라를 차지하기 위해서 모두 전쟁을 했습니다. 청일전쟁, 러일전쟁을 했습니다. 그때 만일 미국이 적극적으로 개입했다면 우리나라가 일본에 병탄되지 않았을 것입니다. 그러나 그때 미국은 일본의 병탄을 지지했습니다. 그래서 우리나라가 일본의 식민지가 되어 버렸습니다. 그러나 지금은 상황이 다릅니다. 그리고 또 우리나라 사람들은 부시 대통령의 정책을 반대하는 사람은 있어도 미국을 우리 원수로 삼고 우리나라에서 미국은 나가라는 이런 반미는 거의 아주 극소수입니다. 그런 정도의 반미는 일본에도 있고 영국에도 있고 프랑스에도 있습니다. 그래서 그런 점에 있어서 우리는 미국하고 긴밀한 동맹 관계를 유지하는 것이 일본, 중국, 러시아와 같은 강대국 사이에서 우리가 안전을 지키고 살아남는 데 아주 중요하다고 생각하고 있습니다.

얼마 전에 부시 대통령의 전 비서실장 앤드류 카드 씨와 국무부 부장관을 하던 리처드 아미티지 두 분을 만난 적이 있습니다. 그때 제가 이런 말을 했습니다. "지금 미국에서 '한국이 반미로 가고 있다. 중국 쪽으로 흐르고 있다.' 이런 얘기들을 하고 있는데 나는 그건 대단히 잘못된 생각이라고 생각한다. 그 이유는 이렇다. 우리는 미국이 6·25전쟁 때 도와준 것과 큰 희생을 한 것에 대해서 언제나 감사히 생각하고 있다. 그러기 때문에 우리는 미국이 베트남전쟁 참전을 요청했을 때 참전해서 5천 명 이상이 사망하고, 1만여 명이 부상당하는 희생을 치렀다. 우리는 또 이라크전쟁에 대해서도 프랑스같이 미국에 대해서 많은 신세를 진 나라도 참전을 안 했고, 독일과 같이 미국에 큰 피해도 주고 신세를 진 나라도 참전을 안 하고 오히려 비판을 하는데 우리는 미국, 영국, 다음으로 많은 숫자의 군인을 파견했다. 이런 모든 것을 여러분들이 보고 있지 않느냐. 또 우리는 국내에서 서울 휴전선 최전방을 지키는 가장 중요한 위치를 차지하고 있던 2사단이 미국 전략의 필요성에 의해서 후방으로 배치하는 것을 우리가 수용해서 지금 협력하고 있다. 서울에 있는 미군사령부가 후방 평택이란 곳으로 옮겨 가는데 현지 주민이 반대하는 것을 경찰 수만 명을 동원하여 강력한 시위를 억제하고 시민들을 설득해서 미군 기지가 안전하게 옮겨 갈 수 있도록 조치를 취하고 있다. 또 미군 이전에 필요한 많은 돈도 우리가 모두 지불하고 있다. 이렇게 우리는 미국에 협력하고 있다." 이렇게 얘기했습니다.

우리가 미국에 대해서 불만을 갖게 된 것은 미국이 북한과 직접 대화를 해서 문제를 해결하도록 요구했는데도 불구하고 "나쁜 사람들과는 대화할 수 없다. 또 잘못 주었다가는 속는다"고 하면서 우리의 얘기를 안 들어서 갈등이 있었던 것입니다. 그러나 이번에 미국이 태도를 바꿔서 북한과 대화를 시작하니까 이제 갈등의 이유가 없어졌습니다. 우리는 일본, 중국, 러시아 등 강대국에 둘러싸여 있는 입장에서 미국이 꼭 한반도에 있어야 하고 또 미국은 극동 전체의 전략과 일본을 방어하기 위해서도 한반도가 중요합니다. 이렇게 서로의 이해가 일치해서 우리는 미군을 여기 받아들이고 소중하게 생각하고 또 미국도 여기에 주둔해서 우리를 북한의 공격으로부터 방어하는데 협력하고 있습니다. 그래서 우리는 서로 이해가 일치하고 또 다 같이 민주주의를 신봉하고 공산주의를 반대하기 때문에 미국과 관계가 나쁠 이유가 없는 것입니다. 그런데 미국 일부에서 우리가 6·25전쟁 때 은혜를 모른다고 하는데 그런 식으로 얘기하면 일본에서도 한때 반미 운동이 일어났고, 아이젠하워 대통령이 반미 시위 때문에 일본을 방문하지 못했던 적도 있습니다.

그러므로 국가 간의 관계라는 것은 어느 때는 아주 좋을 때도 있고 어느 때는 갈등이 있을 수도 있지만 그런 문제는 해결해 가면서 관계를 발전시켜 나가야 한다고 생각합니다.

스파노비치 오리건에 사는 저희들의 생각으로는 그때 부시 대통령이 "적과는 대화를 할 수 없다"고 얘기를 했는데 그것은 어리석은 생각이라고 생각이 됩니다.

김대중 아미티지 부장관은 저의 이러한 설명에 대해서 자기는 한국에 대해서 비판하지 않고 한국이 협력한 것에 대해서 감사하고 있다고 말했습니다.

스파노비치 어떻게 하면 저희 평화연구소, 미국의 국제비정부기구들, 그리고 나아가서는 노벨평화상 수상자들께서 김 전 대통령과 대통령의 햇볕정책을 위해서 일을 할 수 있는지에 대해서 여쭤보고 싶습니다. 대통령의 햇볕정책이라는 것은 지금까지 성공에 가장 근접할 수 있었던 정책이라고 저는 생각하고 있습니다.

김대중 좌우간 제일 중요한 것은 미국 정부가 북한과 이번 6자회담에서 좋은 출발을 했는데 그런 방향에 흔들림 없이 나갈 수 있도록 정부를 격려하고 미국 내의 소위 네오콘들이 북한에 대해서 자꾸 적대적인 방향으로 발전시키려고 하는 것을 견제해 주어야 합니다. 미국 정치가 대화를 통해서 줄 것은 주고, 받을 것은 받는 그렇게 해서 중국이나 베트남을 국제사회로 끌어내듯이 북한을 아무 위험이 없는 그런 존재로 만드는 것이 중요합니다. 이런 정책을 미국이 계속하도록 국제비정부기구라든가 지식인들이 정부를 격려하고 여론을 조성하고 그렇게 하는 것이 우리를 도와주는 것이라고 생각합니다.

제가 2000년 6월에 북한에 가서 김정일 위원장하고 약 10시간 가까이 얘기를 했습니다. 분명한 것은 김정일 위원장은 미국과 관계 개선을 열망하고 있습니다. 당시 김정일 위원장은 "미국이 우리의 안전만 보장해 준다면 무기건 미사일이건 그것이 다 무슨 필요가 있냐. 미국이 경제 제재해 주고 국교 정상화해서 중국이나 베트남과 같이 우리를 상대해 주면 미국이 직접 와서 무기 같은 것 감시해도 좋고 미국이 시킨 기관이 와서 감시해도 좋다." 이렇게까지 얘기하고 있었습니다. 김정일 위원장은 미국과 관계 개선 안 하면 살길이 없다는 것을 잘 알고 있습니다. 그러므로 북한에게 한번 기회를 주어야 합니다. 6자회담의 북한을 뺀 5개국이 협력해 가지고 북한이 원하는 것을 주되 북한도 내놓을 것은 내놔야 합니다. 핵 포기라든가 미사일 문제라든가 내놔야 합니다. 그렇게 하면 북한을 국제사회에서 받아들이겠다고 하고 거기에 중국이나 러시아도 틀림없이 똑같이 동조하도록 다짐을 받고 그렇게 해 나가야 됩니다. 저는 그렇게 되면 이 문제는 성공한다고 봅니다. 중국이나 러시아도 북한이 핵을 갖는 것은 절대 반대하기 때문에 협력하게 될 겁니다.

스파노비치 마지막 질문을 드리겠습니다. 조금 전에 통일 전망으로 평화교류, 평화 협력, 마지막 단계로 평화 통일을 말씀하셨는데 이러한 과정이 어느 정도의 시간이 걸릴 것이라고 봅니까?

중요한 것은 전쟁을 막는 것

김대중 우리에게 제일 중요한 것은 남북 간에 평화적으로 공존하는 것입니다. 전쟁을 막는 것입니다. 동시에 미국과 북한 간에 핵 문제가 잘 해결되면 남북 간의 교류 협력이 진전되는데 그렇게 되면 10년 뒤에는 통일의 길로 들어설 것이라고 생각합니다. 제가 볼 때 북한은 미국과 가까이하려고 하는데 지금까지는 미국이 안 받아 주었습니다. 물론 거기에 미국으로서는 또 나름대로 이유가 있습니다. 미국이 나쁘다는 것이 아닙니다. 그러나 미국이 북한을 받아들이면 결국 한반도의 북쪽인 북한도 친미적인 국가가 될 것입니다. 그러나 안 받아들이고 끝내 몰아붙이면 북쪽은 중국에 붙게 될 것입니다. 북쪽은 중국에 대해서 상당히 경계하고 있습니다. 그러나 살길이 없으니까 결국 중국한테 붙게 될 겁니다. 그렇게 되면 지금도 이미 중국이 경제적으로 상당히 북한에 진출하고 있는데 그렇게 되면 남한이 중국의 압박을 받게 됩니다. 그건 미국에도 좋은 일이 아닙니다. 그러기 때문에 미국이 이제까지 한국이 북한과 접근하는 것을 싫어했는데 그럴 일이 아닙니다. 우리가 접근해서 북한을 껴안지 않으면 중국이 전면적으로 북한을 안게 됩니다. 우리도 북한에 진출해서 지금 일부라도 안고 있잖아요. 북한 사람들이 과거하고 달라서 이제 남한 사람에 대한 생각이 많이 달라졌습니다. 과거에는 "남한은 나쁜 사람들이다. 미국 제국주의의 앞잡이다. 우리를 죽이려고 한다." 이렇게 생각했는데 우리가 식량도 주고 비료도 주고 의약품도 줌으로써 이제 북한 사람들이 남한을 미워하지 않습니다. 오히려 "남한이 우리를 도와주고 있다. 남한이 잘산다. 부럽다." 이렇게 해서 북한 내에 소위 한류인 남한 문화가 광범위하게 퍼져 있습니다. 그래서 비밀리에 남한의 텔레비전, 드라마를 보고 있고 남한의 노래도 배우고 있습니다. 북한 사람의 마음을 그만큼 바꿔 놨습니다. 이것은 우리에게도 재산이 되지만 미국에게도 재산이 됩니다. 중국이 북한에 들어가서 지배적으로 모든 것을 하는 것을 그만큼 막고 있기 때문입니다. 그래서 앞으로는 미국이 북한을 적극적으로 안고 그래서 남북이 같이 협력하면 미국이 한반도 전체에서 가장 강력한 기반을 갖게 될 것입니다.

스파노비치 그게 바로 저희 평화연구소의 정책이 되겠습니다.

김대중 북한이 또 약속을 안 지키는 것도 걱정이지만 미국 내에서 강경파들이 또 들고일어나서 모처럼 접근해 가고 있는 것을 뒤집어 버리지 않을까, 제일 걱정하고 있습니다.

마지막으로 하나 더 첨가하면 북한은 단순히 안전 보장이나 경제 제재 해제, 국교 정상화 등을 원하지만 더 구체적으로 얘기하면 미국이 도와주어야 북한은 세계하고 외교를 할 수가 있습니다. 미국이 도와주어야 국제통화기금(IMF)이나 세계은행(IBRD)에서 돈을 빌려 경제적 재건을 할 수 있습니다. 미국이 도와주어야 일본과 국교를 정상화해서 과거 식민지 지배의 배상을—약 100억 달러 정도로 보는데—받을 수 있습니다. 또 미국이 도와주어야 세계 금융기관이 북한을 상대합니다. 지금 방코델타아시아 문제를 보면 그렇습니다. 미국이 도와주어야 미국을 위시한 전 세계의 기업인들이 북한에 투자를 합니다. 북한의 생존을 위해서는 미국과의 관계 개선이 절대로 필요합니다. 그러므로 북한을 너무 의심하지 말고 대담하게 한번 줄 것은 주고, 받을 것은 받는 협상을 진행시켜 보십시오. 그렇게 해서 북한을 중국이나 베트남과 같이 미국에 협력하는 나라로 만드는 것이 미국에도 도움이 될 것입니다.

스파노비치 대통령의 이러한 메시지를 저희 평화연구소에서 어떻게 더 확실하게 전달할 수 있는지를 배울 수 있는 시간이었습니다. 감사합니다.

* 이 글은 미국 포틀랜드대학교 평화연구소장 게리 스파노비치(Gary Spanovich) 소장과 나눈 대담이다.

6자회담은 성공할 것인가

강연 국제기자연맹
일시 2007년 3월 13일

김대중 존경하는 에이든 화이트 국제기자연맹(IFJ) 사무총장, 남영진 조직위원장, 정일용 한국기자협회 회장, 그리고 국내외 언론인 여러분!

「한반도 평화와 화해」를 주제로 열리는 국제기자연맹 특별 총회를 진심으로 환영하고, 그 성공을 빌어 마지않습니다.

지금 진행 중인 6자회담에 대해서 우리 모두는 그 성공을 빌면서, 과연 이번에는 북핵 문제가 해결될 것인가에 대해서 걱정하고 있습니다. 저는 다음과 같은 이유로 금년이야말로 북한 핵을 다루는 6자회담이 성공하고, 한반도에 평화와 협력의 새봄이 올 것이라는 큰 기대를 가지고 있습니다.

첫째, 최근의 베를린 북·미 회담과 베이징 6자회담에서 북한과 미국은 직접 대화를 통해 처음으로 중요한 원칙에 합의했습니다. 북한은 핵을 완전히 포기하고 한반도의 비핵화에 동참하기로 약속했습니다. 미국은 북한이 일관되게 요구해 온 북한의 안전 보장, 경제 제재 해제, 국교 정상화를 보장하기로 처음으로 동의했습니다. 이제 양측이 이를 충실히 실천하면 북핵 문제 해결과 한반도의 평화는 실현될 것입니다.

둘째, 미국은 북핵 협상을 타결시켜야 할 적극적인 이유가 있습니다. 군사적으로 중동에 발목이 잡혀 있는 미국은 북한을 공격할 여유가 없습니다. 경제 제재도 중국이 적극 동참하지 않는 현 상황에서는 그 성과를 기대할 수 없습니다. 한편 미국 중간선거에서 민주당이 승리한 마당에 언제까지나 북한에 대해서 대화 거부와 봉쇄 정책을 유지할 수도 없습니다. 그리고 부시 대통령은 중동에서 성공하지 못한 이상 한반도에서라도 외교적인 성공을 거둬야 할 절실한 필요성이 있습니다.

셋째, 북한도 이번에야말로 기회를 놓치지 말고 6자회담을 성공시켜야 할 이유가 큽니다. 미국이 안전 보장과 경제 제재 해제, 국교 정상화 요구를 모두 들어주겠다고 나선 마당에, 북한이 핵 포기와 한반도 비핵화를 위해 타협하지 못할 이유가 없는 것입니다. 북한의 핵 보유는 중국이 가장 절실히 반대합니다. 그 이유는 북한의 핵 보유가 일본이나 대만의 핵 보유를 정당화할 구실을 줄 수 있다고 우려하기 때문입니다. 이 두 나라의 핵 보유는 중국으로서는 하나의 악몽 같은 것입니다. 한편 북한이 핵을 갖는다 하더라도 일본이나 대만이 핵을 갖는 상황에서 북한 핵의 효용 가치는 크게 떨어질 것입니다. 북한이 이 단계에서 기회를 놓치고 타협하지 않는다면, 이번에는 중국을 포함한 6자회담의 5개국이 일치해서 경제 제재 등 전면적인 제재로 나설 가능성이 있습니다. 그렇게 되면 북한은 존립하기 어려울 것입니다.

이와 같이 미국이나 북한 양자가 다 같이 핵 문제를 해결해야 할 적극적인 필요성이 있는 것입니다. 다시 강조합니다. 저는 금년이야말로 북한 핵 문제가 6자회담의 적극적이고 현명한 협력을 통해서 해결될 전망이 크다고 봅니다.

존경하는 여러분!

6자회담의 성공과 더불어 동북아에도 평화의 봄이 찾아올 가능성이 큽니다. 저는 지금부터 36년 전인 1971년에 대통령 선거에 출마했을 당시 선거공약으로 한반도에서의 미·일·중·소 4대국에 의한 평화 보장을 주장했으며, 지금까지 이 주장을 계속해 왔습니다. 또한 중국이나 미국 지도자를 만났을 때 6자회담이 성공하면 이를 해체하지 말고, 한반도와 동북아의 평화 보장 기구로서 상설화할 것을 제안하고 긍정적 반응을 얻은 바 있습니다.

한국은 4대국에 둘러싸인 세계에서도 보기 드문 지정학적 위치를 차지하고 있습니다. 미국 예일대학의 폴 케네디 교수는 "한국은 미국, 일본, 중국, 러시아라는 네 마리의 코끼리에 둘러싸여 있는 나라다. 한국의 운명은 그 네 마리의 코끼리 다리 사이를 어떻게 슬기롭게 헤쳐 나가느냐에 따라서 결정된다"는 의미의 말을 한 바 있습니다.

이러한 4대국 중에서도 미국은 특별히 중요한 나라입니다. 조선왕조 말엽에 일본, 중국(청나라), 러시아가 한국을 병탄하기 위해서 각축할 때, 우리가 미국을 견제 세력으로 갖지 못한 것이 망국의 큰 원인이 되었습니다. 우리의 안보와 한반도 평화를 위해서는, 그리고 평화적인 통일을 위해서는 무엇보다도 미국의 역할이 중요하며, 나머지 세 나라의 역할도 중요합니다. 6자회담은 한민족의 안전과 평화와 통일을 위해서 매우 중요한 협력을 제공할 수 있을 것입니다. 우리 민족의 슬기로운 지혜와 외교 역량이 필요한 대목입니다.

존경하는 여러분

한반도의 현재 상황과 미래 전망은 어떤 것이겠습니까? 2000년 6·15남북정상회담 이래 남북 간에는 큰 변화가 있었습니다. 무엇보다도 전쟁의 공포에서 해방되는 긴장 완화가 크게 이루어졌습니다. 남쪽 사람이나 북쪽 사람이 서로 상대를 바라보는 의식이 과거의 적대 일변도에서 동족의 애정을 가지는 경향으로 크게 바뀌었습니다.

특히 북한에서 그 같은 의식의 변화는 두드러진 경향을 보여 주고 있습니다. 북한 사람들은 남쪽에서 보내온 쌀과 비료와 의약품을 보고 남쪽에 대한 적개심과 불신의 의혹을 많이 버렸습니다. 그리고 동족애와 신뢰와 감사의 생각을 갖게 되었습니다. 지금 북한 사람은 남쪽 사람을 만나게 되면 과거와 달리 이웃사촌 대하듯이 다정하게 대합니다. 남쪽의 문화에 대한 동경심도 큽니다. 남쪽의 드라마와 유행가가 북한 사회에서 암암리에 널리 퍼지고 있습니다. '한류'가 보급되고 있는 것입니다.

남북 간의 인적 교류 협력도 빈번하게 이루어지고 있습니다. 6·15남북정상회담 이전까지 50년 동안 불과 2백 명의 이산가족이 상봉했는데, 2000년 남북정상회담 이후 지금까지 1만 3천 명이 만났습니다. 앞으로는 더 많은 사람이 만날 것입니다. 금강산 관광에 130만 명이 다녀왔습니다. 민간인 교류도 매년 10만 명이 넘었습니다. 개성공단에는 1만 명 이상의 북한 노동자들이 일하고 있습니다. 북한 주민들 사이에는 그곳에서 서로 일하려고 경쟁이 벌어지고 있습니다. 머지않아 35만 명이 일하게 될 것입니다.

그러나 이것은 초보적인 것이라 할 수 있습니다. 6자회담을 통해서 북·미 관계가 개선되면, 남북 관계는 봇물이 터지듯이 전면적인 교류와 협력의 시대로 들어설 것입니다. 그리고 통일의 희망이 무지개처럼 솟아오를 것입니다.

그러나 우리는 성급한 통일을 바라지 않습니다. 우리는 베트남식의 무력 통일을 배제합니다. 독일식의 흡수 통일도 바라지 않습니다. 우리는 평화적으로 공존하고, 평화적으로 교류 협력하다가, 때가 되면 평화적으로 통일할 것입니다. 아마 완전한 통일까지 10년 내외의 세월이 걸릴 것입니다.

그런 점진적이고 평화적인 통일만이 남북의 경제를 다 같이 안정 속에서 발전을 유지하게 하고, 양쪽 국민들이 서로 시간을 두고 이룩한 상호 이해 속에 정신적 갈등 없이 통일을 성공시키게 될 것입니다. 통일은 공동 승리의 통일이 되어야 합니다. 한쪽이 승리하고, 한쪽은 숙청당하는 그러한 통일은 양쪽 모두에게 불행을 가져올 것입니다.

평화와 안정 속에 이룩한 통일은 통일 한국을 세계적인 강대국으로 부상시킬 것입니다. 한국은 지적 전통과 교육 수준이 높고, 민주화를 자력으로 이룩했습니다. 또한 외환 위기도 극복하고, 정보화도 세계 선두 주자로 발전시켰습니다. 골드만삭스는 최근 2050년까지 한국은 미국 다음가는 경제 강국이 될 것이며, 국민 1인당 소득은 8만 1천 달러가 될 것이라고 예측한 바 있습니다.

존경하는 여러분!

6자회담은 한반도에 평화를 가져올 것입니다. 한반도 평화는 남북 간의 화해 협력 시대를 열 것입니다. 남북 간의 화해 협력은 평화적인 통일의 대로로 힘차게 나아가게 할 것입니다. 그리고 평화적인 통일은 통일 한국이 세계의 선두 대열에 서서 국제적인 협력과 개발도상국 지원에 헌신하도록 할 것입니다. 우리가 그러한 꿈을 성취할 수 있도록 여러분의 많은 성원을 바라 마지않습니다.

마지막으로 미국과 북한에 부탁합니다.

첫째는 미국에 대해서입니다. 미국은 이번에야말로 북한과의 대화 속에 줄 것은 주면서 북한을 국제사회의 품으로 끌어안아 주십시오. 이것은 한반도에서 미국의 안정적 존재를 유지하는 길이기도 합니다.

둘째는 북한에 대해서입니다. 북한은 이번 기회를 놓치지 마십시오. 핵의 완전 포기라는 확고한 결심 속에 미국과 세계로부터 안전 보장과 경제 제재 해제, 국교 정상화라는 오랜 숙원을 이루도록 하십시오.

이제 저의 연설을 마치면서 참석하신 기자 여러분께 특별히 부탁드릴 말씀이 있습니다. 우리 한국은 지금 2014년 동계올림픽을 강원도 평창에서 개최하는 것과 2012년 세계해양박람회를 여수에 유치하는 것을 목표로 노력하고 있습니다. 두 곳 다 지난번 경쟁에서 근소한 차이로 지명에 실패했습니다. 이번에는 꼭 성공해서 한국은 물론 국제사회의 발전과 평화에 기여할 수 있기를 바랍니다. 여러분이 적극 도와주실 것을 부탁드려 마지않습니다. 그리고 이 두 행사가 한국에서 열릴 때는 여러분을 최고의 빈객으로 초대하고자 합니다.

존경하는 여러분!

다시 한번 이번 특별 총회의 성공을 기원하고, 한국에 계시는 동안 유쾌한 체류 경험을 가지시길 바라 마지않습니다.

감사합니다.

질의응답

질문 남북의 화해, 한반도 평화를 위한 강연에 감사한다. 우리 모두가 김 전 대통령과 함께 한반도 평화 통일을 위한 희망을 공유하고 있다. 2·13합의에 대해 모든 당사국들이 함께 앞으로 나아가야 한다는 우려를 하고 있는데 김 전 대통령이 보시기에 6자회담에서 이뤄진 좋은 합의가 좋은 결과를 가져올 수 있을지, 북한 정부와 미국 정부가 그것을 보장할 태도가 보인다고 생각하나?

김대중 지금 우리가 보기에는 미국과 북한이 다 같이 적극적인 자세를 취하고 있고, 이대로 가면 성공할 가능성이 크다고 생각한다. 미국은 종래 북한과의 직접 대화를 거부해 왔는데 이제 적극적으로 직접 대화를 하고 있다. 북한이 요구하는 북한의 안전 보장, 경제 제재 해제, 외교 등 이런 문제들에 대해서도 적극적인 찬성 의사를 표시하고 있다. 미국이 이대로 가면 북·미 관계의 성공은 의심할 여지가 없다고 생각한다. 그리고 북한도 매우 태도가 적극적이다. 핵 시설을 불용화하도록 다시 사용할 수 없도록 조치하는 데 동의했다. 그리고 문제가 되고 있는 고농축우라늄 문제에 대해서도 입장을 밝히겠다고 하고 있다.

과거 클린턴 정권 당시 제네바합의 때에는 북·미 간 연락사무소 설치도 북한이 꺼렸는데 이제는 연락사무소를 제치고 바로 외교 관계로 들어가자고 이렇게 나오고 있다. 이런 등등을 볼 때 북한의 태도는 성공을 저해할 어떠한 장애도 없다고 생각한다. 우리 모두는 이러한 좋은 징조를 격려하고 잘못되지 않도록 감시해서 이번에야말로 6자회담이 완전히 성공하도록 도와야 한다. 앞서 연설문에서 얘기했듯이 미국, 북한 양쪽이 다 이번에야말로 핵 문제에 있어서 협상에 성공해야 할 이유가 있고, 성공 못 했을 때 엄청난 손해를 입게 되기 때문에 현실적으로 성공 가능성이 있다고 생각한다.

질문 김 전 대통령이 보시기에 2·13회담의 합의가 북한이 전략적으로 핵무기를 폐기할 용의를 갖는 것인지, 아니면 시간을 벌기 위한 속임수인지 어떻게 생각하는가?

김대중 북한은 자기들이 살기 위해서는 국제사회에 진출해야 하고, 미국으로부터 안전 보장을 받아야 하고, 국제통화기금(IMF)이나 아시아개발은행(ADB) 등으로부터 돈도 빌리고 국제 투자도 받아야 하며, 일본과의 국교 정상화를 통해 과거 식민지 지배에 대한 약 100억 달러에 이르는 배상도 받아야하는 등의 절실한 처지에 있다. 그러지 않으면 현재 핵무기를 갖고 있어도 북한은 경제를 유지하기 어렵다. 그런 필요성에서 볼 때 북한에서 이번에 이것을 잘못되게 할 이유가 없다고 본다.

미국 입장에서 보면 지난 6년 동안 북한과의 대화를 거부하고 주고받는 협상을 거부하다가 엄청난 손해를 봤다. 북한이 핵확산금지조약(NPT)을 탈퇴했고, 국제원자력기구(IAEA) 요원을 추방했다. 또한 제네바합의를 무효화시켰고 미사일 모라토리엄을 파기했고 마침내 핵실험까지 했다. 이런 점에 있어서 미국은 시간을 끌고 직접 대화와 주고받는 협상을 거부한 결과 마이너스 효과를 가져왔다는 것을 알고 이번에는 미국도 진지하게 자기 이익을 위해서도 협상을 할 것이라고 생각한다.

질문 현재 2·13합의가 이뤄지고 있고 미·일 대화도 시작되고 있는데 북한이 한국에 위협이 된다고 생각하는가?

김대중 우리는 북한이 남한과 평화협정을 맺지 않고 있는 상황과 방대한 군사력과 핵무기까지 갖고 있는 현 상황에서 북한이 남한에게 위협이 된다는 부분에 대해서는 의심의 여지가 없다. 그러나 대화를 통해서 평화적인 방법으로 개선할 수 있다고 믿고 있고 또 그런 희망을 갖고 있다. 2000년 6·15공동선언 이후 북한은 많은 변화를 보였다. 북한 사람들의 남한에 대한 적대감이 사라지고 남한의 지원에 대해 감사히 생각하고 있다. 남한에 대해 과거 '침략자', '미국의 앞잡이', '우리의 원수'라고 생각하는 것이 크게 후퇴한 것도 남북 관계가 개선되는 데 도움이 될 것이라고 생각한다.

남한 사람도 6·15공동선언 이후 북한에 대해서 공산주의는 반대하지만 북한 사람에 대해서는 같은 동족으로 평화롭게 잘 지내고, 그들이 살기 어려우니 돕겠다는 쪽으로 의식이 바뀌었다. 이미 의식 면에서는 상당히 평화의 방향으로 전진하고 있다. 이번 6자회담으로 한반도 평화협정이 이뤄지고 북·미 국교가 정상화되면 한반도에는 일거에 따뜻한 햇볕이 내리쬘 것이다.

여러분은 한국 대중문화가 '한류'라고 해서 동북아에 널리 퍼져 있는 것을 알고 있을 것이다. 그런데 놀랍게도 지금 북한 사회에서 한국 드라마와 의복, 패션, 노래 등이 암암리에 널리 유행되고 있다. 그래서 북한 정부가 대단히 신경을 쓰고 있는 것으로 알고 있다. 이것은 바로 북한 사람의 마음이 남쪽을 향해서 열리고 있다는 증거라고 생각한다. 이러한 열린 마음은 전쟁을 억지하는 데도 크게 도움이 될 것이라고 생각한다.

질문 한국과 미국의 정치 지도자들은 한반도 평화에 있어서 미국의 중요성을 인식하고 있지만 미국의 대중은 이해가 높지 않다. 한반도 화해, 평화협력의 가치에 대해 보통 미국인에게 어떻게 이야기할 수 있겠는가?

김대중 질문이 뒤로 갈수록 어려워지는 것 같다. 미국의 입장에서 볼 때 아시아는 매우 중요하다. 아시아가 경제적으로나 외교적, 문화적으로 중요한 나라가 됐는데 특별히 21세기 전반, 이미 지금부터 아시아는 세계 경제에서 중요한 자리를 차지하고 있다. 그중에서도 중국과 한국, 일본은 매우 중요하다. 미국은 지금 중국이 최대의 교역 대상국이고 한국과도 많은 교역이 이루어지고 있다. 일본도 마찬가지이다. 또 이 세 나라에 미국은 많은 투자를 하고 있다. 이것을 지키기 위해서는 동아시아 특히 동북아시아의 평화와 안전이 필요하다. 중국과 일본 사이 중간에 위치한 한반도의 평화와 안정이 절대적으로 필요하다. 이것은 미국 국익에 절대적인 것이라고 생각한다. 그런 점에서 남북이 화해 협력하여 안정이 되고, 미국 기업들이 북한에 진출하여 투자하고 외교도 하면, 미국 국익에 아주 큰 도움이 될 것이라고 생각한다. 그래서 한반도의 평화를 위해서는 물론 미국의 국익을 위해서도 남북 관계가 안정되고 전쟁의 그림자가 사라져야 한다. 미국은 남쪽은 물론 북한과도—지금 마치 중국, 베트남과 하듯이—외교와 교역을 하는 상태가 미국에 더 큰 이익이 될 것이라고 생각한다.

거꾸로 북한과의 관계가 계속 악화될 경우, 북한은 더욱 중국의 영향권에 들어가게 된다. 현재 중국은 북한에 비료와 식량을 지원하고 있고 북한 생필품의 80퍼센트 정도가 중국으로부터 들어오고 있다. 북한은 지금 경제적으로 중국의 영향하에 들어가고 있다. 이런 상태에서는 중국의 힘이 한반도로 뻗어 내려오고 있는 것이다. 미국은 태평양 지역의 안정을 위해서 절대적으로 일본을 방위하고 하고 있다. 그런데 만일 중국의 힘이 한반도에 계속 뻗어 내려오면 미국은 상당한 일본에 대해서 위협을 느낄 것이다. 그래서 이런 모든 점 한반도 평화, 동북아 평화, 미국의 이익 이런 것을 위해서 북한과 관계를 개선하는 것은 미국에게 매우 중요한 일이 될 것이라고 본다.

질문 6자회담 관련국의 역할이 중요하다고 하셨는데 김대중 전 대통령의 개인의 역할도 중요하다고 생각한다. 이를 위해서 6·15정상회담이라는 과업을 이뤘는데 올해 안에 특별한 계획이 있으시다면 어떤 것이 있고 김정일 국방위원장과 만날 계획이 있다면 시기는 어느 정도라고 생각하시는가?

김대중 나도 잘 모르는 문제를 질문하니까 난감하다. 여러분이 알다시피 작년 6월에 김정일 위원장 초청으로 북한을 가기로 했다가 미사일 실험으로 중단되고 연이은 북핵 실험으로 실현되지 못했다. 그러다 이번에 다시 2·13 6자회담이 성공적으로 합의가 되고 해서 이제는 남북 정부 간에도 긴밀한 대화가 진행되게 됐다. 그래서 내가 볼 때에는 6자회담의 성공을 위해서 북한이 좀 더 적극적으로 나설 수 있도록 격려하기 위해서 남북정상회담을 하는 것이 가장 좋을 것이라고 생각한다. 또 남북 간의 평화 체제라든가 교류 협력을 위해서도 좋을 것이라고 생각해서 지금 단계에서는 남북정상회담에 주안점을 두고 노력해야 하지 않는가 생각한다.

그러나 만일 북한과 남한 정부 양쪽에서 나의 북한 방문을 바라는 그런 일이 이뤄지면 북한을 한번 가 보고 싶다. 그래서 김정일 위원장과 함께 21세기 세계를 어떻게 봐야 할 것인가, 또 아시아는 앞으로 과연 어떤 방향으로 변화되어 나가고 발전되어야 하는가, 이런 가운데 한민족이 갈 길이 무엇인가, 공동 승리의 통일은 무엇인가, 우리가 후손에게 어떠한 한반도를 물려주어야 할 것인가 등 우리의 책임에 대해서 얘기하고 싶다. 그리고 물론 당면한 문제들에 대해서도 얘기하고 싶다. 그래서 그런 기회가 되면 한번 방문하겠다는 생각을 갖고 있다. 그러나 지금 가장 중요한 것은 6자회담의 성공과 남북정상회담의 실현이라고 생각한다.

* 이 글은 2007년 3월 13일 서울 소공동 롯데호텔에서 있었던 김대중 대통령의 국제기자연맹 (IFJ) 특별 총회 강연문과 일문일답이다.

억압 아닌 대화, 교류, 협력으로

대담 필립 퐁스
일시 2007년 3월 21일

필립 퐁스 미국의 갑작스러운 대북 정책 변화에 대해서 어떻게 생각하십니까?

김대중 미국이나 북한이나 모두 자세 변화 할 이유가 생겼습니다. 미국은 북한에 대해서 일본과 함께 북한에 대해서 경제 제재를 하고 있지만 중국이 동참하지 않으니까 벌 효과를 거두지 못하고 있습니다. 미국은 북한에 대해서 군사적 제재를 하고 싶어도 물론 우리도 반대하지만 지금 중동에 발목이 묶여 있기 때문에 방법이 없습니다. 그리고 세 번째로는 지난 중간선거에서 민주당이 승리함으로써 민주당은 클린턴 대통령 때 우리와 함께 햇볕정책을 추진했는데 그러한 정책을 민주당은 요구하고 있기 때문에 무시할 수 없다는 생각입니다. 또 하나 중요한 것은 부시 대통령이 중동에서 실패를 했는데 한반도에서라도 성공을 해야 자기 업적이 세워지고 다음 대통령 선거에도 공헌을 할 수 있기 때문에 반드시 성공해야 합니다. 현재 미국이 성공을 위해서 몹시 서두르고 있는 입장입니다.

한편 북한으로서는 미국이 방코델타아시아(BDA)의 동결 자금도 해제해 주고, 북한의 안전도 보장과 경제 제재를 해제하고 국교 정상화까지 하겠다고 나선 입장에서 미국으로서는 북한이 원하는 바를 다 들어주는 것인데 북한으로서는 마땅히 이번에 기회를 놓치지 않고 미국과 관계 회복해서 모든 것을 풀어 나가야 할 필요성이 있습니다.

북한으로서는 이번에 만일 그렇게 미국이 양보했는데도 핵 문제를 해결 안 하면 이번에는 중국이 본격적으로 북한에 대해서 경제 제재에 동참할 수 있고 그렇게 되면 북한으로서는 정권을 유지하기 어렵기 때문에 중국의 의사를 무시할 수 없습니다.

또 중국은 북한 핵이 계속되면 일본과 대만이 핵을 갖겠다고 나서기 때문에 그것은 중국으로서는 하나의 악몽과 같은 것이기 때문에 절대 용인할 수 없습니다.

그래서 북한이 핵을 만들어 가는 것을 포기할 것인가 하는 문제는 국민이 실망하고 군대가 반대할 것 아니냐고 말하지만 거기에 대해서 북한은 이미 모든 비핵화에 대한 포석을 하고 있습니다. 김정일 위원장과 북한 지도자들이 되풀이 얘기하는 것이 "한반도 비핵화는 김일성 주석의 유훈이다."라고 이것을 강조하는데 북한에서는 김일성의 유훈이라면 누구도 반대할 수 없습니다. 그래서 국민과 군부의 반대에 대해서 이미 포섭을 하고 있고 나는 미국이 북한에 대해서 약속만 제대로 지키면 북한은 이번에 핵을 완전히 포기할 것이라고 생각합니다.

필립 퐁스 대통령님께서는 비핵화 문제에 관한 문제인데 이미 북한에서 플루토늄을 생산하고 앞으로 중지한다고 하는데 플루토늄 생산뿐 아니라 이미 보유하고 있는 핵무기도 중지하고 반환하는 것에 대해서 어떻게 생각하시는지?

김대중 나는 그것이 가능하다고 생각합니다. 그러지 않으면 미국은 북한에 대해서 완전한 보장을 안 해 줄 것이기 때문입니다. 또 그러지 않으면 일본은 북한이 핵 가지고 있는 것을 용서할 수 없다고 하고 일본도 핵을 갖겠다고 나설 가능성이 있기 때문에 그것은 결국은 포기할 것으로 생각합니다.

필립 퐁스 1994년의 합의와 얼마 전에 있었던 2·13합의와의 차이점은 어디에 있다고 생각하십니까?

김대중 대체적으로 같다고 할 수 있지만, 1994년에는 전반적으로 얘기했는데 이번에는 한 단계 한 단계씩, 말 대 말, 행동 대 행동, 북한이 이것을 내놓으면 미국이 이것을 내놓고 하는 그래서 일괄적으로도 했지만 단계적으로 실천할 수 있도록 한 것이 큰 차이입니다.

필립 퐁스 2·13합의가 1994년 합의보다 훨씬 더 신중하고 많은 열매를 맺게 될 효율적인 합의라고 생각합니까?

김대중 구체적이고 신중하게 합의한 것도 사실이지만 1994년 그때 합의한 것도 클린턴 정부에서 실천이 되어 가던 것인데 부시 정권으로 바뀌면서 과거의 합의를 모두 뒤집어 버린 것입니다. 그래서 문제는 합의 내용도 중요하지만 집권자가 합의 내용을 이행하려는 의지가 중요한데 이번 합의는 아까도 말씀드렸듯이 부시 대통령으로서는 안 지킬 수 없는 그런 필요성이 있다고 생각합니다.

필립 퐁스 2002년에 부시가 북한의 핵 위기를 시작한 거나 마찬가지인데 그 위기를 통해서 지금까지 김대중 대통령이 스스로 알게 된 교훈이나 해석을 한다면 어떤 해석을 하실 수 있는지요?

네오콘들의 뒤집기

김대중 과거에 클린턴 정권 때 합의된 것을 폐기했는데 미국의 네오콘들은 제네바합의를 매우 못마땅하게 생각하고 그것을 뒤집기로 작정한 것입니다. 그래서 부시 등장 후 김정일 정권에 대해서 공격을 시작하고 또 이란, 이라크, 북한을 악의 축으로 규정했습니다. 중유 공급 중단의 구실이 필요했는데 북한이 고농축우라늄을 개발해서 플루토늄 외에 우라늄을 가지고 핵을 개발하려고 한다고 주장하고 북한이 먼저 제네바 약속을 위반했기 미국도 제네바합의를 지킬 필요가 없다고 하였습니다. 북한에 건설하던 경수로도 중단하고 매년 50만 톤의 중유를 공급하기로 하고 수년간 지원해 왔지만 유가가 오르니까 미국 부담도 커지니까 그것도 중단하려는 구실로 이용한 것입니다. 그렇게 해서 몇 년 동안 지속됐는데 현재 미국으로서는 경제적 제재도 효과가 충분하지 않고 군사적 제재의 능력도 한계가 있고 그리고 민주당이 선거에 이겼고 부시도 뭔가 성공을 해서 퇴임해야 할 필요성 등이 합쳐진 것입니다.

필립 퐁스 멀리 좀 거슬러 올라가서 2001년 3월에 부시 대통령 만났을 때 부시가 썩 달갑지 않게 맞이했는데 당시 대통령의 느낌이나 생각은…….

김대중 당시 부시 대통령과의 회담이 부시 대통령이 클린턴과 북한과 합의한 내용을 뒤집는 장소였습니다. 그런데 정상회담 전에 파월 국무장관과 클린턴 대통령 때의 합의를 지킨다고 합의가 다 되었는데 부시 대통령이 기자회견에서 갑자기 북한을 공격하겠다고 해서 그런 결과가 나온 것입니다. 당시 나도 뜻밖의 일로 당황했습니다. 결국 정상회담을 별로 성공하지 못하고 돌아왔는데 그런데 내가 한 발도 물러서지 않고 끈질긴 인내심으로 부시를 설득해 왔습니다. 그래서 2002년 부시 대통령이 방한했을 때 나와 긴 시간 회담 끝에 나와 의견 일치를 시켜서 기자회견에 나서서 북한을 공격하지 않겠다, 당시 북한 공격이 임박했던 때였는데, 북한과 대화하고 북한에 식량도 주겠다고 공개적으로 약속했습니다. 그런데 2002년 10월에 켈리 특사가 북한을 방문 후 돌아와서 고농축우라늄이 있다고 했다고 발표함으로써 모든 것이 다 뒤집혀 버렸습니다.

필립 퐁스 2002년 10월에 켈리 특사가 북한이 고농축우라늄이 있다고 발표했을 때 대통령님은 어떻게 생각하셨습니까?

김대중 거기에 대해서 우리도 놀랐죠. 북한에서 그런 것 가졌나 했는데 바로 북한에서 말하기를 고농축우라늄을 우리가 가졌다고 시인한 적이 없다, "당신들이 우리를 못살게 굴면 고농축우라늄이든 뭐든지 우리는 가질 권리가 있다." 그렇게 말했다고 발표했어요. 그렇기 때문에 켈리의 말이 확실하지 않다고 느꼈지요.

필립 퐁스 그러면 당시 고농축우라늄이 존재하지 않았다고 생각했나 아니면 그 정도로 많이 발전이 안 된 상태라고 생각했나요?

김대중 나는 지금도 고농축우라늄이 무기화하는 정도로 발전이 안 돼 있다고 생각해요. 그러나 그와 관련된 정보 자료 같은 것은 있을 수 있다고 생각해요. 그래서 요새 이번 6자회담 한 데 보면 고농축우라늄 문제는 별로 등장하지 않고 미국도 별도 거론하지 않고. 그러니까 북한이 고농축우라늄을 개발해서 무기화하고 있다는 것에 대해서는 미국도 자신이 없는 것 같아요.

필립 퐁스 그러면 고농축우라늄의 존재 사실 여부나 방코델타아시아(BDA) 돈세탁에 관한 내용들이 미국 정부에 의해서 허위로 과장된 것이라고 생각하고 사실이 아니라고 생각하십니까?

김대중 허위로 조작했는지 안 했는지는 모르지만 적어도 두 가지 사안 모두 확실한 증거를 내놓지 못하고 있는 것은 사실입니다.

필립 퐁스 햇볕정책에 관한 질문입니다. 햇볕정책을 북한 체제를 지원하는 정책으로 많은 사람들이 생각하는데 거기에 대해서 어떻게 생각하시는지…….

김대중 지금 부인할 수 없는 것은 북한 사람들이 우리에 대해서 적대심을 갖고 있다가 햇볕정책을 통해서 우리가 개성, 금강산에 투자를 하고 북한에 비료, 식량을 지원하는 것을 보고 북한 사람들 마음이 크게 바뀌었습니다. 남한을 과거에는 적대감으로 대하며, 미 제국주의의 앞잡이, 북한을 몰살시키려 한다는 생각이 일반적이었는데 이제 그러한 마음이 달라지고 오히려 동포애를 갖고 도와주니 고맙다, 남한은 잘사는구나, 우리도 잘살고 싶다. 그래서 북한 내에 소위 남쪽의 드라마, 영화, 노래 같은 한류가 지하에 광범위하게 퍼져 있습니다. 그리고 개성공단에서는 많은 경제적 성과를 올리고 있습니다. 북·미 관계가 좋아지면 경제는 더욱 발전할 것입니다. 햇볕정책은 첫째 남북의 긴장 완화에 성과가 있었고, 둘째 북한의 민심을 바꾸었고, 그리고 셋째 북한의 전선이 개성 쪽에서 5킬로미터, 금강산 쪽으로 10킬로미터 올라갔습니다. 그만큼 휴전선이 올라간 것입니다. 그만큼 우리 안보에 도움이 됐습니다. 그리고 장래 북·미 관계가 좋아지면 우리가 북한에 대거 진출해서 지금 중국이 진출하고 있는데 거기에 맞서서 북한 사람들과 같이 협력해서 윈윈의, 다 같이 공동 승리의 방향이지 누가 이기고 누가 지는 것이 아닙니다.

1945년 분단돼서 2000년 남북정상회담까지 55년 동안 남북의 이산가족이 상봉한 것은 200명뿐이었습니다. 그러나 2000년 정상회담 이후로 이산가족 1만 3천 명이 만나고 앞으로 대량 상봉을 위해서 금강산면회소가 건설되고 있습니다. 또 금강산 관광을 130만 명이 다녀왔는데 북한 사람들이 그것을 보고 얼마나 부러워하는지 북한 민심의 변화에 큰 영향을 주고 있습니다. 그리고 개성공단에서 북한 노동자 1만 명이 일을 하고 있는데, 앞으로 개성공단이 모두 완성되면 35만 명이 일을 하게 됩니다. 개성공단에 서로 와서 일하려고 하고 있습니다. 그리고 북한 사람들은 우리가 보낸 쌀과 비료를 가지고 농사가 잘되고 남한을 은인으로 생각하고 있습니다. 북한의 민심이 정말 달라졌습니다. 햇볕정책은 북·미 관계가 악화되었기 때문에 예정대로 못 하고 있지, 북·미 관계가 해결되고 6자회담이 잘되면 발전할 것입니다. 햇볕정책은 현재까지도 많은 성과가 있었습니다.

필립 퐁스 2002년에 비해서 4년이 지난 지금 부시 정권의 정책으로 인해서 오히려 북한 문제가, 핵 문제가 훨씬 더 악화되었다고 생각하시나요?

부시의 대북 봉쇄 정책은 실패

김대중 훨씬 악화됐죠. 부시 정권은 제네바협정을 거부하고 북한 정권을 변화시키려고 하고, 전복시키려고 했는데 그것이 다 실패했습니다. 그래서 이제는 크게 보면 제네바협정의 길로 들어선 것입니다. 그러니까 지난 6년 동안 허송세월한 것입니다. 부시 정권이 제네바협정을 거부하고 북한을 악의 축으로 규정한 결과가 어떻게 되었습니까? 북한은 핵확산금지조약(NPT) 탈퇴하고 국제원자력기구(IAEA) 요원 추방시켜서 북한 핵을 감시할 수 없게 되었습니다. 그리고 미사일 모라토리엄을 폐기하고 또 제네바협정에서 합의했던 사항을 모두 폐기했습니다. 그리고 마침내는 핵무기를 만드는 단계에까지 와서 부시의 대북 봉쇄 정책과 북한 정권을 말살시키려는 정책은 완전히 실패해서 최근 방향을 바꾸고 있다고 생각합니다.

필립 퐁스 북한이 핵폭탄을 보유하고 있는데 핵폭탄을 보유하려는 의도와 목적은 무엇이라고 생각하십니까?

김대중 그것은 미국이 북한의 안전을 보장하지 않고 생존권을 보장하지 않고 체제를 전복시키려 하기 때문에 핵을 가지려고 하는 것이라고 생각합니다. 북한이 현재 가지고 있는 재래식 무기는 모두 노후되어 있습니다. 북한은 새로운 무기를 구입할 경제적 여력이 없고, 기름도 없어 훈련도 못 하는 상황입니다. 이러한 상황에서 북한은 핵무기 가지고 "너 죽고 나 죽자"는 심정으로 테러로 나온 것입니다. 또 북한은 자기들 살길만 열어 주면 핵무기를 포기하겠다고 여러 번 계속 말해 왔습니다.

필립 퐁스 지금 열리고 있는 6자회담이 성공적으로 마치게 되면 앞으로 6자회담이 동북아 안정과 평화를 위해서 어떤 포럼이 될 수 있다고 생각하십니까?

김대중 나는 2004년 중국에 갔을 때 중국 장쩌민 주석과 중국 지도자들에게 6자회담이 성공하고 나면 6자회담을 상설화해서 한반도와 동북아 안전을 보장하는 기구로 만들자고 제의했는데 모두 동의했습니다. 결국 지금 보면 이번 북한 핵 문제가 잘 해결되면 6자회담이 계속 상설 기구화되는 방향으로 나갈 가능성이 크다고 생각합니다.

필립 퐁스 마지막으로 북한이 쭉 개혁을 해 왔는데 그 개혁의 발전 양상이 중국 모델을 따르는 것이 아니고 북한 고유의 자체 모델을 따라서 발전한다고 얘기하는데 여기에 대해서 어떻게 생각하십니까?

김대중 결국 북한은 중국이나 베트남 모델로 정치체제를 완화시키는 데는 굉장히 오래 걸릴 것이다. 그리고 다시 또 김정일 위원장이 개인적으로 후계자를 정할 가능성도 있다고 보고, 그러나 근래 개방하고 개혁해서 세계 속에서 활로를 찾는 그래서 하는 것은 틀림없다고 생각합니다. 그건 미국이나 유럽연합(EU) 등 서방국가의 대응에 달려 있습니다. 북한에 문을 열고 같이 협력하자고 하자고 길을 열고 북한 정권에 대해서 안도감을 주면 빨리 변하고 그 안도감을 못 가지면 느리게 변화할 것입니다.

내가 부시 대통령에게 얘기했는데 공산주의 국가는 억압으로는 변화시키지 못합니다. 소련, 동유럽, 중국, 모두 변화시키지 못하고 베트남은 전쟁까지 했지만 못 했습니다. 지금 쿠바도 못 하고 있지 않습니까? 그러나 대화하고 교류 협력하면 모두 변했습니다. 소련, 동유럽, 중국이 변화했고 베트남과는 전쟁까지 했지만 협력하고 있습니다. 쿠바는 개혁 개방에 대해서 도와주지 않으니까 변화가 없지 않습니까? 북한도 마찬가지입니다. 북한에 대해서 개혁 개방할 수 있도록 정권은 건드리지 않고 경제적으로 교류 협력하고 평화적으로 나아가면 북한은 달라질 것입니다. 경제가 발전하면 중산층이 생기고 중산층이 생기면 자유를 요구하게 됩니다. 그렇게 해서 북한 내부에서 변화가 일어나야 합니다. 민주주의는 내부에서 일어나야지 성공할 수 있습니다. 영국도 민주주의가 내부에서 일어나고 프랑스도 내부에서 일어나 프랑스 대혁명이 일어났습니다. 억압하고 누르면 내부에서 민주주의적인 세력이 일어날 수 없고 개방하고 안도감을 주면 내부에서 그런 세력들이 일어나게 됩니다. 공산주의를 다루는데 현명하게 해야 합니다. 이러한 이야기를 부시 대통령에게 했고, 그 외 미국 친구들에게 많이 충고했습니다.

필립 퐁스 오늘 인터뷰에 응해 주셔서 감사합니다.

---

* 이 글은 2007년 3월 21일 오후 4시, 김대중 대통령의 사저에서 있었던 『르몽드』 필립 퐁스 (Philippe Pons) 도쿄 지국장과의 인터뷰 전문이다. 『르몽드』 2007년 4월 15-16일 자 국제면에 보도되었다.

우리나라의 시대가 오고 있다

대담 조현재·전병준
일시 2007년 3월 22일

『매일경제신문』은 창간 41주년을 맞아 김대중 전 대통령과 특별 대담을 했다. 북한의 핵실험으로 악화 일로로 치닫던 남북 관계가 최근 6자회담에서 켜진 '청신호'로 해빙 무드로 접어들면서 햇볕정책으로 상징되는 김 전 대통령의 한마디가 무엇보다 주목되는 때이다.

또한 올해는 외환 위기가 발생한 지 10년이 되는 해로 한·미자유무역협정(FTA) 등으로 어수선한 한국 경제에 던지는 김 전 대통령의 메시지도 곱씹을 만하다. 김 전 대통령은 6자회담의 성공을 자신했고, 남북정상회담의 시급성과 한·미자유무역협정(FTA)의 불가피성을 역설했다. 이날 대담은 조현재 국차장과 전병준 정치부장이 진행했다.

6자회담, 해산하지 말고 상설화해야

조현재·전병준 지난 2·13합의로 북핵 실험에 따른 경색 국면이 해소되고 있는데 앞으로 남북 관계를 전망한다면.

김대중 큰 이변이 없는 한 6자회담은 성공한다. 미국으로서도 그동안 일본과 함께 북한에 경제 제재를 가했지만 굴복시키지 못했고 군사적으로도 중동에 발목 잡혀 이도 저도 못 하고 있는 상황이다. 부시 대통령으로서는 대통령 선거를 앞두고 대북 문제에서만큼은 업적을 세워야 한다는 생각이 절실하다.

북한도 안전 보장, 경제 제재 해제, 국교 정상화, 방코델타아시아(BDA) 문제 해소 등 요구 조건을 들어주면 핵을 포기하겠다고 했는데 지금 다 들어주겠다고 하는 상황이다. 중국은 일본과 대만의 핵 보유로 이어질까 봐 북한의 핵 보유를 두려워한다. 이번에 실패하면 중국도 북한에 실질적 제재를 가할 것이다. 북한은 중국 뜻을 존중해 핵을 완전히 포기하려는 준비를 하고 있다. 미국이 약속한 대로 시행하면 북한도 상응하는 조치를 취해 해결될 것으로 본다.

조현재·전병준 최근 이해찬 전 총리의 방북 등으로 남북정상회담 분위기가 무르익고 있는데 어떤 노력이 필요한가.

김대중 남북정상회담을 성사시켜 우리가 김정일 국방위원장을 설득해 미국과 대화하도록 하면 한반도 문제를 해결하는 데 우리가 그만한 역할을 하게 되고 발언권 역시 강해지고 종국에는 한국의 영향력이 커지게 되는 것이다.

이번에 정상회담을 하게 되면 국민의정부, 노무현 정권에 이어 다음 정권 때도 맥이 이어진다. 이번에 안 하면 맥이 끊어지는데 대단히 불행한 일이다. 되도록 빨리 정상회담을 해야 한다. 선거가 임박해서 하게 되면 오해가 생길 수 있으니 상반기 중에 하는 게 좋다.

조현재·전병준 김 위원장의 답방이나 제3국 회담 등 장소 문제가 남아 있는데.

김대중 노무현 대통령이 때와 장소를 안 가리겠다고 했으니 이미 풀린 문제 아닌가.

조현재·전병준 남북정상회담은 물론 한국, 미국, 북한, 중국 등 4개국 정상회담에 대한 필요성도 제기되는데.

김대중 둘 다 하면 좋다. 남북정상회담은 우리 민족 문제, 평화 공존, 교류 협력 등을 얘기하는 자리이고 4개국 회담은 평화협정을 맺어 한반도에서 전쟁을 종식하는 자리가 될 것이다.

조현재·전병준 6자회담이 북핵 문제를 해결한 이후 어떻게 운영돼야 하나?

김대중 회담이 끝나고 나면 해산하지 말고 상설화해야 한다. 1971년 한반도 4개국 평화 보장론을 얘기한 바 있다. 6자가 한반도 평화와 나아가 동북아 평화에 대해 교류 협력으로 나가는 게 필요하다. 2004년 중국을 방문했을 때 장쩌민 전 주석에게도 얘기해 동의를 얻었고, 미국 역시 반대하지 않는 것으로 알고 있다.

조현재·전병준 남북 간에 평화협정이 체결되면 한국이 모든 대북 지원 비용을 떠안는 게 아니냐는 염려가 있는데.

김대중 우리가 부담도 지겠지만 덕도 많이 보게 될 것이다. 중소기업이 중국보다는 개성공단을 비롯한 북한에 진출하는 게 훨씬 낫다. 북한에도 좋지만 우리에게도 굉장한 이득이 된다. '퍼주기'가 아니라 되려 '퍼오기'가 될 가능성이 있다. 북한을 거쳐 유라시아를 관통하는 '철의 실크로드'가 완성되면 부산항에서 유럽까지 이어지는 시대가 도래한다. 물류가 일어나면 산업, 금융, 보험, 문화·관광 분야도 일어난다. 서독은 과거 동독에 매년 32억 달러씩 줬는데 우리는 1억 달러 정도다. 그만큼 줬는데도 이만큼 긴장이 완화되고 핵무기가 개발됐음에도 우리가 편안히 살고 있다는 것이 얼마나 큰 성과인가.

조현재·전병준 남북 관계 해빙 무드에 맞춰 우리 기업인들은 어떤 역할을 해야 할까.

김대중 우리가 북한 경제에 많은 지원과 투자를 해서 북한이 중국 의존 일변도로 가지 못하게 하는 것이 중요하다. 중앙아시아에 기반을 마련하기 위해서도 북한에 발판을 마련해야 한다.

우리가 북한에 경제적으로 영향력을 행사하게 되면 북한에도 좋은 일이지만 우리도 북한에 대한 영향력을 키울 수 있다. 따지고 보면 북한과의 문제는 경제 문제이고 경제 문제는 곧 기업 문제이다. 기업끼리 협력하고 격려하면서 남북 관계를 본격적으로 열면 기업인 시대가 온다. 우리가 북한에 투자하지 않으면 그 대신 중국이 지원하게 된다. 그렇게 되면 북한이 자꾸 중국의 영향력에 끌려들어 가게 된다.

김정일 위원장, 상식적으로 하고 있다

조현재·전병준 6·15정상회담 때와 비교하면 김정일 위원장이 어떻게 변한 것 같은가?

김대중 그 사람은 상식적으로 하고 있다. 미국이 상식적으로 안 해 온 것이다. 이제 미국도 상식적으로 하니까 잘 풀리는 것이다. 부시 대통령이 지금이라도 결단을 내려 다행이고 잘했다고 생각한다.

조현재·전병준 한나라당이 기존의 대북 강경책에서 변화될 조짐을 보이고 있는데.

김대중 굉장히 환영한다. 현실을 인식해서 태도를 바꾼 것은 정치인으로서 탁월한 일이다.

정치인이 잘못된 것을 계속 고집하는 게 아니라 시대가 변했고 잘못된 것을 고치는 것은 잘하는 일이다. 우리 정부도 북한과 무슨 일을 하려고 할 때 부담이 적을 것이다. 그에 비해 난 참 힘들었다.

조현재·전병준 남북 관계 개선에 혹시라도 걸림돌이 있다면.

김대중 미국의 네오콘 같은 극우 세력들이 지난번 9·18합의 시 방코델타아시아(BDA)로 훼방 놓은 것과 같은 일이 생길까 걱정된다. 그럴 가능성은 작을 것이라고 보지만 북한 내에서 강경 세력이 여전히 핵을 금지옥엽과 같이 생각하는 것도 염려된다. 북한 군부에서 과거 세대는 이미 다 은퇴했고, 젊은 세대는 모두 김 위원장 덕을 본 사람들이다. 보조가 맞기 때문에 큰 문제는 없을 것이라고 생각한다.

조현재·전병준 일본이 남북 화해 무드에 제동을 거는 듯한 인상을 주는데.

김대중 6자회담이 잘돼 가고 있는데 일본이 납치 문제로 걸고넘어지면 나머지 다섯 나라의 지지를 받지 못한다. 물론 납치 문제도 해결돼야 하지만 그 문제가 해결되지 않으면 다른 것도 모두 안 된다고 해서는 안 된다.

우리 국민은 50년 이상 양당제를 지지해 왔다

조현재·전병준 대통령 선거를 앞두고 정권 재창출을 위한 범여권 통합의 필요성을 강조해 왔는데.

김대중 민주화의 명맥을 유지한다는 것도 있지만 원칙적으로 우리 국민들은 50년 이상 양당제를 지지해 왔다. 여야 모두 단일화되고 안 되면 선거 연합이라도 해야 한다. 한나라당도 분열하지 말고 단일화해서 성공하기 바란다.

범여권도 단일화가 안 되면 연합해서 단일 후보라도 내야 한다. 그래야 어느 쪽이 정권을 잡든 국정을 책임 있게 해 나갈 수 있다. 그렇게 할 때만이 국민이 정치를 신뢰한다. 많은 정당이 혼재하면 정치가 불안해지고 국민도 그런 정치를 바라지 않는다.

조현재·전병준 한나라당 손학규 전 경기지사가 탈당했는데 범여권 통합에 도움이 될 것으로 보는가?

김대중 특정 개인에 대해 얘기할 생각은 없다. 단일 정당으로 성공하든지 단일화나 연합하는 것이 여권을 지지하는 국민의 바람이다.

조현재·전병준 차기 지도자가 갖추어야 할 조건은 무엇이라고 생각하나?

김대중 정치적으로는 건전한 민주주의를 해야 하고, 경제적으로는 시장경제를 추진하면서 부품소재 및 중소기업을 육성하려는 신념과 정책을 가진 사람이 돼야 한다. 남북 관계는 화해 협력하면서 북한과 적극적으로 접촉해 북한을 변화시키는 생각을 가진 사람이 나와야 한다.

인물로서는 대통령직을 하는데 (그 사람의) 역사가 합당한지, 어떤 길을 걸어왔는지를 봐야 한다. 선거 때만 나와서 달콤한 말만 하고 자기 말에 책임을 지지 않는 사람이 아닌가 잘 봐야 한다. 정책이 바르고 국민이 볼 때 신뢰할 수 있는 사람을 뽑아야 한다.

조현재·전병준 각 정당의 정책 노선은 어떻게 정립해야 하나?

김대중 세계적으로 정당의 색깔이나 노선 차이가 적어지고 있다. 공산당이나 보수정당 모두 이제는 시장경제, 사회정의 실현을 주장한다. 두 노선이 겹쳐 중도정당이 돼 가고 있다. 우리나라도 마찬가지다. 한나라당이 대북 정책까지 수정하는 마당에 무슨 큰 차이가 있겠나? 구체적으로 정책에 대한 큰 쟁점은 적다고 생각한다.

한·미자유무역협정(FTA) 올인해서 국민 설득해야

조현재·전병준 외환 위기를 맞은 지 10년이 되는 해인데 경제 활성화를 위한 방안은.

김대중 문제는 대기업이 잘되는 것만큼 고용이 늘지 않는다는 것이다. 대기업에 투자가 집중되지만 고용도 안 되고 국내에 돈도 안 풀리고 경기도 향상되지 않았다. 더 큰 문제는 대기업이 그렇게 수출한 것도 외부에서 부품소재를 가져와서 한 것이다. 간단히 말해 일본이 장사하게 해 줬다. 그래서 부품산업이 안 일어나는 것이다. 그래서 중산층이 튼튼하지 않고 고용이 늘어나지 않고 있다. 구멍가게나 재래시장도 많이 문을 닫기 시작했다. 불가피한 현상이다. 너무 숨넘어가는 사람 입에 물을 넣어 주는 것처럼 하기보다 새로운 활로를 찾아야 한다.

어느 방향으로 돌려야 하느냐. 문화콘텐츠 등을 개발하고 생명공학 등 특수한 제품을 만들어야 한다. 발상을 바꾸지 않으면 안 된다. 세계적 경쟁 시대니까 문 닫고 혼자 버틸 수 없다. 경제 문제는 어제가 옛날이라고 생각하고, 오늘도 곧 옛날이 된다고 생각하고 노력해야 한다.

조현재·전병준 양극화가 심화되면서 소외 계층의 의사 표현이 격렬해지고 있는데 어떻게 대응해야 하나?

김대중 생존의 길을 열어 줘야 한다. 생존의 길이 이것이다, 살아갈 길이 이것이라고 자꾸 가르치지 않으면 안 된다. 부품소재 산업을 발전시키고 농업을 생명공학 산업으로 키우는 것도 해결책이다. 정부가 새로운 직업 교육을 시켜야 한다.

내가 '생산적 복지'란 말을 했는데 자신의 힘으로 살아갈 수 없는 장애인, 노인, 병약자 등을 빼고는 자기 힘으로 살아가도록 교육해야 한다. 정부가 어느 정도 계도 역할을 해야 한다.

조현재·전병준 막바지 협상 중인 한·미자유무역협정(FTA) 협상을 둘러싼 찬반 논쟁이 뜨거운데.

김대중 문재인 대통령 비서실장이 취임 인사차 왔을 때 "왜 반대하는 사람은 매일 얘기하는데 찬성하는 정부는 말 안 하느냐"고 충고해 줬다. 반대하는 사람이 이래서 안 된다고 하면 보완해서 하겠다, 이런 이익이 있다고 해야 국민이 양쪽 말을 듣고 판단하는데 국민들이 한쪽 말만 듣고 있다. 지지하는 쪽은 말을 안 하니 국민이 어리둥절하고 심지어 한쪽으로 끌려가고 있다. 나 자신도 정부, 여당 등이 제대로 얘기를 안 하니까 잘하는지, 잘못하는지 알지 못한다.

국운이 걸린 문제이고 총리도 경제인이니까 올인해서 국민을 설득하고 국민 의견을 수렴해 고칠 것은 고치고, 걱정하는 부분은 대책을 알려 줘야 한다. 나는 덮어놓고 한·미자유무역협정(FTA)에 찬성하는 것이 아니라 국민의 찬성 속에서 해야 한다는 입장이다.

우리나라가 만만한 나라가 아니다. 조선, 철강, 섬유, 자동차산업에서 잘하고 있지 않나. 전자부품은 말할 것도 없다. 미국보다 정보화 수준도 앞서 있다. "미국은 세다, 우리는 약하다, 같이 하면 진다"는 습관적인 사고방식을 버려야 한다. 한·미자유무역협정(FTA)은 해야 된다.

자본주의 경제는 경쟁 아니냐? 경쟁은 세계가 다 하는데 우리만 어떻게 안 하느냐? 하고 싶고 안 하고 싶고의 문제가 아니라 안 할 수가 없는 것이다. 필연적으로 도태되고 낙오되는 사람이 있기 때문에 보완해서 경쟁하게 하든지, 교육해서 직업을 바꾸도록 해야 한다.

흐름을 역행하려고 하면 안 된다. 무한 경쟁으로 보면 한국인에게 유리하다. 지식기반 사회에 교육 수준이 높고 모험심 강하고 문화적 창의력이 높아 비교할 민족이 없다. 우리나라의 시대가 오고 있다. 이 과도기를 잘 추슬러 나가야 한다.

그런 가능성을 보기 때문에 골드만삭스도 2050년에는 우리나라의 1인당 국내총생산(GDP)이 8만 1,000달러가 될 것으로 전망하지 않느냐. 그러기 위해서는 북한과의 개방도 필요하다.

북핵 문제 해법과 한반도의 미래

대담 민경중
일시 2007년 4월 2일

민경중 대통령님 안녕하십니까? 최근에 대학 강연 등 활발히 활동하시고 계시는데 건강이 매우 좋아 보이십니다. 건강 관리를 위해 어떻게 하고 계십니까?

김대중 과음, 과식 같은 것 안 하고, 담배 안 피우고 휴식을 자주 취하면서 무리를 안 하는 것 그런 것이 건강에 좋은 것 같습니다.

민경중 좋아하는 음식을 많이 드신다고 하는데…….

김대중 나는 과식도 별로 안 하는데 어떻게 내가 대식가라고 전설이 돼 가지고 그건 도저히 막을 수가 없습니다.

민경중 최근에 자서전을 쓰신다고 들었습니다. 언제쯤 출간할 계획이신지요?

김대중 현재 준비하고 있습니다. 언제 출간이 될지는 아직 확실히 예측할 수 없습니다. 오랄 히스토리를 한 30회 하고 있는데 계속해야 할 것 같습니다.

북핵 문제, 금년은 상당한 진전 있을 것

민경중 본격적인 대담으로 들어가겠습니다. 꽉 막혀 있었던 남북 관계 및 한반도 주변 정세가 풀리는 느낌입니다. 특히 북핵 관련해서 김 전 대통령께서 북한은 핵을 포기하고 북·미 대화가 이뤄질 것이라고 한 예측이 맞았습니다. 현 상태를 어떻게 전망하시는지요?

김대중 금년에는 상당히 좋은 진전이 있을 것으로 봅니다. 북한이 핵을 포기 안 하면 어떻게 하겠습니까? 국민들 밥 먹이고, 옷 입히고 할 것 같습니까? 북한은 핵을 포기 안 하면 세계가 제재하기 때문에 견뎌 낼 수 없습니다. 북한을 지탱하고 있는 것은 중국이 식량 주고, 기름 주고 있기 때문에 가능합니다. 북한 생필품의 8퍼센트가 중국 제품입니다. 중국이 이렇게 하고 있는데 중국 입장은 북한이 어떤 일이 있어도 핵무기를 가져서는 안 된다는 것입니다. 만일 북한이 핵무기를 가지면 일본이 가질 가능성이 커지고 또 대만이 가질 가능성이 큽니다. 일본, 대만이 핵을 갖는다는 것은 중국으로서는 악몽과 같은 거예요. 그래서 중국은 만일 미국이 북한에 대해서 내줄 것을 다 내주었는데도·불구하고 북한이 핵을 포기 안 한다면 그때는 북한에 대해서 단호한 태도를 취할 것입니다. 우리도 그렇겠지요. 그러기 때문에 이 문제는 처음부터 해결될 문제입니다.

또 미국의 입장에서 보면 미국은 지금 중동에서 군사적으로 발 묶여 있는데 북한에 군사적 행동을 할 여력이 없습니다. 또 지금 경제 제재를 일본과 같이 하고 있지만 효과가 별로 없습니다. 그러면 결국 미국은 북한과 대화를 할 수밖에 없습니다. 더구나 미국 중간선거에서 민주당이 승리해서 포용정책을 하라고 한 마당에 그걸 거부하기도 어렵습니다. 또 마지막으로는 부시 대통령 스스로도 중동에서 실패했으니까 퇴임하기 전에 한반도에서라도 뭔가를 이루려고 하는 그런 절실한 필요성도 있고 해서 이번 핵 문제는 북한이

나 미국이나 다 같이 필요성이 있습니다. 더구나 지금 북한으로서는 그동안 요구했던 방코델타아시아(BDA) 문제, 안전 보장, 경제 제재, 국교 정상화 등 모두 미국이 들어준다고 하는데 안 하고 어떻게 하겠습니까?

이런 등등으로 해서 금년에는 이 문제가 상당히 잘 해결되지 않느냐 그렇게 생각합니다. 특히 다행인 것은 북한과 직접 대화 안 하겠다. 북한이 핵을 완전히 포기할 때까지는 아무것도 줄 수 없다고 하던 미국이 완전히 바뀌어서 지금 무엇무엇을 주겠다고 직접 나서고 있고 오히려 미국이 적극성을 띠고 있습니다. 그래서 금년 상황은 십중팔구 100퍼센트 단언이야 할 수 없지만 잘 진전되리라고 봅니다.

민경중 김정일 위원장에게도 대화하도록 여러 차례 촉구하셨습니다마는 미국의 네오콘들에게도 여러 차례 경고의 말씀을 하시지 않았습니까? 바로 그러한 한반도의 평화를 위한 김대중 대통령님의 조언이 이번에 평화의 틀로 바꾸는 데 상당히 역할을 했다고 생각합니다. 북·미 관계가 올해 진전이 있을 거라고 말씀하셨는데 수교의 단계로 가는 시간은 어느 정도로 예측을 하십니까?

김대중 물론 북·미 수교까지 가야죠. 북한은 중국, 베트남과 똑같이 다 공산국가 아닙니까? 그런데 다 수교하고 교역하지 않습니까? 그래서 지금 좋은 관계를 유지하고 있습니다. 베트남과는 전쟁까지 했거든요. 그래서 북한하고 못 할 것이 없는 거지요. 북한은 또 미국과의 관계 개선을 아주 열망하고 있거든요. 그것만이 살길입니다. 북한은 미국과 관계 개선해야 국제통화기금(IMF)이나 아시아개발은행(ADB) 같은 데서 돈도 빌릴 수 있고 일본하고 국교 정상화해서 한 100억 달러 정도의 배상금도 받을 수 있습니다. 또 세계의 투자를 끌어들일 수도 있습니다. 우리도 자유롭게 북한에 가서 투자하고 같이 경제를 추진시킬 수 있습니다. 이 모든 것이 원활히 되려면 6자회담이 잘

돼야 하니까 이런 점에 있어서 북한도 아주 적극적이죠.

남북정상회담에서 평화 체제, 동북아 평화기구 논의해야

민경중 북·미 관계가 풀리면서 남북 관계 진전도 예상되고 있는데 그때마다 남북정상회담이 다시 거론되고 있거든요? 지난 2000년 6월 남북정상회담의 물꼬를 처음 트셨는데 남북정상회담은 어떻게 추진돼야 한다고 보십니까?

김대중 남북정상회담은 북한이 2000년 6·15공동선언에 남한을 방문한다고 돼 있습니다. 그 연장 선상에서 남북정담회담을 해야 합니다. 그런데 노무현 대통령이 김정일 위원장이 남쪽 방문 안 하더라도 언제, 어디서든 정상회담을 하겠다고 풀어 줬으니까 북한에 가서도 할 수 있고, 중국이나 러시아에서도 할 수 있는 거지요. 그런데 여하간 정상회담은 해야 한다고 생각합니다. 그래서 정상회담 해서 6자회담과 병행해서 한반도의 불가침이라든가 정전 상태 해소해서 평화 체제로 가는 이런 문제를 논의하고, 그리고 또 남북 간 문화, 경제 교류도 논의해야 합니다. 그리고 동북아 전체의 평화기구라든가, 우리가 북한을 거쳐서 대륙으로 가는 철도, '철의 실크로드' 이런 문제 등 많은 문제를 논의할 수 있습니다. 특히 남북 간의 군사 핫라인 설치하고 또 여러 가지 군사적 분규를 방지할 수 있는 사안을 논의해야 합니다. 예를 들면 지금 미군 2사단이 의정부 쪽에서 후퇴하지 않습니까? 이제까지 북한에 대해서 가장 큰 압력의 실체가 2사단이었습니다. 이러한 엄청난 장비를 가지고 있고 여러 가지 능력을 가지고 있던 2사단이 후퇴하면 북한은 그것에 상응한 조치를 해라, 그래서 서로 긴장을 완화시키자, 이런 것도 얘기할 수 있습니다. 또 앞으로 2012년에는 한국이 전시작전권을 갖게 되니까 한국이 당당하니 그런 문제에 대해서 남북 간의 평화 체제와 전쟁 방지에 대해서 얘기할 수 있는 것이고 여러 가지 중요한 일이 많을 것입니다.

또 우리나라 중소기업들이 대거 북한에 진출해야 합니다. 중소기업들은 베트남 가는 것보다도, 중국 가는 것보다도 북한이 제일 낫습니다. 거리도 가깝고, 문화도 같고, 말도 같고, 그리고 임금도 싸고, 노동의 질은 북한이 중국이나 베트남보다 낫습니다. 그러니까 우리가 과거에는 '퍼주기'라고 했는데 이제는 '퍼오기'란 말이 나올 정도로 그런 덕을 볼 수 있습니다. 그리고 지금 중국이 자꾸 북한에 경제적으로 진출하는데 우리 대기업들도 북한에 진출해서 이미 현대를 통해서 합의되어 있는 중요 사회간접자본(SOC)에 투자해서 철도, 항만, 정보통신 등 개발해서 경제의 균형을 잡아야 합니다. 안 그러면 북한이 중국에 종속됩니다. 그리고 제일 중요한 것 중의 하나는 북한과 우리가 협력해서 철도가 유라시아 대륙으로 뻗어 나가야 합니다. 지금 유라시아 대륙 일대는 석유, 가스, 광물 등 천연자원이 많이 나오고 해서 하나의 노다지판인데 거기에 우리가 못 들어가지 않습니까. 그걸 우리가 지금 철도로 가야 합니다. 이런 등등 해서 북한하고 협력하면 북한도 좋고 우리도 좋은 엄청난 발전을 할 수 있습니다. 그래야 앞으로 우리나라가 21세기에 경제적으로 5, 6대 강국으로 들어갈 수 있습니다. 이것은 저 혼자 과장해서 하는 말이 아니라 최근 골드만삭스가 얘기한 것 보면 "2050년까지 한국이 미국에 이어 두 번째로 잘사는 나라가 된다. 한국 국민의 1인당 소득은 8만 1천 불이 된다." 이렇게 말하고 있습니다. 독일의 『디벨트』도 "30년 후에는 한국이 독일을 앞설 것이다." 이렇게 말하고 있습니다. 그런 국제 전문 기관들이 그렇게 얘기하는 데는 이유가 있는 것입니다. 그런데 그렇게 되려면 한반도에 평화가 있어야 되고, 남북이 협력해야 되고, 우리가 대륙으로 뻗어 나가야 됩니다. 남북 관계가 공동으로 윈윈의 방향으로 협력할 때 우리는 그런 미래를 개척할 수 있습니다. 그런 미래를 놓치면 안 됩니다.

민경중 노 대통령은 북·미 관계 개선 등을 거론하며 정상회담을 얘기합니다. 정상회담의 순서는 어떻게 돼야 한다고 보십니까?

김대중 노 대통령도 남북정상회담의 필요성은 인정하고 있는 거니까 구체적으로 어떻게 하느냐 하는 것은 현직에서 일을 보고 계시는 분이 여러 가지 정보를 가지고 판단해서 하는 것입니다. 그러므로 그건 대통령께 맡겨야지요.

한나라당의 대북 정책 변화, 매우 환영한다

민경중 최근 한나라당의 대북관이 변화됐는데 이를 어떻게 평가하십니까?

김대중 저는 그것을 매우 환영합니다. 한나라당이 우리 민족사적으로도 중요한 문제들에 대해 후퇴하는 방향으로 가지 않나 몹시 걱정했는데 지금이라도 바꾼 것은 참 다행이라고 생각합니다. 이렇게 되면 정부도 대북 정책에 훨씬 더 짐이 가벼워지고 성공적으로 할 수가 있습니다. 대북 문제에 있어서 북한하고 전쟁하려는 사람 없지 않습니까? 그러면 한나라당도 같이 할 수 있는 것입니다. 이 문제는 남한 내에서 선거의 쟁점으로 하지 말고 민족적 차원에서 해 나가야 합니다. 미·소 대결 구도가 지나간 지 십수 년이 지났는데 우리만 계속 냉전 체제 속에 있는데 그것을 언제까지나 매달리고 있는 것은 역사에도 역행하는 것이고 우리 국민들 다수의 의사와도 맞지 않는 거니까 한나라당이 이번 기회에 흔들림 없이 협력의 길로 나가는 것이 바람직하다고 생각합니다.

민경중 남북정상회담은 특수한 관계여서 특사 등이 논의되고 있습니다. 최근 안희정 씨가 북측과 접촉한 것도 논란이 되고 있는데, 특사의 방식에 대해서는 어떻게 생각하십니까?

김대중 지금은 남북 관계가 많이 개방됐습니다. 이제는 공개적으로 하는 것이 좋을 것 같습니다. 대통령이 특사가 필요하다면 국민에게 알리고 또 필요하면 야당과도 협력할 수 있으니까 협력하면서 해 나가는 것이 좋지 않나 생각합니다.

민경중 대북 특사로서 김 전 대통령이 직접 북한을 방문할 계획은 있으십니까? 통일부의 이재정 장관이나 여러 사이드에서는 대통령님께서 의사를 표명하시면 어떤 지원도 아끼지 않겠다고 최근에 밝혔는데 그 시기나 대통령님의 생각은 어떻습니까?

김대중 모든 것은 대통령이 판단해서 편리한 대로 해야 하는데 지금은 제가 나설 단계는 아닌 것 같습니다. 특사는 대통령이 신임하고 대통령의 생각과 의중을 충분히 파악하고 있는 사람이 적격이라고 생각합니다. 단, 저는 다른 방법으로 도와줄 일이 있다면 얼마든지 도울 것입니다.

민경중 다른 방법이라 하시면…….

김대중 개인 자격으로 간다든가……. 그러나 지금은 적당한 시기라고는 생각하지 않습니다.

민경중 특사 자격이든 개인적으로든 김정일 위원장을 만난다면 어떤 문제를 거론하고 싶습니까?

김대중 무엇보다 미국이 북한이 요구한 것을 다 들어주고 있지 않습니까? 방코델타아시아(BDA), 안전 보장, 경제 제재 해제, 국교 정상화 등 다 들어주니까 이 기회를 놓치지 말고 그냥 일사천리로 해 가지고 그들이 말하는 대로 "통 크게 해서" 부시 대통령 임기 끝나기 전에 마무리 짓는, 그래서 부시 대통령도 "자신이 한 건 했다." 하는 업적을 국민한테 과시할 수 있도록 상대방도 봐주면서 빨리하는 것이 좋겠다는 얘기를 하고 싶습니다. 그리고 이제는 남북 간의 해묵은 전쟁 상태, 적대적 관계를 해소하는 데 전력을 다해 달라. 북한이 지금 중국에서 경제 지원을 받고 있는데 남쪽도 적극적으로 받아들여라, 미국과 관계가 좋아지면 남쪽에서 하려는 일에 대해 방해가 줄어들 것이니까 이제 우리도 안심하고 들어갈 수 있고 북한 경제를 발전시키는 데 한국과 중국이 같이 들어가서 균형을 취하고, 그리고 세계로부터 받아들여서 빨리 북한 경제를 회복시켜라, 그렇게 되기 위해서는 전쟁 상태를 빨리 종식시키고 평화를 하고 국제적 지지에 따라서 경제 협력을 추진해야 한다, 북한 사람들은 지식 수준이 높고 군대에서 훈련을 받았고, 그리고 노동력이 아주 우수한데 남한이 이룩한 것 북한이 못 할 일 없지 않으냐, 미국과 관계가 좋아지면 북한도 급속히 발전 할 수 있다, 그래서 북한이 어느 정도 수준으로 올라가면 우리 같이 부담 없이 통일로 가는 것 아니냐. 그런 정도의 얘기를 하고 싶습니다.

일본은 납치 문제로 발목이 잡혀 있다

민경중 이번 6자회담에서 일본이 소외되고 있습니다. 특히 일본은 북·미 관계 진전에서 매우 당황한다는 보도도 나오는데요. 왜 일본이 이 시점에서 그런 태도와 자세를 보인다고 생각하십니까?

김대중 큰 흐름으로 보면 일본이 2차대전 이후 패전해서 미국식 민주주의를 받아들이고 미국식 체제를 수용했습니다. 그러나 일본의 근본적인 문제는 과거 청산이 제대로 안 됐습니다. 독일은 과거에 대해 교육하고 피해자에게 사과하고 배상하는 등 할 것은 다 했습니다. 일본은 과거 군국주의 시대의 잔재가 남아 있습니다. 전범으로 처벌받은 사람들이 총리도 되고, 장관도 되고, 정부 주요 요직을 다 차지했습니다. 일본은 겉만 항복했지 실제는 바뀌지 않았습니다. 이런 상황에서 일본의 경제력이 커지게 되니까 다시 복고적인 생각이 일어난 것입니다. 그리고 최근 중국이 성장하고 있어 위협을 받고 있고, 북한의 핵 문제와 납치 문제 등이 터졌습니다. 일본은 납치 문제 가지고 국민감정에 호소해서 선동했고 그래서 일본 천지가 완전히 뒤집혀졌습니다.

그런데 그 선두에 선 것이 현재의 아베 총리입니다. 아베 총리는 납치 문제로 총리의 자리에 올랐다고 해도 과언이 아니어서 납치 문제 등으로 발목이 잡혔다고 할까, 너무 깊게 들어갔기 때문에 이것을 조금이라도 흔들면 지지자가 반발하게 되니까 그 길로 계속 가는 겁니다. 또 아베 총리 본인 생각도 그렇고. 고이즈미 전 총리는 북한과 국교 정상화하려고 몹시 노력했는데 이런 사람들 때문에 제동이 걸렸거든요. 지금 그 당사자가 총리가 됐으니까 납치 문제 해결 전에는 아무것도 안 된다, 이렇게 나간 겁니다. 그러나 미국은 북한과 문제를 빨리 해결하려고 하는데 거기에 서로 갈등이 생긴 것 같습니다. 그러나 그것이 파국으로 가는 갈등이라고는 생각하지 않지만 어느 의미에서는 일본이 6자회담에서 고립되고 있는 그런 상태로 있습니다. 그래서 결국 납치 문제는 큰 흐름 속에서 해결될 것입니다. 그래서 일본도 결국은 협력할 수밖에 없다고 생각합니다.

김대중 납치사건, 한·일 정부가 한 뼘 손으로 태양을 가리고 있다

민경중 지난 1973년 김대중 납치사건을 국정원에서 조사 중이지만 미진합니다. 그래서 최근에 유감 표명도 하셨는데 이것에 대해서 어떻게 생각하시는지요?

김대중 이것은 한국 정부와 일본 정부가 한 뼘 손으로 태양을 가리고 있으면서 그것을 고집하고 있기 때문입니다. 이것은 한국의 공권력인 중앙정보부가 일본에서 나를 납치했고 일본은 그것에 대해서 증거, 즉 김동운 서기관 지문까지 확보하고 있으면서 이를 적당히 정치적으로 타협해 버렸습니다. 그러므로 양측 정부가 당시에 납치라는 인권 문제에 대해 떳떳하지 못한 행위를 한 것입니다. 유착을 한 것이죠. 그러면 현재 정부들이 인정을 해 버리면 끝나는 것인데 그걸 지금 안 하고 있기 때문에 문제인 것입니다. 제가 알기로는 발표하는 것에 대해서 일본에서 제동을 걸어온다고 합니다. 저는 우리 정부가 과거 정부가 한 잘못을 또 한 번 되풀이하지 않기를 바라고 있습니다. 이 문제가 해결되지 않고 있으니까 30년, 40년이 지나도 계속 문제가 되고 있지 않습니까? 해결 안 하면 앞으로도 계속 문제가 될 것입니다. 그리고 저 개인적으로는 인권 문제이고 사실을 왜곡해서 발표하면 저에 대한 중대한 모욕이기 때문에 그렇게 해서는 안 됩니다. 그리고 또 일본, 한국 양쪽 모두 인권 국가로서의 권위를 위해서도 그렇게 해서는 안 되고 꼭 밝혀야 한다고 생각하고 있습니다.

민경중 대통령님의 평소의 지론은 화해를 먼저 실천해 오지 않았습니까?

김대중 저는 1980년대에 이미 납치사건에 대해서는 다 용서한다고 발표했습니다.

민경중 납치사건 진상 조사에 대해 현재 김 전 대통령이 가장 바라는 것은 그 당시에 어떤 일이 있었고 당시 정부가 어떤 음모를 꾸몄는지 그 진상이 낱낱이 밝혀져 후대가 교훈으로 삼게 하고 싶다는 생각인 것 같습니다.

김대중 그런 인권에 대해서는 아무리 감춰도 언젠가는 폭로가 됩니다. 이런 교훈을 주어야 앞으로도 그런 일이 없을 것입니다.

민경중 일본 정부가 압력을 넣고 있는데 이런 상황이 계속된다면 대통령님께서는 강한 입장을 표명하실 생각이십니까? 일본 정부에 대해서는 어떻습니까?

김대중 조금 두고 보겠습니다.

하느님이 계시는 것을 확신한다

민경중 잠시 종교 이야기를 하겠습니다. 이희호 여사와 김 전 대통령은 각각 기독교, 천주교라는 다른 종교를 갖고 있음에도 서로 부딪치는 일이 없다고 합니다. 대통령님의 신앙관에 대해서 좀 말씀해 주십시오.

김대중 우리 내외는 저는 가톨릭이고 집사람은 감리교(기독교)인데 종교적인 문제로 수십 년간 다툰 적이 한 번도 없습니다. 식사할 때도 저는 천주교 식으로 십자성호를 긋고, 집사람은 그냥 고개 숙이고 기도를 합니다. 어떻게 보면 우스운 장면인데 아주 자연스럽습니다. 같은 하느님을 믿는 것이니 싸울 일이 없습니다. 저는 가톨릭을 믿지만 사실 다른 사람도 그렇지만 정말로 하느님이 계시는 것을 실감하고 확신하는 사람이 과연 얼마나 되는가, 때로는 그런 의문도 있었습니다. 그리고 독재 시절 국민들이 무자비하게 탄압당하고 할 때는 "정말 하느님의 정의가 있다면 이럴 수가 있나."라는 생각도 해 봤습니다.

저는 유신 때 망명 중일 때 아침, 저녁으로 일기장에 기도문을 쓰기도 했습니다. 그러나 제가 막상 1973년 납치됐을 때 물에 던져지기 직전에는 그때는 하느님을 생각하지 않았습니다. 그리고 그냥 "뭐 이제 물에 던져지면 3분이나 5분 후면 곧 죽겠지. 그동안 아주 고통스러운 생활을 했는데 이제 이것도 끝나니까 뭐 괜찮다." 그러다가 또 바로 물에 던져지면 "상어한테 하체는 물어뜯기더라도 상체만은 살았으면 좋겠다"고 생각했습니다. 그러면서 밧줄을 뜯을 수 없는가, 손에 힘도 줘 봤는데 소용없어요. 그런데 갑자기 예수님이 옆에 서시더라고요. 그래서 제가 예수님 소매, 유대 사람들의 긴 옷소매를 붓잡고 "예수님 저를 살려 주십시오. 저는 우리 국민을 위해서 할 일이 아주 많습니다."라고 기도를 했습니다. 그때 기도도 정치적으로 했습니다. 그런데 그 순간 '펑!' 소리가 들렸어요. 그리고 '펑' 소리가 나니까 나를 묶었던 정보부 요원들이 '비행기다!' 라며 밖으로 뛰쳐나갔습니다. '펑' 소리는 계속 나고 배는 미친 듯이 속력을 내고 그랬습니다. 그래서 그때 거기서 예수님을 실제로 뵈었는데 예수님을 뵌 그 순간이 제가 산 순간이었어요. 그때 조금만 늦었으면 저는 못 산 거거든요? 그래서 너무도 우연의 일치랄까 그렇게 됐습니다. 저는 그것을 확실히 예수님으로 믿고 있습니다.

제가 한번은 이것을 김수환 추기경님에게 말했더니 "그때 기도를 하고 있었으면 혹시 환상일 수도 있는데 다른 생각을 하고 있을 때 그런 현상을 경험했다면 정말 예수님일 것이다. 그러나 그건 내가 예수님이라고 말할 수 없고 당신의 믿음에 달린 것이다."라고 말씀했습니다. 그래서 저는 속으로 김 추기경 같은 권위 있는 분이 "그것 틀림없는 예수님이다." 이렇게 얘기해 줬으면 더 좋았을 텐데 그런 생각도 했는데. 여하튼 저는 이를 계기로 신앙이 굳어졌습니다. 1980년 사형 선고를 받았을 때도 이런 신앙 때문에 흔들림이 없었습니다. 그때 신군부 사람들이 와서 "우리하고 협력하자. 협력하면 살려 주고 협력하지 않으면 반드시 죽이겠다." 이렇게 말했습니다. 그리고 대통령 빼놓고는 뭐든지 시켜 주겠다는 말도 했습니다. 그리고 2, 3일 후에 그 사람들이 다시 왔을 때 저는 "나도 당신들하고 협력하고 싶지만 나는 못 하겠다. 내가 지금 당신들과 협력하면 일시적으로 살지만 나는 영원히 죽는 것이다. 내가 당신들과 협력하지 않으면 일시적으로는 죽겠지만 역사와 국민 속에 영원히 살 것이다. 그러니까 더 이상 나한테 말하지 말라." 그렇게 얘기했는데 그렇게 결심할 때까지 한 사흘을 예수님한테 간곡히 기도를 해서 그런 결론을 얻었습니다. 그래서 저는 그렇게 살아온 것을 아주 기쁘게 생각합니다.

민경중 바른 기독교란 무엇이라고 생각하십니까?

김대중 예수님이 말했잖아요. 곧 산 자와 죽은 자를 심판하러 오신다고 했습니다. 마태복음 25장에 나오거든요. 거기에서 예수님은 배고픈 사람에게 밥 준 사람은 나한테 준 것이라 해서 상 주겠다, 병든 사람 문병한 것도 그렇다, 감옥에 간 사람 찾아본 것도 그렇다, 여행한 사람 잠 재워 주는 것도 그렇다, 뭐 그런 말씀을 했습니다. 그러니까 제일 가난한 사람, 고통받는 사람을 위하고 그들에게 많이 베푼 사람은 나한테 해 준 것이라 생각하고 상을 준다고 했습니다. 이게 바로 기독교의 정신이고 또 바른 기독교관이라고 생각합니다.

국민이 바라는 것은 양당제로 선거 치르는 것

민경중 다시 딱딱한 질문으로 가겠습니다.

김대중 지금까지도 부드럽지 않았어요.

민경중 많은 정치인들이 동교동을 찾는데 과연 범여권의 통합은 이뤄질 수 있다고 생각하십니까?

김대중 우선 범여권의 통합 여부에 대해서는 제가 이야기할 자격은 없다고 생각합니다. 그러나 여당이건 야당이건 국민이 바라는 것은 양당제로 선거를 치르는 것입니다. 이것은 1955년 민주당이 창당된 이후로 지금까지 일관된 것입니다. 이것은 우리 국민들의 정서이고 국민들의 바람이기 때문에 저는 그렇게 이루어지는 것이 좋고 그렇게 이루어져야 국민이 식별하기도 편하고 정국도 안정이 된다고 생각합니다. 지금 당장에 단일 정당으로 하려면 지구당 문제도 있고 이해관계가 있는 사람이 있기 때문에 어려울 수 있습니다. 그러니까 단일당이 어려우면 연합으로 해 가지고 단일 후보를 내면 되잖아요. 출마하고 싶은 사람 모두 줄 서서 '커미티'(committee) 같은 것을 만들어 여론조사 등으로 지지가 낮게 나오는 사람들을 탈락시키는 방식으로 계속 몇 번 해서 마지막에 1등 한 사람을 중심으로 해서 선거를 하면 됩니다. 그래 가지고 정권 교체되면 나중에 그 사람 중심으로 단일 정당 하면 되지 않아요? 지금 당장에 단일 정당 하려면 지구당 관계 등으로 어려우니까 그렇게라도 해서 물론 한나라당은 지금 단일당으로 잘 가고 있으니까 그렇게 해서 양당 체제로 선거하는 것이 국민의 바람이라고 생각합니다.

열린우리당의 분열

민경중 노무현 정부가 민주당을 바탕으로 정권을 창출했지만 결국 민주당, 열린우리당으로 갈라서게 됐습니다. 그런데 또 최근 열린우리당의 해체문제가 거론되는데 왜 이런 상황이 왔다고 생각하십니까?

김대중 열린우리당은 국민에게 감동을 못 준 정도가 아닙니다. 당이 저렇게 된 것은 미안한 말이지만 자업자득이라고 봐야 돼요. 노 대통령을 당선시킬 때 많은 사람들이 한나라당 당선을 막기 위해서 밤잠을 안 자고 노력했습니다. 당시를 생각하면 매우 감동적이고 열정적인 상태였습니다. 그리고 노무현 대통령은 민주당의 정책, 햇볕정책 계승 등을 약속했습니다. 그런데 집권하고 나서 당이 깨지지 않았어요. 열리우리당 사람들이 당을 깨고 나갔습니다. 결국 국민에 대한 약속을 깬 것입니다. 그리고 햇볕정책 지지한다고 하면서 특검 해 가지고 그렇게 괴롭혔단 말이에요. 그러니까 국민들이 실망하는 것은 당연합니다. 거기서 불행의 씨앗이 잉태되어서 그렇게 된 것입니다. 결과적으로 국민을 우습게 본 것입니다. 항상 제가 강조하는 것은 "국민의 뜻대로 해라. 국민을 하늘같이 생각해라. 그래서 나의 이해와 국민의 이해가 상충할 때는 국민의 이해를 따르라." 저는 그렇게 했습니다. 심지어 목숨을 내놓고도 국민 쪽을 따랐습니다. 그러나 그것이 길게 보면 내 이익이 되기도 합니다.

민경중 민주당의 정치적 행로에 대해서는 어떻게 생각하십니까?

김대중 그건 민주당 분들이 현명하게 할 것입니다.

4년 중임제가 바람직하다

민경중 노 대통령이 4월 개헌 발의를 준비하는데, 국민 여론은 찬반 여론이 맞선 것 같습니다. 개헌에 관한 생각은 어떻습니까?

김대중 개헌의 내용은 동의하지만 시기가 더욱 문제입니다. 개헌을 하려면 좀 일찍 했어야 합니다. 지금 자유무역협정(FTA) 문제도 있고, 또 대선을 앞두고 있는 상황에서 국가의 기본법을 다루는 데는 좀 합당하지 않다고 생각합니다. 저는 4년 중임제는 바람직하다고 생각합니다. 1987년 헌법을 만들 때 야당이 4년 중임제와 정부통령제를 제안했습니다. 정부통령제를 제안하면 지역적으로도 미국이 남부, 북부에서 정부통령 나오듯이 지역 문제도 해결이 쉽게 되거든요. 그런데 그때 여당이 그렇게 하면 선거에서 못 이긴다고 해서 거절했어요. 4년 중임제는 그때 전두환 대통령이 5년 단임제를 자기의 큰 업적으로 내세운 때니까 중임제는 말도 안 된다고 해서 못 했습니다. 이번에 한다면 그 둘을 왜 같이 안 하는지 모르겠습니다. 정부통령제까지 같이 해서 전체적으로 시기가 적당하냐의 문제가 있고, 4년 중임제의 내용에 대해서는 우리도 과거에 주장하던 것이기 때문에 지지합니다.

민경중 요즘 대선 후보들의 자질 문제가 많이 거론되는데, 차기 대통령은 어떤 자질을 갖춰야 한다고 생각하십니까?

김대중 21세기는 인류 역사상 최대 격변기입니다. 산업사회에서 지식기반경제 시대로 들어가고 민족주의 시대가 세계화 시대로 들어가는 등 근본적인 변혁이 있는 시대로 들어갑니다. 그래서 우리가 현재 부딪히고 있는 미래에 대한 식견과 철학을 가진 사람이 필요하다고 생각합니다. 또 남북 문제, 민족 문제에 대해 확고한 신념이 있어야 합니다. 그리고 빈부의 양극화를 해결할 수 있어야 하고, 가난한 사람들과 고통받는 사람들이 정부를 믿을 수 있게 해야 합니다. 무너지는 중산층 역시 살릴 수 있어야 합니다. 이런 자질들을 모두 갖춘 사람이 필요하다고 생각합니다.

민경중 현재 거론되고 있는 대선 주자 중에 이런 자질을 갖춘 사람이 있습니까?

김대중 답변 안 할 줄 알면서…….

민경중 그래도 최선은 아니더라도 차선으로라도…….

김대중 그건 국민이 뽑죠. 국민이 뽑고 국민이 잘 뽑으면 성공하고 못 뽑으면 국민이 손해를 보죠. 그러니까 국민에게 맡겨야죠.

민경중 국민들이 그런 자질을 갖춘 지도자를 잘 뽑을 것이라고 봅니까?

김대중 우리 국민들은 그런 자질이 있습니다.

한·미자유무역협정(FTA), 우리가 큰 시장에 나가면 손해 보지 않는다

민경중 우리 국민은 한·미자유무역협정(FTA) 문제를 어떻게 바라봐야 합니까?

김대중 자유무역협정(FTA)은 노무현 대통령도 말씀했지만 하기는 해야 하는 것입니다. 그런데 우리에게 불이익 되는 것은 해서는 안 된다고 생각합니다. 그러나 최대한 우리에게 오는 불이익을 줄여야 하는 게 중요합니다. 미국과 우리가 주고받는 협상을 하면 서로 이익도 있지만 불이익도 있는 것입니다. 칠레와 처음 자유무역협정(FTA)을 할 때 많은 반대가 있었지만 지금 와서 보면 크게 손해 본 게 없습니다. 오히려 우리의 칠레 수출이 매년 46퍼센트씩 늘어나고 있습니다. 불과 몇 년 동안에 3배로 늘었습니다. 칠레도 우리에게 그렇게 늘었습니다. 자유무역협정(FTA)이란 이런 것입니다. 한쪽만 이익 되는 것이 아니에요. 지금 미국과 자유무역협정(FTA)을 하면 관세 4, 5퍼센트가 없어지잖아요? 그만큼 큰 덕을 봅니다. 그런데 만일 안 하면 중국이나 베트남을 이길 수 없습니다. 우리가 큰 시장에 나가면 손해 보지 않습니다. 지금 우리는 철강, 섬유, 자동차, 정보통신 등에서 미국보다 앞서고 있습니다. 우리 스스로가 우리를 과소평가하고 있는 것입니다. 자신감을 가져야 합니다. 그러나 농업 등 손해가 예상되는 부분에서는 충분한 지원을 해야 합니다.

민경중 완연한 봄이 됐습니다. 봄에는 김 전 대통령의 활동도 많이 늘어날 것 같은데 활동 계획은 어떻습니까?

김대중 현재까지 국내 대학 등에서 강연도 많이 했습니다. 5월에는 독일에서 연설이 있습니다. 재임 시절 독일의 베를린자유대학에서 '베를린 선언'을 했는데 그것이 계기가 돼서 남북정상회담을 했는데 그 대학에서는 이를 매우 뜻깊게 생각하고 '자유상'을 제정했습니다. 제가 그 자유상을 첫 번째로 받게 됐습니다. 독일 외 유럽의 몇 나라들을 돌아볼 것입니다. 하반기에는 미국과 일본 방문도 계획하고 있습니다.

민경중 오늘 대담에 응해 주셔서 감사합니다.

---

* 이 글은 기독교방송(CBS) 텔레비전 개국 5주년 기념 특별 대담이다. 2007년 4월 2일 오전 10시, 기독교방송(CBS) 텔레비전에 방송되었고 같은 날 라디오와 『노컷뉴스』에 보도되었다.

한반도 평화와 통일의 전망

강연 전북대학교
일시 2007년 4월 6일

김대중 존경하는 서거석 총장과 이양근 대학원장, 그리고 교수, 학생 여러분!

전북대학교의 개교 60주년을 진심으로 축하합니다. 또한 호남의 명문 대학인 전북대학교에서 명예 법학박사 학위를 수여받게 된 것을 다시없는 영광으로 생각하고 감사드려 마지않습니다.

존경하는 여러분!

지금 세계의 이목이 6자회담에 쏠려 있습니다. 과연 북한 핵 문제는 해결될 것인지가 관심의 초점이 되고 있습니다. 저는 이번에야말로 북한 핵 문제가 성공적으로 해결될 가능성이 크다고 믿고 있습니다. 그 이유는 미국과 북한 쌍방이 그 해결의 필요성을 절실히 느끼고 있고, 해결 방안에 대해서 기본적인 합의가 이루어지고 있기 때문입니다. 2007년은 한반도에서 6·15남북정상회담에 이은 제2차 해빙의 해가 될 것으로 기대됩니다.

첫째, 미국은 그동안 북한과의 직접 대화를 거부하고 주고받는 협상을 거부해 왔습니다. 또한 북한을 '악의 축'으로 선언하고 그 체제를 전복시키려고까지 시도했습니다. 그러나 결과는 실패했습니다. 그동안 북한은 핵확산 금지조약(NPT)에서 탈퇴하고 국제원자력기구(IAEA) 요원을 추방시켰습니다. 그리고 제네바합의를 파괴한 동시에 미사일 발사 시험과 핵실험을 강행하는 등 사태는 악화 일로를 걸어왔습니다. 이처럼 미국의 강경 정책은 실패한 것입니다.

둘째, 미국은 또한 일본과 더불어 북한에 대한 경제 제재를 추진했습니다. 그러나 여기에 중국이나 한국의 전면적 동참이 없었기 때문에 성공하지 못했습니다.

셋째, 미국은 군사적 제재를 위한 선제공격도 거론해 보았지만 중동에서 미군이 발목 잡혀 있는 현 상황에서 그러한 군사적 수단을 사용할 여유는 없는 것입니다.

넷째, 작년 가을 미국 중간선거에서 민주당이 승리한 사실입니다. 민주당은 클린턴 대통령 시대에 추진한 포용정책을 지지하고 있습니다. 클린턴 대통령 시대에 북핵 문제는 거의 성공의 단계까지 갔으나 공화당으로의 정권 교체 때문에 완결 짓지 못하고 사태는 원점으로 돌아간 바 있습니다. 저는 당시 한국 대통령으로서 클린턴 미국 대통령과 협력해 햇볕정책을 실천함으로써 거의 성공 단계까지 갔던 것을 생각하면 지금도 아쉬움이 큽니다.

다섯째, 한편 부시 대통령은 임기 말을 앞두고 중동에서 실패하고 있는 마당에 한반도에서라도 성공해서 업적을 세워야 할 절실한 필요성이 있습니다.

존경하는 여러분!

6자회담을 성공시켜야 할 필요성은 미국만 있는 것이 아니라 북한도 마찬가지입니다.

첫째, 북한은 방코델타아시아(BDA) 문제가 해결되고, 미국과 직접 대화 속에 북한의 안전 보장, 경제 제재 해제, 국교 정상화 등 모든 요구 조건이 받아들여진 이 기회를 놓치지 않고, 핵 문제를 해결해야 할 책임이 있습니다.

둘째, 북한은 미국과 관계가 개선되어야만 국제통화기금(IMF)이나 아시아개발은행(ADB) 등 국제 금융기관에서 자금을 빌릴 수 있고, 일본과의 국교도 정상화해서 약 100억 달러로 예상되는 배상금도 받을 수 있고, 국제 자본의 투자도 유치할 수 있습니다. 이것만이 북한이 오늘의 파멸 위기로부터 탈출하는 길인 것입니다. 그러기 위해서는 미국의 협력은 필수 불가결합니다.

셋째, 미국이 북한이 원하는 모든 것을 주겠다고 하는데도 불구하고, 북한이 계속 핵무기 보유를 고집한다면 중국이나 한국은 경제 제재에 적극 동참해서 이를 막을 것입니다. 왜냐하면 북한의 핵 보유는 일본이나 대만이 핵을 개발하는 사태를 가져올 수 있으며, 이는 한국과 중국, 두 나라에 있어서는 악몽과 같은 일이기 때문입니다. 절대로 용납할 수가 없는 것입니다.

넷째, 북한이 핵의 완전 폐기에 응할 것이라고 믿는 이유 중의 하나는 최근 북한이 한반도 비핵화는 김일성 주석의 유훈이라고 거듭 강조하고 있기 때문입니다. 북한에서 김일성 주석의 말은 신성불가침한 절대적 명령입니다. 따라서 북한은 김일성 주석의 유훈을 강조함으로써 미국과의 거래에서 핵을 완전 포기했을 때 불가피하게 제기될 수 있는 북한 주민이나 군부의 반발을 막는 방패막으로 이용하고 있는 것입니다.

존경하는 여러분!

2007년 올해야말로 한반도에서의 오랜 숙제인 북한 핵 문제가 해결될 것으로 보입니다. 우선 북한은 4월 13일까지 영변 핵 시설을 폐쇄하고 봉인해야 합니다. 또 북한은 핵에 대한 감시와 검증을 위한 국제원자력기구(IAEA) 조사단도 초청해야 합니다. 모든 핵 프로그램의 목록을 신고해야 합니다. 이렇게 했을 때 북·미 간 국교 정상화를 위한 대화가 시작될 것입니다.

다른 한편, 미국이 취해야 할 의무도 있습니다. 북·미 국교 정상화를 위한 양자 대화를 개시해야 합니다. 북한을 테러지원국 지정에서 해제하는 과정도 개시해야 합니다. 또한 적성국교역법 적용을 종료하는 과정도 개시해야 합니다.

그리하여 북한의 모든 핵 시설에 대한 불능화 조치가 취해지면 한국을 위시한 미·일·중·러 5개국은 100만 톤의 중유를 북한에 공급하게 됩니다. 동북아 안보협력을 위한 장관급회담도 열려야 합니다. 나아가 한·미·북·중 4자의 정상회담으로 한반도 종전 선언과 평화협정의 프로세스를 진행시키는 일도 예상할 수 있습니다.

한편, 남북 간의 정상회담도 금년 안에 열려서 한반도 평화를 위한 제반 조치와 적극적인 남북 간 교류 협력의 추진을 가속화시킬 것으로 예상됩니다. 그리고 무엇보다도 한반도 비핵화를 위한 6자회담의 성공 등에 대해서 대화와 협력의 성과를 이룩할 수 있을 것으로 보입니다. 그리하여 한반도에는 일거에 화해의 무드가 조성되고 각종 교류, 협력이 왕성해질 것입니다.

존경하는 여러분!

위와 같이 한반도 평화, 교류 협력이 실현되면 우리의 염원인 민족 통일을 위한 과정이 촉진되기 시작할 것입니다. 통일은 우리의 지상명령이고 절대적인 당위성입니다.

첫째, 우리는 1,300년간 단일민족으로서 통일을 유지해 왔습니다. 이러한 예는 세계에서도 흔치 않습니다. 따라서 우리의 통일은 역사적으로 필연적인 것입니다.

둘째, 우리 민족의 분단은 전적으로 타의에 의한 것입니다. 2차대전이 끝난 후 전후 처리 과정에서 미국과 소련은 우리 민족과는 아무런 상의도 없이 일방적으로 남과 북으로 양단시킨 것입니다. 이것이야말로 인위적인 분단의 전형입니다. 따라서 우리는 이를 거부하고 원상 회복의 통일을 실현할 필연성과 권리가 있습니다.

셋째, 북핵 문제를 둘러싼 6자회담이 성공적으로 수행되면 남북은 서로 무릎을 맞대고 민족의 통일을 회복하는 데 합심 협력해야 할 것입니다. 이것은 오늘의 국민은 물론 우리 조상과 후손들에 대한 남북 양 당사자 모두의 피할 수 없는 의무입니다.

그러면 통일을 구체적으로 어떻게 실현해야 하겠습니까? 우리의 통일은 수백만 명의 남북 민족이 희생된 베트남식의 무력 통일 방법은 절대로 배제해야 합니다. 또한 극단적 갈등을 면할 수 없는 독일식의 흡수 통일도 배제해야 합니다. 이 두 가지 방법 모두 엄청난 희생과 갈등을 초래한다는 것을 우리는 역력히 보아 왔습니다. 통일은 그 자체가 목적이 아니라, 민족이 하나가 되어서 평화롭고 행복하게 살아가는 것이 목적입니다. 그러기 위해서는 우리는 통일의 대원칙으로서 평화 공존, 평화 교류, 평화 통일의 방향을 군건히 지켜 나가야 할 것입니다.

그리고 통일의 과정도 단계적으로 이루어져야 합니다. 1단계는 남북이 현재와 같은 독립국가 자격으로 교류 협력하는 남북연합제 방식입니다. 2단계는 미국이나 독일과 같은 연방제 형태로 중앙정부가 외교권과 군사권을 갖고 남북 자치정부가 대부분의 내정권을 갖는 방식입니다. 3단계는 북한의 경제가 어느 정도 회복되고 남북 국민의 마음이 이만하면 서로 안심하고 같이 살 수 있다고 되었을 때 완전 통일의 길로 나아가야 할 것입니다. 통일은 어디까지나 공동 승리의 통일이 되어야 합니다. 한쪽이 이기고 한쪽이 숙청당하는 통일은 안정과 행복을 가져올 수 있는 그런 통일이라고 할 수 없습니다.

존경하는 여러분!

평화 공존, 평화 교류, 평화 통일의 과정에서 한반도는 커다란 발전의 기회를 갖게 될 것입니다. 남쪽에서 경영이 어려운 중소기업들은 전면적으로 북으로 이동해서 북한의 노동력을 활용하면 북과 남이 다 같이 혜택을 보는 협력을 할 수 있을 것입니다. 지금 개성공단의 예가 이를 증명합니다.

한편, 대기업들은 이미 북한과 합의된 바에 따라 북한의 철도, 항만, 관광, 전기통신 등 사회간접자본 개발과 복원, 산업 기반의 건설에 매진함으로써 북한 경제의 급속한 발전과 한국 경제의 도약에 공헌할 수 있을 것입니다. 그리고 북한을 거쳐 유라시아 대륙으로 뻗어 나가는 기차의 '철의 실크로드'를 발전시켜서, 유라시아 대륙에서 우리의 경제가 비약적으로 도약할 수 있도록 참여해야 할 것입니다. 그때는 '한강의 기적'을 넘어 '압록강의 기적'의 시대를 열게 될 것입니다.

존경하는 여러분!

통일에의 당위성은 분명합니다. 통일만이 우리가 평화롭게 사는 길입니다. 통일만이 우리가 번영 속에 사는 길입니다. 그리고 이러한 번영은 우리 민족을 21세기 선도 국가의 대열에 서게 할 것입니다.

최근 저명한 국제 전문 기관인 골드만삭스는 2050년까지는 한국은 미국 다음가는 경제적 발전을 이룩할 것이라고 예측하고 있습니다. 국민 1인당 소득이 8만 1천 달러에 이를 것이라고 합니다. 독일의 『디벨트』지는 30년 후에 한국은 독일을 앞설 것이라고 이야기하고 있습니다. 이러한 국제적 권위 기관의 예측은 우리에게 희망과 자신감을 갖게 합니다.

그러나 이러한 성공은 한반도에 평화가 있어야만 가능한 것입니다. 남북이 협력 체제를 확립했을 때 비로소 성공적으로 이룩할 수 있는 것입니다. 그리고 평화적 통일의 희망이야말로 이러한 전망을 확고부동하게 만들 것입니다.

존경하는 여러분!

저는 일생을 두고 한반도의 평화와 민족의 화해 협력, 그리고 평화적 통일을 염원하고 주장해 왔습니다. 1971년 대통령 선거에 출마해 서릿발 같은 냉전의 상황에서 대북 적대정책이 추진되고 있을 때도 남북 간의 화해 협력과 미·일·중·소 4대국에 의한 한반도 평화 보장을 주장했습니다. 그것이 바로 오늘의 6자회담인 것입니다.

저는 1993년 1차 핵 위기가 발생한 이래 일관되게, 북한은 핵을 완전히 포기하고, 미국은 북의 안전을 보장하고 국교를 정상화해야 한다고 주장했습니다. 북·미 간의 직접 대화 속에 상호 주고받는 협상을 해야 한다고 주장했습니다. 1차 핵 위기 당시 미국의 내셔널프레스클럽 연설을 통해서 이러한 주장을 되풀이했고, 카터 전 대통령의 북한 방문을 실현시키는 데 일조했습니다.

6·15남북정상회담을 통해서 한반도 평화의 물줄기를 크게 열어 놓은 바 있습니다. 그리고 근자의 북한 핵 문제의 갈등 속에서도 일관되게 북한은 핵을 완전히 포기하고 철저히 검증을 받아야 하고 미국은 북한에 대한 안전 보장, 경제 제재 해제, 국교 정상화 등을 반대급부로 제공해야 한다고 주장했습니다.

2006년 10월 9일 북한이 핵실험을 했을 때 세계가 경악하며, 이제 파국이 올 것이라고 주장하는 여론이 들끓을 때도 저는 북·미 간의 직접 대화와 주고받는 협상만이 해결의 길이고, 또 이를 통해서 해결할 수 있다고 주장했습니다. 다행히 지금 사태는 그러한 방향으로 가고 있습니다. 저는 앞으로도 한반도의 평화와 6자회담 상설화에 의한 동북아의 안정 등을 위해서 저의 힘을 다할 것입니다.

사랑하는 여러분!

젊은 여러분도 민족 상호 간의 평화의 꿈을 가지십시오. 민족의 번영에 대한 희망을 가지십시오. 21세기 일류 국가에 대한 자신을 가지십시오. 그리고 통일에의 찬란한 꿈을 견지하십시오. 그리하여 이 땅에 평화와 번영, 화해와 협력 그리고 통일의 시대를 열어 가십시오.

우리 민족의 미래는 창창합니다.

여러분의 미래도 창창합니다.

여러분의 사명은 막중합니다.

여러분의 건투를 빌어 마지않습니다.

감사합니다.

질의응답

질문 올해 대통령 선거에서 후보들이 햇볕정책에 대해서 어떤 시각으로 접근하고 어떤 부분을 평가해야 하다고 생각하십니까?

김대중 햇볕정책에 대해서는 한마디로 말씀드리면 우리가 북한과 전쟁해서 "너 죽고 나 죽는" 극단적인 방법으로 가지 않는 이상은 대화로 문제를 풀어 갈 수밖에 없습니다. 전쟁을 하게 되면 전쟁 초기에 수도권에서만 100만 명이 사망한다고 최근에 알려지고 있습니다. 지금 북한의 미사일은 부산뿐 아니라 태평양까지 갑니다. 남한에는 원자력 발전소가 있고 사람들은 도시에 밀집해 있습니다. 만일 전쟁을 한다면 엄청난 대량적인 희생이 뒤따를 것입니다. 남한의 산업 시설은 모두 파괴될 것이고 물론 북한도 재가 될 것입니다. 이렇게 되면 한반도가 없어지는 것이고 민족이 전멸하는 것입니다. 다시 일어설 힘이 안 나올 것입니다. 몇 사람 살아남더라도 어떻게 다시 일어설 수 있겠습니까? 따라서 전쟁은 절대로 반대해야 합니다. 우리가 미국하고 동맹한 것도 전쟁 막기 위해 하는 것이지, 전쟁 다시 하기 위해서 동맹하는 것이 아닙니다. 따라서 6자회담 전후해서 한국 정부는 일관되게 북한과 대화해서 문제를 풀어야 한다고 생각합니다.

저는 재임 중 부시 대통령에게 강력히 말했습니다. "도대체 당신들이 북한과 같은 나쁜 짓 한 자와는 대화하지 않는다고 하는데 그러면 왜 아이젠하워 대통령은 6·25전쟁 중에 휴전협정 맺었느냐? 그 휴전협정 덕에 오늘날 50년 이상 한반도의 전쟁 상태가 종식되지 않았느냐? 레이건 대통령은 소련을 '악마의 제국'이라 했지만 대화해서 소련과 동유럽이 변화했다. 닉슨 대통령은 중국에서 마오쩌둥과 대화해서 중국을 개혁 개방으로 이끌었다. 미국은 베트남과 전쟁해서 졌지만 결국 베트남과 국교하고 무역해서 지금 미국의 좋은 파트너 중의 하나가 됐다. 북한도 마찬가지다. 북한과 대화해서 줄 것 주고, 받을 것 받는 협상하면 북한은 반드시 국제사회의 책임 있는 일원이 될 것이다. 내가 김정일 위원장 만나서 약 10시간 이상 대화했는데 김 위원장이 가장 간절히 바라는 것은 미국과의 관계 개선인 것을 확인했다." 이런 얘기를 했습니다. 그래서 일단 북한과 대화하기로 합의가 됐는데 그 후 미국 내부의 강경파들의 반대 때문에 좌절되고 말았습니다.

햇볕정책은 이와 같이 문제를 평화적으로 대화로써 풀자는 것입니다. 이것은 공리공론空理空論이 아니라 현실적 근거에 입각해서 한 것입니다. 햇볕정책의 결과로서 긴장이 완화됐고, 남쪽 사람이 안심하고 살고 있습니다. 과거에 휴전선에서 총성만 나도 보따리 쌌던 사람들이 지금은 북한이 핵실험을 했는데도 누구 하나 도망간 사람이 없습니다. 그만큼 안정이 된 것입니다. 이산가족은 과거 50년 동안 200명밖에 상봉 못 했는데 6·15남북정상회담 이후 13,000명 이상 상봉했고 앞으로 더 늘어날 것입니다. 개성공단에서는 10,000명의 북한 노동자들이 일하고 있고 서로 개성공단에서 일하려고 합니다. 앞으로 개성공단이 제대로 확장되면 35만 명 이상 일할 수 있습니다. 그리고 해주, 진남포, 원산, 함흥 같은 곳에 우리 공단이 들어가면 지금 경영이 어려운 중소기업들 모두 다 살게 됩니다. 우리는 북한과 문화가 같고, 말이 통하고, 역사가 같습니다. 북한 사람들은 중국이나 베트남보다 훨씬 임금이 싸고, 더 우수한 노동력입니다. 북도 좋고 남도 좋은 윈윈의 협력을 해 나갈 수 있습니다. 이렇게 평화적으로 같이 살자는 것이 햇볕정책인 것입니다. 우리는 평화 공존, 평화 교류, 평화 통일의 원칙을 지키면서 단계적으로 통일해 나가야 합니다. 통일 1단계로 연합제, 2단계 연방제, 3단계 완전 통일로 가는 데 시간이 최소 10년 이상 걸리더라도 공동 승리의 통일을 해야 한다는 것이 햇볕정책입니다.

저는 북한에 갔을 때 김정일 위원장에게 말했습니다. "사람은 영원히 사는 사람이 없고, 높은 자리에 있다 해서 영원히 있는 사람이 없다. 지금 당신과 나는 남북을 대표한 입장에 있는데 우리가 마음을 바로 먹으면 남북 7천만 민족이 평화와 안정과 번영을 누리면서 살 수 있을 것이다. 그러나 마음 잘못 먹으면 남북 모두 공멸한다. 어느 것을 선택할 것이냐는 분명하지 않으냐? 그러면 어떻게 해야 하느냐? 당신들은 남한을 공산화한다는 생각을 완전히 버려야 한다. 만약 공산당 당헌에 있는 대로 공산화를 시도한다면 우리는 결국 전쟁을 할 수밖에 없다. 그러면 안 되지 않느냐? 또 우리도 독일식 흡수 통일을 안 할 것이다. 우리는 서독이 아니기 때문에 북한을 흡수해서 먹여 살릴 그런 경제적 능력이 없다. 그동안 오랜 갈등을 겪었는데 갑자기 하나가 되면 여러 가지 많은 문제가 있다는 것을 동서독 통합에서 보지 않았느냐? 그러므로 평화 공존, 평화 교류, 평화 통일의 단계로 해 나가자." 이런 얘기를 했습니다. 이것이 햇볕정책의 구체적인 내용인 것입니다. 김정일 위원장은 저의 이러한 얘기에 매우 감동을 받은 것으로 보였습니다. 그래서 이것을 기초로 해서 회담이 잘 됐다고 생각합니다.

저는 여러분들에게 말하고 싶습니다. 젊은 여러분들이 총대 메고 전선에 나가서 목숨 바치는 일을 왜 우리 민족끼리 해야 합니까? 대화로 얼마든지 해결할 수 있는데 왜 무력으로 해야 합니까? 통일은 결국 우리 모두 다 같이 자유롭고 평화롭고 행복하게 살자는 것이므로 시간이 걸리더라도 그러한 확실한 통일을 해야 합니다. 이러한 것이 모두 햇볕정책입니다. 6자회담 자체도 국제적인 햇볕정책입니다. 저는 중국, 미국 지도자들에게 6자회담이 성공한 후 해체하지 말고 한반도와 동북아 평화를 위한 항구적인 기구로 계속하자고 주장했고 그들도 동의한 바 있습니다. 금년은 햇볕정책이 빛을 볼 해가 될 것입니다. 햇볕정책에 대해서 엉뚱하게 여러 가지 부정적인 얘기를 하던 사람들도 이제는 그런 생각을 바꾼 것 같습니다. 그래서 과거에 반공의 최선두에 섰던 사람도 햇볕정책을 지지한다고 이런 얘기를 하는 것을 보면 세상이 많이 바뀌었다고 생각합니다.

저는 지금으로부터 36년 전인 1971년 대통령 선거에 출마할 때부터 지금까지 일관되게 이러한 평화적 공존, 평화적 교류, 평화적 통일의 원칙을 주장해 왔습니다. 3단계의 통일 방안도 주장했습니다. 햇볕정책의 역사는 깁니다. 이제 마침내 야당까지도 햇볕정책에 대해서 긍정적인 태도를 보이기 시작했습니다. 젊은 여러분이 전쟁에 나가서 희생되지 않으려면, 남북 민족이 공멸하지 않으려면, 남북이 모두 공동 승리하는 그런 세상을 살고 싶으면 햇볕정책에 대해서 더 많은 관심과 성원을 보내 주시기 바랍니다. 이것이 나라를 위하고 여러분 자신을 위하는 길입니다.

질문 남북통일 이후에 법적 사회적 혼란을 막기 위해서 지금까지 정부는 어떤 준비를 해 왔는지, 그리고 대통령님 재임 중 남북한 사회 통합을 위해 법령 준비는 어떠한 것을 했는지 궁금합니다. 그리고 제정할 필요가 있는 법률은 무엇이라고 생각하시는지 말씀해 주십시오.

김대중 상당히 어려운 질문입니다. 그런데 제가 말씀드리고자 하는 것은 제가 주장한 3원칙 3단계 통일 방안은 지금 당장 법률을 필요로 하지 않습니다. 아까도 말했지만 제1단계 남북연합은 남북의 독립국가가 연합해서 사는 것입니다. 북한은 북한 체제를 그대로 유지하면서 통치하고 살고, 우리도 우리 체제를 유지하면서 현재 유엔에 각기 가입한 그대로 사는 것입니다. 그러면서 남북 간 정상회담, 국회회담, 장관급회담 등 각 분야의 교류를 통해서 법적으로는 독립국가끼리 하는 것이고 실제적으로는 민족끼리 협력하는 것이다, 북한은 북한 법 가지고, 남한은 남한 법 가지고 그대로 하는 것입니다. 이렇게 해서 해 나가는 과정에서 남북 간 교류 협력이 증가하면 그때 점진적으로 남북 공동으로 적용하는 경제 협력에 대한 법률, 문화 교류에 대한 법률 등을 만들 수 있을 것입니다. 지금 단계에서 법률을 만들면 오히려 북한이 "우리는 그런 법 필요 없다. 이러한 점은 안 된다." 이런 말이 나올 수 있습니다. 남한도 북한이 법을 만들면 우리 마음에 안 든다고 할 수 있는 등 필요 없는 잡음이 발생할 수 있습니다. 그러므로 아까 말과 같이 독립국가끼리 협력해 나가면서 어느 정도 시간이 지나면 미국과 같은 연방제―군사, 외교, 국방 등 중요한 문제를 중앙정부가 담당하는―그런 단계가 되면 여러 가지 법률이 필요할 것입니다. 1단계 남북연합에서 2단계 연방제까지 가는 데 적어도 수년의 시간이 걸릴 것은 틀림없습니다. 그렇기 때문에 그때 가서 양쪽의 실정에 알맞은 그런 법을 만드는 것이 좋다고 생각합니다. 우리나라, 북한 모두 그러한 법률을 만드는 능력은 마음만 합의되면 많이 시일이 걸리지 않을 것이라고 생각합니다.

우리가 통일하는 데 있어서 지금 중요한 것은 남북 간 평화 체제를 발전시키는 것입니다. '남북기본합의서'에도 남북 간 불가침조약을 할 수도 있다고 되어 있습니다. 또 한국전쟁에 참여했던 한국, 북한, 중국, 미국 4대국이 한반도의 종전 선언을 할 수도 있습니다. 그래서 여러 가지 제도적 보완을 해서 평화협정을 맺을 수 있습니다. 그때는 여러 가지 협정도 필요하고 법률도 필요할 수 있지만 지금 단계에서는 평화 공존, 평화 교류, 평화 통일의 원칙 아래 1단계의 연합제에 우선 주력해야 합니다. 연합제를 해 나가다가 연방제로 나갈 때 그때 많은 법률이 필요하다고 생각합니다.

질문 대통령님은 수많은 역경을 겪었고 그것을 극복해 왔습니다. 그런 의미에서 대통령님의 삶은 성공적인 삶이라고 할 수 있을 텐데요. 대통령님 스스로 본인의 삶이 성공적이라고 생각하십니까? 또 우리 젊은이들이 성공적인 삶을 살기 위해서는 무엇을 어떻게 해야 하는지 대통령님의 생각이 궁금합니다.

김대중 제가 살면서 여러분이 아시다시피 가난에 시달렸고, 국회의원 선거에서 세 번 낙선 후 네 번째 당선되었습니다. 대통령 선거에서도 세 번 떨어지고 네 번째에 됐습니다. 그리고 네 번 죽을 고비를 넘기고 사형 선고도 받고, 납치도 당하고, 6년 이상을 감옥살이했고, 10년 이상 연금 망명 생활을 했습니다. 이걸 가지고 성공했다고는 누구도 말할 수 없을 것입니다. 그런데 저는 지금 질문대로 성공했냐고 물어본다면 "성공했다"고 생각합니다. 왜냐하면 개인적으로 저는 제 양심의 명령대로 살았기 때문입니다. 아무리 손해 보고 위험해도 이것이 옳은 일이라고 생각하면 그것에 목숨을 걸었습니다. 사형 선고를 받고 나서 신군부 사람들이 "우리하고 협력하면서 살려 준다"고 했을 때, 저는 "당신들과 협력하면 일시적으로는 살지만 영원히 죽고, 당신들과 협력하지 않으면 일시적으로는 죽지만 영원히 살 것이기 때문에 나는 영원히 사는 삶을 택하겠다. 그러니 나를 죽이라"고 했습니다.(박수)

사람은 누구나 마음속에 악마와 천사가 있습니다. 천사가 악마를 이길 때는 좋은 일을 하게 되고, 악마가 천사를 이길 때 나쁜 일을 하게 됩니다. 우리 마음속에는 천사와 악마가 왔다 갔다 합니다. 그래서 제가 하는 말은 '행동하는 양심'이 되어야 한다는 것입니다. 마음속의 천사의 말을 듣고 순종하고 그런 방향으로 노력하고 행동해야 합니다. 누구든지 마음속에 천사가 있기 때문에 무엇이 옳고 무엇이 그른지 압니다. 그러나 "옳은지 알면서도 위험하니까 못 하겠다. 옳은지 알면서 손해 보니까 못 하겠다." 이런 생각을 갖기 때문에 양심대로 못 사는 것이 많습니다.

그런 의미에는 저는 여러분들에게 말씀드리고 싶습니다. 인생을 성공적으로 살려면 첫째 '행동하는 양심'이 되어야 합니다. 양심은 모두 있습니다. 그런데 자기 손해 때문에 위험하다고 그 양심을 외면하지 말라는 것입니다. 손해 보더라도, 밑지더라도 양심에 따르면 높은 자리 못 가도, 부자가 못 되는 한이 있더라도 내 양심에 떳떳하게 살았기 때문에 죽은 후에도 자식들은 부모에 대해서 한없이 존경하고 제삿날에 자식들이 통곡하는 그런 부모가 될 것입니다. 그래서 행동하는 양심에 의해서 노력하는 사람은 죽을 때 인생의 후회가 없을 것입니다.

그렇다면 구체적으로 '행동하는 양심'은 무엇이고 어떻게 해야 하는 것이냐, 그것은 이웃 사랑입니다. 내 형제, 부모, 이웃을 마음으로 사랑하고 그들에게 봉사할 일이 있으면 기꺼이 하는 것 그것이 '행동하는 양심'입니다. 그렇게 사는 사람은 죽을 때 부자가 못 되고, 명예를 못 얻더라도 내 인생에 대해서 부끄럼 없고 만족하며 감사해하면서 생을 마칠 수 있다고 생각합니다. 그런 사람이야말로 성공한 사람 아닙니까? 그래서 여러분들은 '행동하는 양심'이 되십시오. 국민을 사랑하고, 이웃을 사랑하고, 세계를 사랑하는 그런 행동하는 양심이 되십시오.

두 번째는 '서생적 문제의식'과 '상인적 현실감각'을 가져야 한다는 말씀을 하고 싶습니다. '서생적 문제의식'인 원칙을 중시하고 무엇이 옳고 그른가에 대해서 따지고 그것을 지키는 사람이 필요합니다. 그러한 사람은 철학이 있고 비전이 있고 당당한 인생의 목표가 있는 사람입니다. 그러나 그것만으로는 부족합니다. '상인적 현실감각'이 필요합니다. 장사하는 사람들이 손님 눈치 보고 돈 버는 궁리를 하듯이 현실 문제를 잘 처리해서 성공하는 이런 것을 병행해야 합니다. 둘 중에 하나만 가지고는 성공할 수 없습니다. 원칙을 지키는 사람은 잘못된 방향으로 가지 않습니다. 그러나 그것만 가지고는 현실에서 성공할 수 없습니다. '상인적 현실감각'을 가지고 현실에서 성공하는 그러한 길을 가는 사람이 중요하다고 생각합니다.

그리고 세 번째는 뭐든지 "세 번 생각해야 한다"는 것입니다. 가령 여러분이 취직한다면 어느 기업에 가고 싶다, 이것이 첫 번째 생각입니다. 그다음은 그 기업이 나에게 알맞은지, 장래성이 있는지, 또 내가 채용이 될 것인지 등 검토해 봐야 합니다. 그것이 두 번째 생각한 것입니다. 그리고 세 번째는 그 기업의 장단점이 무엇이고 단점이 있음에도 무릅쓰고 취직하겠다든가, 단점이 너무 크니까 나에게는 안 맞고 안 가겠다, 이것이 세 번째 생각입니다. 이렇게 세 번을 생각하는, 철학에서 말하는 정반합과 같은 얘기라고도 할 수 있는데, 그런 사람은 큰 실수가 없을 것입니다.

그리고 마지막으로 여러분에게 말씀하고 싶은 것은 "세계인이 돼라"는 것입니다. 지금 전문가, 철학자, 미래학자들이 얘기하는 것은 민족국가 시대는 지나고 세계화 시대로 간다는 것입니다. 모든 사람들이 국가에 의해서 통제받거나 국가와 관계를 맺는 것보다 개인적인 관계 즉 직업 단체나 취미 단체들과 세계적으로 연결되어 국가를 뛰어넘는 시대가 온다고 합니다. 지금은 무엇보다 세계화를 무시할 수 없습니다. 그야말로 구멍가게 아줌마도 외국의 쇼핑몰, 백화점과 경쟁해야 합니다. 세계와 경쟁하고 세계인으로서의 감각과 생각을 갖고 연구해야 한다고 생각합니다. 이런 정도의 생각을 가지고 행동하는 양심이 되고, '서생적 문제의식'과 '상인적 현실감각'을 갖고 또 세

번 생각하면서 세계인이 되십시오. 이런 내용을 여러분들에게 말하면서 저도 제대로 못 해 미안하지만(웃음) 이러한 방향으로 한발 한발 노력해 나가야 합니다. 한꺼번에는 안 돼요. 이렇게 하면 여러분의 장래에 많은 도움이 될 것이라고 생각합니다.

질문 대통령님께서는 '완소남'이라는 단어를 아시는지요? '완소남'이란 말은 요즘 젊은이들이 많이 쓰는 '완전 소중한 남자'라는 말의 줄인 말입니다. 이렇게 직접 뵈니까 호남형 미남에다가 부드러운 카리스마를 가지고 계시니 '완소남'이란 생각이 듭니다.

질문드립니다. 현재 남북한의 소득 격차는 50:1인 것으로 알고 있습니다. 독일을 보더라도 동서독 소득 격차가 비교적 적었는데도 통일 후 실업률, 경제 성장률 등에서 많은 문제가 발생했습니다. 이런 문제들은 앞으로 통일된 한반도에도 문제가 될 것입니다. 김대중 전 대통령님은 이러한 경제적 문제 해결을 위해서 정부나 국민들이 어떠한 노력을 해야 하다고 생각하시는지요?

김대중 지금 질문한 학생이 전반부에서 나에 대해서 칭찬을 한 것 같은데 대단히 고맙습니다. 칭찬해 주셔서.(웃음) 북한 경제는 간단히 말하면 전면적인 파탄 상태입니다. 어디서부터 손대야 할지 모릅니다. 예를 들면 우리는 기차 케이티엑스(KTX)가 380킬로미터로 달리는데 북한 기차는 20-30킬로미터로밖에 못 달립니다. 그것도 조심조심 달려야 합니다. 그렇게 철도가 아주 엉망입니다. 북한은 지금 뭐 하나 제대로 된 분야가 없습니다. 식량, 공업, 생필품 등 모든 것이 부족합니다. 이런 북한을 우리가 독일식으로 흡수 통일해서 떠맡으면 아마 남한 경제까지 파탄 날 것입니다. 그러므로 통일은 3단계의 과정으로 해야 합니다. 그러면서 북한 경제를 회복시켜야 합니다.

제가 김정일 위원장 만났을 때 말했습니다. "북한 경제가 지금 어려운데 제일 큰 원인은 미국과 관계가 나쁜 데 원인이 있다. 미국이 가로막고 국제통화기금(IMF), 아시아개발은행(ADB) 등으로부터 돈 못 빌리게 하고, 일본과 국교 정상화하면 약 100억 달러 받게 되는데 그것도 못 하게 하고, 세계 투자도 못 하게 하고 교역도 불가능하게 하고 있다. 그리고 소련 등 공산권이 다 망해서 당신들이 의지할 데가 없지 않으냐? 그러니 당신들이 살길은 결국 미국과 관계 개선하는 길밖에 없다. 그러기 위해서는 핵도 포기하면서 미국으로부터 살길을 열어야 한다." 이런 얘기를 했습니다. 제가 알기로는 김 위원장이 가장 바라는 것은 미국과 관계 개선입니다. 어떻게 보면 측은할 정도로 바라고 있습니다. 입으로는 미국 욕하지만 내심으로는 그렇지 않습니다. 그건 틀림없습니다. 그것은 주로 경제 때문에 그렇습니다.

그러기 때문에 북한 문제에 있어서는 하루속히 6자회담을 성공시켜서 미국이 북한에 대해서 경제적 봉쇄 조치를 해제해 줘야 합니다. 또 우리도 그런 방향으로 노력하는 동시에 빨리 북한에 들어가서 북한 경제를 살려야 합니다. 그 이유는 중국 경제가 지금 북한으로 들어가고 있기 때문입니다. 북한 생필품의 약 80퍼센트가 중국 제품입니다. 그리고 식량, 기름을 중국에서 주고 있습니다. 그러니까 북한이 일본, 미국의 경제 봉쇄 속에서도 살아남는 것입니다. 거기에 우리도 도움을 주고 있습니다. 그러나 우리가 주는 것은 미국에 의해서 자꾸 제동이 걸립니다. 미국은 "왜 주냐"고 합니다. 부시 대통령과 얘기가 통하는 미국의 지도자들이 간혹 저를 찾아오면 저는 얘기합니다. "당신들 누구 좋으라고 지금 그러느냐? 지금 북한을 중국의 경제로 뒤덮고 있는 상황인데 우리도 빨리 북한에 진출해서 균형을 잡아 가지고 하다못해 반 정도라도 북한 경제에 관여해야 하는데 당신들이 싫어하고, 국내 여론도 '퍼주기다' 해서 못 하고 있지 않느냐? 그런 만큼 북한은 중국에 의존할 것이다. 당신들은 결국 북한을 중국으로 밀어붙이고 있는 것과 마찬가지다. 그렇게 되면 중국은 북한 쪽으로 더욱 진출하게 되고 경제가 진출하면 군사, 정치 등도 영향을 받게 된다. 중국의 힘이 휴전선까지 내려올 것이다. 내가 볼 때는 현명하지 못한 정책을 하고 있다." 이렇게 따지고 설득하면 모두 이해합니다. 그러나 미국 강경파들은 생각이 잘못되어서 미국, 한국에서 상식적으로 문제를 해결하려는 사람들을 어렵게 하는 일이 많았는데 앞으로는 조금씩 달라질 것입니다.

누차 말씀드리지만 현재 북한 경제는 나쁘기 때문에 우리와 밀착하면 안 됩니다. 현재대로 '딱' 휴전선을 지키면서 6자회담을 통해서 북한이 국제통화기금(IMF), 아시아개발은행(ADB) 등에서 세계 투자도 받고, 우리도 북한에 진출해서 경제 지원하는 방향에서 북한이 자력으로 경제 회복하도록 해야 합니다. 북한은 워낙 노동력이 우수하고, 열심히 일하기 때문에 만일 그런 기회가 온다면 북한은 순식간에 발전할 것입니다. 저는 그렇게 봅니다. 그렇게 되면 우리가 통일할 때 부담도 적습니다. 지금 중요한 것은 북한이 핵 문제를 해결해서 국제사회의 지원을 받아 우리도 북한에 마음 놓고 진출해서 우선 북한 경제를 살리는 것이라고 생각합니다. 또 그건 가능하다고 보고 있습니다. 그래서 이와 같이 북한 경제가 튼튼해지고 자기 힘으로 먹고살 만한 여건이 되면 그때 남북이 통일을 생각할 수 있고 발전해 나갈 수 있다고 생각합니다. 북한은 우리와 문화, 언어, 인종 등이 같고 거리가 아주 가깝습니다. 그래서 북한으로 중소기업들이 대거 진출해서 북한 노동력을 활용하면 남북이 다 같이 윈윈의 발전을 할 수 있습니다. 대기업은 북한의 철도, 항만, 도로, 통신, 정보화 등 사회간접자본을 지원해서 북한에 중국이 일방적으로 들어가는 것을 막으면서 우리가 개입해 가야 합니다. 다행히 '현대'가 북한과 협상해서 이러한 거대한 프로젝트에 대해서 30년, 50년 권리를 확보하고 있습니다. 이것은 북한과 경제 협력이 본격화되면 엄청난 이익을 가져다줄 것입니다.

한국도 발전하고 북한도 비약할 길은 압록강과 두만강을 건너서 유라시아 대륙으로 진출하는 것입니다.

지금 중앙아시아는 석유, 가스, 광물 등 노다지판이 벌어지고 있습니다. 거기 가서 돈을 벌어야 하는데 우리가 지금 못 가고 있지 않습니까? 이것만 되면 부산항에서 출발한 기차가 북한을 거쳐 시베리아, 유라시아 대륙을 종단해서 파리, 런던까지 가게 됩니다. 이렇게 되면 지금 바다로만 수출하고 있는데 이제 육지로 가서 거기에 항공까지 붙여서 육해공 3면에서 경제가 발전하게 되는 것입니다. 육해공 중에서 가장 안전한 수송이 되고, 임금이 싸고, 또 시간이 덜 걸리는 것이 육지인데 그것이 북한이 막혀 철도가 못 가고 있는 것입니다. 이번에 6자회담이 잘되고 남북 관계가 잘되면 우리는 그런 방향으로 나갈 수 있습니다. 그것은 남도 좋고 북도 좋은 원원의 발전을 가져오게 됩니다. 그래서 북한에 대해서 지금 '퍼주기'라고 말하는데 사실 '퍼주기'는 아닙니다. 과거에 서독은 동독에 대해서 1년에 32억 달러 주었습니다. 그러나 우리는 북한에 1년에 1억 달러 줍니다. 그런데 독일에서는 '퍼주기' 소리가 안 나왔는데, 우리는 '퍼주기' 소리가 나왔어요. 그래서 어떻게 보면 우리가 참 인색한 소리를 하고 있는 것입니다. 이것을 국내 정치적으로 이용하니까 그런 소리 하는 것입니다. 지금 개성공단만 보더라도 얼마나 큰 덕을 보고 있습니다. 아까 말과 같이 북한 전체로 뻗어 나가면 그때는 '퍼주기'가 아니라 '퍼오기'가 될 것입니다.(박수)

북한 경제는 대외 개방이 되어야 합니다. 대외 개방이 되려면 6자회담이 성공해야 합니다. 그렇게 되면 우리 남한도 크게 진출할 수 있습니다. 그러면 북한의 경제는 급속히 회복할 것입니다. 그래서 남북의 경제가 엇비슷하게 되면 남북의 생각도 같아지고 경제가 발전하면 중산층도 발전합니다. 그건 어느 나라에서든 그렇습니다. 지금 중국에서도 그런 사태가 일어나고 있습니다. 중산층이 형성되면 민주주의를 요구하고 자유를 요구합니다. 영국이 산업혁명을 해서 중산층이 일어났고 중산층이 투표권과 정치 참여권을 달라고 요구했습니다. 그것을 귀족들이 현명하게 받아 주어서 영국은 평화적 민주혁명이 일어났습니다. 그러나 프랑스는 중산층의 요구를 거절했습니다. 그래서 중산층이 들고일어나서 프랑스 대혁명이 일어났고 왕이나 귀족들 모두 죽임을 당했습니다. 결국 경제가 발전하면 중산층이 생기고 중산층은 반드시 정치적 권리를 요구하게 됩니다. 북한 사회도 그렇게 됩니다. 지금 중국 보세요. 경제가 발전되니까 중산층이 생겨서 할 수 없이 과거에는 공산당원이 되는 것은 노동자만 되었는데 이제는 기업인, 지식인도 공산당원이 됩니다. 이것이 '3개 대표론'인데, 결국 기업인, 지식인은 중산층입니다. 중국이 민주화가 되려고 꿈틀거리는데 이것이 영국과 같이 평화적으로 되느냐 잘못하면 프랑스 같은 사태가 되느냐 하는 것은 중국 지도자들의 현명한 판단에 있다고 생각합니다. 저는 중국 지도자들이 현명한 판단의 방향으로 갈 가능성이 크다고 보고 있습니다. 여하튼 북한에 대해서도 앞으로 경제가 발전할 것이고, 경제가 발전하면 중산층이 생길 것이고, 중산층은 민주화를 요구할 것이고, 그렇게 되면 우리와 같아질 것입니다.

질문 경제, 안보 문제 때문에 상대적으로 부각되지 못한 북한 인권 문제에 대해서 질문드리고자 합니다. 정부 차원에서 북한 인권 문제를 거론하지 않는 것에 대해서 시민단체나 국제 여론은 이것을 쟁점화시키기 위해 노력하고 있는데요. 이러한 상반된 입장에 대해서 우리 학생들은 어떤 태도를 취해야 하는지. 그리고 북한 인권 문제의 해답은 무엇이라고 생각하는지 궁금합니다.

김대중 그런데 제가 여러 대학교에서 연설했는데 질문은 대개 세 개, 네 개 했는데 오늘 전북대는 다섯 개를 해서 앞으로 하나만 더 하면 저의 지식이 끝나서 답변을 못 하게 되지 않나 이런 생각이 듭니다.(웃음) 그런데 마지막으로 아주 중요하고 우리가 한 번은 검토해야 할 인권 문제가 나왔습니다.

저는 재임 중 부시 대통령과 장시간 토론을 한 적이 있습니다. 부시 대통령이 공산권의 인권 문제를 많이 얘기하지 않았습니까? 그래서 제가 부시 대통령에게 "인권에는 두 가지가 있다. 하나는 정치적 인권, 하나는 사회적 인권이다. 정치적 인권은 언론·집회·결사의 자유 등이고, 사회적 인권은 먹는 인권, 병 고치는 인권, 안전하게 사는 인권이다. 사람은 태어난 그 날부터 사회적 인권이 있다. 그리고 정치적 인권은 근대화 이후 생겼다. 지금 북한에 정치적 인권을 얘기하면 해결할 길이 없다. 완전한 독재체제에 갇혀 있기 때문에 우리가 말한 것도 전달도 안 되고, 그 사람들은 외부 정보를 모르니까 세상이 어떤지도 모르고, 그리고 무슨 말을 하려고 해도 두려워서 못 하고 있다. 그런데 우리는 공산권의 인권 문제에 대해서 경험을 가지고 있다. 소련에 대해서 '악마의 제국'이라고 얘기하고 인권 나쁘다고 얘기했지만 아무것도 해결 안 됐다. 그런데 유럽안보회의(최초의 헬싱키협정)를 통해서 데탕트를 해서 동서가 서로 왕래하고 경제, 문화 교류해서 소련 사람들이 서구 사회를 알고 난 후 내부에 동요가 일어났다. 그래서 고르바초프 대통령이 페레스트로이카를 주장하고 개혁 개방을 들고나온 것이다. 그리고 동유럽 국가들이 변화하기 시작했다. 결국에서 억압하고 비난하고 독재한다고 탄압할 때는 전혀 변화가 없었는데 교류 협력이 시작되고 외부 상황을 알게 되니까 그때 달라졌다. 이것이 우리에게 교훈을 주고 있다. 북한도 마찬가지다." 이런 얘기를 했습니다.

중국도 마오쩌둥 치하에서는 수백만의 국민들이 굶어 죽고, 숙청당하고, 공산당도 수십만 명이 죽었습니다. 참으로 지옥 같은 사회였어요. 그러나 닉슨 대통령이 마오쩌둥을 만나 가지고 국제연합(UN) 가입하고 미국과 국교 정상화하고 나니까 중국이 개혁 개방으로 덩샤오핑이 등장했습니다. 그래서 시장경제를 도입하니까 경제가 일어나고, 부가 생기고, 중산층이 일어난 것입니다. 중국 사회가 과거에 비하면 많이 자유화되고 인권이 나아졌습니다. 물론 우리 수준에서 보면 미흡하지만 중국의 과거에 비하면 엄청나게 변화한 것도 사실입니다. 베트남도 그렇습니다. 공산주의는 독재하고 국민들 정신을 마비시켜서 자기들 마음대로 국민의 사고방식을 조정하고 통치하는 제도이기 때문에 외부에서 개방하지 않고 비판만으로는 개선이 안 된다는 것입니다.

지금 공산권에 있는 사람 중에 급한 것은, 물론 언론·집회·출판 등의 자유도 중요하지만, 배고픈 사람들이 먹는 것, 병 걸린 사람들이 병 고치 것, 최소한도 전깃불이 들어오는 환경에서 살 수 있도록 하는 것이 중요합니다. 북한처럼 산에서 나무껍질 먹고, 풀뿌리 먹고 있는 사람들에게는 이런 언론의 자유는 관심도 없다고 봐야 합니다. 우선 배고프지 않고, 죽지 않고 사는 것이 중요합니다. 그래서 북한 인권에 대해서는 정치적 인권과 사회적 인권, 둘을 구분해서 해야 합니다. 사회적 인권은 한국이 많이 도와주고 있습니다. 식량, 비료, 약품 등을 한국만큼 도와준 나라가 없습니다. 그래서 이제 북한 사람들은 한국에 대해서 고마운 마음을 갖고 한국이 잘산다는 것을 알게 됐습니다. 그래서 이제는 한국 사람을 이웃사촌 대하듯 하지 않습니까? 북한 주민의 마음이 많이 바뀌었다고 볼 수 있습니다. 다만 정치적 인권은 탈북자를 수용해서 정착시키는 것을 하고 있습니다. 정치적 인권은 공산권을 개혁 개방하지 않는 이상 비판만 하면 더 굳어집니다. 그래서 그건 해결책이 아닙니다.

공산당은 억압하고 봉쇄하기 때문에 경제가 망합니다. 그러니까 경제 안 망하려면 개방을 해야 합니다. 개방하면 세상을 알게 되고, 세상을 알게 되면 정치적 인권이 생깁니다. 그래서 이런 점을 알고 우선 북한 사람들이 굶주림에서 해결되도록 가능한 최대한 도와주어서 그 사람들이 우리에게 감사하고 부러워하고, "이래서는 안 되겠다"는 생각 갖게 만들어서 정치적 인권까지 변화하는 단계로 갈 수 있도록 유도해야 합니다. 그러나 그것은 지금 당장은 힘들고 북한이 6자회담에 성공해서 국제사회로 나오게 되면 그때는 자연히 국제사회와 많은 교류가 있기 때문에 그때는 북한 사람들이 영향을 많이 받을 것으로 생각됩니다.

결론적으로 북한 인권 문제는, 사회적 인권은 우리가 도와줄 수 있으니까 하자, 그리고 정치적 인권은 지금 힘드니까 북한을 국제사회로 끌어내서 국제사회와 북한이 교류해서 과거 소련과 같이 내부에서 민주화 요구가 나오듯이 북한 내부에서도 일어나도록 만들어야 한다, 이 둘을 분리해서 아무리 급하더라도 그렇게 할 수밖에 없지 않으냐 이렇게 생각합니다. 이 점에 대해서 여러분도 많이 검토해 보시기 바랍니다. 감사합니다.

아시아의 만델라, "남북한 평화롭게 지낼 수 있다"

대담 가브리엘레 베르티니또
일시 2007년 4월 25일

한국의 김대중 전 대통령은, 2000년 6월 15일 처음이자 마지막으로 남북정상회담을 열고 '햇볕정책'을 이끌어 온 장본인이다. 북한은 최근 몇 년간, 클린턴 정부 때와는 달리 부시 정부와 긴장 관계에 있었다. 그러나 최근 미국 정부가 변화를 시도해 양국 간 대화를 추진하고 있다. 한국은 올해 안으로 남북정상회담을 다시 열려고 노력하고 있는 것 같다. 김대중 전 대통령은 건강이 악화되어 계속 치료 중이지만 열정은 식지 않았다. 그는 정치 인생 중 16년 이상 교도소 및 가택 연금을 당했고, 3년간 망명, 5회에 걸친 살해 시도와 억류 등을 견디어 냈다. 그는 군사독재에 비폭력으로 저항하고 민주화를 실현시켰으며 남북 평화 통일 노력을 주도했었다.

서울 자택에서 김대중 전 대통령을 만났다. 그의 응접실 벽에는 미국 유명 잡지의 커버 사진을 비롯해 지난 2000년의 노벨평화상 수상식 장면 등 그의 국제적 명성을 한눈으로 알아볼 수 있는 사진을 담은 액자들이 걸려 있었다.

가브리엘레 퇴임 이후, 김정일 위원장과 역사적인 만남을 통해 이루어 낸

'햇볕정책'의 의미가 퇴색하고 있는데 이유는 무엇이며 이를 회복시키기 위해 무엇을 할 수 있다고 보는가?

김대중 실제로 나의 대통령 임기 중에 정치적으로 중요한 결실을 거두었다. 이는 아직도 건재하다. 그것은 남북 간 대립을 극복하고 평화 통일로 이끌기 위해 대화를 계속하는 것이다. 외부에서 피상적인 비판을 많이 했지만, 그 성과는 아직도 지속되고 있다. 예를 들어, 2000년 정상회담 이후 남북 이산가족 200가족이 만났는데 그 이후, 1만 5천 가족이 만났다. 게다가 매년 한국인 10만 명이 북한을 방문하기 위해 휴전선을 넘고 있다. 그리고 개성에는 한국 기업이 을 조성했고 북한 노동자를 고용하고 있다. 현재, 북한 노동자 1만 5천 명이 일하고 있지만 1단계 공사가 끝나면 10만 명이 넘을 것으로 예상하고 있으며, 생산 활동이 활발해지면 35만 명까지 고용하게 될 것이다. 개성공단은 참으로 성공적인 사례이다. 더 중요한 것은 남북한 사람들이 서로 정을 나눈다는 것이다.

가브리엘레 그것이 무엇을 의미하는 것인가?

김대중 예전과 비교해 남북한 사람들끼리의 대립 의식이 점차 약화되었다. 이제 북한 주민들은 이념이 다른 한국 사람과도 형제자매처럼 함께 살 수 있다고 생각하고 있다. 한국에 대한 악의적인 비방을 더 이상 믿지 않을 뿐 아니라 과거처럼 적대적인 태도를 취하지 않는다. 오히려 한국의 물질적인 도움에 대해 고마워하고 한국의 경제 발전을 부러워하고 있다. 한국에 대한 북한의 공식적인 선전물을 보면, 한국을 악랄한 침략군으로 묘사하고 있는데 북한 주민들은 이것이 사실과 다르다는 것을 깨닫고 있다. 처음엔 북한 사람들이 한국 사람들에게 적대적인 시선을 보내고 아무도 말을 건네지 않았었는데 이제 이웃처럼 바라보고 있다. 지금은 우리에게 도움을 요청할 정도로 바뀌었다. 한국인들 역시 북한과의 이념 차이에도 불구하고 북한 사람들을 형제자매처럼 생각하고 공생할 수 있는 길을 모색하고 있다. 예전에는 한국인들 중에서도 일부는 남북 흡수 통일을 주장했지만 이제는 내다수가 남북한 간 평화적으로 공생하고, 점진적으로 통일을 향해 나아가기를 원하고 있다. 이제 남북한은 이 같은 변화에 서로 익숙해져 있다.

가브리엘레 최근 남북 화해 정책에 위기가 있었던 것 같은데 그 이유는?

김대중 햇볕정책에 대해 다른 나라들이 피상적으로 해석하고, 북·미 관계를 악화시킨 면이 있다. 클린턴 정부는 햇볕정책을 지지했지만 부시 정부는 이와 반대 입장이다. 부시 대통령이 당선된 이후 북·미 관계가 악화되었다. 북한에 대한 미국의 압력은 결국 실패만 거듭했다. 다행히 지난 2월, 6자회담을 통해 합의점을 찾고 있다. 미국은 북한이 요구한 북한의 안전 보장, 경제 제재 조치 철폐, 외교 관계 정상화를 약속했다. 대신 북한은 핵무기 프로그램을 포기해야 한다. 곧, 양국이 직접 대화를 가질 것이다.

가브리엘레 남북한 사람들이 서로 간 대하는 태도가 변화했다는 것에 일반 시민 이외에 지도자 계층도 포함하는가?

김대중 북한은 예전에 한국이 미국의 지시를 따르며, 북침을 준비하고 있다고 주장했다. 2000년에 김정일 위원장을 만났을 때, 사실과 다르다는 것을 분명히 밝혔고, 지금은 한국이 전쟁에 관심이 없다는 것을 알고 있다. 한국과 미국 간의 군사조약은 공격에 목적을 두지 않고 단지, 침략을 당했을 경우 방어를 위한 것이다. 북한은 우리가 전쟁을 고려하고 있지 않으며 군사력 사용을 원하지 않는다는 것을 알고 있다. 그래서 북한은 지금은 이 점을 이해하고 있고 그들의 태도도 변화되었다.

가브리엘레 그러나 한국인의 시각이 아닌 국제사회의 시각에서 봤을 때, 과연 어디까지 북한 지도자들을 신임해야 하는가? 특히, 김정일 위원장은 믿을 만한가?

김대중 첫째, 김정일 위원장은 북한 정권을 유지하려면 미국과의 관계 개선이 필요하다는 것을 잘 알고 있다. 두 번째, 김정일 위원장이 먼저 미국에게 국가 안전 보장과 제재 조치 철폐, 관계 정상화를 요구했다. 만약 미국이 이를 수용하면 북한은 핵무기 계획을 포기하고 국제사회의 요구에 순응하지 않을 수 없다. 나는 항상 북한에게 기회를 주자고 말해 왔다. 6자회담이 바로 그런 기회이다, 지금은 그들의 요구가 순수하다는 것을 검증할 시기이다. 어찌 되었든 나는 6자회담이 성공할 것으로 믿는다. 특정 개인에 대한 믿음에 대해 말하자면, 외교라는 것은 국가 간 우정을 나누자는 것이 아니고, 자국의 이익을 위한 것이다. 북한은 그들이 요구한 것을 얻게 된다면 이에 대해 무엇인가를 돌려줘야 한다. 이것을 알기 때문에 미국도 대북 자세를 바꾼 것이다. 앞으로 잘 될 것으로 생각한다.

가브리엘레 한국인 반기문 전 장관이 유엔 총장이 되었다. 무엇을 기대하는가?

김대중 열심히 일해 주기 바란다. 무엇보다도 한국뿐 아니라 중동 및 아프리카 내 아직도 해결되지 않은 지역 분쟁을 해결하고 가난을 퇴치하기 위해 노력 해 주기 바란다. 전 세계에서 12억 명이 하루에 1달러 미만으로 생활하고 있다. 그리고 에이즈와 말라리아, 저개발 국가의 문맹 퇴치를 위해 노력해 달라고, 반 총장이 유엔으로 가기 전에 나에게 들렀을 때 그에게 부탁했었다.

가브리엘레 이탈리아는 사형제 폐지를 제안했고 반 총장도 이를 지지하고 있다. 이에 대해 어떻게 생각하는가?

김대중 나는 오래전부터 사형제 폐지를 주장했었다. 나의 대통령 5년 임기 동안, 사형을 집행한 일이 없었다. 임기를 끝낸 후에도 10명의 사형수를 감형해 주기 위해 애를 썼다.

가브리엘레 1년 전, 김정일 위원장을 만나기 위해 평양을 방문하려 했었다. 남북한 직통 기차를 타고 여행하는 것이었다. 현재, 아무것도 실행된 것이 없다.

김대중 그렇다. 준비하고 있었는데 북한의 미사일과 핵실험으로 무산됐다. 지금은 다른 계획이 없으며 차라리 현직 대통령이 다녀오는 게 좋을 것같다.

가브리엘레 가능성이 있는 일인가?

김대중 정상회담은 있을 것이다. 상호 교환 방문은 2000년 김정일 위원장과 합의한 선언문에 명시되어 있다. 그러나 이는 단지 선언에 불과하고 지금은 상황이 바뀌었다. 올해 정상회담이 있을 가능성이 크다고 본다. 그리고 오는 12월에 선출된 차기 대통령이 세 번째 만남도 추진할 것이다.

* 이 글은 2007년 4월 25일 『루니타』(L'Unita)지 기자 가브리엘레 베르티니또(Gabriele Bertinetto)와의 인터뷰다.

김대중 대화록 ❹
2003—2007

초판 1쇄 발행 2018년 8월 29일
지은이 김대중
엮은이 정진백
발행인 정진백 **편집** 김효은
발행처 도서출판 행동하는양심 **등록번호** 제2015-000001호
주소 광주광역시 동구 백서로137번길 29, 1층 | 전라남도 화순군 도곡면 온천2길 44 김대중기념센터
전화 061-371-9975 **팩스** 061-371-9976 **이메일** asia9977@daum.net

인쇄·제책 (주)신광씨링/출판사업부 (062-232-2478)

ISBN 979-11-964442-5-9 (04300) | ISBN 979-11-964442-0-4 (04300) 세트